GELUK HEEFT VEEL GEZICHTEN

Jos van Manen Pieters

Geluk heeft veel gezichten

Dromen sterven niet

Soms krijgt geluk een nieuw gezicht

Uitgeverij Westfriesland

Eerste druk in deze uitvoering 2004

NUR 344
ISBN 90-205-2694-4

Copyright © 2004 by 'Westfriesland', Kampen
Omslagillustratie: Reint de Jonge
Omslagontwerp: Van Soelen, Zwaag
Oorspronkelijke uitgave *Dromen sterven niet,* 1972
Oorspronkelijke uitgave *Soms krijgt geluk een nieuw gezicht,* 1976

DROMEN STERVEN NIET

HOOFDSTUK 1

De employé van het detectivebureau is nog jong, en kennelijk ambitieus.

De oude dame die hem ontboden heeft, blijft even stilstaan om hem te kunnen observeren, een moment slechts, dat ligt tussen het ogenblik waarop ze de lift verlaat en het ogenblik waarop ze zich in beweging zet om de ruime lounge van het hotel door te lopen teneinde zich bij hem te voegen.

Het is er stil op dit uur van de dag; de jongeman is – behalve de onpersoonlijke figuur achter de balie – de enige aanwezige.

Er is iets in zijn manier van wachten, schoon moeilijk te benoemen, dat ongeduld verraadt.

De vrouw herkent dat ongeduld intuïtief, omdat ze zelf het grootste deel van haar lange leven op gelijke wijze wachtend doorbracht. Geenszins passief, maar jagend naar een steeds veranderend doel, ongeduldig en onbevredigd, omdat wat bereikt en veroverd werd altijd beneden de maat van haar slechts half-bewuste verwachtingen bleef.

Zij kijkt op het horloge dat haar blauwgeaderde pols siert en stelt vast, dat ze zich in strijd met haar gewoonten tenminste tien minuten heeft verlaat.

„Ik ben Mrs. Simpson," zegt ze tegen de blonde jongen, die is gaan staan zodra hij haar opmerkte, „en ik mag aannemen dat u de meneer Heldering bent die men beloofde mij te sturen."

„Inderdaad mevrouw. Ik sta geheel tot uw beschikking."

Hanna Simpson beluistert met enig wantrouwen de ironische ondertoon in zijn stem en vraagt zich onwillekeurig af wat er mis geweest kan zijn met haar formulering. Staat het deze knaap met zijn energiek voorkomen niet aan dat hij vooralsnog door een ander naar diens believen gestuurd kan worden?

Troost je, mijn jongen, denkt ze geamuseerd, iemand als jij zal gauw genoeg zelfstandig zijn.

De jongeman bevalt haar, niet het minst om de bedwongen levensdrift die ze in hem raadt. In stilte vergelijkt ze hem met een renpaard dat staat te trappelen om weg te komen, en het spijt haar bijna dat ze hem geen interessanter opdracht verschaffen kan.

„Well," zegt ze tenslotte, opnieuw een vluchtige blik op het horloge werpend, „ik constateer dat u punctueler bent geweest dan ik. Gaat u weer zitten, en laten we ter zake komen."

Ze laat dit verkapte excuus voor haar te-laat-komen vergezeld gaan van een innemend glimlachje, dat haar verslapte mond op een verrassende manier verjongt. Dan keert ze zich half om en wenkt met een klein, bevelend gebaar de receptionist: „Kunt u ervoor zorgen dat wij hier koffie geserveerd krijgen? Kunt u? Well, regelt u dat dan even."

De jeugdige Heldering vermaakt zich inwendig met het Nederlands dat zijn opdrachtgeefster spreekt, een Nederlands waarin ieder woord weliswaar op zijn plaats staat, maar dat met een typisch Amerikaans sausje is overgoten. Speciaal dat sappige 'well' is een duidelijk visitekaartje.

Terwijl de koffie voor hen wordt neergezet, neemt hij haar heimelijk op: een kwieke oude vrouw, die ondanks haar kwiekheid iets zeer vermoeids in haar wezen heeft, alsof het leven haar boven haar vermogen heeft voortgejaagd; gekleed met een zekere bescheiden chic, maar naar zijn persoonlijke smaak wat al te goed in de verf voor iemand van haar leeftijd. Maar dat zal in Amerika, waar zij vandaan schijnt te komen, wel tot de bon-ton behoren.

„Ik heb een paar inlichtingen nodig," vertelt Mrs. Simpson hem even later van achter haar koffie, „maar u behoeft niet overdreven geheimzinnig te werk te gaan om die te verkrijgen; het gaat om een zaak die het daglicht heel goed verdragen kan. Ik zou er evengoed zelf op af kunnen gaan om te weten te komen wat ik weten wil, maar ik ben een oude vrouw, en ik wil mijn krachten sparen. Daarom heb ik mij met uw bureau in verbinding gesteld. Ik zal u in een paar woorden vertellen waar het om gaat.

Zevenenveertig jaar geleden verliet ik dit land, in onmin met mijn familie, en pas eergisteren ben ik er voor het eerst weer binnengekomen. Dat ik de taal na al die jaren nog redelijk spreek, dank ik aan het feit dat ik in de Verenigde Staten op verschillende plaatsen vriendschappelijke betrekkingen onderhield met Hollandse emigrantenfamilies. Maar dat kan u nauwelijks interesseren.

Toen ik destijds vertrok, was mijn broer, Matthias Berger, afgezien van mijn vader en moeder, mijn enige familielid. Hij was nog niet zo lang getrouwd met ene Lucie Boerma, en ze hadden een zoontje van een jaar of twee.

Nadat mijn ouders overleden waren, heb ik geen enkel contact meer gehad met mijn broer. Maar nu ik terug ben wil ik weten of hij en zijn vrouw nog in leven zijn, wat er van hun zoon geworden is en of er later nog meer kinderen uit hun huwelijk zijn geboren. De jongen heette Hugo, Hugo Johannes, als ik mij wel herinner. Het adres waarop ze destijds woonden heb ik voor u opgeschreven.

Ik ben van plan mijn familie, als ik die inderdaad mocht blijken te bezitten, binnenkort op te zoeken, meneer Heldering.

Maar eerst wil ik hun omstandigheden kennen, zo grondig moge- lijk, en iets van hun persoonlijkheid weten, om mijn houding tegen- over hen te kunnen bepalen. Denkt u dat u met deze gegevens iets beginnen kunt?"

„Dat moet niet zo moeilijk zijn," antwoordt de ander onbekom- merd.

Hij kijkt even vluchtig de aantekeningen door die hij tijdens haar verhaal maakte en stelt nog een enkele zakelijke vraag over geboor- teplaatsen en -data, om die gegevens aan te vullen.

Een paar dagen later zit hij opnieuw tegenover de oude dame, dit- maal om het rapport toe te lichten dat hij over zijn bevindingen schreef.

Na lezing van dat rapport heeft zij onverwijld het bureau gebeld en hem gevraagd de lunch met haar te gebruiken in het restaurant van het hotel waar ze logeert. Enigszins verrast heeft hij de invitatie aangenomen.

Is dit een goed of een veeg teken? Moet hij dit etentje als een bedankje zien of zal hij gekapitteld worden omdat Mrs. America niet tevreden is over de resultaten van zijn nasporingen?

Hij weet het niet, maar van nature optimistisch, besluit hij de din- gen maar over zich te laten komen.

Wat Hanna Simpson betreft, zij betrapt zich erop dat het haar oprecht plezier doet weer eens gezelschap te hebben tijdens het eten, iemand met wie ze van gedachten kan wisselen, na al die een- zame maaltijden aan veel te grote, veel te lege tafels.

De gezonde eetlust van de jeugdige detective, die niet ouder dan vijfentwintig jaar kan zijn, maakt haar bijna afgunstig. Ze conver- seert wat over onbelangrijke aangelegenheden alvorens tot de zaak te komen die haar bezighoudt, en Wim Heldering, zich bewust van zijn positie, hoedt zich er wel voor zelf de koe bij de horens te vatten.

Op een gegeven moment echter verbaast zij hem met de opmerking: „U zou wel een kleinzoon van mij kunnen wezen."

„Wat leeftijd aangaat, bedoelt u?"

„Dat ook. Maar u schijnt zo geladen. Met energie en levensdrift, meen ik. Zo placht ik vroeger ook te zijn."

„Zo bent u nóg, dunkt mij," zegt de ander openhartig.

Weer maakt dat speciale glimlachje haar doorléefde gezicht jaren jonger.

„Thank you, boy," zegt ze simpelweg, zichzelf voor even vergetend.

En nu durft de jongen tegenover haar het ineens wél te vragen: „Was u niet tevreden met mijn rapport, dat u mij terug liet komen, Mrs. Simpson?"

Zij knikt hem geruststellend toe.

„Dat rapport was wel goed; er stonden een heleboel gegevens in. Maar het was zo nuchter. Ik wil dat u er kleur aan geeft. Ik wil dat u me méér vertelt dan feiten. Hebt u ze met eigen ogen gezien: mijn neef Hugo, zijn vrouw, zijn twee jongens, zijn dochter? Haar ook? Ik wil alles van ze weten, ook uw persoonlijke indruk, juist uw persoonlijke indruk!"

Ze neemt de papieren uit haar handtas, een overbodig gebaar, want ze wéét wat erop te lezen valt, al heeft ze zich de data en adressen nog niet eigen gemaakt.

Matthias Berger, overleden dan en dan, begraven daar en daar, Lucia Berger-Boerma, sinds die en die datum wonend in een verpleeginrichting, lijdend aan een ongeneeslijke ziekte, momenteel in een coma verkerend in het plaatselijke ziekenhuis. Matthias en Lucie, respectievelijk dood en ten dode opgeschreven, niemand achterlatend dan die ene zoon.

Het heeft haar even geschokt, maar niet meer dan wanneer het anderen betroffen had, anderen die eens, lang geleden, een onbelangrijk bijrolletje in haar leven speelden.

HANSJE BERGER, dát is de naam die haar uit het getypte rapport is tegemoet gesprongen, de naam die zij met drie dikke ballpointstrepen heeft onderlijnd. Hansje, Hugo's dochter, Matthias' kleindochter, twintig jaren jong.

Het meisje dat háár naam draagt, haar troetelnaampje van eens, bijna vergeten, dat duizend bitterzoete herinneringen in haar heeft opgewoeld.

Het meisje dat, misschien, haar reis naar Europa zin zal geven.

Gewend zichzelf in toom te houden, breidelt ze echter haar branrende nieuwsgierigheid en vraagt eerst naar de anderen.

En Wim Heldering vertelt.

Hij zet de heer Hugo J. Berger ten voeten uit voor haar neer, hem in enkele rake zinnen typerend: hoofdvertegenwoordiger van een grote conservenfabriek, compleet met embonpoint en dure sigaar, de hoed achter op zijn dikke hoofd geschoven.

Hij beschrijft in grote trekken zijn huis: bankstel, kleurentelevisie, kamerbreed tapijt, autootje voor de deur – de entourage van de geslaagde, welvarende Nederlander.

Hij typeert mevrouw Justien Berger als een lief, hulpvaardig mens, dat er uitziet of ze geen andere zorgen heeft dan een niet-aanwezige slanke lijn.

De echtgenoten schijnen in goede harmonie te leven, zowel met elkaar als met hun omgeving.

De oudste zoon Mattieu, die in militaire dienst is, zoals zij in het rapport heeft kunnen lezen, schijnt een versierder te zijn, als Mrs. Simpson weet wat dat zeggen wil.

Desgevraagd legt hij het haar uit: haar achterneef brengt zijn vrije tijd bij voorkeur door met aardige meisjes, en dat zonder al te serieuze bedoelingen. Hij heeft de roep een vlotte vent te zijn, zij het een beetje over het paard getild. Een persoonlijke indruk kan hij in dit geval echter niet geven: Mattieu is het enige lid van de familie dat hij alleen van horen zeggen heeft leren kennen. De jongen was in het buitenland toen hij de omgeving onveilig maakte om zijn inlichtingen te vergaren, op militaire oefening in West-Duitsland om precies te zijn.

Wat de jongste zoon betreft, Freek, die is nog op de middelbare school, zoals zij inmiddels weet. Hij zit voor zijn eindexamen en heeft daarom weinig tijd voor zijn hobbies, roeien en zeilen, waarin hij schijnt uit te blinken. Hij is een echte sportjongen, fors en gespierd, met een aardig, open gezicht.

„Wat het meisje betreft…"

Hier onderbreekt Hanna Simpson het relaas van haar overbuurman.

11

„Het meisje bewaren we nog even," zegt ze.

Ze voelt binnen in zich een sterke tweespalt tussen de drang om te weten en de vrees in haar hooggespannen verwachtingen te worden teleurgesteld.

Maar wat verwacht zij dan, wat kán zij verwachten van iemand wier bestaan zij enkele uren tevoren nog niet bevroedde?

Verward vraagt zij het zich af.

Heeft zij zich in deze korte tijd reeds zózeer vastgebeten in de gedachte dat dat onbekende naamgenootje op de een of andere manier een nieuwe betekenis aan haar doelloos geworden leven zal kunnen geven? Dat zij in deze Hansje haar eigen jeugd zal weerzien, maar anders, gaver, zonder de hindernissen die voor haar eenmaal de weg naar het geluk op onoverkomelijke wijze bemoeilijkten?

Het is Hanna Simpson vreemd te moede in deze ogenblikken.

De omstandigheden hebben haar gemaakt tot wat ze is: een bijdehante, tamelijk dominerende vrouw, gewend de materiële dingen van het leven naar haar hand te zetten. Het schokt haar te onderkennen, dat diep in de energieke zakenvrouw ook nog steeds die andere leeft met haar droom van geluk, kwetsbaar als een bevend eendagskuiken: het hunkerende kind dat nooit in haar gestorven is. In een onzinnig zoeken naar uitstel spéélt zij zichzelf, de evenwichtige vrouw-van-de-wereld, en luistert bijna bevreemd naar de eigen stem die met een bedriegelijke schijn van welwillende belangstelling informeert: „Kunt u me eerst niet eens vertellen hoe u het klaarspeelt ongemerkt al dit soort indrukken op te doen? Of is het inbreuk maken op een ambtsgeheim, u naar uw werkwijze te vragen?"

Wim Heldering lacht: „Eigenlijk wel."

„Voor officiële gegevens hebben wij een goede entree op de bureaus van de Burgerlijke Stand," praat hij dan, „dat levert weinig problemen op. Als je de weg weet, zijn er trouwens meer kanalen om iets over mensen te weten te komen.

Wat het ongemerkt observeren betreft, tja, dat is een kwestie van feeling; een subtiel mengsel van tact en brutaliteit."

Hij haalt een beetje hulpeloos de schouders op. „Er zijn geen regels voor te geven. Iedere keer opnieuw moet je op je eigen inspiratie afgaan. Als u het leuk vindt, wil ik wel een tipje van de sluier voor u oplichten en u vertellen hoe ik bijvoorbeeld mevrouw Berger te zien en te spreken gekregen heb."

„Ik luister," zegt Hanna Simpson.

Hij krijgt er plezier in en grinnikt haar toe als een kwajongen die een streek gaat opbiechten: „Toen ik eenmaal het huidige adres van de familie te pakken had, Nassauweg 38, ben ik in die straat met gezwinde spoed op zoek gegaan naar nummer 83, en heb de naam die daar op de deur stond terdege in mijn geheugen geprent. Dat was trouwens zo moeilijk niet. 'De Beerenbroek' heetten de ongelukkigen."

Weer grinnikt hij.

„Vervolgens heb ik zonder blikken of blozen aangebeld bij nummer 38 en aan mevrouw Berger, die mij opendeed, heb ik beleefd gevraagd, met wat paperassen in mijn hand en met mijn meest argeloze intonatie en oogopslag, of daar misschien óók iemand woonde die De Beerenbroek heette.

'Nee', zei ze, 'hier woont niemand anders dan wij, en wij heten Berger. Er wonen wel De Beerenbroeks hier schuin tegenover. Nou ja, wel érg schuin, hoor!' en ze lachte hartelijk. 'Het is een van de laatste huizen van dat lange blok daar; kijkt u maar op de naambordjes.'

Ik bedankte haar en verzuimde niet, binnensmonds een beetje te mopperen op de collega die mij zogenaamd een verkeerd huisnummer had doorgegeven, met het gevolg dat ik haar voor niets had moeten lastigvallen.

Ondertussen had ik natuurlijk terdege mijn ogen de kost gegeven.

Ten slotte, alsof het mij tóen pas te binnen schoot, vroeg ik haar of ze me misschien nog even kon uitleggen waar ik de Zonnebloemlaan kon vinden, omdat ik ook daar bij iemand wezen moest, en totaal onbekend was in haar woonplaats.

Ik had die laan van te voren op een kaart uitgezocht, er wel voor zorgend dat het niet al te gemakkelijk uit te leggen viel.

En mijn opzet lukte boven verwachting, want de vrouw – ik zei u al dat ze aardig was – bedacht, nadat ze zich hopeloos in haar eigen explicaties had verward, dat er nog een plattegrond van de stad in huis moest zijn. Als ik even binnen wilde komen, zou ze me daarop met plezier aanwijzen welke weg ik moest nemen.

Ik belichtte natuurlijk prompt mijn overgrote bescheidenheid, door

13

er vurig tegen te protesteren dat zij zoveel moeite zou doen, maar even later stond ik dan toch in de kamer die ik u al eerder in grote trekken beschreef. En terwijl mevrouw Berger eerst de plattegrond en daarna de Zonnebloemlaan opzocht, bekeek ik tersluiks de portretten van haar drie kinderen, die in gelid op de schoorsteenmantel stonden.

Ja, ik vond haar werkelijk een alleraardigste vrouw, Mrs. Simpson. Zij is de enige die ik in het hol van de leeuw opzocht, omdat ik dan meteen in de gelegenheid was u dat hol te beschrijven, als u me deze beeldspraak toestaat.

De anderen ben ik buitenshuis – zogenaamd toevallig – tegen het lijf gelopen. Het meisje bijvoorbeeld..."

„Als ze elkaar toevallig over die ontmoetingen verteld hebben zal uw signalement nu wel verdacht geworden zijn bij de familie," onderbreekt de oude dame hem opnieuw, „of werkt u met valse baarden en snorren?"

Weer lacht de jonge Heldering.

„Ook daarvoor deinzen wij niet terug als het nodig is, mevrouw."

Zij kijkt in zijn vergenoegde tronie en hij irriteert haar plotseling mateloos, eigenlijk om geen andere reden dan deze, dat hij jong is en vol zelfvertrouwen en nog een leven vóór zich heeft, terwijl zij – moe van innerlijke onzekerheid – zelfs twijfelen moet of de aalmoes die zij nog van het leven verlangt, haar wel gegund zal zijn. In een onberedeneerde behoefte tot kwetsen misprijst ze opeens zijn beroep: „En toch is het welbeschouwd een misselijk baantje, privé-detective," poneert ze met een smalende ondertoon in haar stem. „Altijd onder valse voorwendsels je neus in andermans zaken te steken."

De ogen van de ander verwijden zich even in verwondering, vóór hij terugslaat.

„Inderdaad mevrouw," beaamt hij vlak, „maar zolang zich cliënten melden die het van hen verlangen, zullen er mensen gevonden worden die dit werk blijven doen."

Secondenlang dagen hun blikken elkaar uit voor Hanna zover is dat ze er toe komen kan bakzeil te halen.

„U hebt gelijk," capituleert ze tenslotte, „ik had niet het recht dat te zeggen, na eerst geprofiteerd te hebben van de animo waarmee u uw werk verricht. Ik hoop dat u een oude vrouw een vlaag van onredelijke kribbigheid niet zult aanrekenen. Want ik blijf graag nog even goede maatjes met u."

De jonge man tegenover haar merkt nu eerst op hoe bleek zij gaandeweg geworden is onder haar make-up, die meer en meer op een masker begint te lijken.

Hij beseft dat dit gesprek over haar familie in wezen veel meer voor de oude vrouw betekenen moet dan zij wil laten voorkomen, en dat zij zich slechts tot een vlotte conversatietoon heeft opgeschroefd om te verhullen hoezeer zij emotioneel bij het onderwerp betrokken is.

Even nijpt er iets van deernis om zijn hart als hij de twee blauwgeaderde handjes ziet, nog het meest lijkend op de klauwtjes van een verkleumde vogel, die zij met onbewuste krampachtigheid om de tafelrand geklemd houdt.

„Ik heb een heleboel fouten, Mrs. Simpson," zegt hij eindelijk, „maar haatdragend ben ik niet."

Ze glimlacht verstrooid en reikt hem verzoenend een van die kleine, meelijwekkende handen.

„Dat doet me plezier, meneer Heldering," zegt ze, van verder uitstel afziend, „en dan nu Hansje Berger, mijn naamgenote..."

HOOFDSTUK 2

Justien Berger maakt zich ongerust over haar dochter. Hansje heeft geen plezier meer in haar leven sinds die teleurstelling van vorig jaar, denkt ze voor de zoveelste maal; wat móeten we toch met haar? Hugo had ongelijk toen hij haar deze cursus opdrong, maar aan de andere kant: het kind wist zelf geen enkel redelijk alternatief aan te dragen, en ze moest toch wat?

De moeder gaat de kamer van het meisje binnen om iets in haar kast te bergen. Ze kijkt naar de wanorde die er heerst.

Hansje is altijd met drie, vier dingen tegelijk bezig en strooit daarbij haar attributen met achteloze zwier om zich heen.

Automatisch raapt Justien een handwerk van de grond, en terwijl ze de teer-gele wol behoedzaam op het bolletje windt, bekijkt ze het piepkleine kledingstukje dat Hansje maakt voor het kindje van een vriendin.

Ze herinnert zich dat haar moeder vroeger zoiets besmettelijks altijd weglegde in een witte doek, maar bij Hansje zwerft het over de vloer.

Het is waarachtig geen wonder dat ze die dreun op haar hoofd kreeg, de vorige zomer, overlegt ze; als het erop aankomt heeft ze het aan zichzelf te wijten. Maar toch was ze altijd zo'n lief, spontaan kind.

Ze verdient beter – haar fouten en gebreken ten spijt – dan een beroep te moeten leren dát haar tegenstaat.

In gedachten verloren beleeft ze weer hoe Hansje, vers van de middelbare school, aan haar verpleegstersopleiding begon, vol van een enthousiasme dat allengs bekoelde toen er standjes begonnen te vallen, conflicten met hoofdzusters geen zeldzaamheid meer waren, toen er berispingen werden uitgedeeld om blijken van onnauwkeurigheid, die niet getolereerd konden worden.

De patiënten mochten Hansje graag, en zíj waren het die ervoor zorgden dat zij ondanks alles aardigheid bleef houden in haar werkkring.

Maar na dat eerste jaar had de leiding van het ziekenhuis haar zonder omhaal van woorden geadviseerd van een voortzetting van haar opleiding af te zien. Ze was ongeschikt gebleken voor het veeleisende beroep van verpleegster omdat ze niet secuur was en totaal geen systeem had in haar werk, gebreken die door ijver en toewijding niet vielen goed te maken.

Het was hard aangekomen bij Hansje.

Haar hele kindertijd had ze de loopbaan van verpleegster als een vastomlijnd doel voor ogen gehad, en toen deze koude douche.

Beledigd, beschaamd en ongelukkig als ze was, had ze categorisch geweigerd er met iemand over te praten. Wekenlang ging ze nukkig, stil en in zichzelf gekeerd door het huis.

Tot Huug haar kort en goed had meegedeeld dat hij het op prijs zou stellen als ze na de vakantie een cursus voor secretaresse zou gaan volgen, omdat het hoog tijd voor haar werd om weer aan de slag te gaan.

„Maar ik wíl helemaal niet naar een kantoor!" had ze opstandig gereageerd, de ogen donker van tegenzin, „dan word ik nog liever verkoopster of zoiets."

„Daar is geen sprake van!" had Hugo getoornd, „denk je dat we je dáárvoor het lyceum hebben laten aflopen? Je hebt eerst je eigen keus mogen volgen en gedaan wat je zelf wilde, maar dat is je bij de handen afgebroken, en niet door ónze schuld; we hebben je vaak genoeg gewaarschuwd voor je slordigheid!"

„Maar ik wíl niet naar een kantoor!"

„Jij doet wat ik je zeg, zeker zolang je in mijn huis woont en ik in je onderhoud voorzie."

„Als u zó praat, woon ik hier geen dag langer dan nodig is!"

Hansje was woedend bij hem vandaan gelopen en even later had ze bij haar moeder haar nood geklaagd.

„Ik wou dat ik op kamers kon gaan wonen," zei ze heftig, „en liever vandaag dan morgen! Dat autoritaire gedrag van pa, bah, ik spuug erop!"

„Het is voor hem ook een teleurstelling geweest, kind, dat het misliep met je opleiding. Hij wil zo graag trots op jullie zijn!"

„Om zijn eigen ijdelheid te strelen, ja. En nu moet ik straks carrière gaan maken op zo'n bloedeloos kantoor. Waarom gunt hij me niet de tijd om iets te bedenken dat ik wél leuk vind?"

„Probéér het nu maar," had Justien gesust, zoals ze in haar nooit verslappende zorg om Hugo's bloeddruk altijd álle ruzietjes en misverstanden probeerde te sussen. „Het is immers nooit weg wat je daar leert. Bovendien, als je volgend jaar een goed salaris kunt gaan verdienen, heb je veel meer kans om zelfstandig te worden en op kamers te gaan wonen dan wanneer je nu uit balsturigheid een of ander slecht betaald baantje neemt waarvan je jezelf onmogelijk kunt bedruipen."

Het was een logica waar Hansje geen verweer tegen had.

Tenslotte heeft zij zich geschikt.

Al meer dan een halfjaar gaat ze iedere dag met de tram naar het instituut aan de andere kant van de stad, waar de secretaresse-cursus gegeven wordt. Ze leert typen, stenograferen en handelscorrespondentie in diverse moderne talen, maar er is niets waarin ze uitblinkt, en bij haar cursusgenootjes vindt ze kennelijk geen aansluiting. Ze sloft maar zo'n beetje de dagen en de weken door, zonder enige animo, en sluit zich bij voorkeur urenlang op in haar kamer, om daar – vaak op onbeholpen wijze – haar creativiteit uit te leven met lapjes, wol, klei en tekenstift, en uitentreuren haar favoriete platen te draaien.

Een enkele maal is er echter een korte periode, een weekend, een dag, een avond, waarop de oude spontane Hansje weer even door- breekt.

Dan herademt de moeder, die zelf van nature vrolijk is en weinig zwaartillend, en die het liefst voor alle donkere wolken aan haar gezichtseinder de ogen zou dichtknijpen.

Staande in die rommelige, met zonlicht volgestroomde kamer, ver- liest zij zich geheel in haar gedachten over Hansje, onkundig van het feit dat haar dochter juist nu een van die zeldzame oplevingen heeft, maar veel bewuster dan voorheen, en dat zij blijer en veer- krachtiger de weg naar de tramhalte loopt dan ze sinds maanden heeft gedaan.

Naar buiten stappend na een haastig genuttigd ontbijt heeft ze opeens de lente geproefd in de lucht. Ze stond abrupt stil met de morgenzon recht in haar opgeheven gezicht, en met het bevrijden- de gevoel of ergens tussen haar en de horizon een donker scherm werd opgetrokken.

Ze heeft haar lichaam gestrekt en diep ademgehaald, zich plotseling met verwonderde blijdschap realiserend dat in haar bestaan niets bedorven was dat niet via eigen wil en inzet op de een of andere manier te herstellen viel; dat een of twee verloren jaren (en waren ze wel verloren?) maar zo weinig uitmaakten op haar leeftijd, en dat er nog tal van wegen voor haar moesten openliggen, als zij er maar naar wilde zoeken. Nu loopt ze de bekende straten door en bekijkt terloops het eigen silhouet in een etalageruit.

Daar gaat Hansje Berger, denkt ze verbaasd en spotziek, die tut die de hele winter heeft lopen slaapwandelen – zóu je haar niet…?

Eenmaal in de garderobe van het instituut kijkt ze met ontwende aandacht naar haar spiegelbeeld. Ze ziet een meisje van dertien-in- een-dozijn, met sluik donkerblond haar dat juist tot op haar schou- ders valt, met gangbare grijsblauwe ogen en een tamelijk bleke huid. Alleen haar mond is aardig, tenminste wanneer ze zich amu- seert, zoals nu, want haar lippen stulpen zich dan als vanzelf in een licht-spottende, wat geheimzinnige glimlach.

Ze herinnert zich hoe haar eens gezegd werd dat die verrassende manier van glimlachen haar van een doodgewoon meisje ineens tot een persoonlijkheid maakte.

Maar wanneer lacht ze eigenlijk nog? Niet al te dikwijls.

Ze beseft geërgerd dat ze haar wapens heeft laten roesten, en tijdens de lessen dwaalt haar aandacht meermalen weg naar de klemmende vraag wat ze met haar nieuwverworven inzicht kan uitrichten. Het is duidelijk dat de wissels óm moeten, maar het duurt nog dagen voor zij het er met zichzelf over eens is op welke wijze dat gebeuren kan, en of ze werkelijk bereid en in staat is de vereiste inspanning daarvoor op te brengen. Toch voelt ze zich, alleen al door haar positievere benadering van de dingen, een ander mens.

Op een van deze dagen gaat ze in de middagpauze een kop koffie drinken in het cafeetje schuin tegenover het instituut, het gebruikelijke toevluchtsoord voor de cursisten tijdens hun vrije uren.

Ze heeft nog wat aan haar huiswerk te doen en steekt de straat over met een leerboek in haar hand, een vinger tussen de bladzijden geklemd op de plaats waar ze gebleven is.

Over haar schouder, aan een lange, leren band, hangt achteloos haar tas, de klep open, zodat de blonde jongen die vlak achter haar de deur van het café binnenschuift, de inhoud ervan als het ware voor het grijpen heeft.

Hij tikt haar dan ook kameraadschappelijk op de vingers.

„Dichtdoen, meisje," waarschuwt hij, „je vráágt zo om diefstal."

Hansje kleurt.

„Bedankt voor de tip," zegt ze verward, op het gevoel af de klep van de tas dichtslaand, omdat haar ogen tegen wil en dank worden vastgehouden door de onderzoekende blik van die vreemde.

„Weet je nu wel zeker dat ik je portemonnee inmiddels niet in mijn zak heb?" informeert hij plagend.

Zij kleurt nog iets dieper.

„Nee," bekent ze, „maar ik betwijfel of je in dat geval de aandacht op je zou hebben gevestigd door met goede raad te strooien. Ik waag het er dus maar op."

Ze trekt een stoel onder een tafeltje vandaan, neemt haar vinger uit het boek en legt het open neer; dan laat ze de tas van haar schouder glijden.

De ander neemt de stoel tegenover de hare en vraagt: „Mag ik?"

„Waarom níet?" doet Hansje onverschillig, „maar verwacht geen conversatie: ik moet nog leren."

„Misschien kan ik je overhoren," oppert hij.

Zij lacht een klein, spottend glimlachje: „Hè ja!"

Wim Heldering, die er al gauw achter was dat het meisje dat hij zocht lessen volgde aan een bekend onderwijsinstituut, heeft de deur van het bewuste gebouw al geruime tijd in de gaten gehouden voor zij naar buiten stapte. Diverse meisjes heeft hij laten lopen zonder ze een tweede blik waardig te keuren, om tenslotte dit meisje te volgen.

Hij meende haar herkend te hebben van de foto op haar moeders schoorsteenmantel, maar dat speciale, charmant-spottende trekje om haar mond overtuigt hem nu wel geheel van haar juiste identiteit, omdat het hem op verbluffende wijze herinnert aan de opmerkelijke glimlach van de oude Mrs. Simpson. Het kan niet anders: die twee moeten familie zijn. Het zal zijn opdrachtgeefster ongetwijfeld plezier doen van hem te horen dat haar achternichtje althans één ding met haar gemeen heeft.

Hansje heeft koffie besteld en hij volgt haar voorbeeld.

Hij ziet toe hoe ze met een ontstemd gezicht in haar kopje roert, en ondanks het feit dat ze bij voorbaat een gesprek heeft afgewezen, waagt hij het te vragen: „Een beetje boos? Toch niet op mij?"

Hansje, die zich heimelijk ergerde omdat zelfs een wildvreemde haar op een slordigheid betrappen moest – en nog wel nu zij juist begonnen was zichzelf in dit opzicht met straffe hand op te voeden – slaat langzaam haar ogen naar hem op en ontkent wat stroef: „Op jou? Welnee. Ik ken je niet eens."

Ze kijkt weer in haar boek, maar hij haakt nog niet af.

„Ik ken jou ook niet, maar toch kom je me verschrikkelijk bekend voor. Ik vraag me af: woon je soms op de Nassauweg?"

„Inderdaad. Ben je in die buurt bekend?"

„Nee, dat niet. Maar iemand was mij daar van de week behulpzaam bij het vinden van een adres, een mevrouw Berger, en ik moet me al sterk vergissen als het niet jouw foto was die bij haar in de huiskamer stond."

„Mijn moeder! Als dat niet toevallig is!" stelt Hansje vast.

„Je moet anders een uitstekend geheugen voor gezichten hebben," voegt ze eraan toe, weer met dat even-spottende glimlachje.

„Dat moet ik zeker," erkent hij, „het is zelfs een absolute voorwaarde in mijn beroep."

„Wat doe je dan wel?"

„Ik werk op een detectivebureau."

Er springt nu iets van echte belangstelling in haar blik.

„Dat lijkt me interessant werk," zegt ze, en schertsenderwijs: „Als je bijgeval over enkele maanden een secretaresse nodig mocht hebben..."

Hij pakt het boek over de secretariaatspraktijk dat voor haar ligt en kijkt naar de titel op de band.

„Je bent aangenomen," zegt hij met veel aplomb, en nu lachen ze allebei voluit. „Zeg dat vooral niet te vlug," bezweert Hansje, „ik ben er namelijk nog helemaal niet van overtuigd of ik wel slagen zal."

„Doe je die cursus niet met plezier?" peilt hij, en als ze ontkennend het hoofd schudt. „Maar waarom volg je hem dan?"

Er is gaandeweg wel zoveel vertrouwelijkheid tussen hen gegroeid, dat zij eerlijk bekent: „Pressie van pa. Ik ben verleden jaar mislukt als leerling-verpleegster, weet je. Gebrek aan accuratesse, zeiden ze, en ze hadden gelijk. Daarom keek ik straks ook boos, omdat ik wéér eens op een slordigheid betrapt moest worden, terwijl ik juist besloten had mijn leven te beteren."

„Ik zal het aan niemand vertellen," belooft hij. „Hand erop. Wil je een sigaret?"

„Welja."

Terwijl ze roken en hun koffie drinken, kijkt Hansje weer in haar boek, maar slechts met een half oog, want ze ziet kans te gelijkertijd te registreren dat de jongeman met wie ze op zulk een ongedwongen manier in contact kwam een roestbruin cordpak draagt met een zwarte coltrui, en dat hij de blauwste ogen heeft die ze ooit bij een volwassene zag.

Als ze merkt dat hij ook haar observeert, maar openlijker, wordt ze opnieuw verlegen en wat abrupt staat ze op.

„Nou Sherlock Holmes," zegt ze, zich opschroevend tot een zekere bravour, „ik moet weer eens gaan. Bedankt voor de sigaret en je gezelschap."

Ook Wim Heldering komt overeind.

„Waarom noem je me zo?" vorst hij.

„Dat ligt toch nogal voor de hand," zegt ze rap, „omdat ik wél je beroep, maar niet je naam ken."

„Ik heet Wim," onthult hij.

Hansje trekt even haar neus op.

„Ik vind Sherlock veel leuker," plaagt zij op haar beurt, en over haar schouder, de deurknop al in haar hand: „Je houdt dat baantje dus echt wel voor me open tot ik afgestudeerd ben, hè?"

„Je hebt dat toch niet serieus genomen?" schrikt hij. „Tussen ons gezegd, Hansje, ik ben nog lang niet in een positie om op mijn eigen houtje personeel te kunnen aannemen."

Om deze trouwhartige eerlijkheid mag zij hem opeens ontzettend graag. Maar dan dringt het met een schokje tot haar door, dat hij haar bij haar roepnaam genoemd heeft. Ze vraagt zich af hoe hij die te weten kwam.

Wantrouwend kijkt ze naar hem op; hij is een stuk groter dan zij.

„Je zei Hansje," zegt ze beschuldigend. „Weten detectives álles?"

Hij beseft zijn mond voorbij gepraat te hebben, maar hij heeft voldoende savoir-vivre om zich eruit te redden.

„Bijna alles," bevestigt hij met een uitgestreken gezicht, zich intussen herinnerend dat hij ergens – waar ook weer? – vluchtig haar naam moet hebben gelezen, hoewel hij toen via zijn nasporingen al lang wist dat ze Hansje genoemd werd. Juist op tijd valt het hem in, en hij vervolgt met een schijn van achteloosheid: „Maar sommige dingen lezen ze gewoon op de binnenklep van iemands schoudertas."

„O, verroest!" wenst Hansje spontaan. „Jij bent me veel te uitgekookt! Ik ga!"

Ze sluit vlug de deur achter zich en steekt op een holletje de straat over.

Pas op de stoep van het instituut kijkt ze even achterom en ziet in een flits zijn opgestoken hand achter een van de ramen van het café.

Eenmaal in de lesruimte, slaat ze de klep van haar tas open en kijkt lang en met groeiende verwondering neer op de letters die ze daar zelf eenmaal intekende en die ze sinds lang niet meer met bewuste blikken bekeek.

Ze bezorgen haar een vreemde sensatie.

Want behalve haar achternaam staat er niets te lezen dan haar initialen, de twee J's van Johanna en Justine, haar beide voornamen.

Géén Hansje, nergens, al zou ze de tas binnenstebuiten keren. Het blijft een raadsel voor haar, een levensgroot vraagteken in haar brein, waar haar gedachten de eerstvolgende achtenveertig uren met geen mogelijkheid omheen schijnen te kunnen.

Als die twee etmalen voorbij zijn, heeft Hanna Simpson persoonlijk haar zaken in handen genomen, en krijgt Hansje Berger heel andere dingen aangereikt om haar gedachten bezig te houden.

Andere dingen? Of staan ze met het plagerige vraagteken in haar hoofd wellicht in nauw verband?

Die veronderstelling begint zich aan haar op te dringen reeds na haar eerste contact met de bejaarde oudtante.

Als Hanna Simpson eenmaal een besluit heeft genomen, weet ze ook te handelen. Ze begint ermee, het huis van haar neef op te bellen om een bezoek aan te kondigen. Degene die ze in eerste instantie aan de lijn krijgt is Freek.

Die haalt zijn moeder uit de keuken: „Er is een mevrouw aan de telefoon die beweert dat ze een tante van vader is. Kan dat?"

Justien droogt snel haar handen af.

„Nu je het zegt, hij moet wel een tante gehad hebben, in Engeland of Amerika; je grootvader was daar nogal vaag over, de doodenkele keer dat het onderwerp ter sprake kwam. Die zuster van hem schijnt al zo'n veertig jaar geleden in het niet verdwenen te zijn; ik heb haar nooit anders beschouwd dan als een legende. Die vrouw kan het toch onmogelijk zijn."

Maar ze is het wél, en ze overrompelt Justien volkomen met haar gedecideerde zinnetjes. Freek kijkt zijn moeder vragend aan als die tenslotte de hoorn neerlegt: „Was ze het tóch?"

„Ja. Ze is in de stad en ze wil hier vanavond naartoe komen om kennis te maken. Met mij en met jullie, wel te verstaan. Je vader kende ze nog wel van vroeger, zei ze laconiek, toen hij altijd met een mouwschortje en een natte luier aan stond te brullen in zijn loophek."

„Het klonk niet bepaald of ze destijds erg dol was op het kind van haar broer!" kritiseert ze, maar ze kan toch een lach niet bedwingen.

Freek gnuift.

„Ik hoop dat ze dat vanavond nóg eens memoreert, als pa er levend bij zit! Daar blijf ik met vreugde voor thuis. Hoe oud mag dat mensje wel zijn? En waar komt ze zo ineens vandaan? Is ze soms een beetje…?"

Hij maakt met zijn hand een suggestieve grijpbeweging in de buurt van zijn voorhoofd.

Justien schudt haar hoofd en rekent even.

„Zó oud kan ze nog niet zijn. Je grootvader zou zesenzeventig geweest zijn als hij nog geleefd had, en ze kan niet veel met hem gescheeld hebben.

En kinds, of mallotig? Welnee jongen, haar stem klonk zo pittig als wat. En ze is nota bene in haar dooie eentje vanuit Boston hiernaartoe komen reizen. Ik doe het haar niet graag na, al ben ik dan zo'n slordige dertig jaar jonger dan zij, dat beken ik je eerlijk!"

„Nou, maar ik wel!" weerspreekt de jongen gretig, „Ik mag hopen dat ze me gauw een keer te logeren vraagt als ze weer terug is in Boston."

„Of blijft ze hier voorgoed?" informeert hij geschrokken, het veelbelovend perspectief meteen al weer bedreigd ziend.

„Hoe kan ik dat nu weten?" zegt zijn moeder nuchter, „je zult het vanavond wel gewaar worden. Wat ik me afvraag is hoe ze ons gevonden heeft."

Het aangekondigde bezoek is tijdens de warme maaltijd vrijwel het enige onderwerp van gesprek.

Justien moet voor man en dochter wel drie keer het telefoongesprek herhalen en toelichten, voor ieders nieuwsgierigheid tot op zekere hoogte bevredigd is.

„Moeten we je tante eigenlijk niet vragen bij óns te komen logeren, Hugo?" oppert ze dan, voorzichtig tastend naar zijn standpunt. „Wat heeft zo'n oud mens in een hotel, alleen in een vreemd land? Want vreemd zal het na al die jaren wel geworden zijn voor haar."

„Amerikanen zijn gewend om per persoon een luxe-badkamer met toebehoren tot hun beschikking te hebben," herinnert Hansje haar, nog voor haar vader gelegenheid vindt zijn mond open te doen, „en wij hebben niet eens een behoorlijke logeergelegenheid. Iemand zou zijn kamer voor haar moeten afstaan als ze de invitatie aannam."

„Dat van die luxe badkamers geldt alleen voor de welgestelde Amerikanen, hoor," bemoeit Freek zich ermee, „je zult ze de kost moeten geven die er slechter bij zitten dan wij!"

„Laten we eerst maar eens afwachten óf ze welgesteld blijkt te zijn," beslist Hugo, als hoofd van het gezin. „Voor een suikertante kunnen we desnoods wel een veer laten."

„Maar pa! Niet zo materialistisch!" treitert Freek. „Het is best moge-lijk dat uw arme, behoeftige tantetje van haar laatste spaarcentjes hiernaartoe gekomen is om zich op haar oude dag door haar familie te laten ondersteunen. En daar kunt u moreel natuurlijk niet onderuit!"

„Jij zou best eens een toontje lager mogen zingen," meent Hugo humeurig.

Die jongen ziet de laatste tijd regelmatig kans met hem de gek te steken, op een manier die hem niet bevalt.

Hoewel ook hij nieuwsgierig is naar zijn plotseling opgedoken bloedverwante, neemt hij zich voor zich bij haar bezoek – althans in het begin – nog wat terughoudend op te stellen.

Na het eten belt hij een vergadering af, die hij eigenlijk liever niet verzuimd had. Toch gaat hij ertoe over, enerzijds omdat hij wil ver-mijden een indruk van onbeleefdheid en ongeïnteresseerdheid te wekken, maar vooral omdat hij vermoedt dat zijn aanwezigheid thuis deze avond nuttiger zal zijn, al was het alleen maar om zono-dig een rem te kunnen zetten op de onberekenbare impulsiviteit van zijn vrouw.

Eenmaal achter zijn avondblad gedoken, gaan zijn gedachten opnieuw hun gang. Materialistisch, dat woord van Freek blijft hem steken.

Moet hij soms hoera roepen als hij voor wie weet hoe lang een behoeftige oude vrouw op zijn dak geschoven krijgt?

Hoewel – ze kan evengoed schatrijk zijn, en in dat geval…

Wist hij nu maar hoe dat mensje ervoor staat.

En dan: er wás iets met die tante Hanna, vroeger. Hij herinnert zich vaag er als kind thuis iets over gehoord te hebben, opmerkingen die niet voor zijn oren bestemd waren. Er moet een of ander schandaal geweest zijn.

Was ze niet getrouwd met een man die niet deugde; een dief? een oplichter, en die ze toch niet in de steek wilde laten? Kwam het daardoor tot een breuk met zijn ouders? Hij kan zich het rechte ervan niet meer te binnen brengen. Jammer dat zijn bejaarde moe-der nu zo ziek is, en zelfs buiten bewustzijn. Anders had bij haar nog even kunnen opbellen om haar uit te vragen over die oude geschiedenis.

Nu moet hij zich maar van de domme houden. Misschien vertelt de oude vrouw uit zichzelf hoe een en ander zich indertijd heeft toe-gedragen.

Ofschoon – ze is van huis uit een Berger, net als hij, en Bergers hou-den hun vuile was bij voorkeur binnenshuis.

Hij betrapt zich erop, zelfs tegen Justien nooit gerept te hebben over de schaduw die het verleden van deze verwanten verduisterd moet hebben; hij evenmin als zijn ouders. Uit kiesheid? Uit loyali-teit? Of geneerden ze zich bewust of onbewust voor een dergelijke smet op het familieblazoen?

Dan rijdt de taxi voor die Hanna Simpson naar de Nassauweg heeft gebracht. Ze zien haar allemaal uitstappen: tamelijk rap voor haar leeftijd, de hulp van de chauffeur afwijzend.

Hugo stelt voor zichzelf met enige opluchting vast, dat zijn tante qua uiterlijk en optreden in ieder geval een dame schijnt, en dat er van de armlastigheid waarmee Freek hem straks de onrust in het bloed joeg, stellig geen sprake is. Het is Hansje die zich na een wenk van haar moeder haast om de voordeur open te doen.

Ze staat oog in oog met een tengere, mondaine vrouw, wier per-soonlijkheid een zekere fierheid en zelfbewustheid afstraalt, maar wier ogen haar zó hongerig-onderzoekend opnemen, dat die indruk van onafhankelijkheid daardoor weer voor een groot deel verloren gaat.

Vaag vermoedt Hansje dat deze reis naar Holland voor de ander een soort pelgrimage moet betekenen, een confrontatie met iets dat ze lang geleden moest prijsgeven – en ook dat ze ten diepste onvoor-stelbaar eenzaam moet zijn.

Een ogenblik strijden in haar de voorzichtigheid van haar vader en de hartelijkheid van haar moeder om de voorrang.

Dan zegt ze intuïtief het enig juiste: „Welkom thuis, tante!"

Tegelijk met haar verwerkt ook Hanna Simpson in een flits haar eerste indruk, die even teleurstelde, omdat er op het eerste gezicht zo helemaal niets opvallends of innemends aan dat nonchalant-geklede, sluikharige meisje scheen te zijn.

Maar met die spontane welkomstwoorden koopt Hansje zich onge-wild en ongeweten een blijvende plaats in het hart van de eenzame vrouw die haar nu met een beheerst gebaar een hand toesteekt: „Well, kind, je weet niet half hoeveel plezier het me doet je te ontmoeten, al was het alleen maar omdat je Hansje genoemd wordt. Ik heb een lieve, warme herinnering aan die naam."

„U heet Hanna, nietwaar?" vraagt het meisje verrast, „werd u thuis ook Hansje genoemd?"

„Thuis nu juist niet," antwoordt de ander.

„Dan moet het een romantische herinnering zijn."

„Misschien wel," geeft Hanna Simpson toe, en haar mondhoeken kruipen daarbij omhoog in een lachje dat tegelijk spottend en vertederd en weemoedig is, en dat het achternichtje verrast doet vaststellen dat deze vrouw in haar jeugd wel bijzonder aantrekkelijk geweest moet zijn, dat haar nu, na een slijtageproces van tientallen jaren, nog zoveel charme rest.

Terwijl ze haar oudtante de woonkamer binnenloodst, denkt ze onwillekeurig even aan de dingen die ze onlangs ten overstaan van het eigen spiegelbeeld vaststelde. Ze hoopt vurig dat haar glimlach voor anderen ook dat ondefinieerbare, geheimzinnige 'iets' heeft, maar ze voorvoelt tegelijkertijd dat ze nog heel wat zal moeten doormaken in het leven voor er eenzelfde dosis wijsheid en milde zelfspot van kan uitgaan.

Iedereen is opgestaan als ze binnenkomen.

Als het geroezemoes van de begroeting over en weer is geluwd, zorgen Justien en Hansje samen voor koffie.

Terwijl ze in de keuken bezig zijn, probeert Hugo familietrekken terug te vinden in het zorgvuldig opgemaakte gezicht van de oude dame, die rechtop en op haar qui-vive tegenover hem zit, en hij vindt die inderdaad. Het bezorgt hem, min of meer tot zijn eigen bevreemding, een warm gevoel van binnen.

Geroepen een gesprek gaande te houden, informeert hij waar ze logeert.

Zij noemt de naam van een hotel ter plaatse, en ook die van het Amsterdamse hotel waar ze de eerste paar dagen van haar verblijf in Holland heeft doorgebracht, vóór ze wist waar haar familie domicilie hield.

Ze noemt ten overvloede de adressen erbij, maar Hugo, die al sinds jaar en dag het hele land bereist voor het bedrijf waar hij werkt, weet zo óók wel wat ze bedoelt.

„Chique zaken allebei," merkt hij waarderend op.

Freek grinnikt.

Hij denkt terug aan het tafelgesprek van zo-even en verdenkt zijn vader ervan dat die in stilte de standing van de desbetreffende hotels afweegt om aan de hand daarvan de draagkracht van zijn tante te taxeren.

Hij grinnikt, maar zonder echte vrolijkheid. Het horizontalisme dat hij regelmatig bij zijn vader signaleert, ergert en verontrust hem daarvoor te zeer. Als hij de scherpe, waakzame blik van de tanige Amerikaanse met een bijna onmerkbare zweem van spot tussen hen beiden heen en weer ziet flitsen, krijgt hij het onbehaaglijke gevoel, dat zij – mede door zijn reactie – haar eigen gevolgtrekkingen over de levensinstelling van zijn vader reeds gereed heeft.

En dat ook een vréémde hem zou bekritiseren, kan hij toch niet hebben. Het is uiteindelijk zijn vader, en naast zijn fouten heeft hij ook zijn kwaliteiten. Bovendien – waar zij vandaan komt hebben de mensen wat het verafgoden van het materiële aangaat óók hun sporen verdiend, laat zij zich niets verbeelden.

Na een kort hiaat in het gesprek heeft Hugo plichtmatig de draad daarvan weer opgevat.

Dan, onbewust van de verborgen spanning in de atmosfeer, komen de dames binnen met de koffie en bestaat de conversatie voor even uit weinig anders dan nietszeggende clichés.

Maar tenslotte kan Justien dan toch de vraag afvuren die haar direct na dat telefoontje reeds intrigeerde, en die men elkaar aan tafel in allerlei toonaarden stelde: „Hoe heeft u ons toch gevonden, tante? Hugo's ouders zijn meermalen verhuisd in al die jaren. Het zal niet meegevallen zijn ons spoor ergens op te pikken. Dat het u toch gelukt is vind ik reuze knap…"

Hanna Simpson weert die hulde af. „Ik heb me de luxe veroorloofd een detectivebureau in te schakelen," bekent ze openhartig. „Het zou voor mij inderdaad een te zware opgave geweest zijn. Ik beschikte alleen over een paar namen, de geboortedatum van mijn broer en een paar adressen van zevenenveertig jaar geleden, om mee te werken.

Die gegevens heb ik in handen gespeeld van de jongeman die mij werd toegevoegd, en die uitstekend werk heeft geleverd.

Binnen enkele dagen zag hij kans – onder meer via bureaus van de Burgerlijke Stand – alle gegevens op te diepen die ik nodig had om jullie te vinden en me een voorlopige indruk te vormen."

Het ontgaat haar niet, dat die laatste woorden hier en daar in minder goede aarde vallen. Is ze al te openhartig geweest?

„Ik kan raden wat jullie denken," zegt ze met lichte ironie. „Dit adres te laten opsporen zou voldoende geweest zijn. Maar mijn nieuwsgierigheid was groot genoeg om méér te willen weten.

Ik vraag me af, waarde neef, wat jij had gedaan als je tussen vanmiddag en vanavond hóe dan ook kans had gezien iets naders over mij en mijn omstandigheden te weten kon komen."

Hugo voelt zich schaakmat gezet en lacht.

„Ik had van de gelegenheid gebruik gemaakt," erkent hij ruiterlijk, „maar misschien was ik er achteraf níet zo rond voor uitgekomen."

Hansje lacht niet.

Zij heeft het te druk met dat vraagteken in haar brein, dat bezig is zich op een vrij pijnlijke manier tot een uitroepteken te ontwikkelen, nu ze heeft moeten aanhoren hoe een zekere jongeman, werkzaam op een detectivebureau, kans heeft gezien alle gegevens te verzamelen die de nieuwsgierigheid van haar oudtante behoefde om zich een eerste indruk over haar familie te kunnen vormen.

Een jongeman die blijkbaar uitstekend werk heeft geleverd.

Werk!

Een paar helle blauwe ogen in de hare, een stem die beurtelings waarschuwt en plaagt en trouwhartige dingen zegt.

– Misschien kan ik je overhoren....

– Doe je die cursus níet met plezier?

– Ik zal het aan niemand vertellen...

– Tussen ons gezegd, Hansje...

Werk! Daar is ze ingelopen, daar heeft ze haar heimelijke illusies over gekoesterd.

Ze heeft plotseling een witgloeiende hekel aan degene die haar indirect deze streek geleverd heeft.

Dwars door deze overleggingen heen hoort ze haar broer zeggen: „Nu u toch zo eerlijk opgebiecht hebt dat u een detective op ons spoor gezet hebt, moet u óók maar vertellen wat u allemaal gewaar geworden bent, tante Hanna!"

„Moet dat werkelijk?" vraagt zij geamuseerd.

„Als de indruk die wij gemaakt hebben tenminste niet al te slecht geweest is," weifelt Justien.

„In dat geval zou tante hier nu niet zitten," gist Hugo.

Hanna Simpson gaat niet in op zijn in scherts verpakte uitdaging. Ze heeft Hansjes ontstemde gezichtje opgemerkt en voelt zich vaag schuldig tegenover haar, al weet ze niet recht waarom.

Freek heeft hetzelfde gezien als zij.

„Hansje is gechoqueerd," plaagt hij. „Die heeft wat uitgekuurd van de week, waarbij indiscrete detectives niet gewenst waren. Let op!"

„O, alsjeblíeft!" zegt Hansje donker, „spaar me je geestigheden!"

Hanna Simpson richt zich speciaal tot haar als ze geruststellend opmerkt dat ze in feite vrijwel niets anders te weten is gekomen dan hun naam, leeftijd, werkkring of opleiding.

„Het meest schokkende dat me ter ore kwam, is nog dit, dat je broer Mattieu nogal geestdriftig achter de meisjes aanzit," besluit ze droog.

Ze lachen allemaal, al dan niet van harte.

„En Hansje? Had die speurneus over Hansje echt niets sensationeels te rapporteren?" zuigt Freek nog snel even.

„Iets opmerkelijks misschien wel," luidt het onverwachte antwoord, „maar dat vertel ik haar liever eens onder vier ogen. Want misschien zou het háár al even verlegen maken als mij."

HOOFDSTUK 4

De avond vordert zonder verveling te brengen. Hanna Simpson blijkt een gemakkelijke praatster. Ze mag dan al eens een Engels woord laten vallen of naar een Hollands equivalent zoeken, voor iemand die niet minder dan zevenenveertig jaar in het buitenland geweest is, redt zij zich bewonderenswaardig.

Ze vertelt vrijuit over haar recente verleden, over haar flat in Boston, over Norman Simpson, haar overleden echtgenoot en over de zaken die hij deed, zaken waarin zij door de jaren heen een actief aandeel had.

Ze vertelt over Normans ziekte, die drie jaar geduurd heeft, en hoe zij na zijn dood haar draai niet meer vinden kon daarginds.

„Geloof me, kinderen," zegt ze ernstig, „dat is het ergste wat iemand overkomen kan, dat zijn werk hem wordt afgenomen.

Veertig jaar heb ik kans gezien door voortdurend in actie te zijn allerlei vormen van heimwee de baas te blijven. Toen Norman ziek werd, heb ik noodgedwongen overal een punt achter moeten zetten, maar toen was er, als een zegen bij een straf, meteen weer de verpleging van een bewerkelijke patiënt die mijn geest en mijn handen bezig hield.

Maar toen hij stierf was er niets meer, helemaal niets.

En dan ga je denken. Dan komt alles op je af wat je je altijd met succes van het lijf gehouden hebt.

Well, op een gegeven moment voelde ik eenvoudig dat de tijd rijp was om in een vliegtuig te stappen en terug te gaan naar de omgeving waar ik jong was geweest. Want als het erop aankomt, is een oud mens nergens thuis dan waar zijn herinnering ligt."

Er is al sprekend een zekere weemoed over haar gekomen; haar levendigheid van de vooravond is gaandeweg verstild en ze lijkt in haar vermoeidheid ineens uitermate broos en kwetsbaar.

Voor ze afscheid neemt, zegt ze tegen haar neef, terugkomend op een onderwerp dat al eerder deze avond aan de orde geweest is: „Je moeder, Hugo – zou ik haar nog een keer op kunnen zoeken?"

„Ze ligt in een coma," herhaalt hij, „zoals u al wist. Justien en ik rijden een paar maal per week naar dat ziekenhuis om even bij haar te kijken; ja, het is toch je moeder, nietwaar? Maar ze kent niemand meer, ze ligt alleen maar te wachten op het einde. We hebben niets meer aan haar."

„En zij niet aan ons," vult Freek aan.

Hanna Simpson vraagt zich af of het inderdaad slechts als een aanvulling bedoeld was dan wel als een correctie.

Die knaap heeft wel pit, denkt ze niet zonder waardering.

Eigenlijk heeft ze aan hem deze avond meer aardigheid beleefd dan aan Hansje, die zich al spoedig in een gepikeerd stilzwijgen heeft teruggetrokken. Ze is zich ervan bewust, dat ze wat Hansje betreft verloren terrein heeft terug te winnen.

„Toch zou ik je moeder graag nog een keer zien," zegt ze tegen Hugo, en terzijde tegen Hansje: „Zou jij met me mee willen gaan naar je grootmoeder? Morgen? Zou dat schikken?"

Hansje is overrompeld door deze rechtstreekse benadering.

„Als ik de auto mag gebruiken van pa," aarzelt ze.

„Rijd je allang?" wil de ander weten.

„O ja. Al twee jaar. Vindt u het goed, pa?"

„Jawel. Breng jij tante Hanna nu dan ook maar naar haar hotel, dan kan ze zich alvast van je vaardigheid overtuigen."

Hansje rijdt secuur, al haar aandacht is voor het verkeer, en voorzichtige pogingen van de oude vrouw om wat te praten onderweg, torpedeert ze met korte, beleefde antwoorden.

Als ze stilstaan voor de ingang van het hotel, neemt Hanna Simpson haar toevlucht tot grover geschut.

„Wat heeft die jongen je gedaan?" vraagt ze op de man af.

„Niets," zegt Hansje stug, en dan, als mosterd na de maaltijd: „Wélke jongen?"

„Kom kind, al ben ik dan een simpele zakenvrouw in ruste, en geen detective, daarom kan ik nog wel een beetje deduceren en combineren! Was hij niet correct tegen je?"

„Jawel," weerspreekt Hansje, nog altijd even stug. Ze pauzeert even; dan zegt ze kortaf: „Daar gaat het niet om. Maar als u dan tóch zo nodig alles weten moest, had ik u liever zelf bepaalde dingen verteld. Dat ik roemloos mislukt ben als verpleegster, bijvoorbeeld."

„Maar daar weet ik niets van," zegt de ander, en de oprechtverbaasde klank van haar stem doet Hansje beschaamd vermoeden dat ze te haastig geweest is in haar oordeel. Diep in haar begint iets te gloeien.

Toch kijkt ze nog met enig wantrouwen opzij.

„En dat ik dat te wijten heb aan mijn onverantwoordelijke slordigheid," peilt ze ten overvloede, zichzelf niet sparend.

„Bén je dan zo slordig?" vraagt Hanna Simpson. „Werkelijk, Hansje, ik weet niet waar je het over hebt."

Het gloeiende plekje in Hansjes borst is groter en groter geworden. Ze kan even nergens anders aan denken dan aan de trouwhartige woorden, waardoor zij zich heel deze avond ten onrechte verraden heeft gevoeld: „Ik zal het aan niemand vertellen. Hand erop!"

„Maar wat heeft hij dan wél tegen u gezegd?" vraagt ze tenslotte met een klein stemmetje.

Hanna Simpson graaft nauwgezet in haar herinnering.

„Well, dat je een aardig meisje was, gevat en bijdehand, maar geen flirt. En dat je op aandringen van thuis een cursus volgde voor secretaresse, maar er geen plezier in had."

„En moest ú daar verlegen om worden?" vorst Hansje niet-begrijpend, eindelijk de nieuwsgierigheid prijsgevend die haar gekweld

heeft sinds Freek met die geheimzinnige dooddoener van haar oudtante op een afstand werd gehouden.

„Nee – daarom niet."

„Waarom dan wel?"

„Hij verzekerde me dat hij je met gemak tussen honderden willekeurige meisjes als mijn nicht had kunnen aanwijzen als het nodig
was geweest. Omdat je met precies dezelfde hartveroverende glimlach was uitgerust. Maar dan in het jong."

„O," zegt Hansje verplet.

De volgende dag, zeer vroeg in de avond, rijden ze samen naar het
Gooi, waar Lucie Berger in een ziekenhuisbed haar laatste levens-
dagen slijt, ofschoon zij in wezen reeds gestorven is.

„Ben je verdrietig om je grootmoeder?" vraagt Hanna aan het meisje.

Hansje moet daar even over nadenken.

„Nee," zegt ze dan. „Ze heeft zoveel geleden tijdens haar ziekte, dat
ik geloof dat het een genade is dat ze nu niets meer weet of voelt.
Moet je in zo'n geval verdrietig zijn? Ja, misschien als je een heel
nauwe band gehad hebt met iemand.

Maar zo was het nooit met opa en oma Berger. Ze waren zo con-
ventioneel en stijf, zo bang om hun gezicht te verliezen door eens
te lachen om iets dat niet helemaal door de beugel kon."

Ze onderbreekt zichzelf met een verschrikt: „Ik kwets u toch niet
door zulke dingen te zeggen over uw naaste familie?"

„Nee," zegt Hanna Simpson, „want je hebt ze met die paar woorden
ongelooflijk raak getekend, kind. Ik zag ze voor me. Dat mensen
door de jaren heen zó weinig veranderen kunnen!"

„U bent zelf geloof ik altíjd al anders geweest," peilt Hansje.

„Ja," beaamt de ander, „Gelukkig wel. Ik was het koekoeksjong in
hun nest. En toen ik niet meer door hun beugel kon, werd ik er eenvoudig uitgewipt."

Hansje proeft dwars door de droge humor heen iets van een zeer
oude bitterheid. Ze vraagt zich onwillekeurig af wat er in tante
Hanna's jeugd wel gebeurd mag zijn, maar ze durft er de oude dame
niet naar te vragen.

„Ze konden niet lachen," mijmert die hardop, „maar ze konden niet
huilen ook, en dat is zo mogelijk nog erger, kind."

„Mijn andere grootouders zijn veel lévender," vertelt Hansje.
„Dat is je moeder ook wel aan te zien," vindt Hanna. „Weet je dat
het verschrikkelijk belangrijk is, hoe iemands ouders zijn? Elk
mens is een product van zijn opvoeding."
„Maar mijn grootvader en u – uit hetzelfde gezin toch..." werpt
Hansje op. Haar zin verliest zich in een vaag doch welsprekend
handgebaar, tot ze de draad weer opneemt: „Er móet dus een mogelijkheid zijn om je aan de sfeer van je ouderlijk huis te ontworstelen, als je voelt dat dat nodig is."
„Inderdaad," bevestigt Hanna. „Het kan. Maar vraag niet naar de
prijs die er dikwijls voor betaald moet worden."
Eenmaal in de ziekenkamer kijken ze geruime tijd zwijgend naar
het oude, door pijn verwoeste gezicht van de patiënte.
Later zegt de schoonzuster tegen de kleindochter: „Ze is even oud
als ik ben, Hansje. Ik hoop dat ik nog wat tijd zal krijgen, voor ze de
balans van míjn leven moeten gaan opmaken. Ik zou zo graag nog
wat verzuimd geluk willen inhalen."
Hansje blikt opzij, geraakt door die opmerking.
„Zou dat überhaupt mogelijk zijn?" vraagt ze zich hardop af, niet
zonder scepticisme. „Ik ben twintig, tante, en dat zult u – vanaf de
hoogte waartoe u bent opgeklommen – wel belachelijk jong vinden,
maar toch heb ik al dikwijls het gevoel een heleboel misgelopen te
zijn. Verzuimd geluk, zoals u het noemde. Mijn vriendinnetje van de
lagere school, waar ik nog altijd contact mee heb, had al een vast
vriendje op haar zestiende. Die twee hadden het jarenlang geweldig
met elkaar; ze konden elkaar om de hals vliegen als ze daar behoefte aan hadden, ze gingen overal samen op af, ze deelden hun suc-
cesjes en teleurstellingen samen, ze zochten samen een antwoord
op de vragen die zich voordeden; kortom, ze completeerden elkaar.
Op een gegeven moment, het was vorig jaar, moesten ze trouwen.
Mijn vader knoopte aan dat nieuws op staande voet een zedenles
vast: dat kwam nou van dat veel te voorbarige gescharrel; ik moest
me maar spiegelen aan het ongeluk van Heleen en zorgen dat mij
die ellende niet overkwam, en zo meer.
Ik weet best dat Heleen en Dick een paar beroerde maanden gehad
hebben, en dat ze het de eerste jaren heel zuinig aan zullen moeten
doen, maar toch... zij léven tenminste, zij hebben al die jaren
geleefd, terwijl ik in die tijd niet veel anders gedaan heb dan wach-

ten op een beetje geluk, en nog stééds wacht, terwijl ik iedere dag opnieuw weer naar dat dooie instituut sjouw, waar niets is dat een beroep doet op mijn eigenlijke ik. Dat was verleden jaar in dat ziekenhuis tenminste nog anders.

De laatste tijd voel ik me vaak zo in-compleet: een helft zonder andere helft, een vraag zonder antwoord."

Hanna Simpson heeft haar geen enkele maal onderbroken, vreemd gelukkig met het vertrouwen dat het meisje haar schenkt. Nu zegt ze voorzichtig: „Geloof je niet dat we het geluk soms een stap tegemoet mogen gaan?"

„Maar dan toch niet op de manier van Mattieu," zegt Hansje een beetje wrang. „Die loopt telkens weer een ander dwaallicht tegemoet. Als het werkelijke geluk nog eens komt zal hij het waarschijnlijk niet herkennen, omdat hij zich te lang heeft blindgestaard op klatergoud. Zó wil ik het niet."

„Daar ben ik blij om," antwoordt Hanna. „Ben je verliefd op die jonge Heldering, Hansje?"

„Heet hij Heldering? Dat wist ik niet eens. Welnee, hoe kan ik nu verliefd zijn op iemand die ik maar één keer gezien heb, en niet langer dan een minuut of tien? Ik vond hem leuk, dat wel, en ik voelde me gevleid dat hij me de moeite waard achtte om aandacht aan me te schenken.

Daarom was het ook zo'n afknapper toen ik gisteravond begreep dat het alleen maar beroepsmatige aandacht was geweest. Ik ben niet zoveel gewend op dat gebied, weet u. Mattieu moet bepaald een heleboel sex-appeal hebben, en Freek is sportief en heeft een leuke, aantrekkelijke kop. Maar ik ben altijd nogal onopvallend geweest."

„Misschien moet je je meer van je eigen waarde bewust worden, kind, om op te vallen. Vertel me eens, geloven ze bij jou thuis dat alles in het leven zó maar gebeurt?"

„Wat ze bij mij thuis geloven, daar ben ik nooit helemaal achter gekomen, tante."

„Well, kind, wat mij betreft, ik geloof in een God die duidelijk heeft laten zien dat hij mensen als jou en mij de moeite waard vindt.

Voor mij is ieder bezield wezen van hoge komaf, want geschapen naar een goddelijk voorbeeld. Als we ervan uitgaan dat ieder mens uit hoofde van die goddelijke afkomst een edelsteen is, dan zouden we hoogstens kunnen zeggen dat niet iedere steen tot zijn recht komt, hoe waardevol ook. Door een verkeerde zetting misschien? Maar hoe dan ook, elk juweel moet geslépen worden om het te laten schitteren, Hansje.

Dat slijpen, dat doet het leven wel. Het kan met Hanna Simpson misschien langer en moeizamer bezig zijn dan met Hansje Berger, en met Hansje weer langer dan met Heleen.

Maar ik geloof dat je de beslissing daarover gerust aan de grote Juwelier kunt overlaten."

HOOFDSTUK 5

Als het stoffelijk overschot van de oude mevrouw Berger begraven wordt, rijdt Hanna Simpson mee in de bescheiden rouwstoet.

Mattieu is er ook; hij heeft een dag verlof gekregen om de begrafenis van zijn grootmoeder mee te maken. Zowel schriftelijk als telefonisch had hij al het een en ander vernomen over de onverwachte verschijning van de oudtante uit Boston, maar als hij haar in levende lijve voor zich ziet, voelt hij niettemin een vage verbazing.

Zijn moeder had het over een vlotte, zwaar-opgemaakte Amerikaanse, en hij had zich daarbij een heel andere vrouw voorgesteld dan het frêle dametje met haar onmiskenbare allure: donker en gedistingeerd gekleed, het witte haar zeer simpel gekapt, en – kennelijk uit piëteit tegenover de dode – zonder enige make-up. Ze is merkwaardig stil, deze dag.

Het is haar aan te zien dat ze onder de indruk is, maar alleen Hansje, de enige tegenover wie ze vooralsnog iets van haar plannen heeft losgelaten, kan vermoeden waarheen haar gedachten gaan: tante Hanna is nu de enig-overgeblevene van haar generatie, en bij dit graf zal hoger nog het verlangen in haar opstaan naar enig respijt, naar nog een kleine spanne tijds om datgene te bereiken wat ze zich voor ogen gesteld heeft.

„'t Is een schatje," fluistert Mattieu tegen zijn broer. „Ze kon zó van een oude Engelse plaat zijn weggelopen. Ik denk dat ik haar maar verlof vraag om haar 'granny' te noemen. Dat past precies bij haar, en wie weet levert het me ook nog een plaatsje op in haar testament."

Freek bekijkt hem met koude ogen.

We willen allemaal beter van haar worden, denkt hij verachtelijk. Pa met zijn suikertante, Mattieu met zijn testament. En was míjn eerste reactie niet haar te gebruiken om iets van Amerika te zien? „Je bent te laat," repliceert hij, al even gedempt. „Ze heeft haar oog al op Hansje laten vallen."

Maar Mattieu trekt zorgeloos zijn brede schouders op.

Later, aan de maaltijd, als de plechtigheid al weer tot het verleden behoort, gaat hij spelenderwijs tot de aanval over, al zijn charmes in de strijd brengend.

„Tante Hanna," bekent hij warm, „u bent de verrassing van mijn leven. Zo en niet anders behoren oude dames eruit te zien. Ik merkte straks al op, dat u zó van een serene Engelse prent scheen weggewandeld. Mag ik niet 'granny' tegen u zeggen, voortaan?"

Zij peilt hem met een zekere heimelijke spot in haar scherpe, onderzoekende blik, net zo lang tot hij zich een beetje onbehaaglijk begint te voelen.

„Jullie mogen allemáál 'granny' zeggen; het is heel aardig bedacht van je, jongen. Maar vergis je niet in het zachte eitje dat van die zoete Engelse plaat is komen afwandelen.

Je krijgt in de persoon van je splinternieuwe 'granny' te doen met een keiharde Amerikaanse business-woman, die zich op zijn minst enig wantrouwen permitteert als haar plotseling zo openlijk het hof wordt gemaakt!"

„Ik vrees dat mijn reputatie mij al vooruit gesneld is," meesmuilt Mattieu, de scherpte achter haar scherts zonder meer negerend, „maar wees niet bang voor oneerlijk spel, granny: ik garandeer u dat ik nooit eerder een oude dame het hof gemaakt heb; hand op mijn hart!"

„Ja, nu is het wel weer mooi geweest!" bromt zijn vader verstoord, „die toon past je niet, Mattieu, en zeker niet op een dag als vandaag."

Als ze in de vooravond nog wat bij elkaar zitten, onthult Hanna dat ze waarschijnlijk de langste tijd in haar hotel zal hebben doorgebracht, omdat ze van plan is een huis te huren ergens in de Betuwe, om daar gedurende de zomer te gaan wonen, en mogelijk zelfs voorgoed.

Het maakt een vloed van uitroepen en opmerkingen los.

„Maar toch niet helemaal alléén?" dat is Justien.
„Huren? Dat zal niet meevallen vandaag de dag!" dat is Hugo.
„In de Betuwe? Waarom uitgerekend in de Betuwe?" dat is Freek.
„Hebt u wel aan de moeilijke verbindingen gedacht toen u dat plan overwoog?" dat is Mattieu.
Hansje zegt niets. Ze wil voor de anderen niet weten, dat tante Hanna haar enkele dagen geleden reeds gepolst heeft of ze ervoor voelde samen de zomer door te brengen op een plek waaraan zij haar meest kostbare herinneringen bewaarde. Eén opwindend ogenblik lang heeft Hansje daarbij gedacht aan de Côte d'Azur, Londen, Parijs, Wenen, plaatsen waar het leven bruist en waar zij van alles zou kunnen meemaken, mensen ontmoeten, de saaie cirkelgang ontlopen van het leven thuis, waarop zij zo langzamerhand definitief was afgeknapt.
Het betekende na dat flitsende visioen een grote desillusie voor haar, toen tante Hanna over de Betuwe begon te praten, de naam van een voor haar volslagen onbekend dorp noemde met een klank in haar stem als was het een bedevaartsplaats.
Ze heeft een heleboel slagen om haar arm gehouden bij haar antwoord: ze hield zo van de stad, ze vroeg zich af of de rust van het platteland haar wel bevredigen zou; ze wilde bovendien zo spoedig mogelijk na haar examen een baantje zoeken, desnoods een tijdelijk baantje, als het maar betaalde, want ze liep met de gedachte rond op kamers te gaan wonen, en het zou haar heel wat gaan kosten zich een beetje in te richten.
Tante Hanna heeft weinig commentaar geleverd op haar argumenten, alleen met die eigenaardige scherpe blik van haar gepeild wat ze waard waren.
Sinds die tijd is er een wat onwennige stilte tussen hen beiden gedaald. Nu luistert ze stilletjes naar het gesprek dat zich ontspint.
Hugo – zijn baatzucht voor het moment overwonnen door oprechte sympathie – zegt gemoedelijk-overredend, alsof hij een kortzichtig kind van een dwaas plan moet afbrengen: „Haalt u toch die soesa niet op de hals, tante. Gaat u liever in een riant pension in Noordwijk, of ergens aan de Veluwezoom, waar u van alle dagelijkse beslommeringen ontheven bent en tóch eens aan het eigen gezelschap ontsnappen kunt!"
Hanna Simpson tilt een eigenzinnig kinnetje op: „Luister eens,

Hugo," zegt ze gedecideerd, „daar heb ik zo mijn eigen ideeën over. Mijn hele lange leven heb ik noodgedwongen achter mijzelf aangedraafd: tempo! tempo! time is money! Net zo lang tot me een onontkoombaar halt werd toegeroepen.

De laatste jaren heb ik veel nagedacht, en ik ben tot de conclusie gekomen, dat ik goedbeschouwd maar een korte periode in mijn bestaan de tijd gevonden heb om werkelijk te léven, en met mijzelf en mijn diepste gevoelens geconfronteerd te worden.

Dat was achtenveertig jaar geleden, ergens in de buurt van Kapel-Avezaath aan de Linge.

Als ik mijn ogen dichtdoe kan ik nóg de geuren ruiken van het hooi en de bloemen en het water daar; hoor ik nóg de spreeuwen in de kersenboom achter het huis, en het gebolder van de boerenkarren op de klinkerwegen.

Naar díe omgeving wens ik terug te keren om er eindelijk klaar te komen met mijzelf en met de dingen die in het leven van wezenlijk belang zijn.

En, misschien – als het mij vergund zal zijn – ook nog wat verzuimd geluk in te halen…"

„Ik ben bang dat het u zal gaan tegenvallen, granny," merkt Mattieu op. „De rivieren zijn inmiddels grondig vervuild, de kersenboomgaarden zijn omgekapt, het bloeiende onkruid langs de slootkanten is chemisch verdelgd."

„Bederf het niet!" smeken haar verschrikte ogen, maar haar stem zegt koppig: „Er móet nog iets van vroeger terug te vinden zijn, érgens toch. Het is al zo lang mijn droom geweest – die geef ik niet op."

„Ik begrijp dat u destijds een huis gehuurd had daarginds," neemt Hugo opnieuw het woord, „maar in die achtenveertig jaren is er op het gebied van huizen huren ontstellend veel veranderd in Nederland, tante. Gesteld dat u erin zou slagen via een makelaar of anderszins een leegstaand huis te vinden, dan kreeg u nog geen vestigingsvergunning, naar ik vrees. Een woning kópen zou misschien nog eerder lukken."

„Dan gooi ik het maar over díe boeg," zegt Hanna, achteloos genoeg om zonneklaar te laten blijken dat het in financieel opzicht eigenlijk maar weinig verschil voor haar uitmaakt.

„Woonde u daar toen met oom Norman?" vraagt Freek.

„Nee, ik was er alleen. Het was... Well, beschouw het als een soort retraite. Mijn man zat vast in Engeland, in die tijd."

Hoewel het dermate neutraal gelanceerd wordt, dat de jongelui en ook Justien stuk voor stuk dat 'vastzitten' opvatten als het hebben van verplichtingen elders, Hugo weet door dat ene woordje opeens weer wat hij zich die andere keer slechts vaag te binnen wist te brengen.

Fraude, dat was het; zijn oom Norman, Engelsman van origine, had fraude gepleegd in de zaak waaraan hij destijds was verbonden, en boette daarvoor met gevangenisstraf.

Hij herleidt in stilte het gebeurde: tante Hanna, jong en nog maar kort tevoren getrouwd en naar Engeland verhuisd, in haar ontreddering terugkerend naar Holland om bij haar familie een toevlucht te zoeken, haar echtgenoot kennelijk latend voor wat hij was.

Omdat ze hem wilde verlaten? Of juist om begrip te bepleiten voor zijn zwakheid? Om hulp te vragen voor het moment waarop hij terug zou moeten keren in de maatschappij?

Hugo weet het niet. Maar hij, levend in een tijd waarin niemand aan het begrip reclassering meer voorbij kan gaan, voelt een onbestemde schaamte om de starre onbuigzaamheid van zijn ouders en grootouders, als hij zich realiseert dat vanaf dat moment de breuk gedateerd moet hebben tussen de jeugdige Hanna en haar familie.

Ze moeten haar en bloc hebben afgewezen, anders was ze stellig niet voor maanden moederziel alleen naar zo'n vergeten dorpje uitgeweken om daar in eenzaamheid haar wonden te likken.

Dat juist díe periode van haar leven zulk een onuitwisbare indruk bij haar heeft nagelaten dat ze er na al die jaren welbewust op teruggrijpt, frappeert hem zeer, want ze heeft after all toch een succesvol leven achter de rug, waarin zich tal van glorieuze episoden moeten hebben voorgedaan.

Dwars door zijn overleggingen heen hoort hij Justien vragen: „Als u er werkelijk in slaagt iets te vinden in een omgeving die u aanspreekt, wilt u daar dan helemaal in uw eentje gaan wonen? Op uw leeftijd? Die gedachte bevalt me niet, tante. Een mens is nooit alleen als hij zijn herinneringen heeft, zult u zeggen, maar toch..."

Hanna schudt haar hoofd.

„Ik heb al gevraagd of Hansje ervoor voelde me voorlopig gezelschap te houden, maar ze wil er eerst nog wat over nadenken."

Er sluipt een zekere milde ironie in haar toon als ze vervolgt: „Enerzijds, dacht ik, omdat ze het gevoel heeft zichzelf een beetje buiten spel te zetten, zo aan de periferie van de beschaving, maar ook, naar ik begrepen heb, omdat ze het zich financieel eigenlijk niet permitteren kan of wil, de hele zomer maar te verluieren. Daarom heb ik nu een ander voorstel."

Ze richt zich plotseling rechtstreeks tot het achternichtje: „Ik vraag je niet te logeren, Hansje, maar ik bied je op zakelijke basis een werkkring aan als dame van de huishouding, manusje van alles, boodschappenmeisje en eventueel zelfs verpleegster. Dat alles tegen een behoorlijk salaris, nog nader overeen te komen. Veel vrije tijd om te zonnebaden, en om de andere week een weekend vrij met gebruik van auto."

„In verband met die moeilijke verbindingen van jou," zegt ze terzijde tegen Mattieu, „zal ik namelijk wel genoodzaakt zijn me tegelijk met een woning een of andere voertuig aan te schaffen."

Dan richt ze zich weer tot Hansje: „Lokt je dit niet méér dan een kantoorbaantje?"

Hansje krijgt een kleur. Ze heeft het gevoel niet meer met goed fatsoen te kunnen weigeren nu de zaken zo staan. En wíl ze dat nog wel? Het zál ongetwijfeld stil zijn in zo'n dorp, maar daar staat tegenover dat tante Hanna een boeiende vrouw is, bij wie je je niet gauw vervelen zult, een vrouw met een ietwat geheimzinnig verleden, dat haar tegen wil en dank intrigeert, een sympathieke vrouw ook, zelfs al schijnt zij de neiging te hebben haar zin koste wat het kost door te drijven.

„Ik zou het maar doen," animeert Justien, in stilte hoopvol overleggend dat een bijdehante vrouw als tante Hanna er misschien in slagen zal, Hansje in die maanden wat zin voor orde en netheid bij te brengen.

„Je bent gek als je 't niet doet!" verklaart Freek kernachtig.

„Het is dat ik een verschrikkelijk figuur zou slaan als dame van de huishouding, anders bood ik me onmiddellijk aan in jouw plaats. Je zit daar in de Betuwe altijd wel ergens in de buurt van een rivier. Iedere dag na werktijd roeien of zeilen... ík wist het wel."

„Zodra mijn plannen gerealiseerd zijn, mag je komen hoor, zo vaak je wilt!" troost Hanna hem.

„En toch," zegt Mattieu bedachtzaam, voor zijn zusje in de bres springend, „kan ik best begrijpen dat Hansje, ondanks de vele prettige aspecten van dat voorstel, ervoor terugschrikt om geruime tijd buiten spel geplaatst te worden, zoals granny het straks uitdrukte. Ik moet er persoonlijk niet aan denken maandenlang vrijwel volledig van de mogelijkheid tot contact met de andere sekse verstoken te zijn!"

„Ach wat!" roept Hanna ongeduldig uit. „Jullie jonge mensen, jullie menen maar dat het geluk alleen langs de drukke heirbanen reist. Geloof me, de kans is veel groter dat je het op een slingerpaadje tegenkomt!"

Ze dringt deze avond niet verder op een beslissing aan.

Als Hansje ook ditmaal de oude dame naar haar hotel rijdt, vraagt die onverhoeds: „Wil jij ook niet granny tegen me zeggen, kind?"

„Jawel. Natuurlijk wel. Alleen, ik ben niet zo brutaal als Mattieu."

„Maar ik zou het prettig vinden. Als je geen kinderen hebt, mankeert het je ook aan kleinkinderen. Jullie voorzien voor mij in een behoefte, Hansje."

„Had u wel graag een baby willen hebben – vroeger?"

„Ik héb er een gehad. Maar die is gestorven."

„O."

Er valt een uiterst broos zwijgen tussen hen. Vóór Hansje echter uitstapt om het portier voor haar oudtante open te maken, kan ze zich niet weerhouden te vragen: „Kwam het geluk voor u langs een slingerpaadje, granny?"

HOOFDSTUK 6

Hanna Simpson, plotseling rechtstreeks geconfronteerd met herinneringen die tijdens de voorbije weken tóch reeds naderbij gekomen waren dan in welk ander tijdperk van haar leven ook, ziet in de geest weer een lange gestalte tevoorschijn treden uit de verhullende schaduw van een hoge meidoornhaag. Ze ziet een donker omlijst gezicht met een kort baardje, de ogen monkelend of gekweld, maar altijd vol van een verwarrende vraag.

Er gaat enige tijd voorbij voor zij vanuit een ver verleden terugkeert tot de werkelijkheid en zich hervindt in een moderne auto naast de kleindochter van haar broer Matthias, en beseft dat die onthutsend heldere beelden opgeroepen moeten zijn door iets dat het meisje gezegd heeft.

Wat heeft ze gezegd?

Ze legt nadenkend een van de kleine, geaderde handen tegen haar moede hoofd. Altijd is ze moe 's avonds en voelt zich een oude, uitgebluste vrouw, om de volgende morgen echter weer verjongd en vol hoop te ontwaken.

„Je hebt me wat gevraagd. Wat heb je me gevraagd?" biecht ze ietwat beschaamd haar afwezigheid.

„Kwam het geluk voor u langs een slingerpaadje?" herhaalt Hansje gehoorzaam. Ze ziet in het schemerdonker hoe haar oudtante bevestigend het hoofd buigt.

„Ja, kind. Maar het kwam te laat."

„U was al getrouwd. Met oom Norman," constateert Hansje een beetje ademloos. De ander ontkent het niet.

„Ik was vijftig jaar geleden een ambitieus meisje, Hansje," vertelt ze, met een door weemoed getemperde bitterheid in haar stem. „Bijzonder ambitieus, mag ik wel zeggen. En ongeduldig om uit het ouderlijk huis weg te komen, dat kwam er nog bij. Maar ik had geen flauw idee van begrippen als liefde of geluk. Daar deden ze bij mij thuis niet aan, althans niet zo dat iemand ze op de aanwezigheid van die slecht in de markt liggende zaken ooit heeft kunnen betrappen. Misschien was dat een excuus voor mij, maar in ieder geval maakte ik de fout de veelbelovende zakenman Norman Simpson mijn woord te geven vóór mijn hart wakker was.

Iedere fout heeft zijn prijs – en de prijs van de mijne was hoog. Vrijwel mijn hele verdere leven heb ik nodig gehad om die af te betalen."

„Bent u niet een kleín beetje gelukkig geworden samen, tóch nog?" vraagt Hansje beklemd, heel zachtjes, en met een bijna smekende klank in haar stem.

„Well kind, men went aan elkaar, men heeft de ander nodig, nietwaar, en geen ding is zo slecht of men kan er nog wel iets goeds van maken, wanneer men dat werkelijk wil…"

Hansje, niet gewend aan confidenties, en zeker niet van ouderen, is er verlegen mee dat ze op de vragen die haar in de sfeer van groeiende vertrouwelijkheid tegen wil en dank ontsnapten, zulke openhartige antwoorden krijgt.

Ze legt een bezwerende hand op de arm van het fragiele figuurtje naast haar. „Waarom geeft u mij zoveel vertrouwen?" vraagt ze beklemd. „Waarom wilt u mij mee hebben naar het land van uw herinneringen, juist mij?

Ik ben teleurgesteld geweest, granny, dat beken ik u eerlijk, dat het daarheen was dat u mij mee wilde nemen, en niet naar het buitenland, naar beroemde, fascinerende steden – maar nu ben ik alleen nog maar bang dat ik ú teleur zal stellen, want wat is er voor bijzonders aan mij dat u gelukkig zou kunnen maken?"

„Je bent Hansje Berger – zoals ík eenmaal Hansje Berger was. Ik hoopte in jou mijn eigen jeugd terug te vinden, kind, maar beter, gaver. Jij zult je eigen fouten maken in het leven, natuurlijk, maar niet de kardinale vergissing die ík destijds beging, zó goed ken ik je al wel."

Ze pauzeert een ogenblik; dan praat ze verder: „Er is mij veel aan gelegen dat je ja zegt, maar ik heb me voorgenomen geen morele druk op je uit te oefenen. Als je er geen zin in hebt, moet je het niet doen."

„Ik héb niet gezegd dat ik er geen zin in had. Het begint me steeds méér te bekoren zelfs. Maar weet u…"

Ze zoekt moeizaam naar woorden die haar weifelen enigszins zullen kunnen verklaren.

Hanna Simpson wacht, maar slechts even. Dan wordt haar ongeduld haar te machtig, haar ongeduld én vrees dat de vervulling van haar late droom haar toch nog onthouden zal worden. Haar zelfcontrole ontglipt haar en haastig brengt ze een zelden falend wapen in de strijd: „Als het op het financiële vastzit, nu we onder vier ogen zijn kan ik je wel zeggen welk salaris ik je per maand dacht te betalen, misschien legt dat nog gewicht in de schaal."

Ze noemt een bedrag dat Hansje doet blozen, omdat het veel hoger is dan zij bij benadering heeft durven hopen. Onwillekeurig denkt ze aan haar grote wens: een eigen home, heel eenvoudig, desnoods slechts één kamer groot, maar uitgerust met de perfecte stereopick-up die al zo lang op haar verlanglijstje staat, en ingericht naar haar persoonlijke, eigentijdse smaak, en niet meer met de afdankertjes van haar vader en moeder.

Het zou wellicht allemaal binnen haar bereik komen door deze royale geste van haar oudtante.

Ze weet voor zichzelf dat ze nu zéker geen nee meer zal zeggen, maar ergens, diep in zich, voelt ze het als een vertroebeling van hun verhouding, dat zoiets platvloers als geld nu de doorslag moet geven, terwijl zij toch reeds op het punt stond toe te stemmen, maar uit geheel andere, zuiverder overwegingen: omdat zij zich op wonderlijke wijze geboeid wist door de filosofie en de levenskunst van de ander, en tot de bron daarvan verlangde door te dringen, ofschoon ze nog geremd werd door een vage vrees.

Vrees, omdat ze heimelijk het gevoel had dat ze na verloop van een zomer wel eens zózeer onder de ban van granny's persoonlijkheid geraakt zou kunnen zijn, dat ze daarna nauwelijks meer de moed zou kunnen vinden haar weer aan haar lot over te laten.

Ze verwart zich hopeloos in haar eigen gedachten.

„Ik vind het een geweldig aanbod," zegt ze eindelijk, „maar u had het me niet moeten doen. Niet nu. Niet vóór ik had toegezegd dat ik komen zou. Komen zou om uzélf, ook zónder die verleidelijk-hoge beloning. Waarom moest u dat nou zeggen?"

Het klinkt als een klacht, bijna als een aanklacht.

Hanna Simpson buigt rouwmoedig het hoofd.

„Omdat je behalve een dochter van je moeder ook een dochter van je vader bent," zegt ze eerlijk. „Omdat ik me uit angst voor een teleurstelling heb vastgeklemd aan de gedachte dat een Berger altijd wel op de een of andere manier te koop is. Ik bied je mijn verontschuldigingen aan, Hansje. Ik, met mijn mooie praatjes over 'geen morele druk uitoefenen…' Ik geloof dat ik me schamen moet, zo oud als ik ben."

Hansje lacht nerveus; ze giechelt haar ontroering weg en zegt dan spontaan: „En nu kom ik zéker. Weet u waarom? Omdat u altijd zo eerlijk bent. En omdat ik u – mede daarom – zo verdraaid graag mag. En misschien toch ook wel een beetje omdat u me zo vorstelijk betalen wilt voor mijn bescheiden diensten. Want het is waar dat ik een kind van mijn vader en mijn grootvader ben: het aardse slijk laat me bepaald niet onberoerd. Maar niet om dat geld op zichzelf, alleen om de fijne dingen die ik ermee doen kan."

„Mag ik weten wat dat voor dingen zijn?" vraagt Hanna.

De ogen van het meisje, aan het schemerdonker gewend geraakt, zoeken haar gezicht en worden pijnlijk getroffen door de grenzeloze vermoeidheid die het getekend heeft.

„Natuurlijk mag u dat weten," zegt ze, „maar ik geloof dat u nu eerst moet gaan slapen. U kunt er zó afgemat uitzien als het laat wordt, dat de verpleegster in mij alarm slaat. Maar morgenmiddag, na afloop van de lessen, kom ik u opzoeken, hier in uw hotel, en dan praten we verder. Is dat goed?"

„Ik verheug me erop," zegt Hanna.

Het blijft niet bij dat ene middagbezoekje. Als Hanna Simpson eenmaal contact heeft opgenomen met verschillende makelaars, die haar op de hoogte houden van hetgeen er in het rivierengebied zoal aan woningen te koop wordt aangeboden, ontbreekt het helemaal niet meer aan gespreksstof.

Op een heldere zaterdag in april rijden ze ter oriëntering de zogenaamde bloesemtocht, een route die door de mooiste gedeelten van de Betuwe voert. Justien en Freek zijn ook van de partij.

Het is nog vroeg in het seizoen, en al herkrijgt het gras reeds zijn frisgroene kleur, toch zijn alleen de wítte bloesems nog maar aan het donkere hout verschenen: peren, pruimen en kersen. De roze appelbloesems zullen eerst nog wat zon moeten hebben.

Maar er is al vee in de uiterwaarden en het water in rivieren en plassen schittert hel of weerkaatst de wolken in de lenteblauwe lucht.

Hanna moet telkens denken aan het sombere beeld dat Mattieu haar van dit land geschilderd heeft: een tot woestijn verworden lusthof.

Ze voelt zich zo opgelucht en verheugd alsof haar deze dag een verloren gewaande kostbaarheid werd teruggeschonken.

Ze begrijpt wel dat er veel waarheid geweest is in de woorden van haar achterneef. Ze leest de kranten en weet inmiddels haar weetje over de milieuvervuiling in Nederland, maar daarom is haar dankbaarheid voor het vele dat restte nog zoveel sterker.

Verscheidene malen laat zij zich ter plaatse een te koop aangeboden woning tonen, maar vooralsnog is er niets bij dat haar ook maar enigszins aanspreekt. Wat moet zij beginnen met een herenhuis dat weliswaar een fraaie ligging heeft aan de Rijnbandijk, maar dat zó groot is dat ze er wel twaalf gasten zou kunnen herbergen? Wat kan haar bekoren in een standaardwoning in de nieuwbouwwijk van een uitgestrekt dorp?

Wat in een extravagante moderne bungalow, die misplaatst lijkt in het landschap als een dandy, die zich uitgedost met jacquet en hoge hoed – schijnbaar per ongeluk – tot aardappels rooien, hooien of melken heeft gezet?

Een van de makelaars verwijt Hanna ten einde raad dat ze op jacht schijnt naar een schaap met vijf poten.

„Juist," beaamt ze droogjes, „en dat schaap moet ú voor mij grijpen, meneer Groenvelt!"

Ze vangt hem met haar ontwapenende glimlach, evenals de vele anderen die zich voor haar, zonder zich dat bewust te zijn, juist even méér hebben uitgesloofd dan voor andere willekeurige relaties of cliënten.

Niet lang daarna blijkt, dat het merkwaardige dier met vijf poten wel degelijk bestaat. Het is een piepklein boerengedoetje aan de voet van een dijk, dat ongeveer twee jaar geleden door een zakenman uit de randstad met inventaris en al werd opgekocht en inwendig in zoverre gemoderniseerd, dat er nu een bescheiden badgelegenheid aanwezig is en een alleszins geriefelijk keukentje, waarin butagas en warm en koud stromend water het ouderwetse stookfornuis en de koperen pomp vervangen hebben.

Maar verder is het nog vrijwel in de oude staat, met donkere balken zolderingen en kleine ramen, die aan de buitenkant door houten luiken kunnen worden afgesloten.

De eigenaar placht er dikwijls zijn weekends door te brengen om vandaaruit de hengelsport te beoefenen. Hij is echter kort geleden overleden aan een hartinfarct en zijn weduwe wil van het huisje af, niet het minst om de vele herinneringen die eraan verbonden zijn, en liever vandaag dan morgen.

De makelaar heeft het object zelf nog niet eens gezien als hij zijn cliënte opbelt in haar hotel en voortbordurend op hun laatste gesprek niet zonder trots meedeelt dat hij haar schaap nu waarschijnlijk bij de staart heeft.

Behalve wat summiere gegevens over de indeling van de woning en de staat waarin deze verkeert, weet hij ook de vraagprijs te noemen, die allesbehalve kinderachtig is en waarop Hanna, zakenvrouw als ze is, nog aardig weet af te dingen.

Maar hij beschikt ook over een foto, en als zij die eenmaal gezien heeft, is wat háár betreft de beslissing reeds gevallen.

Op een middag gaat ze persoonlijk poolshoogte nemen, samen met Hansje, die ervoor moet spijbelen van haar stenoles. Ze zijn allebei opgewonden omdat het nu eindelijk menens lijkt te worden. Hanna heeft overigens nog méér lopende zaken: ze is met een garagebedrijf in onderhandeling over de aankoop van een nog vrij nieuwe Volkswagen, en heeft bedongen dat ze in deze auto bij wijze van proefrit hun reis naar de Betuwe zullen maken.

Zelf heeft ze het chaufferen er reeds jaren geleden aan gegeven, maar Hansje rijdt graag, ze heeft wel eens meer achter het stuur van een 'kever' gezeten en ze heeft er vandaag bepaald plezier in om met het kittige, maïsgele autootje langs de lentelijke tuinen en velden te toeren, speciaal als ze eraan denkt dat haar cursusgenoten het eerste uur nog tussen de hatelijke muren van het instituut gevangen zitten.

Haar examen komt ál dichterbij, maar ze heeft te veel rooskleurige perspectieven nu, om zich werkelijk zenuwachtig te maken over de uitslag.

In Culemborg pikken ze volgens telefonische afspraak de heer Groenvelt op, die in deze plaats zijn kantoor heeft.

De makelaar heeft de sleutels van het huisje; hij vertelt onderweg desgevraagd nog een paar bijzonderheden over de omgeving.

Tenslotte komen ze bij het doel van hun tocht.

In de luwte van alle dijken waarop ze inmiddels gereden hebben, heeft Hansje van die bedriegelijk klein schijnende huizen zien liggen, waarop ze steeds weer verwonderd neerzag als was het speelgoed, door de hand van reuzenkinderen achteloos hier en daar tussen de dorpen neergestrooid.

De afritten die van de dijken naar woningen en schuren en hooibergen voerden, kwamen haar dikwijls angstig steil voor.

Maar als ze de Volkswagen zelf van een soortgelijke afrit naar beneden moet loodsen, is dat nog weer een geheel andere ervaring.

Het te koop aangeboden huisje blijkt witgekalkt, ofschoon dat wit door weer en wind wel wat is aangetast, en hier en daar milde, grijsgroene schaduwen heeft gekregen. Het dak is van riet, donker geworden van ouderdom, en de luiken hebben dezelfde kleur als de groengeverfde tuinbank, die op de kleine gele steentjes staat tussen het huisje en het talud van de dijk. Een overoude, kromme perenboom, de stam knoestig en gekerfd, buigt zich zorgzaam over deze idylle heen; één van de takken rust op het dak, zodat het de indruk wekt dat huis en boom elkaar moeizaam op de been houden.

De perenbloesems zijn inmiddels afgevallen, maar reeds beginnen zich voorzichtig de vruchten te zetten.

Het inwendige van het oude boerderijtje valt Hansje op het eerste gezicht wat tegen: de twee kamertjes aan de kant van de dijk zijn wel érg klein…

Maar granny kijkt naar de constructie van wanden en zoldering en stelt met kennis van zaken vast, dat de tussenmuur zonder gevaar kan worden weggebroken, en dat dat ook stellig gebeuren zal wanneer zij inderdaad tot de koop mocht overgaan.

Het achterhuis, dat vroeger zonder twijfel de grootste oppervlakte van de woning heeft beslagen, is inmiddels reeds verkaveld tot slaap- en badruimte.

Een open trap voert vanuit het uitgespaarde portaal naar de zolder die over het gehele huis heen loopt en zowel vóór als achter een laag raam heeft, vlak bij de vloer, ramen die echter nog gedeeltelijk overhuifd worden door de overhangende rand van het rieten dak.

De zolder lijkt vreemd groot, ondanks het feit dat de loopruimte er gering is vanwege het schuin toelopende dak.

Hansje gaat op haar knieën voor het venster liggen dat uitkijkt op het achtererf, het stof op de plankenvloer niet achtend.

Ze ziet nog meer vruchtbomen staan, er zijn wat struiken die beginnen uit te lopen en er is een stuk ongecultiveerd gras. Dat moet het bleekveld zijn waarover de makelaar sprak. Het is bespikkeld met het geel en wit van paardebloemen en madeliefjes.

Vlak achter het ruwhouten hek dat het erf begrenst, grazen twee roodbonte koeien. Eén loeit er met melancholiek geluid door de stille middag en verderop wordt die roep op dezelfde toonhoogte beantwoord.

Meneer Groenvelt en granny zijn al weer naar beneden, hun stemmen dringen vaag tot Hansje door, maar zij kan zich nog niet losmaken van dat rustgevende beeld, gevat in de omlijsting van het met spinrag versierde zolderraam. Eén adembenemend ogenblik lang wordt ze doortrild van de aan zekerheid grenzende verwachting, dat dit vergeten hoekje van de wereld een uiterst belangrijke rol in haar leven zal gaan spelen.

Dat ogenblik is snel voorbij en ze lacht om zichzelf, omdat er immers geen enkele grond aanwezig is om te veronderstellen dat ze juist hier… Het tegendeel ligt méér voor de hand.

Heeft zij onbewust dan toch geloof gehecht aan die gedecideerde opmerking van granny over het geluk dat bij voorkeur slingerpaadjes kiest?

Hoe dan ook, er blijft een feestelijk gevoel in haar achter, en als ze wat later kans ziet haar oudtante even onder vier ogen wat in te fluisteren, smeekt ze verlangend: „U doet het, hè granny, o alstublieft!"

„Natuurlijk," zegt Hanna Simpson zonder aarzeling, „dit is het helemaal. Hier gaan we wat van maken, kind."

HOOFDSTUK 7

De dag vóór het schriftelijk examen gaat Hansje in de middagpauze zoals gewoonlijk een kop koffie drinken, alleen, want ze heeft nog steeds bitter weinig contact met haar medecursistes.

Ze weet heel goed dat dit voor een aanzienlijk deel haar eigen schuld is: de tegenzin in de opleiding die haar van meet af aan vervuld heeft, richtte zich niet slechts op de leerstof, maar op álles wat maar met het instituut te maken had, hetzij rechtstreeks of zijdelings.

Sinds granny haar heeft meegesleept in het avontuur dat zij zelfs op haar gevorderde leeftijd nog van het leven weet te maken, en haar aandacht heeft afgeleid van de onlustgevoelens die haar al maandenlang beheersten, is ze weliswaar vrijer en onbevangener komen te staan tegenover alles en iedereen, maar toen waren de clubjes reeds lang gevormd en Hansje Berger is daartussen een eenling gebleven.

Het kan haar zoveel niet meer schelen; de opleiding zit er bijna op, en of ze nu slaagt of zakt: haar lucratieve vakantiebaantje kan niemand haar meer afnemen, en in september zal ze wel verder zien.

Ze is er niet bang voor áán te pakken en haar handen vuil te maken; als het maar lévend werk is en ze er iets van zichzelf in kan leggen.

Misschien zal granny haar na drie maanden van samenwonen goed genoeg kennen om te kunnen vertellen in welk beroep ze het best tot haar recht zal komen. Door de weken heen is er een groot respect in Hansje gegroeid voor de wijsheid die de ander op het harde leven veroverd heeft, allesbehalve spelenderwijs, naar zij vermoedt.

Wanneer ze, opgaand in haar gedachten, van het instituut naar het café loopt en de deur daarvan openduwt, doorschokt haar vreugde en ergernis tegelijk als zij aan het tafeltje vlak bij de ingang eensklaps Wim Heldering ontwaart. Het valt haar moeilijk zelfs maar een schijn van onbevangenheid aan te nemen, omdat ze de woorden waarmee hij haar onlangs aan haar oudtante beschreef, en die nog haarscherp in haar geheugen gegrift staan, nu als het ware levensgroot boven zijn blonde hoofd geprojecteerd ziet.

Dat ze kleurt kan ze niet helpen, maar ze probeert uit alle macht een glimlach te weerhouden, ofschoon dat niet meevalt tegenover het ontwapenend grinnikend, veel te aantrekkelijk kwajongensgezicht, dat afwachtend naar haar is opgeheven.

„Dág," zegt ze tenslotte zo achteloos mogelijk, maar ze vreest dat de seconden van aarzeling, waarop ze met haar rug tegen de deur het onverwachte van deze ontmoeting stond te verwerken, haar verwarring reeds voor een goed deel verraden hebben.

Als ze wil doorlopen naar een vrij tafeltje verderop, grijpt de jongeman in, en wel door haar kameraadschappelijk bij een slip van haar regenmantel te vatten.

„Zeg, dat gaat zó maar niet! Heeft je moeder jou niet geleerd met twee woorden te spreken?"

Nu kruipt dat met moeite weggedrongen lachje toch even te voorschijn bij Hansjes mondhoeken.

„Jawel meneer Heldering," zegt ze.

„Kom nou eens even hier zitten," bedingt hij gemoedelijk, „je koffie is al onderweg."

„O ja?" Hansje trekt hoog haar wenkbrauwen op.

„Ik zag je aankomen," verklaart hij eenvoudig.

Hansje voelt dat haar niet veel anders overblijft dan de stoel te nemen tegenover de zijne. Terwijl ze gaat zitten is ze zich voortdurend bewust van de nieuwsgierige blikken die op haar en haar overbuurman worden geworpen door de cursusgenootjes, die niet ver van hen af met zijn zessen rondom een grotere tafel zitten. Er is iets subtiels in die blikken, dat haar gevoel van eigenwaarde met sprongen omhoog doet gaan.

51

De jongeman zit met interesse naar haar wisselende gelaatsuitdrukkingen te kijken.

„Zei je meneer Heldering?" opent hij het gesprek met een kritische vraag, „ik dacht dat het de vorige keer Wim was geweest?"

„Sherlock," verbetert zij effen.

Zijn grijns wordt breder bij de herinnering, en Hansje voelt zich al aanzienlijk meer op haar gemak dan zo-even.

„Je zult er wel begrip voor hebben, meneer de detective," praat ze verder, met een plagende ondertoon in haar stem, „dat ook léken wel eens pronken willen met een naam die hun volgens de wetten van de logica nog onbekend zou moeten zijn. Jij met je 'Hansje…'" besluit ze met goedmoedige hoon.

Ze neemt haar tas en slaat de klep daarvan open, hem triomfantelijk de letters tonend die daarin getekend staan: J.J. Berger, en niet meer.

„Je mag dan beroeps wezen, jongetje, en niet onverdienstelijk bluffen ook, maar bij díe gelegenheid heb je wel grandioos geblunderd!"

Ze smaakt het genoegen te constateren, dat hij nu op zijn beurt een kleur krijgt. „Overtroefd door een leek," stelt hij dan hoofdschuddend vast. „Het is wél erg, hè? Kunnen wij ons niet associëren, Hansje? Ik kan nog van je leren, geloof ik."

„Ik zou je danken," wimpelt Hansje af. „Je hébt hier al eens een functie vergeven waarop je later weer moest terugkomen. Ik houd me voorlopig maar bij wat ik heb."

„En dat is?"

„Ik ga deze hele zomer op een idyllisch boerderijtje in de Betuwe werken en wonen. Niet om het boerenbedrijf te leren, maar als dame van de huishouding bij een heel bijzondere werkgeefster."

„Mrs. Simpson," raadt hij, en als zij knikt: „En van háár heb je natuurlijk gehoord hoe ik heet."

„Ook dat," bevestigt Hansje, en ditmaal komt het geheimzinnige, wat spottende glimlachje dat zij met haar oudtante gemeen heeft, tot volle ontplooiing.

Hij begrijpt dat zij van het opzettelijke in hun vorige ontmoeting volledig op de hoogte is, maar als zij zich al genomen gevoeld heeft daardoor, dan heeft ze er zich inmiddels kennelijk met loffelijke sportiviteit overheen gezet. Haar reactie, dat even-spottende 'ook dat', bezorgt hem overigens het vermoeden, dat Mrs. Simpson haar wel eens inzage gegeven zou kunnen hebben van zijn rapport over haar, en bij die gedachte voelt híj zich op zíjn beurt weer een beetje genomen.

„Ze heeft mij inmiddels als haar kleindochter geadopteerd," praat Hansje door zijn overleggingen heen, „en mijn broers en ik noemen haar nu 'granny'."

„Die vrouw," stelt Wim Heldering vast, zijn ogen recht in de hare, „die hééft iets, weet je dat? Ik ben bang dat ik een stukje van mijn hart aan haar verloren heb."

„Werkelijk? Wat een onderscheiding!"

„Nietwaar? Maar weet je waar ik óók bang voor ben? Dat zij méér uit de school geklapt heeft dan ik."

Er klinkt een licht verwijt in zijn stem, en Hansje haakt daar meteen op in door spontaan te zeggen: „Het was reusachtig van je haar niets te vertellen over mijn échec als verpleegster!"

Hij kijkt haar uitermate kritisch aan: „Dacht jij echt dat ik iemand was om je op handslag discretie te beloven, en daarna hardlopend zijn woord te gaan breken? Alleen omdat ik op een detectivebureau werk?"

Hij heeft haar nog niet eerder zo zien blozen en krijgt medelijden.

„Als ik jou was zou ik alles maar eerlijk opbiechten," raadt hij broederlijk. „Mrs. Simpson lijkt mij niet zo'n pietluttig mens dat ze een ander hard zal vallen om zoiets ondergeschikts als wat slordigheid."

„Dat is ze ook niet," zegt Hansje, „en ik héb het trouwens al verteld. Maar voor de rest kan ik het niet met je eens zijn. Want toen het erop aankwam bleek mijn gebrek aan accuratesse toch maar doorslaggevend te zijn."

Hij verbijt een grinnik omdat zij weer dezelfde mondvol gebruikt als de vorige maal: 'gebrek aan accuratesse'. Dat vonnis van die ziekenhuisdirectie moet wel pijnlijk diep in haar ziel gebrand zijn destijds.

„Ik veronderstel dat je genoeg eigenschappen bezit die de balans weer in evenwicht brengen," troost hij.

Hansjes ogen lichten even op.

„Je bent veel aardiger voor me dan ik verdien," zegt ze erkentelijk, en geamuseerd daarachteraan: „Maar dat mág je ook wel zijn, als je

werkelijk je hart aan mijn charmante granny verloren hebt!"
Hij beperkt met een bezwerend gebaar: „Een stúkje van mijn hart,
heb ik gezegd."
„Pas maar op dat je het niet te véél versnippert!" heeft Hansje op de
tong, maar ze houdt die gewaagde woorden nog juist in.
Ze begint de koffie op te drinken die reeds even geleden voor haar
werd neergezet, zichzelf daarmee ontslaand van enig commentaar.
Ze heeft het gevoel dat dit gesprek haar een beetje uit de hand zal
gaan lopen als ze niet drommels oppast.
„Heb je soms weer een opdracht hier in de stad?" vraagt ze als ze
het kopje neerzet.
„Inderdaad. En ik wist hier maar één plaats waar goeie koffie te
krijgen was. En bovendien, als ik een beetje geluk had, wat gezel-
schap."
Hansje kijkt wat sceptisch bij die woorden.
Ze herinnert zich het gemak waarmee hij die eerste maal contact
wist te leggen; ze heeft bovendien haar klasgenoten naar hem zien
kijken en is er heilig van overtuigd, dat iemand als hij nooit ofte
nimmer om vrouwelijk gezelschap verlegen hoeft te zitten.
Ze zegt hem dit ook, zij het wat neutraler geformuleerd.
Wim Heldering maakt een wegwerpend gebaar.
„Vréémden," zegt hij geringschattend, „daar is de wereld vol van.
Maar ik vond het gewoon leuk jóu weer eens te spreken en je te vragen hoe je oudtante zich in die zes weken heeft aangepast. Praat ze
nog steeds met dat grappige Amerikaanse accent?"
„Steeds minder. Eerst had ze een ouderwetse woordkeus ook, de
woordkeus uiteraard die ze zevenenveertig jaar geleden meenam
uit de samenleving van toen. Nu neemt ze langzaam maar zeker
allerlei termen en uitdrukkingen over die naderhand onze taal bin-
nengeslopen zijn. Op die manier pikt ze ook wel eens per ongeluk
iets verkeerds op, bijvoorbeeld bij mijn broer Mattieu, die in dienst
is en daar niet bepaald leert een blad voor de mond te nemen. Het
geeft wel een komisch effect zó'n tenger oud dametje argeloos de
een of andere gespierde uitdrukking te horen gebruiken!"
Ze lachen voluit; dit saamhorig praten over de opmerkelijke vrouw
die hun beider genegenheid bezit, heeft alle onwennigheid die nog
tussen hen aanwezig was weggevaagd.
Hansje spreekt vrijuit nu, vriendschappelijk en zonder enige

behaagzucht: „Jij zei straks van granny: 'die vrouw hééft iets', en dat moet wel zo zijn, als je je haar na zes weken nog herinnert en belangstelling voor haar hebt, terwijl je toch wel méér interessante mensen zult ontmoeten door je werk."

„Natuurlijk krijg ik met veel mensen te maken, maar er zijn er heel wat bij waar ik maar liever niet meer aan terugdenk. Er komt in deze branche nog meer rottigheid kijken dan in de meeste andere, Hansje. Gelukkig is mijn baas nog een beetje kieskeurig: zaken waar een crimineel luchtje aan zit, daar waagt hij zijn reputatie niet aan, tenzij het er juist om gaat onrecht of misdaad aan te tonen en aan de kaak te stellen.

Maar je leert op een detectivebureau, vooral in de onbelangrijke zaakjes, alle denkbare kleinmenselijke eigenschappen kennen en doorzien, waarvan hebzucht en jaloezie er nog het meest uitspringen.

En dat frappeerde mij in die opdracht van Mrs. Simpson: daar zat nu eens helemaal geen nare bijsmaak aan.

Natuurlijk zal die vrouw ook haar minder goede eigenschappen en aandriften hebben; ze leek me wat heerszuchtig, en op een gegeven moment gaf ze me zelfs een onverdiende sneer die er zijn mocht. Maar een eerlijkheid als die waarmee ze haar ongelijk toegaf tegenover de gehuurde ondergeschikte die ik toch voor haar was, die tref je maar zelden aan."

Hansje knikt instemmend: zij heeft een soortgelijke ervaring opgedaan.

„Ja," zegt ze, „die onthutsende eerlijkheid is geloof ik wel haar grootste charme. Behalve dan misschien het feit dat er in dat broze, vermoeide lijfje nog zoveel jeugdige geestkracht huist."

„Inderdaad," beaamt hij verrast, „dat merkwaardige contrast is mij toen ook in haar opgevallen. Heb je wel eens op die aandoenlijke, bijna tragische handjes van haar gelet?"

„Jawel," zegt Hansje, vreemd vertederd door de bewogenheid die hij in zijn woordkeus onwillekeurig verraadt. Dan plaagt ze mild: „Het spijt je stellig dat je niet vijftig jaar eerder geboren bent."

„Ze moet de moeite waard geweest zijn toen ze jong was," antwoordt hij peinzend en zonder scherts, „maar dat bijzondere, Hansje, dat had ze toen nog niet, dat heeft het leven er langzaam maar zeker in geëtst, als je 't mij vraagt."

„Ze is niet erg gelukkig geweest," openbaart Hansje.

„En misschien juist daarom zo gezegend met wijsheid en begrip," vult hij aan.

„Apropos, waarom heeft ze van alle plaatsen waar je op een plezierige manier de zomer kunt doorbrengen juist de Betuwe gekozen?"

„Ze heeft daar ergens het beste deel van haar herinneringen liggen; het was lang geleden het decor voor haar romance, vermoed ik. Ze sprak tenminste over het dorp Kapel-Avezaath met een klank in haar stem als was het een bedevaartsplaats. Het boerderijtje dat ze onlangs kocht ligt noordelijker, maar het moet qua entourage wel raakpunten hebben met de plek waar ze vroeger een tijdlang gewoond heeft."

Ze begint het huisje aan de dijk voor hem te beschrijven, in weinig woorden weliswaar, maar zo beeldend dat hij het vóór zich ziet, compleet met het gele klinkerstraatje, de groengeverfde tuinbank en de perenboom.

„Ze zijn nu bezig binnenshuis wat te veranderen en uit te breken," besluit ze haar verhaal, „maar als het helemaal klaar is, als we het schoon en bewoonbaar gemaakt hebben en ingericht, dan wil granny op zijn Amerikaans een zogenaamde 'house-warming-party' geven. Voel je wat voor een uitnodiging, of is het je te ver uit de buurt?"

De woorden zijn haar zonder erg ontglipt, en pas als ze niet meer terug te halen zijn, overweegt ze met enige schrik de veronderstelling dat ze hem in verlegenheid gebracht kan hebben met haar vraag, omdat hij zijn vrije avonden wel eens op een opwindender manier zou kunnen doorbrengen; of, erger nog, dat hij haar opdringerig zou kunnen vinden.

Maar Wim Heldering zegt zonder een ogenblik van reserve: „Ik zou het heel leuk vinden. Maar het is de vraag of Mrs. Simpson me erbij wil hebben."

„Toe nou. Je was tenslotte haar eerste contact hier in het land, na al die jaren!"

„Ja," beaamt hij met een lachje, „dat is zo. En ik bedenk opeens dat ze me met zoveel woorden gezegd heeft dat ik wel een kleinzoon van haar kon zijn, omdat ze blijkbaar iets van haar eigen persoonlijkheid in mij herkende. Wel, als dat geen relatie schept."

„Als je het zo bekijkt zijn we nog familie van elkaar," merkt Hansje op.
Hij bekijkt haar oplettend, zijn blonde kop wat scheef en zijn ondeugende ogen tot spleetjes geknepen.
„Héél verre familie dan," geeft hij genadig toe.

HOOFDSTUK 8

Hansje zakt voor haar examen; natuurlijk, zegt ze zelf.
Omdat het kind altijd al pessimistisch geweest is in haar verwachtingen over de uitslag, heeft Justien niet eens bloemen en gebak in huis durven halen. Dat kan altijd nog, heeft ze geredeneerd, als het toch nog mee mocht vallen. Het valt niet mee.
Maar als Hanna Simpson 's avonds komt, steekt ze Hansje onbeschaamd een bos prachtige rozen toe: „Hier kind, al heb je dan geen diploma, die vervelende cursus zit er in ieder geval op, en dat is toch wel een felicitatie waard!"
Hugo Berger, die al heel wat buitensporigheden van zijn tante over zijn kant heeft moeten laten gaan, dit voorjaar, kan het nu toch niet laten ertussen te springen met een verstoord: „Zulke zorgeloze praat past meer bij iemand van dertien dan bij iemand van drieënzeventig, tante Hanna! Het siert Hansje allerminst dat ze het er zo slecht afgebracht heeft. Een meisje dat de middelbare school zonder veel moeite tot een goed einde gebracht heeft, hoeft over zo'n cursus voor secretaresse haar nek toch niet te breken. Ze heeft eenvoudig lijdelijk verzet gepleegd!"
„Beste jongen," geeft Hanna terug, heel het overwicht van haar enorme levenservaring in de weegschaal leggend, „beste jongen, ik zou niet graag de mensen de kost geven die ik in de loop der jaren heb zien mislukken doordat zij hun dagen noodgedwongen moesten vullen met bezigheden waarvoor ze niet geschikt waren of waarvan ze een afkeer hadden.
Jouw dochter is niet lui, maar ze was daar op die cursus eenvoudig niet op haar plaats. Misschien zou jij op jouw beurt een nog erbarmelijker figuur slaan als je gedwongen werd je tegenwoordige succesvolle loopbaan op te geven om in plaats daarvan piano te spelen of kooks te kloppen!"

„Bravo!" roept Freek. „Granny, er is een advocate aan u verloren gegaan!"

Zijn uitroep ergert Hugo, evenals het feit dat hij tegen de gladde tong van de oude dame niet is opgewassen.

Hij informeert scherp, in zijn ontstemming de gevoelens van zijn dochter niet sparend: „En waar mag voor Hansje dan wel een succesvolle loopbaan liggen? In een verzorgend beroep zeker weer, omdat daar haar hart naar uitgaat. Dat heb ik meer gehoord. Maar een akker kan nog zo vruchtbaar zijn, als hij vol stenen zit kun je er ondanks die vruchtbaarheid géén oogst van binnenhalen."

„Hè Huug, dat is toch niet aardig tegenover Hansje," protesteert Justien nerveus.

Hansje zelf doet er het zwijgen toe. Ze heeft geen lust haar vader, nu hij op deze manier van leer trekt, te vertellen hoe serieus ze haar best doet haar aangeboren slordigheid te bevechten.

In haar hart is ze bang dat zijn scepticisme haar wil tot zelfcorrectie ondermijnen zal en daarom sluit ze zich voor hem af.

Maar granny heeft van dergelijke remmingen geen last.

Ze weerstreeft oneerbiedig: „Zwartkijker die je bent, wat denk je eigenlijk dat Hansje en ik deze zomer anders gaan doen daarginds, dan de stenen uit onze respectievelijke akkers rapen?

Of het míj zal lukken is nog de vraag; ik ben al oud en verstokt en mijn fouten zitten diep geworteld. Maar Hansje is nog jong en vol veerkracht; die is heus wel in staat haar fouten te corrigeren, als ze maar weet waarvóór ze het doet!"

„En als pa haar door zijn gebrek aan vertrouwen niet bij voorbaat de wind uit de zeilen neemt," voegt Freek eraan toe, met zijn beeldspraak in de sfeer van zijn geliefde watersport blijvend.

Zijn kritische ogen tarten de vader.

„Freek!" waarschuwt Justien, die al meer van haar stuk raakt, „Freek toch!"

Maar Hugo, zijn geïrriteerdheid over de onwelkome inmenging van de oude vrouw op de jongen afreagerend, blaft hem reeds de kamer uit: „Naar boven jij, met je brutale mond!"

Nee, deze avond wordt bepaald geen succes.

Als hij eenmaal in zijn bed ligt, prakkizeert Hugo nog lang over de vreemde onrust die met de zuster van zijn overleden vader zijn huis is binnengekomen. Hij wordt ten opzichte van haar voortdurend heen en weer geslingerd tussen sympathie en ergernis.

Soms heeft hij zonder meer de indruk, dat zij de kinderen stijft in hun uitgesproken of onuitgesproken kritiek op hem.

Justien mag dan al beweren dat tante Hanna een stimulerende invloed op Hansje heeft, en dat ze precies op tijd gekomen is om haar uit haar zorgwekkende neerslachtigheid te halen, persoonlijk is hij niet zo gelukkig met haar bemoeiingen.

Hij wil dat zijn kinderen weltoegerust het leven ingaan, bekwaamd in een beroep dat hen financieel een goede toekomst garandeert.

De zorgeloze manier waarop de oude vrouw deze avond Hansjes nieuwe mislukking bagatelliseerde, maakt hem wantrouwend.

Nu wil ze het kind voor drie maanden meenemen naar die negorij aan de Lek – wat een onbegrijpelijke, excentrieke keus toch wanneer men zich alles kan veroorloven! – en ze schijnt erin geslaagd te zijn Hansje na haar aanvankelijke bedenkingen helemaal voor dat plan te winnen.

Maar als die zomer voorbij is? Daar wordt niet over gesproken. Hij vraagt zich af of die drie maanden niet als een voorzichtig aanloopje bedoeld zijn. Praat zijn tante Hansje misschien alleen zo naar de mond om haar aan zich te verplichten, en zichzelf een begeleiding van haar levensavond te garanderen?

Hij wil niet ontkennen, dat Hansje daarginds het een en ander zal kunnen leren en afleren; tante Hanna is stellig mans genoeg om dat te bewerkstelligen. Maar om als een soort veredelde dienstbode haar beste jaren te slijten in een vergeten uithoek van het land, dat is toch niet wat hij voor zijn intelligente dochter ambieert.

Dwars door deze oprecht gemeende bezorgdheid om Hansjes welzijn heen, woelen echter tegenstrooms heel andersoortige gedachten: het is inmiddels duidelijk geworden dat tante Hanna er bijzonder warmpjes bij zit, en eveneens dat ze een uitgesproken zwak heeft voor haar naamgenote.

Als Hansje haar ter wille is, zal ze er eerder toe komen het meisje haar vermogen te vermaken, óf het gelijkelijk tussen haar en de beide jongens op te delen. Welke ouder zou zijn kinderen zo'n buitenkansje niet toewensen, en wie zou bij een dergelijk vooruitzicht niet bereid zijn een beetje water bij zijn wijn te doen?

Weliswaar heeft de oude dame geen andere familie dan hem en zijn gezin, maar van haar mans kant moeten nog heel wat neven en nichten in leven zijn. Dat is geen opwekkende gedachte. Hij moet tante Hanna toch maar een beetje toegeven in haar excentrieke opvattingen en voorliefdes, temeer daar Hansje het niet als een offer schijnt te beschouwen haar gezelschap te houden en zich met haar in zo'n afgelegen oord levend te begraven.

Geheel onkundig van de sombere voorstelling die haar neef – geïnspireerd door volslagen onbekendheid ermee – over het plattelandsleven koestert, merkt Hanna Simpson een goeie week later peinzend op tegen haar achternichtje, als ze samen op hun gemak de dijk aflopen om in het dichtstbijzijnde dorp wat boodschappen te bestellen: „Zag je die man die ons passeerde, Hansje? Hij tikte aan zijn pet en zei 'Goeie!' Niets bijzonders waarschijnlijk; maar in al die weken die ik bij jullie in de stad doorbracht, heeft nóóit iemand mij op straat gegroet, en in al die jaren die ik in Boston doorbracht en in andere wereldsteden, is het me al niet beter vergaan. Grote steden zijn weinig meer dan massagraven, waarin duizenden of zelfs miljoenen enkelingen bij elkaar gegooid zijn, levend begraven in hun strikt persoonlijke eenzaamheid."
Ze hebben reeds verscheidene dagen geleden het huisje aan de dijk betrokken. In de voorbije weken hebben ambachtslieden uit de omgeving de door Hanna gewenste verbetering aangebracht: de twee kleine kamertjes zijn samengevoegd tot één royaal vertrek. De wanden daarvan zijn gedeeltelijk beraapt, gedeeltelijk met schrootjes betimmerd, terwijl de vloer van plint tot plint bespijkerd is met Genemuider matten. Waar tot voor kort nog een bedstee was, is nu een leuke nis met indirecte verlichting. Een van de werklieden, door Hanna daartoe gepolst, heeft zijn vrouw bereid gevonden de woning van boven tot onder een grote schoonmaakbeurt te geven. Een verhuizer heeft daarvóór reeds huisraad weggehaald dat ongewenst of overbodig was en dat door Hanna en Hansje op een late meimiddag in onderling overleg was uitgezocht en apart gezet.
Er zijn nieuwe bedden bezorgd voor de beide slaapkamertjes, en nog wat extra schuimrubber matrassen voor op de zolder. 'Voor als Freek komt met zijn binnenschippers,' heeft granny gastvrij verklaard. Van het overgenomen meubilair is een ouderwetse kussenkast blijven staan, die met zijn allure ook nu nog het vertrek in hoge mate domineert.

Verder zijn gebleven de ovale tafel en de bijpassende onverslijtbare stoelen met biezen zittingen, waaraan granny onmiddellijk haar hart verloor, en voorts een onvervalste plattebuiskachel.

Nieuw, maar toch niet in disharmonie met de rest, zijn een paar moderne, buitengewoon comfortabele stoelen en een strakgelijnd divanbed, dat als rustbank voor granny is bedoeld.

Een eveneens moderne, laaghangende, oranjekleurige lamp van een exclusief model is door Hansje uitgezocht, evenals de wandversiering, onder meer bestaande uit een groot, felkleurig affiche, dat openhartig haar eigentijdse smaak verraadt.

Ondanks het feit dat ze een mengelmoesje van stijlen bijeengebracht hebben, voelen ze zich erg ingenomen met het uiteindelijke resultaat.

Haar interieur is net als granny zelf, denkt Hansje, eerlijk en efficiënt, met telkens op zijn onverwachtst een warme, gevoelige toets.

De aankoop van de maïsgele Volkswagen is een feit geworden.

Bij gebrek aan een garage staat het autootje achter het huis onder een afdak, naast het schuurtje waarin Hansjes fiets een plaatsje heeft gevonden, evenals een aantal opvouwbare tuinmeubelen.

De twee roodbonte koeien grazen nog altijd in het weiland achter het hek. Hansje voert ze broodkorsten; zij heeft ze al spoedig namen gegeven en kent ze feilloos uit elkaar aan de tekening van hun glanzende huid. De ene noemt ze Ophelia, de andere Eulalia.

Ze heeft ook kennis gemaakt met de boer, die de beesten tweemaal daags komt melken. Hij is een tamelijk nors man die de zwijgzaamheid bemint; als hij met één lettergreep kan volstaan zal hij er geen twee gebruiken.

Maar toen Hansje hem bij gelegenheid vertelde dat de koeien al luisterden als ze Eulalia riep of Ophelia, en dat ze één keer zelfs tegen haar gelachen hadden met hun aardige, trouwhartige gezichten – 'wérkelijk, meneer Van Ewijk!' – grijnsde hij superieur en schudde slechts sprakeloos zijn hoofd over zoveel stadse buitenissigheid.

Die eerste week is er nog veel te regelen geweest en in orde te brengen.

Granny wil het interieur completeren met rode geraniums in de vensterbanken, maar Hansje vindt dat te 'kneuterig', en helemaal niets voor een verlichte Amerikaanse. Zij stelt voor, van die grappige gekleurde flessen en flesjes voor de ramen te zetten, of een lekker gekke kitschverzameling.

Ze kibbelen erover, in den gemoede, dagenlang, en delen dan het verschil: ieder raam krijgt zijn eigen versiering, en het resultaat mag gezien worden. Dan moet er een voorraadje levensmiddelen in huis gehaald worden, en wat feestelijke drankjes voor de officiële openingsceremonie, zoals ze het onder elkaar schertsend noemen.

Wat ze in het dorp kunnen krijgen kopen ze daar, bij de dungezaaide plaatselijke middenstand; de rest wordt door Hansje per auto uit Culemborg aangevoerd. Verder gebruiken ze de wagen nauwelijks. Het weer laat zich vooralsnog van een goede kant zien, en het verkennen van de naaste omgeving gaat te voet beter dan per auto. Later zullen ze hun actieradius wel uitbreiden en ook de wijdere omgeving in ogenschouw nemen.

Granny voelt zich hier fitter dan in de stad, of zij verbeeldt het zich. Ze is er trots op dat ze hoogstpersoonlijk het paadje door de uiterwaarden ontdekt heeft, dat aan de andere kant van hun dijk begint en rechtstreeks naar de rivier voert.

Maar ze vertelt niet, zelfs niet aan Hansje als ze haar de verrassende ontdekking toont, hoe ontroerd ze die eerste maal op de glibberige krib gestaan heeft, terwijl de kleine golfjes tegen keien en paaltjes klotsten, en zij na tientallen jaren de ondefinieerbare bekoring weer onderging, die – juist als toen – werd aangedragen door de geuren van geteerd hout en vers gemaaid gras; ontroerd door herinneringen die haar in deze ogenblikken zó nabij kwamen, dat haar oude hart opeens weer klopte met de maatslag en de onstuimigheid van een vijfentwintigjarige.

Herinneringen aan Govert Vaandrager, wiens naam ze als onder dwang na lange tijd in pijn en verwondering weer op de lippen nam. Govert Vaandrager.

Hij is als een bandjir door haar leven gegaan destijds, het uiteenscheurend tot twee volkomen gescheiden tijdperken: 'ervoor' en 'erna'.

Daartussen was niets anders dan hijzelf; een lange, slordig geklede figuur, weinig meer dan een uit zijn krachten gegroeide jongen goedbeschouwd, trots en kwetsbaar, met gevoelige handen, de mond wat hoogmoedig boven het korte baardje waarvan de haargroei tot vlak aan de volle onderlip reikte.

Zijn ogen waren de merkwaardigste die Hanna ooit gezien had: groot en zeer donker en onpeilbaar diep, als schouwden ze immer in geheime werelden.

Evenals die andere keer was het slechts voor éven dat zijn beeld haar zo haarscherp voor de geest kwam; toen keerde ze terug tot de realiteit.

Ze vertelde zichzelf, niet zonder weemoed, dat de jongen die haar leerde lief te hebben – wanneer hij nog leefde en waar hij ook zijn mocht – thans een bejaarde man moest zijn van om en nabij de zeventig, geplaagd en belemmerd door slijtage van een onwillig wordend lichaam, juist zoals zij dat zelf van dag tot dag ervoer.

Haar diepste drijfveren onder ogen ziend, besefte ze dat ze niet naar dit land was teruggekeerd met de hoop nog ooit degene weer te zien, die eens tegelijkertijd haar zonde en haar glorie belichaamde, maar integendeel haar herinneringen ongeschonden bewaren wilde met de ingetogen glans die de tijd ze verleend had, en niet verlangde ze te laten ontluisteren door de confrontatie met een onvermijdelijk teleurstellende werkelijkheid.

In de dagen die volgen, houden haar gedachten zich nog dikwijls met deze dingen bezig.

Ze heeft destijds haar gestolen geluk na een verscheurende tweestrijd verzaakt, en het vervolgens geboet in een leven van toewijding en morele bijstand aan haar wilszwakke echtgenoot.

Thans, aan veel opstandigheid en machteloze waaroms voorbij, voelt ze zich nog slechts dankbaar jegens degene die de regie van haar leven voerde, omdat Hij in zijn wijsheid die bitter-zoete episode vol gloed en warmte invoegde, die haar verkleumde hart ontdooien moest en eindelijk een levende vrouw van haar maken.

Zonder die bewogen maanden, zonder te weten wat liefhebben en belangeloos geven beduidde, had ze nimmer haar zware taak ten opzichte van Norman tot een goed einde kunnen brengen.

Het geeft een milde gloed aan haar dagen, dat gevoel van dankbaarheid jegens de God die haar juist op tijd deze ervaring toebeschikte, als een noodwendige voorbereiding op het bestaan dat zijzelf zich in eigenwillige voorbarigheid koos, en die haar de doorgloeide herinnering aan dat kortstondig geluk gelaten heeft, een leven lang, om zich daaraan te warmen wanneer het allemaal te moeilijk werd.

En nu haar opdracht volbracht is, rest haar ten overvloede nog dit late geluk in het groene, intiem-besloten land waaraan zij steeds met zoveel innigheid terugdacht, een geluk waarvan ze nauwelijks heeft durven hopen dat het nog ooit haar deel zou worden: een kind. Een kind om van te houden, met een hart dat dezelfde taal sprak als het hare.

Het geluk heeft weer een naam gekregen: Hansje.

HOOFDSTUK 9

Ondanks zijn jeugd is Freek Berger al diverse jaren actief in de watersport en alles wat daarmee annex is: clubs, wedstrijden, instructiekampen en zo meer. Door al deze activiteiten heeft hij tal van relaties in allerlei hoeken van het land, en toen hij dan ook hoorde dat zijn oudtante niet zo heel ver van het Betuwse Culemborg haar anker ging uitgooien, heeft hij zich terstond herinnerd dat hij in die plaats iemand kende, en bij deze Korevaar zijn licht zou kunnen opsteken over de mogelijkheden die de omgeving zoal bood voor watersportenthousiasten als hij, want hij heeft granny's invitatie indertijd deugdelijk in zijn oren geknoopt!

Martijn Korevaar is tweeëntwintig; hij heeft destijds de toen twaalfjarige Freek als gymnasiast de eerste beginselen van het zeilen bijgebracht.

Ook als student is hij nog jarenlang deel blijven uitmaken van de zeilkampstaf van zijn oude school.

Zijn ouders zijn inmiddels naar Culemborg verhuisd; zelf studeert hij in Utrecht.

Naarmate Freek meer naar de volwassenheid begon te groeien en zijn leermeester ging evenaren in behendigheid en ervaring bij de sport, is het leeftijdsverschil tussen hen beiden bij hun treffen tijdens de zeilkampen al minder gaan spreken.

Sinds de vorige zomer hebben ze geen contact meer gehad, maar als Freek op een zaterdagavond opbelt naar Culemborg en aan mevrouw Korevaar vraagt of Martijn wellicht het weekend thuis doorbrengt, blijkt de student, die het gesprek komt overnemen, zich nog uitstekend te herinneren wie Freek Berger is.

De jongen doet zijn verhaal; hij vertelt terloops een dag of tien geleden zijn diploma in de wacht gesleept te hebben, maar daarna praat hij nog slechts geestdriftig over zijn boot, moeizaam bij elkaar gespaard en tweedehands gekocht, die hij wil gaan opknappen in deze vakantie, en het liefst ergens in de buurt van de plaats waar zijn oudtante domicilie houdt.

Hij informeert of daar ergens aan de Lek een geschikte ligplaats is, en hoe hij een en ander het best zal kunnen aanpakken.

Het wordt een lang gesprek, waarin Martijn Korevaar vanuit zijn eigen ervaringen naar beste weten adviezen geeft.

Hij heeft zelf ook een boot, groter dan die van Freek.

In een impuls stelt hij de ander voor de volgende zaterdag naar hem toe te komen en dan met elkaar het water op te gaan, zodat Freek zich persoonlijk een indruk van de situatie kan vormen.

„Breng je vriendinnetje maar mee," oppert hij, „dan vraag ik mijn meisje ook, en dan maken we er een leuke dag van."

Freek heeft nog geen speciale uitverkorene, maar hij kent meisjes genoeg die voor een dag op het water wel warm te krijgen zijn.

Hij heeft de zaak juist rond als hij een telefoontje moet aannemen van Hansje, die namens granny de hele familie uitnodigt voor haar 'house-warming-party', die zaterdagavond zal plaatsvinden.

„Hebben jullie al telefoon daar?" wil Freek weten.

„Nee, maar we staan al wel op de wachtlijst."

„Waar bel je dan?"

„In ons stamkroegje, wat verderop langs de dijk."

„Is granny er ook? In dat café?"

„Jazeker. Ik zie haar hier vandaan zitten achter een geweldige pul bier."

„Beduvel je soort," raadt hij broederlijk. „En vraag haar eens even of het goed is dat ik een paar lui meebreng, zaterdag."

„Wat voor lui?" vraagt Hansje nieuwsgierig.

„O, Martijn Korevaar, een vriend van me uit Culemborg, waar ik mee ga zeilen. En een paar meisjes die je niet kent."

Hansje volbrengt gehoorzaam haar missie en komt even later weer aan het toestel met een geruststellend: „Hoe meer zielen hoe meer vreugd, zegt granny. Vergeet je niet aan vader en moeder te vragen of ze Mattieu nog even inlichten?"

„Oké. Komen er nog meer mensen?"

„Een paar. Connecties van granny. Meneer Groenvelt, de makelaar die haar de boerderij verkocht heeft, en diens vrouw. En verder de detective die ons voor haar opspoorde indertijd."

„De speurneus," grinnikt Freek. „Is hij behept met platvoeten en een regenjas, en met een hoed die tot diep over zijn ogen is getrokken, zoals de 'stillen' uit de treinlectuur?"

„Precies. Je zult van hem opkijken," belooft Hansje monter.

En opkijken is het wat behalve Freek ook de anderen doen. Wim Heldering is een van de eersten die arriveert.

Alleen meneer en mevrouw Groenvelt zijn hem vóór, maar zij kondigen al dadelijk aan dat ze maar éven kunnen blijven, omdat ze deze avond nog meer verplichtingen hebben.

Ze bewonderen het vernieuwde interieur van het huisje, drinken iets en babbelen wat met granny, terwijl Hansje haar onrust zoekt te verdrijven door wat heen en weer te lopen, door nógmaals te controleren of in de keuken alles gereed staat, en nógmaals een blik in de badkamerspiegel te gaan werpen.

Ze heeft een jurkje aan, dat ze enkele dagen tevoren in een opwelling gekocht heeft, toen ze het in het voorbijgaan toevallig geëtaleerd zag in een Tielse zaak, en er op slag haar hart aan verloor.

Het is een geel-wit boerenbontje met een zeer lage hals en lange, wijde pofmouwen, dat bij alle eenvoud van het simpele ruitje een geraffineerde snit bezit, die haar figuurtje op zijn allervoordeligst doet uitkomen.

Ze heeft 's morgens haar haren gewassen en granny heeft haar geholpen met haar make-up, omdat Hansje haar gebiecht heeft zich op dat terrein nog wat onzeker te voelen.

„Ik heb nooit eens goed kunnen experimenteren," bekende ze een beetje timide, „want pa is nog heel ouderwets op dat punt, die maakte altijd een geweldige drukte als iets eens te rood of te zwart was uitgevallen naar zijn smaak."

Granny heeft geschaterd om dat verhaal.

„Hier experimenteer je maar raak," heeft ze onbekommerd gezegd, „wat je pa niet weet, kan je pa niet deren. En je bent bepaald niet het type om te overdrijven."

Nu heeft Hansje een heel licht blosje op haar wangen, die door zon en buitenlucht overigens al veel van hun natuurlijke bleekheid hadden ingeboet, en een bescheiden oog-make-up geeft haar een veel sprekender gezichtje.

Zodra ze een auto hoort op de afrit van de dijk, loopt ze het erf op. Als Wim Heldering uitstapt staat ze naast het portier om hem welkom te heten.

„Dág!" zegt ze, net als de vorige maal toen ze elkaar ontmoetten, maar beter op die ontmoeting geprepareerd nu. „Kon je 't makkelijk vinden?"

Ze voelt dat hij haar verwonderd en niet zonder waardering opneemt, maar als hij zijn mond opendoet is het slechts om op zijn eigen kameraadschappelijke manier te antwoorden: „Wat dacht je? Ik herkende het uit de verte al aan de perenboom en de tuinbank en de hele entourage. Je had me immers een geweldig signalement verstrekt?"

„Een signalement!" herhaalt Hansje misprijzend, maar haar ogen lachen. „Wat een term! Vanavond is alle vakjargon verder taboe, hoor! Kom mee, dan breng ik je bij granny."

Als Hugo en Justien arriveren met Mattieu, zijn de vier jongelui ook reeds aangekomen.

Martijn Korevaar heeft de auto van zijn vader in bruikleen gekregen en daarmee zijn ze gevieren uit Culemborg komen rijden, rozig van een halve dag op het water. Freek, die tot ergernis van zijn moeder nog in zijn slordige zeilplunje rondloopt, en zijn voormalige klasgenote Robine Moolenaar, een fris ding met blonde krullen, dat zich in huize Korevaar nog snel even verkleed blijkt te hebben en haar spijkerbroek verruild heeft voor een sluikvallend vuurrood jurkje.

„Makkelijk mee te nemen; het kreukt niet en het kan in opgerolde staat in een bierglas!" vertrouwt ze granny toe.

Dan Martijn Korevaar, die een lange, onopvallend geklede jongen blijkt met een donkeromrande bril, onregelmatige gelaatstrekken en een verrassend welluidende, diepe stem.

De trekken van zijn meisje, dat als Colette van de Brandt wordt voorgesteld, zijn even zuiver als de zijne onregelmatig zijn. Ze is óverslank, en van een bijna angstige perfectie. Alles aan haar is even harmonisch en onberispelijk, en als Hansje later met een mengeling van bewondering en tegenzin aan haar terugdenkt, overlegt ze dat dit nu een meisje was dat je onder een microscoop zou kunnen leggen zonder één ongerechtigheid te ontdekken.

Het verbaast haar nauwelijks te horen dat deze Colette in Amsterdam als mannequin haar brood verdient.

Als er überhaupt brood in haar dieet is opgenomen, denkt ze er meesmuilend achteraan.

Mattieu is de laatste die zich bij het gezelschap voegt. Hij heeft wat moeten laveren met zijn vaders auto, teneinde de familie Groenvelt gelegenheid te geven om weg te rijden. Het is zo langzamerhand een heel gedrang geworden op het erf.

Van het gezelschap, dat nu voltallig is, zijn slechts drie personen Mattieu onbekend. Hij heeft indertijd nog een poosje tegelijk schoolgegaan met Martijn Korevaar, die meer met hem dan met Freek in leeftijd overeenstemt.

Ze wisselen een paar woorden van herkenning; dan laat Mattieu zich de beide onbekende meisjes voorstellen.

Het laatst komt hij bij Wim Heldering, die zich aan de andere kant van het vertrek met Hansje onderhoudt.

Het valt hem direct op, dat zijn zusje er zo aardig uitziet en hij ruikt een romance.

De beide jongemannen, geheel vreemd voor elkaar, drukken handen. Wim Heldering noemt voor de zoveelste maal deze avond zijn naam, en de ander zegt op zijn vlotte manier: „Prettig kennis te maken. Ik ben Mattieu Berger."

Hij spreekt dat laatste woord uit als Bergé, het Franse kleurtje in zijn voornaam ook over zijn familienaam uitstrijkend. Hij doet dat wel vaker, hoezeer hij thuis ook om dat interessant-doen gehoond mag worden.

Deze keer heeft het echter dit resultaat, dat Wim Heldering hem niet direct tegen zijn achtergrond weet te plaatsen en een buitenstaander in hem ziet.

Wanneer Mattieu met plaagduiveltjes in zijn ogen onmiskenbaar appreciërend verder praat: „En wie mag deze lieftallige jongedame wel wezen?" verklaart hij dan ook argeloos: „Dit is Hansje Berger," maar hij legt wel in een onbewust gebaar van bescherming en verdediging zijn arm om Hansje heen, al is het maar voor een ogenblik. Het doet haar onuitsprekelijk goed. Even is ze te zeer van haar stuk gebracht om haar broer aan de kaak te kunnen stellen.

Maar als Mattieu vervolgens brutaal haar nieuwe jurk taxeert en met kennis van zaken opmerkt: „Heel pikant contrast, Hansje, die zedige mouwen bij dat verleidelijke decolleté," dan wordt het bloed van de jongeman aan haar zijde eensklaps warm van ergernis om zoveel vrijpostigheid van een kennelijk wildvreemde, en hij begint boos: „Neem me niet kwalijk..."

Dan legt Hansje een bezwerende hand op zijn mouw.

„Die idioot is mijn oudste broer," verklaart ze met een verhoogde kleur.

Wim grijnst een langzame grijns als de situatie tot hem doordringt. De versierder, begrijpt hij.

Dan geeft hij de ander van vier duiten weerom: „Mattieu. Ach ja, natúúrlijk. De man voor wie alle vrouwen vallen. Maar je zou in overweging kunnen nemen althans je zusje met rust te laten, zodat de rest van het mannelijk geslacht óók nog iets liefs overhoudt om naar te kijken."

Mattieu geeft sportief toe, dat dat een alleszins redelijke suggestie is, en plotseling lachen ze alle drie hardop.

Justien – die Wim Heldering bij het binnenkomen direct herkend heeft van hun vorige ontmoeting, toen hij haar met zulk een bedrieglijke schijn van argeloosheid de weg kwam vragen – heeft lachend en zonder rancune de kennismaking vernieuwd, ofschoon ze door zijn aanwezigheid op dit feestje en zijn vriendschappelijke verhouding tot Hansje wel hevig geïntrigeerd wordt.

Zij komt op de vrolijkheid af en vraagt nieuwsgierig naar de oorzaak ervan, terwijl ook granny zich bij het groepje voegt. „Een klein misverstand, mevrouw," bagatelliseert Wim, en Mattieu voegt eraan toe: „Ik maakte Hansje een compliment over haar jurk. Ze heeft trouwens helemáál haar beau jour. Is het boerenleven daar debet aan, granny, of moeten we de oorzaak ergens anders zoeken?"

En terzijde: „Vindt u óók niet dat ze er charmant uitziet, moeder?"

„In ieder geval charmanter dan Freek, met zijn ouwe, verschoten broek," antwoordt Justien laconiek, bewust de aandacht van haar blozende dochter afleidend, die nu lang genoeg in het zonnetje gezet is.

Als alle gasten tenslotte een plaatsje gevonden hebben, zorgt Hansje ervoor dat ze wat te drinken krijgen. Justien springt haar dadelijk bij, en ook de hoogblonde Robine biedt spontaan haar hulp aan. Om strijd bezweren ze granny, dat zíj zich nergens mee hoeft te bemoeien.

Het is een warme avond: beide ramen zijn zo hoog mogelijk opengeschoven.

Als het wat later wordt, dansen de jongelui onder de perenboom op de gele steentjes voor het huis. Licht en muziek stromen in toereikende mate door de open vensters naar buiten, evenals het stemgemurmel van degenen die er de voorkeur aan gaven in de kamer te blijven, of daar een poosje uit te blazen en een hartversterking te gebruiken.

De paartjes wisselen telkens. Hansje heeft een keer gedanst met Wim die de kunst uitstekend, en een keer met Martijn die de kunst maar heel matig verstond.

Het is haar niet ontgaan, dat zijn ogen telkens even naar binnen dwaalden, waar Colette op dat moment in geanimeerd gesprek was met Mattieu. Misschien verklaarde dat zijn gebrek aan inspiratie.

Overigens heeft zij wel prettig met hem gepraat. Maar haar gedachten waren er ook niet zo erg bij. Zij moest telkens aan Wim denken, die ze straks voor de grap weer eens Sherlock genoemd heeft, omdat dat appelleerde aan gezamenlijke herinneringen, die een zekere band tussen hen gaven, een band die zij maar al te graag wil accentueren.

Hij was aardig en zelfs hartelijk tegen haar, maar niet aardiger of hartelijker dan tegen andere meisjes, naar ze vreest.

Het element van rivaliteit in zijn houding, dat hij in de vooravond een ogenblik getoond heeft in dat dwaze duel met Mattieu, en dat haar voor even zo vreemd gelukkig maakte, heeft ze naderhand in woord noch gebaar teruggevonden.

Hij heeft behalve met haar ook met Colette en Robine gedanst en wist ze beiden op hun beurt aan het lachen te maken.

Hansje, zich van haar verantwoordelijkheden als gastvrouw bewust, moet nogal eens naar de keuken om nieuwe hapjes en verfrissingen te laten aanrukken, en de langspeelplaten op de pick-up moeten ook van tijd tot tijd verwisseld worden.

Op een gegeven moment, terugkerend naar buiten, blijft ze even dralen bij de hoek van het huis.

Mattieu en Colette dansen, overgegeven aan de meeslepende muziek die zijzelf enkele minuten geleden heeft opgezet, op een manier of ze geheel alleen op de wereld zijn.

Hansje is geschokt, ze denkt onwillekeurig aan een paar waakzame ogen achter donker omrande brilleglazen en registreert tegelijkertijd dat Martijn Korevaar nergens te bekennen is.

Op de tuinbank, die aan de kant geschoven is om zoveel mogelijk ruimte te maken op het klinkerstoepje, zitten Freek en Wim met Robine tussen zich in, allebei met een glas vruchten in hun hand, waaruit ze haar onder veel geplaag als een baby voeren, om de beurt een hapje.

Hansje, nog onopgemerkt, voelt zich eensklaps zó verschrikkelijk overbodig, dat ze zich omkeert en het erf overloopt, om geleund tegen het ruwhouten hek eventjes alleen te zijn en haar houding te bepalen.

Er stijgt een typische geur op uit het gras; wat verderop hangen een paar vage nevelsluiers en daarachter zijn schimmig de omtrekken van de beide koeien te ontwaren.

Terwijl de mistflarden één voor één als door een onzichtbare hand worden opgetild, zodat de contouren van het slapende vee allengs duidelijker uitkomen, hoort Hansje voetstappen achter zich op het erf, voetstappen die ál dichterbij komen, totdat er iemand vlak achter haar stil blijft staan.

Ze beweegt zich niet; ze kijkt op noch om, maar houdt slechts haar adem in, zich erover verbazend hoe snel een bepaalde stemming in zijn tegendeel kan verkeren.

Pas als degene die achter haar kwam staan zijn mond opendoet, begrijpt ze hoe vast ze er in dat korte ogenblik van overtuigd geraakt was de stem van Wim Heldering te zullen horen.

Maar het is een andere stem, lager, dieper dan de zijne, die beschouwend en ironiserend aan haar voorbij praat, haar nochtans op subtiele wijze als deelgenote betrekkend bij eigen neerslachtigheid.

„Inderdaad, er zijn ogenblikken waarop je beter naar koeien kunt kijken dan naar mensen," zegt die stem.

HOOFDSTUK 10

Hansje heeft beide handen om de bovenste plank van het gecarbolineerde hek geslagen. Ze kijkt niet om, want ze vreest dat haar trekken iets van haar teleurstelling zullen verraden, en ook zonder te kijken weet ze wel tegen wie ze spreekt als ze geruststellend doch niet zonder een zweempje cynisme opmerkt: „Maak je niet koortsig. Er zijn figuren die uitsluitend jagen ter wille van de jacht, niet ter wille van de buit."

Martijn Korevaar lacht een kort lachje, dat gespeend is van vrolijkheid.

„Blijft de vraag wíe hier de jager is en wíe de buit," zegt hij droog.

Hansje begrijpt de terechte ergernis van de jongen.

Haar eigen kleine ontstemming mist daarbij vergeleken elk bestaansrecht.

Zij kan geen enkele aanspraak doen gelden op haar charmante Sherlock, die bovendien met dat klasgenootje van Freek niets dan wat onbevangen plezier gemaakt heeft. Zíj mag nog alles verwachten, terwijl Martijn Korevaar zich met reden bedrogen kan voelen door het zwoele gedoe van zijn meisje met een wildvreemde als Mattieu.

Als ze blijft zwijgen komt de ander naast haar. Ook hij slaat zijn handen om het hek.

„Ik ben er nog zo één die een vrouw voor zich alleen wil," verklaart hij bot.

„Dan had je niet zo'n mooie moeten nemen," poneert Hansje.

„Alsof trouw en ontrouw wezenlijk iets te maken zouden hebben met knap en onknap," begint hij nogal agressief. „Jij suggereert van wél."

„Het hóeft natuurlijk niet. Maar het lijkt me wel gevaarlijk, zo knap te zijn als jouw Colette. In meer dan één opzicht. Tien tegen één dat de belangstelling van de andere sekse zich op je buitenkant concentreert."

„Suggereer je daarmee soms ook, dat ondergetekende niet om haar zou geven als ze minder of helemaal niet mooi was?"

„Geloof je zelf van wel?" waagt Hansje, niet recht beseffend waarom ze hem zo prikkelt.

„Zie je me voor zo'n leeg omhulsel aan?"

„Nee; háár..." zegt Hansje.

Het ontglipt haar en ze schrikt zelf van deze verregaande openhartigheid.

„Dat is een doordenkertje, hè? Maar ik moet je nageven dat je eerlijk bent."

Het klinkt nogal bitter.

„Sorry. Dat leer ik van granny. Eerlijkheid kan overigens heel bevrijdend werken, ook al doet ze je zeer."
„En dat doet ze ongetwijfeld. Misschien kunnen we toch maar beter over je koeien praten, Hansje."
„Véél beter zelfs. Die zijn ongecompliceerd; er gaat rust van ze uit. En ze passen op een volmaakte manier in hun entourage."
„Is dat ironie?"
„Nee, ik meen het. Ik dacht dat ik in een stad thuishoorde, maar ik wist niet wat ik miste. Ik ben van dit landschap gaan houden; nu al. Soms klim ik tegen de dijk op, zodat ik ook de rivier kan zien en de kolk vlakbij, waar altijd zoveel vogels rondscharrelen. Bij voorkeur doe ik dat 's morgens heel vroeg, als er nog vrijwel geen verkeer is. Dan sta ik daar zomaar een tijdlang te kijken, en te genieten van wat ik allemaal om me heen zie."
Hij schijnt wérkelijk naar haar geluisterd te hebben, want kennelijk afgeleid van zijn problemen, met een geheel andere klank in zijn stem, citeert Martijn, in enkele volmaakt afgeronde zinnen het panorama schilderend dat haar ál pratend voor ogen heeft gestaan: „In de weiden grazen de vreedzame dieren, de roerdompen staan bij een donkere plas, en in de uiterwaarden galopperen de paarden met golvende staarten over golvend gras..."
„Dat lijkt wel een brok poëzie," zegt Hansje.
„Het is poëzie; van de grote Marsman nog wel. Die behoorde je te kennen: hij had net zo'n zwak voor dit landschap als jij."
„Vind je 't vreemd? Je kunt hier zoveel ruimer ademhalen. Ik heb de laatste paar jaren niet zo goed mijn draai kunnen vinden; mijn zelfvertrouwen was weg, en alles in de wereld scheen zinloos, mijn eigen bestaan incluis. Maar tegen deze achtergrond voel ik me ongekend happy. Je krijgt de natuur hier nog uit de eerste hand: de wind, de wolken, al die kleuren groen, en vooral dat licht. een óvervloed van licht, dat hier royaler uit de hemel schijnt te vallen dan in de stad, en dat links en rechts weer door rivieren en plassen wordt teruggekaatst, zodat het schittert voor je ogen.
Het is soms net of ik een beetje van al dat licht absorbeer, zodat ik het op mijn beurt weer dóór kan stralen."
„Als een juweel, dat alleen maar een ander zetting nodig had om tot zijn recht te komen," zegt Martijn Korevaar met iets goedmoedigplagends in zijn stem.

73

Hansje reageert met een snelle blik opzij: „Dat moet je van granny hebben. Het is haar stokpaardje."

„Inderdaad. Ik hoorde de oude dame iets van deze strekking tegen je ouders zeggen vanavond, maar eerlijk gezegd drong het zo-even pas tot me door dat het op jou moest slaan."

Hansje begrijpt niet hoe het mogelijk is, dat ze op zo'n prettige, ontspannen manier kan staan praten, terwijl ze even geleden nog zo onrustig en onvoldaan was van binnen; en nog minder begrijpt ze dat zulk een vanzelfsprekend contact mogelijk is met iemand, die zij onbewust gebruikt heeft als slachtoffer om er haar eerste depressieve bui sinds weken op af te reageren.

Ze verbaast zich over deze vriend van Freek, die niet eens nijdig geworden is toen zij die onaardige dingen over zijn meisje te berde bracht, ofschoon hij toegaf pijnlijk getroffen te zijn, maar die alleen kalmpjes gezegd heeft: „Misschien kunnen we toch maar beter over die koeien praten, Hansje." En het nog dééd ook.

In een berouwvolle impuls vraagt ze: „Ik heb vervelende dingen gezegd hè, straks? Had ik beter mijn mond kunnen houden?"

Voor het eerst tijdens hun gesprek keert ze de ander voluit haar gezicht toe. Martijn glimlacht even.

„Over het algemeen sta ik niet te dringen om vervelende dingen te horen zeggen, en zéker niet over Colette. Maar troost je: in mijn stemming van zo-even was een beetje solidariteit me niet onwelkom."

„Maar een mens moet nooit te lang aan een stemming toegeven," voegt hij eraan toe, „laten we ons dus weer in het strijdgewoel begeven."

Wanneer ze naar de voorkant van het huisje zijn geslenterd, ontdekken ze dat het klinkerstoepje inmiddels volledig verlaten ligt.

Een steelse blik naar binnen leert hen, dat Wim in een geanimeerd gesprek met granny is gewikkeld en dat Colette, samen met het blonde vriendinnetje van Freek, rondgaat door de kamer om de diverse glazen bij te vullen.

Mattieu is geconcentreerd bezig bij de oude platenspeler van zijn zusje, die kennelijk dienst weigert.

Martijn werpt Hansje een snelle, wetende knipoog toe, die haar doet blozen, daar ze zich door hem tot op de bodem doorzien voelt.

Hij neemt haar met een broederlijk gebaar bij de schouder.

74

„Cheer up, my lady," zegt hij ironisch, „al onze lichten staan weer op veilig."
Als ze naar binnen gaan, Hansje voorop, komt ze voor even midden in de schijnwerpers van de algemene belangstelling te staan.
„Aha! Daar hebben we Hansje ook weer!"
„We hebben je gemist!"
„Waar heb jij gezeten?"
„Kijk, daar heb je Martijn ook. Ben je soms met hem aan de wandel geweest?"
Martijn ontslaat Hansje zonder meer van de verplichting al die vragen en uitroepen te beantwoorden, door haar met zachte dwang vanuit de deuropening naar binnen te schuiven, terwijl bij rustig verklaart: „Ik trof dit meisje aan terwijl ze bezig was te mediteren, ten overstaan van twee koeien die stonden te slapen in een adembenemend decor. We hebben elkaar over en weer onze liefde voor de Betuwe bekend, nietwaar Hansje? En van al dat gepraat hebben we dorst gekregen. Is er nog wat drinkbaars voor ons overgebleven, mevrouw Simpson?"
„Natuurlijk jongen, natuurlijk!" zegt granny, en in het algemeen: „Maken jullie eens plaats voor die kinderen!"
Hugo voldoet aan dat verzoek in de meest letterlijke zin, namelijk door op te staan en aan te kondigen dat hij het tijd acht om op te breken. Justien voegt zich zoals gewoonlijk naar hem en staat eveneens op, maar Freek en Robine, die mee zullen rijden, vinden het nog veel te vroeg, en ook Mattieu dringt erop aan nog wat te blijven. Maar Justien bezweert ze, dat granny veel te moe zal worden als ze het allemaal zo verschrikkelijk laat maken, en daar valt door de jongelui niet veel tegenin te brengen. Niet veel later rijden ze gevijven weg.
Ook Martijn en Colette nemen binnen een halfuur afscheid. Het valt Hansje op, dat hij zich vrij koel opstelt tegenover zijn meisje.
Die krijgt nog een ongemakkelijk kwartiertje op weg naar Culemborg, overlegt ze in stilte. Aan de schijnbare inschikkelijkheid van deze nieuwe kennis, die in het openbaar geen enkel blijk van ongenoegen geuit heeft, ligt kennelijk een volwassen beheersing ten grondslag, waaronder ze echter een hardheid vermoedt waarop Colettes verzoenende glimlachjes in eerste instantie wel eens zouden kunnen afketsen.

Veel tijd om over de relatie tussen die twee na te denken heeft ze vooralsnog echter niet. Tussen haar en granny duikt plotseling Wim Heldering op, de enig overgeblevene van de gasten.

„Als we Mrs. Simpson nu eens onvoorwaardelijke bedrust voorschreven, Hans," stelt hij gemoedelijk voor, „dan help ík jou nog even met opruimen."

„Zeg, brutale aap, er valt hier voor jou niets te regelen, hoor!" moppert granny, maar haar ogen, hoe vermoeid ook, lichten toch even geamuseerd op. Hansje ziet zowel het een als het ander.

Ze legt haar arm om de tengere schoudertjes van haar oudtante en zegt overredend: „Doe het tóch maar, granny; ga maar zo gauw mogelijk liggen. Deze avond moet een enorme krachttoer voor u geweest zijn."

Hanna, die voor wat deze dag betreft inderdaad aan het eind van haar Latijn is, laat zich al spoedig bepraten, innerlijk verwarmd door de gemeende hartelijkheid en bezorgdheid van die kinderen, al is ze nuchter genoeg om het bestaan van mogelijke bij-oogmerken aan hun kant niet voetstoots uit te sluiten.

Wim houdt woord: hij leegt asbakken en zoekt flessen en glazen bij elkaar, terwijl Hansje in het keukentje de vuile vaat op het aanrecht stapelt.

„Afwassen doe ik morgenochtend wel, hoor!" deelt ze mee als hij achter haar langs loopt, op zoek naar een vuilnisbak.

„Jij bent bang dat ik de boel zal laten vallen," tart hij, „maar je hebt er geen notie van wat een geroutineerde afdroger je in huis gehaald hebt. Ik ben helemaal self-supporting hoor, in het dagelijks leven. Ik kan zelfs een beetje koken!"

„mijn complimenten!" prijst Hansje. „Ik zal je voortaan met gepaste eerbied bekijken, dat beloof ik. Maar ik heb zélf geen zin meer in die vaat. Kan ik je soms nog een plezier doen met een kop sterke koffie? Je moet nog zo'n eind rijden voor je in Amsterdam bent."

„Dat sla ik niet af. Maar dan moet je er zelf óók één nemen. Of kun je dan niet slapen, straks?"

Hansje wuift die veronderstelling zorgeloos terzijde.

„Slapen! Dat kan een mens nog zo lang doen!"

Hij is op de grond gaan zitten, zijn rug tegen de keukendeur, en kijkt naar haar terwijl ze bezig is bij het gasstel.

„Nog bedankt voor je invitatie," zegt hij erkentelijk, „het was beslist een gezellige party, en ik vond het ook leuk weer eens met je oud-tante te praten. Tussen haakjes: je hebt leuke benen, vanuit deze hoek gezien."

Het komt wel erg onverwachts, maar het lukt Hansje niettemin het hoofd koel te houden.

„Jij ook," reageert ze laconiek, „alleen breek ik er bijna mijn nek over. Wees zo goed even op te staan, zodat ik er langs kan met die koffie; dan drinken we ze in de woonkamer op."

Hij zucht overdreven en beweert dat ze lastig is, maar springt dan toch op en houdt de deur voor haar open. Eenmaal binnen, valt hij bijna ruggelings neer in de meest comfortabele stoel.

Hansje geeft hem zijn koffie aan en hij begint er meteen van te drinken.

Zijn ogen boven het kopje zoeken de hare en zodra er een vonk overspringt begint hij tussen de slokken door een aantal vragen op haar af te vuren: „Ben je wel eens in Amsterdam geweest? Ja? Maar bij avond? Met iemand die er de weg wist? Werkelijk niet? Wordt het dan niet tijd dat het er eens van komen gaat?"

HOOFDSTUK 11

„Is dat zoveel als een uitnodiging? Voor een tegenbezoek?" preci-seert Hansje. Wim Heldering gaat rechtop zitten, teneinde zijn lege kopje naast zich op de vloer te kunnen zetten.

„Wat anders?" zegt hij. „Vorsten en vorstinnen leggen regelmatig tegenbezoeken af, dus wat het protocol aangaat kan er niets mis zijn."

Zij doet haar best niet al te gretig te accepteren.

„O, ik wil je best een keer in de gelegenheid stellen me Amsterdam-bij-avond te laten zien," zegt ze goedgunstig, met haar kin in haar hand geleund zijn blik trotserend, „maar alleen als ik er niemand mee in de gordijnen jaag."

Hij trekt hoog zijn wenkbrauwen op.

„Verklaar je nader."

„Nou, er zou toch best iemand kunnen zijn die meer recht heeft op jouw vrije tijd dan ik," verklaart zij, op haar hoede.

Hij steekt een beschuldigende vinger naar haar uit.

„Oei! Jij verdenkt me ervan ergens een jaloers vrouwspersoon ver-donkeremaand te hebben! Mis poes; ik ben wel wijzer. In dat gekke beroep van mij kun je maar beter vrij man zijn, want als vrouwen niet jaloers zijn, zijn ze wel nieuwsgierig. Of ze sidderen van angst dat je ooit ergens enigerlei gevaar zult lopen.

Die extra zorg moet ik niet aan mijn kop hebben als ik me in ander-mans nesten steek. Bovendien loop ik met serieuze plannen rond nog eens voor mijzelf te beginnen, en daarbij kan ik geen blok aan mijn been gebruiken.

Waarmee ik maar zeggen wil, dat je rustig en volmaakt onbezwaard tegenover je seksegenoten mijn escorte kunt aanvaarden."

Hansje heeft het gevoel, dat ze voor het verwerken van deze uit-eenzetting op zijn minst de hele nacht nodig zal hebben. Ze pro-beert niet eens de kern van zijn standpunt door te denken, want voorlopig heeft ze er haar handen vol aan om een schijn van onbe-vangenheid te bewaren.

Hoofdschuddend vermaant ze: „Een béétje eleganter zou je je wel kunnen uitdrukken, Willem Heldering. Denk niet dat het je siert de vrouwen die je levenspad kruisen met blokken te vergelijken!"

Hij incasseert haar vermaan met lachende ogen, als was het een compliment.

„Dat apprecieer ik nu zo in jou, hè," verklaart hij openhartig, „jij kunt iemand zo lekker parmantig een veeg uit de pan geven. Dan haal je eerst diep adem, om met een onzichtbare polsstok over je ingeboren verlegenheid heen te springen, en dan vóel ik al dat er weer iets op komst is.

Laatst in dat café ook, toen je me zo voldaan onder de neus wreef hoe onvergeeflijk ik geblunderd had door je voortijdig met Hansje aan te spreken.

Maar op de een of andere manier speel je het klaar er lief bij te blij-ven. Ik zal je wat verklappen, Hansje. Door objectief de ervaringen van mijn vrienden en hun respectievelijke vriendinnetjes bij te hou-den, heb ik geleerd dat de een de ander over het algemeen op een vrij domme manier vleide en naar de ogen keek, net zo lang tot het arme kind of de beklagenswaardige kerel definitief gestrikt was – en dat er dan in veel gevallen ineens zo nodig gekritiseerd en geke-ven moest worden.

Dat heeft me eerlijk gezegd met enig wantrouwen vervuld. Maar jij bent recht door zee, een echte kameraad, en daarom mag ik je verdraaid graag."

Ondanks de hartelijkheid van zijn woorden heeft Hansje het gevoel met een troostprijs te worden afgescheept. Hoewel er blijkbaar niet meer dan dat te halen valt, daar ambities, carrière en een uiterst verstandelijk overleg, dat ze nimmer achter zijn spontane persoonlijkheid gezocht zou hebben, het toekennen van een hoofdprijs voorlopig kennelijk uitsluiten.

Ze is zich er sterk van bewust, dat er iets niet klopt in die redenering van hem.

Jij bent recht door zee, heeft hij gezegd. Het lijkt er niet op, denkt Hansje. Als ze wérkelijk recht door zee was, zou ze hem nu waarschuwen niet alles op de kaart van zijn ambities te zetten, hoe sterk die kaart hem persoonlijk ook mag toeschijnen.

Aan een carrière kun je je niet warmen, heeft granny onlangs eens tegen haar gezegd, kennelijk uit lange en bittere ervaring sprekend. Maar kan een meisje dergelijke uitspraken, hoe wijs ook, doorgeven aan een jongeman, zonder de schijn te wekken dat ze hem naloopt?

„Bedankt," zegt ze alleen.

Ze beseft plotseling dat ze toch wel heel moe is, en ook dat het onder bepaalde omstandigheden allesbehalve gemakkelijk is, als meisje aan zoveel ongeschreven codes gebonden te zijn. „Zou je je volgende week zaterdag vrij kunnen maken?" vraagt Wim, geheel onkundig van haar ietwat mismoedige overleggingen.

Hansje denkt snel na.

De vraag of het verstandig is onder de gegeven omstandigheden met hem uit te gaan daargelaten, ze heeft A gezegd en zal nu ook B moeten zeggen.

„Granny heeft gedecreteerd," vertelt ze, „dat ik om de veertien dagen een weekend vrij ben en dan de beschikking over haar autootje krijg. Ze heeft namelijk een maïsgele Volkswagen gekocht, vrij nieuw nog, maar als ik weg ben heeft ze er niet veel aan, want zelf rijdt ze al jaren niet meer. We zijn hier nu een dag of tien, dus volgende week zou ik er wel eens tussenuit kunnen."

„Maar moet je dan 's avonds laat weer in je eentje terugrijden naar de Betuwe?"

„Nee zeg, ben je mal? Dan ga ik rechtstreeks uit Amsterdam naar huis, en breng de zondag bij mijn ouders door."

„Mooi; dat is heel wat dichterbij. Laten we elkaar dan in de namiddag treffen, dan gaan we eerst een stukje eten samen. Oké?"

„Ja, dat zou wel kunnen. Als jij nu tenminste bereid bent me uit te leggen waar ik wezen moet, want behalve het Damrak en de Kalverstraat weet ik heg noch steg."

„Met alle plezier."

Hij scheurt een blaadje uit zijn agenda en schetst daarop vaardig een plattegrondje waarop hij een paar straatnamen invult, die vanaf haar invalsweg de route aangeven naar een restaurantje waar ze elkaar zullen moeten vinden.

Hij geeft haar zelfs nog een tip voor een plekje waar ze waarschijnlijk wel parkeren kan.

Hansje neemt het papiertje van hem aan.

„Hang het boven je bed," adviseert Wim, „dan kan ik er gerust op zijn dat je me niet vergeefs laat wachten."

„Ik ben wel slordig," zegt Hansje, „maar toch weer niet zó slordig dat ik een rendez-vous met jou zou kunnen vergeten."

„Gelukkig maar. En dan moet ik nu zeker opkrassen, hè?"

„Nog geen zin?"

„Nee. Dit is een stoel om er jaren naar terug te verlangen. Ik heb er de hele avond al een oogje op gehad, maar je vader zat erin, en die was wel zo wijs geen ogenblik op te staan."

Hansje lacht als hij zich met een martelaarsgezicht omhoog wrikt.

„Ik zal granny wel bewerken, dat ze hem mettertijd aan jou moet vermaken," belooft ze terwijl ze naar buiten lopen.

„Stel je voor! Laten we hopen dat het lieve mens nog jaren blijft leven. En wat die stoel betreft: ik kom er híer nog wel eens in zitten, als het mag."

„Het mag."

Hansje drukt zijn uitgestoken hand, die groot en warm om de hare heensluit. Om haar verlegenheid te overstemmen praat ze in het wilde weg: „'t Is te hopen dat je geen last van mist krijgt onderweg. Eerder op de avond leek het wat nevelig te worden."

„O, ik kom heus wel in Amsterdam," stelt hij haar gerust, druk bezig al weer met zijn autosleuteltjes, „dáár zit ik niet over in."

„Waarover dan wel?"

„Of ik jou zo gek kan krijgen om volgende week opnieuw in deze zonnige creatie op te draven."

„En waarom zou ik níet?"

„Omdat het volledig indruist tegen de opvatting van het schone geslacht, als zou men tot geen prijs tweemaal achter elkaar in dezelfde uitmonstering voor hetzelfde publiek mogen verschijnen."

„Je kent ze van haver tot gort, hè, de vrouwen," gooit Hansje ertussen. „En waarom zou ik wél?"

„Omdat je er zo plezierig uitziet in dat ruitje, daarom."

Hij stapt in, maar voor hij het portier achter zich dichttrekt plaagt hij nog gauw even: „Nadere details bij je broer Mattieu. Die wist het allemaal zo boeiend te formuleren."

Hansje schudt verontwaardigd haar haren naar achteren.

„Je bent al net zo'n gemene treiter als hij. Maak maar gauw dat je wegkomt!"

Het lawaai van de motor die aanslaat overstemt zijn jongensachtige schaterlach. Het is het laatste wat ze voorlopig van hem hoort.

De volgende morgen komt granny haar wakker maken met een kopje thee.

„Heb ik me verslapen?" schrikt Hansje. Ze rekt zich eens ongegeneerd uit en hervindt zich tot eigen bevreemding opgewekter dan ze insliep.

„Sorry hoor, maar ik heb nog zo lang wakker gelegen gisteravond," verklaart ze met een verstolen geeuw.

„Nou, maar ík niet," zegt de ander tevreden, „ik ben zo wijs geweest een slaappil in te nemen, met het gevolg dat ik weer zo goed als nieuw ben. Moet je een beschuit bij je thee, of wil je nog een poosje verder slapen?"

„Ik denk er niet over," zegt Hansje, haar benen buiten bed stekend, „ik moet ú bedienen, niet u mij. En er staat nog een beeld van een afwas op me te wachten."

„Laten we die samen doen," stelt Hanna grootmoedig voor. „Geen denken aan," snijdt haar nichtje onverbiddelijk af, „u laat tóch weer van alles uit uw handen vallen, en dat wordt te schadelijk op den duur."

Ze schieten allebei in de lach bij de herinnering aan wat er de vorige week zoal gepasseerd is. Hansje besluit haar betoog met een gedecideerd: „Ga maar lekker in de zon zitten kijken hoe een ander

de kost verdient; u hebt genoeg werk verzet in uw leven!"
Even later is ze bezig toilet te maken.
Ze denkt aan de eerste dagen van hun verblijf hier, toen ze voorzichtig om elkaar heendraaiden en over en weer elkaars capaciteiten aan huishoudelijk talent en ervaring taxeerden.
Hansje, die een moeder heeft bij wie alles op rolletjes loopt, stond perplex toen ze ontdekte dat granny, die nog zoveel langer in het leven meeloopt dan zij, en die alles zo uitstekend weet te organiseren, een verbazend slechte huisvrouw bleek te zijn met twee linkerhanden, en bij wijze van spreken nog geen ei kon bakken zonder hulp.
„En dan te bedenken dat pa in de gelukkige overtuiging verkeert dat u een allround huishoudkundige van mij zult maken!" sniklachte ze op een keer, toen granny op geen stukken na bleek te weten welke ingrediënten er nodig waren om een eenvoudige bal gehakt klaar te maken.
„U wilt toch niet in ernst beweren, dat u drieënzeventig jaar kon worden zonder ooit gehakt te braden?"
„We hebben bijna dertig jaar lang een schat van een negervrouw in dienst gehad," bekende granny, „onze May, die geen dag mankeerde, en alle keukenmeisjes beschaamd maakte. Zíj is er schuld aan dat ik langzamerhand alles vergeten ben wat ik ooit nog eens van koken geweten heb. Ik was heel veel op reis voor de zaak, en dan at ik in hotels, of ik zat op het kantoor van oom Norman te telefoneren of te confereren, en als het avond was had May alles in orde; voor een paar zakenvrienden of relaties meer of minder aan tafel ging ze niet opzij.
En vóór May er was... och, eigenlijk heb ik altijd hulp gehad in huis. Alleen indertijd in Kapel-Avezaath, toen was ik op mijzelf en mijn eigen onhandigheid aangewezen, maar toen had ik het zo arm dat ik vrijwel alleen op brood leefde, of rijst met hardgekookte eieren at; dat was nu eenmaal goedkoop voedsel in die dagen.
Nee, een goede huisvrouw ben ik nooit geweest, Hansje; jij bent een betere, nu al. Je moeder heeft je aardig wat bijgebracht, in die twintig jaar.
Maar wat er bij jóu aan schort is dat je te veel van de hak op de tak springt. Dít half en dat half, en later zul je het wel afmaken. Dat dóe je dan ook wel, maar intussen heb je het slordige effect bereikt

waaraan je je reputatie te danken hebt. Als we nu samen eens een systeem konden opbouwen om daar verandering in te brengen, dan waren we een hele stap in de goede richting."

„Tik me maar op de vingers als het nodig is," heeft Hansje moedig gezegd, en granny houdt haar daaraan.

Ze kan streng en onverbiddelijk zijn op dat punt.

„Néé, Hansje, – niet zomaar weghollen om boodschappen te doen; eerst nagaan en opschrijven wat er allemaal nodig is."

„Néé, Hansje, – éérst die schone vaat wegruimen voor je dat vlees gaat braden, anders wordt alles immers weer vet. Je moet leren economisch te gaan werken; e-co-no-misch, vat je?"

Zo gaat dat, en soms wordt Hansje er wel eens kregelig van, maar sinds granny het gepresteerd heeft op een dag tot drie maal toe iets kapot te laten vallen, heeft zij op haar beurt een wapen in handen en plaagt ze haar oudtante met haar e-co-no-mi-sche manier van afdrogen.

Al met al kunnen ze het heel goed met elkaar vinden in hun betrekkelijk isolement, dat de vorige avond overigens grondig is opengegooid.

Alle gasten waren vol lof over granny's behuizing, en het laat zich aanzien dat ze deze zomer nog wel eens aanloop zullen krijgen van deze en gene.

Als Hansje zover gekomen is met haar gedachten, herinnert ze zich ook weer wat Wim gezegd heeft voor hij vertrok. Ze kijkt er de bewuste stoel op aan als ze de woonkamer binnengaat om te ontbijten: „Ik kom er híer nog wel eens in zitten als het mag."

Wim, die ze zeer binnenkort weer zal ontmoeten.

Wim, van wie ze zwaar gecharmeerd is, maar met wie ze totaal geen raad weet, omdat hij haar met de ene hand afneemt wat hij haar met de andere geeft.

Die door allerlei uitlatingen laat blijken hoe graag hij haar mag, maar niettemin met zoveel woorden tegen haar zegt dat hij zich voorlopig op geen enkele wijze wenst te binden.

Wil hij alleen een vlotte kameraadschap, en niet meer?

De eerste helft van de avond leek het daar op. Maar waarom maakte bij dan later galante toespelingen op haar uiterlijk, waarom plaagde bij haar op een manier die verdacht veel op flirten leek?

De inconsequentie van zijn houding laat haar geen rust.

In de loop van de dag bespreekt ze bij granny haar vrije weekend, en natuurlijk komt dan eveneens het bezoek aan Amsterdam ter sprake.

De oude dame kan het niet laten Hansje een beetje te plagen met haar verovering; jong van hart als ze is, heeft ze de avond tevoren genoten van al die jeugd om zich heen, en ze vist een beetje of er ook romantiek in de lucht zit.

Maar Hansje reageert kortaf: „Niks verovering. Niks romantiek. U haalt zich dingen in het hoofd die helemaal niet aan de orde zijn. Die jongen is een principieel vrijgezel."

„Laat me niet lachen!" zegt Hanna superieur. „Vroeg of laat gaan ze allemaal voor de bijl, hij net zo goed."

„Maar hij meent serieus dat een nieuwsgierige, jaloerse of super-ongeruste partner met zijn dikwijls riskante werk niet te combineren valt," verklaart Hansje.

„Dat ze nieuwsgierig, jaloers of super-ongerust zal zijn, neemt hij a priori aan," gooit ze er gebelgd tussendoor. „Bovendien heeft hij zijn geld en zijn tijd en zijn vrijheid nodig om zelfstandig te worden in zijn beroep, en nog eens onder zijn eigen naam carrière te maken."

Hanna herinnert zich haar eerste indruk van die ambitieuze jongeman, een indruk die angstig-goed klopt met wat Hansje zojuist verteld heeft.

„Heeft hij dat allemaal gezegd? Tegen jóu?" vraagt ze hoofdschuddend.

„Zonder blikken of blozen," bevestigt haar nichtje. „Het was toen ik tegen hem zei dat ik alleen dan naar Amsterdam wilde komen als ik in niemands rechten trad, om het nu maar eens plechtig uit te drukken.

Het scheen zijn bedoeling mij gerust te stellen met die uiteenzetting. Maar ik ben er nog steeds niet achter of hij uit naïviteit of uit berekening zo openhartig was. Wat denkt ú? Iemand kan toch niet in ernst geloven dat hij vrijblijvend aardig kan zijn tegen ieder meisje dat hem aanstaat, zonder zekere illusies bij haar te wekken?"

„Zéker niet als die iemand zulke gevaarlijke ogen in zijn hoofd heeft, en lacht zoals híj lacht," benadrukt Hanna, de verwarring van haar naamgenootje meevoelend.

„Zulke kerels hè, die zouden ze moeten opsluiten voor ze nog méér schade aanrichten!"

Hansje giechelt tegen wil en dank om granny's wraakgierigheid.

„Dat hielp geen spat!" wijst ze af, vol zelfspot, „want dan zou het onverbeterlijk vrouwvolk zich nóg verdringen om hun kooi!"

Hanna apprecieert haar gevoel voor humor en lacht mee.

„Er blijven maar twee mogelijkheden," concludeert zij als ze weer tot serieus praten in staat zijn, „óf je zet die dwaas meteen uit je hoofd, óf je overtuigt hem ervan dat je noch nieuwsgierig, noch jaloers bent, en evenmin een angstige zenuwpees."

„Hoe zou ik dat in vredesnaam moeten aanleggen?"

„Door een koelbloedige houding, dunkt mij."

„Een koelbloedige…" herhaalt Hansje, maar ze voltooit haar zin niet, doch maakt een wegwerpend gebaar, het onderwerp plotseling moe.

„Láát maar," zegt ze, „voor die adviezen van u koop ik óók al niets. Ik zal wel zien."

HOOFDSTUK 12

In de loop van de week komt Freek logeren; voorlopig voor onbepaalde tijd, omdat hij nog niet kan overzien hoeveel tijd hem het opkalefateren van zijn boot zal gaan kosten.

Het heeft hem heel wat rompslomp bezorgd die boot op zo korte termijn in Culemborg te krijgen, en hij is als een kind zo blij als het zover is dat bij aan de slag kan gaan.

In de praktijk is het dan ook zo, dat zijn zus en zijn oudtante hem alleen 's avonds een poosje te zien krijgen. Hij slaapt onder het rieten dak, vast als het spreekwoordelijke blok na zijn geploeter in zon en buitenlucht.

's Morgens maakt Hansje een onwaarschijnlijk dik pak boterhammen voor hem klaar. Daarmee, en met een literfles melk, verdwijnt hij op zijn brommer in de richting van het jachthaventje, waar hij zijn restauratiewerkzaamheden verricht. Om een uur of zes komt hij dan weer opdagen en brengt een formidabele honger mee. Zijn conversatie is naar de smaak van de dames wel wat eenzijdig: het is alles afkrabben en meniën wat de klok slaat.

Pas als hij op een avond vertelt dat Martijn Korevaar hem die middag een handje is komen helpen, vindt Hansje dat zich eindelijk een
boeiender gespreksonderwerp voordoet.
„Had hij Colette bij zich?" vraagt ze geïnteresseerd.
„Welnee meid. Die kómt wel uit Culemborg, geloof ik, maar door de
week is ze in Amsterdam, waar ze haar werk heeft. We hebben het
niet eens over haar gehád. Ik snap trouwens toch niet wat Martijn
in die aangeklede stopnaald ziet."
„Het is anders een heel knap meisje," merkt granny op, „hij krijgt er
een buitengewoon presentabele vrouw aan." Freek snuift een beetje minachtend: „Ik beweer niet dat ze lelijk is. Maar ík heb haar
vorige week op het water meegemaakt – u niet. Geen vinger stak ze
uit, en toen we van die boot kwamen was ze nog net zo presentabel
als toen we vertrokken. Dat vind ik lam voor die kerel. Een meid
met een beetje pit in d'r body moet je eens een lijntje toe kunnen
gooien als je hulp nodig hebt, en ze moet er niet steeds over mei-
eren dat haar kleren niet vuil en niet nat mogen worden."
„Ik vind jou wel erg onbarmhartig tegenover dat meisje."
Het is opnieuw Hanna die hem van repliek dient. „Omdat iemand
niet zo sportief is, hoef je haar toch niet meteen onsympathiek te
vinden!"
„Nee, misschien niet. Maar wél om de misselijke manier waarop ze
zich die avond aanstelde met Mattieu," valt hij uit, de diepere oorzaak van zijn ontstemming jegens Colette blootgevend. „Ik geloof
dat Martijn het niet eens gezien heeft, maar eigenlijk had hij het wél
moeten zien."
„Hij hééft het gezien," zegt Hansje, eindelijk weer iets aan de conversatie bijdragend, „dat weet ik toevallig, en daarom vroeg ik juist
naar haar. Ik was benieuwd of ze het inmiddels weer afgezoend
hadden, want ik had zaterdagavond de indruk dat Colette nog een
vrij ongemakkelijk kwartiertje voor de boeg had, toen ze hier wegreden."
„Ik kan je er niet over inlichten, hoor," zegt Freek. „Als die knaap
een grief heeft tegen zijn verloofde, zal hij daar tegen een derde niet
over reppen, denk dat maar niet. Moet je net Martijn Korevaar hebben; die ís niet zo open."
Hansje denkt onwillekeurig aan de gedachtenwisseling bij het hek
van het weiland, aan de bijna onwezenlijke ogenblikken waarin

Martijn tegenover haar zowel over zijn meisje als over zijn persoonlijke opvattingen en gevoelens repte.
Ze zwijgt erover, maar bezien in het licht van wat Freek zo-even gezegd heeft, ervaart ze het haar geschonken vertrouwen heimelijk als een onderscheiding.

Voor ze aan haar vrije weekend begint, instrueert Hansje haar jongste broer, dat hij granny tijdens haar afwezigheid maar het een en ander uit handen moet nemen, omdat ze veel gauwer vermoeid is dan ze voor haar omgeving weten wil, en dat hij er goed aan zal doen geen culinaire wonderen van haar te verwachten, omdat granny's talenten op een geheel ander vlak liggen.
„Van geen belang," zegt Freek zorgeloos, „je zult me allicht nog in leven vinden als je terugkomt."
En dat blijkt inderdaad het geval.
Als Hansje in de loop van de maandagmorgen terugkeert in het huisje aan de dijk, vertelt granny haar vol waardering dat haar broer zich een prima plaatsvervanger betoond heeft, en dat ze elkaar alwéér wat beter hebben leren kennen.
's Zondags, toen zij geen concurrentie te duchten had van die alle tijd en energie opeisende boot van hem, hebben ze samen een diepgaande boom opgezet over horizontalisme en verticalisme, waarbij Freek heel verstandige dingen te berde bracht; hij heeft haar vergezeld naar een kerkdienst in het dorp, en 's middags, toen er bezoek kwam, heeft hij zich uitgesloofd door met cola en pils te sjouwen en later alle rommel weer op te ruimen.
En deze morgen is hij, alvorens zijn werk in het jachthaventje te hervatten, zelfs al op zijn brommer heen en weer naar het dorp geweest om boodschappen te halen.
Alles heeft dus uitstekend gemarcheerd, maar niettemin is granny geweldig blij Hansjes gezicht weer te zien.
En nu moet zíj vertellen.
„U moet de groeten hebben van vader en moeder," begint Hansje, die er nog geen speld tussen heeft kunnen krijgen, „maar maak eerst uw eigen verslag maar eens compleet door te vertellen wie er eigenlijk op bezoek geweest is. Ik wist niet dat u iemand verwachtte."
„Dat deed ik ook niet. Het was Freek zijn vriend uit Culemborg met

zijn zuster en hun respectievelijke verloofden. Ze hadden een eind omgereden met zijn vieren en kwamen op de terugweg even buurten."

„Dat was leuk, neem ik aan. Was Colette weer zo onberispelijk?"

„Ze had een beeld van een pak aan van vuurrood linnen met een witte pantalon, en ze droeg er een grote witte hoed bij. Freek kon zich niet intomen bij het zien van al dat moois en maakte zijn enige slechte beurt tijdens dit weekend. Weet je wat hij tegen haar zei? 'Ben jij op zondag óók nog mannequin? Als ík gedoemd was de hele week dure kleren te showen, zou ik op mijn vrije dagen gegarandeerd in een vieze ouwe trui rondlopen!'"

„Die hééft zij niet eens," antwoordde haar schoonzusje in haar plaats. Zelf lachte ze maar wat.

„Jouw broer heeft anders wel een ingebakken afkeer van dat meisje! Ik voor mij kan best begrijpen dat die Martijn dol op haar is; want dat hij dol op haar is, kun je wel zien aan de manier waarop hij naar haar kijkt. Ze heeft zoiets aparts, en ze gaf blijk erg onderhoudend te kunnen vertellen over haar werk en over de nieuwste modetrends."

„Nou, ik ben blij dat u zich zo goed met haar geamuseerd hebt. Maar eerlijk gezegd kan ik me niet voorstellen dat iemand als Martijn Korevaar voor dergelijke modegesprekken warm loopt."

„Dat deed hij ook niet. Bijna al die tijd dat wij daar met elkaar onder de vruchtbomen zaten en over kleren praatten, heeft hij over het hek gehangen en zich met de koeien onderhouden. Freek treiterde Colette nog dat ze hem in de gaten moest houden, omdat hij flirtte met Ophelia en Eulalia. Maar nu weet ik nóg niet hoe jij het gehad hebt!"

„Eerst koffie!" bestelt Hansje plagenderwijs, „anders doe ik geen mond open!"

Ze bedenkt hoe prettig het is dat ze zulke dingen zonder bezwaar tegen granny zeggen kan, omdat ze ondanks het grote verschil in leeftijd als het ware op dezelfde golflengte zitten en zonder moeite elkaars codes ontcijferen.

Ze nemen hun koffie mee naar het zitje op het achtererf, en pas als zij de hare heeft opgedronken zegt Hansje: „U bent nieuwsgierig hoe dat nu eigenlijk zit met die ideeën van Wim, hè? Nou, omdat ú het bent, wil ik wel vertellen tot welke conclusie ik na zaterdagavond gekomen ben. Ik geloof serieus dat hij inwendig als de dood voor vrouwen is."

Hanna schiet spontaan in een lach.

„Díe? Hij lijkt anders vlot genoeg in het leggen van contact met de andere kunne!"

„Dat líjkt hij niet alleen, dat ís hij ook. Maar tóch," besluit Hansje koppig.

„Voorlopig is je betoog me nog volslagen duister, hoor!"

„Dan heb ik me natuurlijk niet duidelijk genoeg uitgedrukt. Ik bedoel dit, dat hij doodsbang is iemand in zijn allerpersoonlijkst leven toe te laten, die daarin hóe dan ook macht of invloed zou kunnen uitoefenen.

We hebben nogal wat afgepraat zaterdagavond, gewoon over vroeger, over onze jeugd, en met name over de zijne, omdat ik hem – met een belangstellende vraag zo nu en dan – bijna voortdurend aan 't vertellen heb gehouden. Dat had ik me onderweg al voorgenomen, en het lukte zonder meer. Iedereen praat graag over zichzelf, hebt u dat ook wel eens opgemerkt?"

„Inderdaad. Je hebt hem dus met voorbedachten rade een beetje zitten uithoren?"

„Ja, als die jongen mij met zoveel woorden zegt geen blijvende amoureuze relatie te wensen, met niemand, dan mag ik toch wel te weten zien te komen wat er aan dat merkwaardige standpunt ten grondslag kan liggen? Want merkwaardig ís het wel, vindt u niet, voor een normale jonge vent?

Enfin, tussen de regels door heb ik begrepen dat hij zijn tegenwoordige zelfstandigheid met heel veel moeite bevochten heeft en dat het nu een levensgroot idee-fixe voor hem moet zijn dat kostbare zelfbeschikkingsrecht tot geen prijs weer te verspelen."

„En wie heeft hem die vrijheid om zijn eigen gang te gaan destijds dan wel betwist? Heb je daar achter kunnen komen?"

„O heden, dat was helemaal geen kunst. In alles wat hij vertelde uit zijn jongensjaren, proefde je de tirannieke, overdreven bezorgdheid van een moeder die nu letterlijk óveral gevaar in zag.

Voor iemand die door spanning, gevaar en risico's juist gebiologeerd wordt, zó zelfs dat je die voorliefde in de keuze van zijn beroep terugvindt, moet dat liefdevol betuttelen inderdaad een dagelijks weerkerende kwelling betekend hebben, juist omdat hij van zijn moeder hield en zich innerlijk niet los kon maken van de liefde die haar al die bezorgdheid, al die talloze geboden en verboden ingaf. Het heeft hem een jeugd vol conflicten bezorgd, zoveel heb ik er wel van begrepen. En wat het leven van zijn vader betreft, dat moet door diezelfde eigenschap van diezelfde vrouw volkomen beknot zijn, net zo lang tot hij er niet meer tegenop kon en ze uit elkaar gingen. Eerst liet ik mij door de schijnbaar-zorgeloze toon van die jeugdherinneringen nog een beetje misleiden. Maar zó luchthartig kon hij zijn kwajongensstreken toch niet voordragen, dat ik niet doorhad dat het stuk voor stuk vertwijfelde ontsnappingspogingen waren geweest aan het regime van mama.

Toen ik de humor voor even wegdacht uit zijn verhalen, hield ik een allesbehalve plezierig beeld van zijn achtergrond over, en toen vónd ik het niet zo vreemd meer dat hij onlangs tegen me zei: 'Als vrouwen niet jaloers zijn, zijn ze wel nieuwsgierig, of ze sidderen van angst dat je gevaar zult lopen.'

Hij begon zijn stekeltjes al op te zetten toen hij drie was, en nooit zonder jasje buiten mocht spelen, en nooit een stap verder mocht komen dan het hek van het eigen tuintje, – en die stekeltjes zijn door de jaren heen wél groter, maar niet kleiner geworden, granny."

Hanna knikt bedachtzaam.

„En toch," zegt ze, „lijkt het mij meer voor de hand te liggen dat zo'n jongen redeneert: die hond bijt mij niet voor een tweede keer; ik zal er wel voor zorgen later in mijn eigen huis de baas te blijven. Het lijkt mij vrij logisch dat iemand met zo'n achtergrond uit louter reactie een tamelijk heerszuchtige echtgenoot wordt – maar niettemin een echtgenoot…"

„Ik weet het niet," weifelt Hansje. „Mij lijkt hij iemand die heel goed in staat is van zich af te bijten als het nodig is, maar nu juist níet tegen iemand waar hij van houdt.

Voorzover ik het bekijken kan, is hij van nature hartelijk en graag bereid iemand waar hij voor voelt zoveel mogelijk ter wille te zijn. Allicht is hij zichzelf ook van dat zwak bewust en vreest hij dat het hem niet voor een tweede keer zal lukken zich aan de geraffineerde dwingelandij van een vrouw te ontworstelen, en vermijdt hij het daarom angstvallig zich te binden"

„Je hebt er wel grondig over nagedacht, hè?"

„Ik heb er dan ook de hele zondag de tijd voor gehad."

„En wat nu? Blijf je evengoed met hem uitgaan?"
„Waarom níet? Ik kan geen enkele steekhoudende reden aanvoeren om hem op een afstand te houden. Hij is heel voorkomend en onderhoudend geweest, en stelt kennelijk prijs op mijn vriendschap; anders had hij me niet zoveel persoonlijke herinneringen toevertrouwd.

Ik kan hem toch moeilijk verwijten dat hij zo onweerstaanbaar is als hij lacht, en me op zulke momenten het gevoel geeft dat hij mijn hart tussen duim en wijsvinger neemt, want waarschijnlijk is hij zich dat niet eens bewust.

Als hij wat méér in me zag, zou hij behalve vertrouwelijk ook wel aanhalig geworden zijn, nietwaar?"

Ze haalt haar schouders op en besluit: „Laten we er maar over ophouden, granny. Het is helemaal niet goed voor mijn gemoedsrust zoveel over hem te praten."

Haar gedachten echter laten zich niet zo gemakkelijk stopzetten. Ze draait de film van haar herinneringen terug en ziet weer de ogen van Wim, hoe ze naar haar keken toen ze op een gegeven moment nieuwsgierig vroeg: „Ga je véél met meisjes uit, zoals nu met mij?"

„Nee – niet op deze manier. Natuurlijk loop je als vrij man wel eens tegen een aantrekkelijk poppetje aan, waar je een avondje plezier mee hebt, maar dat is incidenteel; je bent haar gezicht net zo gauw weer vergeten als zij het jouwe. Het zou bijvoorbeeld niet in mijn hoofd opkomen met zo'n appetijtelijke luchtbel over mijn ouders te praten en over de ellende je van allebei te moeten losscheuren, omdat iedere andere oplossing nog méér ellende zou brengen. Snap je?"

Ja, Hansje snapte dat heel goed, en ook dat het een onversneden compliment aan haar adres betekende; dat hij haar aanzienlijk hoger aansloeg dan dat andere soort meisjes.

Maar haar vrouwelijk instinct vertelde haar tegelijkertijd, dat hij zich tegenover die appetijtelijke luchtbellen, zoals hij ze denigrerend noemde, zonder scrupules vrijheden veroorloofde die hij tegenover haar achterwege liet, eenvoudigweg omdat hij zich tegenover hen van morele verplichtingen ontslagen achtte.

Even had zij zich bij die gedachte witheet gevoeld van jaloezie. Het had haar zowel verward als boos gemaakt, en een tijdlang had ze vrijwel geen mond opengedaan.

Maar misschien was het alleen voor haar gevoel zo lang geweest, want Wim had er kennelijk niets van gemerkt, had gewoon geanimeerd doorgepraat, en gaandeweg had ze haar evenwicht hervonden.

Voor ze het wisten was het laat; de avond scheen tussen hun vingers doorgeglipt. Toen Hansje op het punt stond weer in de gele Volkswagen te stappen, had Wim ten afscheid met een onverhoedse beweging haar haren door elkaar gehaald en geplaagd: „Kind, kind, wat loop jij er slordig bij! Met zo'n hoofd kun je je moeder niet onder ogen komen straks!"

Hansje, het verwarde haar uit haar ogen schuddend, had met een vinnig gebaar naar hem geslagen; haar ergernis om de broederlijkheid van zijn aanraking maakte dat gebaar des te feller. Maar hij had die driftige handen zonder meer beetgepakt en ze op haar rug gewrongen of ze zijn arrestante was.

Toen, grinnikend om haar machteloosheid, had hij haar wél thuis en welterusten gewenst, in één adem de vraag opwerpend of hij binnenkort nog eens mocht aankomen in het stulpje aan de dijk.

Hansje wreef haar pijnlijke polsen zodra hij ze losliet.

„Dat is nog zeer de vraag," gaf ze rancuneus terug, „als ik bij granny een boekje opendoe over die manieren van jou."

„Heb ik me dan niet lang genoeg voorbeeldig gedragen?" vorste hij kwasi-verongelijkt, zijn vraag kracht bijzettend met een blik uit die lachende, bedelende ogen van hem, waar zij niet tegenop kon.

Ze wist echter de gedachte niet kwijt te raken aan die toevallig ontmoette, snel vergeten meisjes, die een andere kant van zijn persoonlijkheid hadden leren kennen dan de kant die hij háár liet zien, de meisjes die hij allicht óók vastgehouden had, maar niet met dat ruwe en speelse gebaar van zo-even, dat haar beter dan wat ook duidelijk gemaakt had hoe hij haar zag.

„Ik ben je kleine zusje niet, houd je dat voor gezegd!" had ze hem graag willen toesnauwen, maar ze had nog teveel besef van fierheid om zich zozeer in de kaart te laten kijken. „Je belt maar eens aan bij gelegenheid," zei ze zo onverschillig mogelijk vóór ze instapte en wegreed, „als de striemen in mijn polsen tegen die tijd zijn weggetrokken, mag je binnenkomen – anders niet!"

Toen Hanna Simpson eenmaal definitief besloten had haar levensavond te slijten in Nederland, heeft zij een vertrouwensman in
Boston opdracht gegeven haar luxe flat te verkopen en de inboedel
daarvan te laten veilen, met uitzondering van een aantal met name
genoemde stukken, die zij bestemd had voor bepaalde kennissen
en relaties.

Het meeste daarvan viel toe aan May Taylor, haar voormalige huishoudster, die op Hanna's verzoek bereid was gebleken haar meest
persoonlijke bezittingen, zoals speciale souvenirs, foto-albums en
boeken verzendklaar te maken en op te sturen naar Holland.

Het is kort na Hansjes eerste vrije weekend, dat deze zending uit
Amerika arriveert.

Granny is er dagenlang helemaal van uit haar gewone doen. Ze
loopt met allerlei dingen rond om ze na veel aarzelen de plaats te
geven waar ze het best tot hun recht komen; ze vertelt over de herkomst van bepaalde souvenirs, druk en met een veelheid van woorden, om zich daarna weer in een urenlang mijmerend stilzwijgen
terug te trekken.

Op een avond, als de regen tegen de luiken klettert, haalt ze een
foto-album uit haar collectie, dat zó bij een antiquair vandaan zou
kunnen komen. Het is verreweg het oudste dat erbij is; Hansje heeft
heimelijk al een oogje gewaagd aan de antieke, drukgedecoreerde
band, vermoedend dat daarbinnen granny's jeugd moest zijn vastgelegd, die jeugd waarover altijd nog een geheimzinnig waasje
hangt.

Ze zijn met zijn tweeën thuis. Freek heeft zich de hele dag lopen
verbijten om het slechte weer, dat hem belette verder te gaan met
het schilderen van zijn boot. Hij was prikkelbaar, sloeg onnodig
met de deuren en was nu niet bepaald het zonnetje in huis.

Hanna en Hansje hebben elkaar dan ook een veelbetekenende
knipoog toegespeeld toen hij na het eten aankondigde 's avonds
naar Culemborg te zullen gaan, naar de Korevaars, weer of geen
weer.

Met een regenpak over zijn kleren is hij weggereden, na eerst op
granny's verzoek rondom het huis alle luiken gesloten te hebben.
„Waai niet van de dijk!" waarschuwde zij hem nog op de valreep, en

Hansje voegde daar plagend aan toe: „En de groeten aan je geliefde. Of wil je soms beweren dat je níet bij het jachthaventje langs gaat om nog even naar je drijvende hartelapje te kijken en 'tot morgen' te zeggen?"

Freek verried zich door alleen maar betrapt en schaapachtig te lachen.

„Het is voor hem te hopen dat hij morgen weer aan de slag kan," verzuchtte granny toen ze haar stoel weer opzocht.

„En voor ons ook!" antwoordde Hansje hartgrondig. „Wát een brok ongedurigheid! Als die jongen iets in zijn hoofd heeft kan het ook beslist geen uitstel lijden!"

„Dat is zijn jeugd," zei de oude vrouw wijs, „wie jong is heeft altijd verschrikkelijk veel haast, en de wetenschap dat je nog een heel leven voor de boeg hebt, schijnt aan die haast niets te kunnen afdoen."

Er sloop een lichte weemoed in haar toon, en Hansje voelde dat ze nu meer aan zichzelf dacht dan aan Freek en zijn boot.

Het was in de stilte die op die woorden volgde, dat granny naar het foto-album greep. Nu zit ze ermee op haar schoot en schijnt tengerder, nietiger nog dan anders.

Hansje maakt zich klein in een hoekje van haar wijde stoel, en kijkt alleen maar toe, haar nieuwsgierigheid bedwingend.

Langzaam peuteren granny's magere vingertjes de ouderwetse sluiting van het album los.

„Interesseert het je hoe zeventig jaar geleden de mode was?" vraagt ze, naar het nichtje opziend, met voorgewende luchthartigheid.

Hansje hoort echter aan haar dungeknepen stem dat granny met een zekere ontroering te kampen moet hebben nu ze op het punt staat in haar verre verleden te gaan schatgraven. Of zouden er slechts kille en sinds lang ontwaarde herinneringen naar boven komen uit dat pompeuze boek?

Het heugt Hansje nog maar al te goed, wat granny haar maanden geleden op onthutsend-cynische toon over haar langgestorven ouders meedeelde: „Liefde en geluk, daar deden ze bij mij thuis niet aan, althans niet zo dat iemand ze op die slecht in de markt liggende zaken ooit heeft kunnen betrappen."

Hansje is met haar twintig jaren nog idealistisch genoeg om het een levensgroot raadsel te vinden, hoe mensen als haar overgrootouders samen twee kinderen konden hebben zonder van liefde te weten.

„De mode van toen kan me gestolen worden," zegt ze eerlijk, „maar ik wil heel graag weten hoe ú er uitzag, en hoe u dacht en voelde zeventig jaar geleden. En zestig jaar geleden. En vijftig jaar geleden. Dát interesseert me, granny."

Ze staat op en gaat naast de stoel van de ander op de grond zitten. Het eerste portret ligt voor hen, stijf, op karton, in vreemde, naar paars zwemende tinten: een kind van ongeveer drie jaar, dat op een tafel zit naast een enorme vaas met kunstrozen, de donker-gekous-de beentjes vooruitgestoken, een wit schortje met veel kant om het mollige lijfje en daarboven hetzelfde parmantige mondje met het gedecideerd vooruitstekende onderlipje dat Hansje van haar eigen jeugdfoto's kent en dat haar een vertederde uitroep ontlokt.

Het tweede portret laat hetzelfde kindje zien, maar nu in gezel-schap van een jongen in matrozenpak, die in een geposeerde hou-ding naast zijn kleine zusje staat, een hand op haar schoudertje.

„Grootvader Berger!" constateert Hansje met een glimlach, „Mijn broertje Matthias," zegt Hanna. „Zie je hoe ernstig hij de zaak opneemt? Voor mijn besef was hij op zijn tiende jaar volwassen en op zijn twintigste een grijsaard."

Ze slaat een blad van het oude foto-album om: „Kijk, zó waren mijn vader en moeder. Ze moeten vóór in de dertig geweest zijn destijds; het was omstreeks de eeuwwisseling."

Hansje bekijkt oplettend de gezichten, de haardracht, de hoge stij-ve boord van de man, de statige lange japon van de vrouw. Goedbeschouwd zien deze mensen er niet onaardig uit, niet onknap tenminste, maar zo… zo…

Ze zoekt naar het juiste woord. Deftig? Uitgestreken? Emotieloos? „Wáren ze zo uitgebalanceerd en effen als ze er op deze foto uit-zien?" vraagt ze aarzelend.

„Het was mijn vaders credo," vertelt Hanna, „dat een mens niet vroeg genoeg beginnen kon zijn emoties te verbergen, en ik moet hem nageven dat hij van die geloofsbelijdenis geen millimeter afweek.

Ik heb het er vaak moeilijk mee gehad als opgroeiend meisje, als er weer eens een domper of een rem gezet werd op mijn enthousias-me, mijn plezier, mijn tomeloos kinderverdriet. Toch heb ik achteraf begrepen dat hij mij, bij alles wat hij mij afnam, toch ook iets waardevols heeft bijgebracht met zijn systeem van opvoeden: zelf-discipline, een gestaalde wil, – dingen die mij in mijn latere leven van veel nut geweest zijn."

Terwijl zij aan het woord is, haakt de blik van het meisje zich reeds vast aan het volgende portret. „Johanna Berger op tienjarige leef-tijd," staat eronder in schuinlopend schoonschrift. Het is Hansje vreemd te moede haar eigen naam daar te lezen onder de afbeel-ding van dat tengere kind met haar loshangend haar, weerloos en fier tegelijk, dat donker en eigenzinnig in de lens kijkt.

Op de volgende foto hangt het zwarte haar in twee onwaarschijn-lijk lange vlechten over smalle schoudertjes naar voren; Hanna is dan veertien. Nóg weer een bladzij verder draagt ze het lange haar ineens opgestoken, is ze onherroepelijk kind-af, een wit-zijden blouse bekoorlijk welvend over haar prille boezem. Maar de blik in haar ogen is nog altijd even donker; op geen enkele foto glimlacht ze; telkens valt er iets in haar trekken te bespeuren van een opstan-dig: wacht maar. Wacht maar tot ik volwassen ben, wacht maar tot ik mijn eigen gang kan gaan.

De gezichten van de vader, de moeder, de broer, ze keren terug op diverse groepsfoto's. Soms zijn er ineens de gezichten van anderen tussen, vluchtige vriendinnen van het meisjespensionaat, waar de jeugdige Hanna verschillende jaren van haar leven doorbracht; niet gelukkiger, niet ongelukkiger dan thuis; de ene tucht, de ene een-zaamheid slechts verwisselend voor de andere.

Met sobere woorden vertelt ze ervan, een enkele zin nu en dan, die ondanks zijn soberheid weinig te raden laat over de beklemming die haar leven in die periode beheerste.

Ze roepen voor Hansje de droom op die altijd in en bij haar was tij-dens die jaren, een verlangen naar iets dat zij geen naam kon geven. Ze zag in die dagdroom voortdurend vage, onbestemde contouren voor zich, van iets waarvan ze vermoedde dat het geluk moest heten, maar ze wist die contouren niet in te vullen met scherpom-lijnde beelden, omdat het haar aan een voorbeeld, een richtlijn ont-brak.

Dan, ineens, ligt er een portret voor hen dat Hansje bekend voor-komt.

„Matthias met Lucie en het kind," verklaart Hanna.

„Die foto hebben wij thuis ook," zegt Hansje zacht.

Ze kijkt naar de baby, waarvan ze weet dat het haar vader is, naar het zuinige mondje van de jonge vrouw die hem op haar schoot houdt, een mond die tóen al stond naar het eeuwige: 'láát dat, kind, gedráág je!' dat zij zich zo goed van deze grootmoeder herinnert.

Hansjes ogen worden warm van ongehuilde tranen; ze wordt helemáál zo warm van binnen. Dat komt door een vreemd verdriet dat diep in haar besloten zit, verdriet om het kille, vreugdeloze achterland van het hunkerende meisje Hanna, het achterland waarvan ze zich realiseert dat ook haar vader daarin groot geworden is.

Plotseling beziet ze hem met andere ogen, is ze uitzinnig dankbaar dat hij tóch nog worden kon tot wat hij is: wel wat star en berekend soms, maar op zijn eigen manier toch warmvoelend voor zijn kinderen, en daarbij aan de hartelijke, warmbloedige vrouw die haar moeder is, óndanks zijn vaak hinderlijke kritiek, met een oprechte, springlevende liefde toegedaan.

Ze kijkt tersluiks naar granny's gezicht.

Ook háár gedachten schijnen ver weggedwaald; ze maakt tenminste geen aanstalten opnieuw een blad om te slaan.

Hansje wacht nog enkele minuten; dan begint de stilte haar te beklemmen, en ze vraagt: „Kende u oom Norman toen al, granny? Hoe hebt u hem eigenlijk leren kennen?"

Hanna keert met een schokje tot de werkelijkheid terug. Ze laat de ander haar vraag nog eens herhalen.

Dan vertelt ze: „Toen ik van het pensionaat kwam, ben ik als tijdverdrijf Engels gaan studeren, omdat ik tot geen prijs de hele dag wilde leeglopen, zoals de meeste meisjes van mijn stand toen deden.

Soms, om mijn vorderingen te toetsen, vroeg ik mijn vader inzage in zijn Engelse zakencorrespondentie; hij had een exportbedrijf met uiterst capabel personeel. Zelf had hij een bijzonder scherpe neus voor winstgevende business, maar hij beheerste zijn talen maar gebrekkig.

Op een keer, niet lang na het eind van de Eerste Wereldoorlog, kwam er een relatie uit Engeland bij ons dineren, een medewerker van een firma waar mijn vader grote zaken mee dacht te doen: Mr. Simpson.

Er werd nogal uitgepakt voor hem, en omdat Hanna zich het best met de taal kon redden, moest Hanna Mr. Simpson het een en ander van Holland laten zien.

Mr. Simpson was geen adonis, maar hij was jong, hoffelijk en vriendelijk. Hij beweerde het prettig te vinden naar mijn grappige Engels te luisteren, en bij allerlei gelegenheden liet hij mij mijn persoonlijke mening geven.

Nooit eerder in mijn leven had iemand mij naar mijn mening gevraagd; met die luxe was ik niet verwend, evenmin als met vriendelijkheid. Mr. Simpson betekende een zeer welkome afleiding in mijn kleurloos leventje.

Ik snakte ernaar thuis weg te kunnen gaan, maar dan ook werkelijk wég, radicaler dan Matthias, die óók toen hij getrouwd was en zijn eigen huis had, bleef wat hij altijd geweest was: de schaduw van papa, een tamelijk slecht uitgevallen reproductie.

Toen Norman Simpson mij na zijn vertrek af en toe begon te schrijven, beantwoordde ik die brieven trouw, en toen hij na verloop van maanden terugkwam om mij ten huwelijk te vragen, bedacht ik mij geen ogenblik. Eindelijk zou ik vrij zijn!

Ik was mij niet bewust dat ik deze man maar heel oppervlakkig kende, dat ik hem niet liefhad en zelfs niet verliefd op hem was, dat ik hem alleen gebruikte als een springplank naar de begeerde vrijheid, die weinig minder dan een obsessie voor mij geworden was.

Mijn vader had de grote zaken met Normans firma mede dankzij hem kunnen realiseren; hij zag misschien nog wijdere perspectieven voor de toekomst, en gaf zonder veel bedenkingen zijn toestemming.

Wij trouwden in Holland, maar vestigden ons in Londen.

Norman bleek een voorkomende echtgenoot, maar een onbeholpen, van temperament ontblote minnaar. Het was geen desillusie voor mij, eenvoudig omdat ik nauwelijks illusies gekend had in dit opzicht. Pas later heb ik begrepen, hoezeer ik zelf in die tijd tekort geschoten ben.

Ik genoot met volle teugen van mijn ontdekkingsreis door de nieuwe wereld die hij voor mij ontsloten had, en bemoeide mij nooit met zijn werk, trachtte zelfs niet te doorgronden welke ambities hem dreven, welke zorgen hem dwarszaten. Ik vergenoegde mij ermee dat hij vriendelijk voor me was en royaal, en mij mijn eigen leventje liet inrichten.

Toen hij na twee jaar gearresteerd werd wegens fraude, kwam dat voor mij als de bekende donderslag bij heldere hemel. Hij had te spoedig rijk willen worden, en de verleiding niet kunnen weerstaan het vertrouwen dat hem door zijn superieuren geschonken was te misbruiken te eigen nutte. Ik schaamde mij dood tegenover de firmanten, tegenover mijn familie, tegenover mijn nieuwe kennissen, tegenover iedereen.

Aanvankelijk kon ik in het minst geen medelijden voor hem opbrengen; ik voelde me misleid, in de boot genomen, als iemand die plotseling ontdekt dat hij zijn vermogen faliekant verkeerd belegd heeft.

Toen ik hem bij ons eerste treffen na de arrestatie ter verantwoording riep, ontredderd en uit het lood geslagen, voerde hij voor zijn misstap argumenten aan die mij op dat moment maar bitter weinig zeiden: dat hij het voornamelijk ter wille van míj gedaan had, omdat hij van me hield en me althans op materieel gebied had willen verschaffen waar ik recht op had.

Waar hij op zinspeelde: dat hij zijn geringe potentie, zijn onvermogen om enige vrouw in vuur en vlam te zetten, zelf ervoer als een schande, en zich op een andere manier als man had willen bewijzen, namelijk door me met luxe te omringen en een grote staat te voeren – het drong pas veel later tot me door. Wat wist ik er ook van, wat er tussen een man en een vrouw aan hartstocht en eenheid kon bestaan?

Het ontbrak me niet aan intelligentie, maar wel aan inzicht; ik was geestelijk scheefgegroeid, enerzijds volgestouwd met allerlei intellectuele kennis, anderzijds over de meest elementaire dingen van het leven onvoldoende voorgelicht.

Ondanks twee jaar huwelijk was de vrouw in mij nog onontwaakt; ik besefte niet wat me ontbroken had, en dat belette mij begrip op te brengen voor het innerlijk conflict dat mijn echtgenoot uit de koers geslagen had.

Toen hij veroordeeld werd tot een halfjaar hechtenis, deelde ik hem mee dat ik die tijd benutten zou om met mijzelf over onze verhouding in het reine te komen.

Na aangezuiverd te hebben wat Norman zich wederrechtelijk had toegeëigend, stonden wij er financieel bitter slecht voor.

Bijna alles wat we bezaten was verkocht en ik beschikte nog maar over een gering bedrag in contanten. Bovendien was Norman natuurlijk zijn baan kwijt.

Ik zag me genoodzaakt bij mijn vader om hulp aan te kloppen, want ik was in die dagen nog niet rijp voor de gedachte dat ik zelf in mijn onderhoud zou kunnen voorzien.

Mijn ouders waren geschokt door de gebeurtenissen, maar niet in de war, zoals ik. Ze bleken hun standpunt al bepaald te hebben: de hulp waar ik om vroeg kon ik krijgen, maar alleen op deze voorwaarde, dat ik Norman, die zich als een oplichter en een zwakkeling had laten kennen, onmiddellijk en definitief zou laten vallen.

Het was niet minder dan een ultimatum dat me werd voorgelegd, een ultimatum dat me helemaal koud maakte van binnen, omdat ik besefte dat het met mijn gevoelens geen rekening hield, en met de mens Norman Simpson nog minder.

Het was net of het laatste restje genegenheid dat ik nog voor mijn ouders koesterde op dat moment in mij doodgeknepen werd, en voor het eerst sinds de debâcle had ik het gevoel aan de kant van mijn man te staan.

Dat maakte mijn bloed weer aan het stromen; ik wist ineens wat me te doen stond en een groot stuk van mijn ontreddering viel van me af.

Ik zei ze ronduit dat ik zoiets niet beloven kon, dat ik me eerst op mijn relatie tot Norman bezinnen wilde, omdat ik mijzelf misschien een slechte dienst bewijzen zou door de enige mens die werkelijk van me hield uit mijn leven te schrappen, zélfs al was die mens dan een oplichter en een zwakkeling.

Het waren de scherpste woorden die ik ooit tegen ze had durven gebruiken, en er kwam een geweldige scène van, waar ook Matthias en Lucie zich in mengden.

Het resultaat was dat ik met mijn familie brak, en zonder financiële hulp van wíe dan ook de omstandigheden het hoofd bood, voor een spotprijsje een primitief ingerichte woning huurde ergens bij een plaatsje waar niemand me zou zoeken, en daar met vertaalwerk juist genoeg verdiende om mijzelf in leven te houden."

„Ergens bij Kapel-Avezaath," preciseert Hansje een beetje ademloos wanneer de ander zwijgt.

De oude vrouw, verloren in haar herinneringen, was haar aanwezigheid bijna vergeten, maar nu bevestigt ze: „Bij Kapel-Avezaath, inderdaad. En dáár ben ik eindelijk een volwassen, bewust levend mens geworden."

„Omdat u van iemand ging houden?" waagt Hansje, haar vraag voorzichtig in de uiterst broze vertrouwelijkheid schuivend. „Van de man die u 'Hansje' noemde?"

Hanna Simpson knikt.

„Ja kind," zegt ze stil, „maar dat is een verhaal apart."

HOOFDSTUK 14

Het was in de maand mei van het jaar 1923, dat de jeugdige Mrs. Simpson – amper een kwarteeuw oud, vol van innerlijke onzekerheid, maar beheerst op haar grote ontstelde ogen na – de allesbehalve riante behuizing betrok die ze met inventaris en al gehuurd had van een boerenman die ze ontmoette in het Tielse logement, waar het lot haar had doen belanden na haar vlucht uit het ouderlijk huis.

Eigenlijk was het geen vlucht geweest, maar een weloverlegd vertrek, want ze had met zorg gepakt en haar zaken geregeld.

Twee koffers met handbagage had ze meegenomen; de rest van haar bezittingen waren op haar orders weggehaald en tijdelijk opgeslagen tot ze over een nieuw adres zou beschikken.

Moe en leeg na de kille woordenwisseling met haar familie en het ingrijpend besluit haar lot voorgoed in eigen handen te nemen, had ze op een gegeven moment op het station gestaan zonder nog een beslissing genomen te hebben over een reisdoel. In een dwaze impuls, omdat haar eenvoudig niets beters inviel, noemde ze de man achter het loket dezelfde plaatsnaam als de vreemde die haar vóórging: enkele reis Tiel.

Ze was nooit eerder in Tiel geweest, noch kende zij de omgeving, maar het Betuwelandschap met zijn vele bloeiende appelbomen bekoorde haar op het eerste gezicht.

Ze sliep die nacht, door zuinigheid gedrongen, in een eenvoudig logement en overdacht nog eens het plan dat zij in de trein reeds maakte, dat ze proberen zou wat vertaalwerk los te krijgen waarmee ze in haar onderhoud zou kunnen voorzien. Ze beschikte in ieder geval over een relatie die ze kon aanschrijven, want ze had dit soort werk voor de grap al eens gedaan, louter als tijdverdrijf. Ze wist dat het vrij slecht betaald werd en besefte de tering naar de nering te moeten zetten.

Ook tobde ze erover hoe ze haar armoede en haar elegante garderobe met elkaar moest laten rijmen. Het beste was misschien nog, zich voor te doen als een wat excentrieke artieste, dichteres of toneelschrijfster, die de eenzaamheid nodig had om haar kunst te kunnen beoefenen.

's Avonds, toen haar koffie werd gebracht in de gelagkamer, had ze de eigenares van het logement gepolst over de mogelijkheid in deze omgeving een kamer of een goedkope woning te huren voor de duur van de zomer.

De vrouw had na verloop van tijd iemand naar haar toe gestuurd, die beweerde haar van dienst te kunnen zijn, een boerse man uit een van de buitendorpen die probeerde sluw te zijn, maar niet tegen haar scherpe en koele manier van vragen stellen was opgewassen, en al spoedig moest toegeven dat ook híj erbij gebaat zou zijn als ze de woning wilde huren, die hij onlangs erfde en waarvoor het moeilijk was een liefhebber te vinden. Het huis stond nogal eenzaam en de oude vrouw die er gewoond had was lelijk en kromgegroeid en eenzelvig geweest en onder de mensen uit het dorp heerste veel bijgelovigheid.

„U wilt zeggen dat ze een heks was," preciseerde Hanna met nauw verholen spot. De man had verontwaardigd geprotesteerd tegen die veronderstelling. Een stadse dame als zij moest beter weten!

„Het gaat niet om wat ík weet, of om wat ú weet, maar om wat de mensen denken onder wie u te zijner tijd een definitieve huurder moet zien te vinden," verklaarde Hanna zakelijk.

„Vertelt u me eens: is er nog huisraad in de woning aanwezig: een tafel, een stoel, potten en pannen, iets om op te koken? Is alles nog zoals het was toen de oude vrouw overleed? Wel, laten we dit dan afspreken: als het huis mij bevalt zal ik er deze zomer komen wonen. Dat het wat buiten de kom van het dorp ligt is voor mij geen bezwaar, want ik zal veel moeten schrijven en heb rust nodig om dat werk goed te kunnen doen.

Door er rustig te gaan wonen zal ik de verdenking opheffen die ten onrechte op het huisje rust en uw griezelende dorpsgenoten bewijzen dat hun bijgeloof nergens op stoelt. Maar alleen op deze voor-

waarde, dat u de huurprijs die u straks genoemd hebt, halveert."
De man had heftig tegengesputterd, maar Hanna had hem overbluft door met haar speciale glimlachje zorgeloos te zeggen: „Heel goed, meneer, in dat geval zullen we geen zaken doen!" alsof er haar niet alles aan gelegen was de voordelige transactie doorgang te doen vinden.

In haar latere leven was ze er op deze manier nog heel wat keren in geslaagd de tegenpartij voor haar voorwaarden te doen zwichten.

Ook de man uit Kapel-Avezaath ging door de knieën, zijns ondanks geïmponeerd door de gestudeerde dame die zich juffrouw Berger noemde en met schrijven haar brood scheen te verdienen, die kennelijk van deftige komaf was en niet verblikte of verbloosde bij de gedachte als vrouw alleen een eenzaam gelegen woning te betrekken waar menigeen jarenlang met een boogje omheen gelopen was, hijzelf net zo goed, al was het dan zijn bloedeigen tante geweest die de kwalijke reputatie had een heks te zijn. Niet dat hij daarin ooit werkelijk had geloofd, maar toch, helemaal zoals een ander was het oude wijfje niet geweest.

Na haar begrafenis had hij zich éénmaal, en dan nog samen met de notaris, in het huisje gewaagd; daarna niet meer.

Ditmaal kwam hij er in gezelschap van zijn aspirant-huurster, die zwijgend en zakelijk alles in ogenschouw nam en kennelijk geen aanleiding vond om op haar voorlopig besluit terug te komen.

In minder dan geen tijd was de zaak beklonken.

Pas toen haar huisbaas haar de sleutel ter hand gesteld had, een maand huur in ontvangst had genomen en zijns weegs was gegaan, veroorloofde Hanna het zich haar tijdelijk domein met andere dan zakelijke blikken te bekijken.

Het huisje was niet groot en bood door het maandenlang onbewoond-staan inwendig een nogal stoffige aanblik.

Maar een kijkje in de kasten had haar geleerd, dat het daarin aanwezige beddelinnen helder en schoon was, evenals het schaarse serviesgoed.

Ze had vervuiling meer geducht dan de uiterste soberheid die ze aantrof. In de ruime woonkeuken vond ze onder meer een pomp, een stookfornuis en twee petroleumstellen. Boven de tafel hing een petroleumlamp, en er stonden behalve een rieten 'zorg' nog twee simpele stoelen met biezen matten.

Achter de woonkeuken was een slaapkamertje, dat geheel gevuld werd door een enorm kabinet en een groot ijzeren ledikant.

Het primitieve 'stilletje' bevond zich in het achterhuis, waar wat bezems stonden en tuingereedschap, een kruiwagen en een wastobbe, en waar een massa brandhout ordelijk stond opgestapeld.

Een laddertje voerde vanuit dit vertrek naar een vliering.

Het was niet meer dan het allernoodzakelijkste, maar het volstond. En wat er binnenshuis aan rijkdom en weelde ontbrak, werd duizendvoudig goedgemaakt door de levende en bloeiende overdaad die het huisje aan alle zijden omringde, en die in deze meimaand van een welhaast uitdagende schoonheid was: vóór het huis een jonge kastanje en een breeduitgegroeide goudenregen, allebei in volle bloei: langs de verwaarloosde moestuin aan weerszijden witte meidoornhagen; een kersenboom achter het huis die zijn bloesems bereids had laten vallen, en tegen de zonnige zuidermuur van de woning een overvloed van bruine en gele muurbloemen, die geurden tot bedwelmens toe. Het huis bood aan de voorzijde uitzicht op de Linge met zijn bloeiende boorden, die in vloeiende bochten vredig tussen de weilanden doorslingerde.

Honderden meters verderop waren de rieten daken van enkele boerenhoeven zichtbaar, gelijkend op gekromde ruggen van grote, goedige dieren, en nóg verder tekende zich een kerktorentje af tegen de wazige lucht.

Gewend geraakt aan het mensenpakhuis Londen, dat ze nog maar kort tevoren verliet, was het voor Hanna een verademing, dit alles met de ogen in te drinken. Maar ze dwong zich al spoedig tot actie. Door een rammelende maag gedrongen liep ze nog vóór de middag naar Kapel-Avezaath, dat aan de andere zijde van het riviertje lag, en deed er de meest dringende boodschappen, gewapend met een onverslijtbare karbies, die ze in het achterhuis had aangetroffen.

Zich moreel gedrongen voelend haar belofte aan de huiseigenaar na te komen, stelde ze in koel overleg vast, dat ze tot elke prijs de goodwill van de bevolking diende te winnen. Daarom verborg ze haar ongeduld en maakte zowel in de bakkerij als in de kruidenierswinkel een praatje, terloops het reeds eerder gebruikte verhaaltje spuiend, dat haar verblijf in het dorp aannemelijk moest maken; met veel vertoon van argeloosheid vertellend het huis gehuurd te hebben waar voorheen ene weduwe Van de Waal gewoond had.

De vrouwen die haar aanhoorden, knikten of schudden veelbetekenend met hun hoofden, terwijl hun ogen heimelijk het borduursel van Hanna's zijden blouse betastten en de prijs van haar dure strohoed schatten.

De juffrouw kwam hier dus om rust te vinden voor haar werk?

De juffrouw had dus haar ouders verloren en moest nu uitsluitend van haar pen leven? Dat zou wel niet meevallen als ze het goed gewend was geweest. Het sierde de juffrouw in ieder geval dat ze niet te groots was om in de karbies van de oude Miebette haar boodschappen te halen en net als een gewoon mens bruine bonen met spek te eten. Maar dat ze daar wónen durfde, zo ver van de bewoonde wereld, in dat huisje achter die bomen. En hoe had ze het wel áángetroffen, daarbinnen?

Met ogen, groot van intrige, zagen ze haar aan.

„Netjes opgeruimd en goed onderhouden, maar muf en stoffig," antwoordde Hanna naar waarheid, „het huis heeft maandenlang leeggestaan, nietwaar? Ik zal nog hard aan de slag moeten vanmiddag, dus kan ik nu maar beter teruggaan."

En terzijde tegen de bejaarde winkelierster: „Mag ik eens bij u om raad komen als ik mijn bruine bonen niet gaar kan krijgen? Ik ben heel dom als het op huishouden aankomt!"

„Och hartje, natuurlijk!" zei de vrouw geroerd, maar een van de buurvrouwen gooide daar bijdehand overheen: „Als u ze maar een dag van te voren in 't water zet, kan u niks gebeuren, hoor!"

Onder algemeen gelach verliet Hanna het gezelschap. Haar hoofd stond eigenlijk allerminst naar dit soort familiariteit, maar ze besefte scherp dat een eenzelvige of hooghartige houding haar maar al te gemakkelijk eenzelfde impopulariteit kon bezorgen als de oude Miebette onder de dorpelingen genoten had. Verbeeld je dat ze háár straks ook voor een heks versleten!

's Middags sleepte ze moeizaam de stromatras uit het ledikant naar buiten, de helle zon in; ze veegde en stofte en luchtte het hele huis, maakte het bed op, stak tegen de schemering de petroleumlamp aan die nog halfvol bleek, en trachtte met een paar meidoorntakken en een kannetje muurbloemen midden op de tafel een zekere huiselijkheid te scheppen.

Ze waste zich bij de pomp en zat tenslotte geradbraakt in de rieten leunstoel te bekomen, zich afvragend of ze wel ooit in haar leven zó moe was geweest.

Toch schreef ze diezelfde avond nog twee brieven.

Eén aan de uitgever die haar aan werk moest helpen; één aan de oude vader van Norman in Engeland, omdat er toch íemand moest zijn die over haar adres beschikte.

Ze schreef eerlijk waar het op stond: dat haar ouders haar hadden willen dwingen scheiding aan te vragen, dat zij weliswaar geweigerd had zich naar deze eis te voegen, maar dat zij toch nog niet met zichzelf in het reine was, en deze zomer hard nodig zou hebben om tot een besluit te komen over haar toekomstige houding tegenover haar man, na alles wat er gebeurd was.

Ze zou Norman persoonlijk schrijven zodra ze het kon opbrengen. En wilde de familie er rekening mee houden dat zij hier leefde onder haar meisjesnaam?

In de dagen en weken die volgden, moest ze aan den lijve ervaren dat in armoede slechts bitter weinig poëzie schuilt.

Met schade en schande leerde ze het fornuis in de woonkeuken aanmaken zonder een overmaat aan rook te veroorzaken. Het was al bijna zomer en veel te warm om een fornuis te stoken, maar ze was wel genoodzaakt het van tijd tot tijd te doen, teneinde voldoende heet water te kunnen maken om de wastobbe te vullen, of om de zware ijzeren strijkbout te verhitten wanneer ze haar blouses en kraagjes na het wassen weer toonbaar moest maken.

Ook dít werk, evenals het andere dat de huishouding betrof, had ze nimmer tevoren hoeven te verrichten, en het kostte haar heel wat zweetdruppels de kunst enigszins machtig te worden, zeker met het primitieve werkmateriaal dat haar ter beschikking stond.

Toch was ze niet bepaald ongelukkig. Er was inderdaad wat vertaalwerk voor haar losgekomen, met de belofte dat er spoedig meer zou volgen.

En na al de onwennige en moeizame arbeid was er altijd weer de pure schoonheid van het landschap, dat zich als een verrassing voor haar openvouwde zodra ze een stap buiten de deur zette.

Ze dacht na over tal van dingen; tijdens haar wandelingen, en wanneer ze wakker lag in het antieke ledikant, zich afvragend waarom het leven was zoáls het was: één voortdurende competitie om macht en geld, een competitie waaraan beschamend veel goede en lieve dingen werden opgeofferd.

Dit kon toch nooit de bedoeling zijn: dat de ene mens de andere slechts gebruikte om er beter van te worden, om zijn hebzucht, zijn gemak, zijn ijdelheid, zijn wellust te dienen, en hem daarna als overbodig geworden, leeggeschudde emballage af te danken?

Ze wist zich schuldig aan ditzelfde vergrijp tegen de menselijkheid: ze had Norman Simpson aangemoedigd en zijn gevoelens misbruikt omdat het met haar belangen scheen te stroken. Maar nu hij niets meer opleverde?

Dat was de vraag waarmee ze klaar moest komen.

Eén moment had ze zich heel warm en zeker gevoeld; het was toen zij weigerde het kille ultimatum te aanvaarden dat haar werd gesteld, omdat ze diep in zich geweten had dat het zó niet moest. Maar hoe moest het dan wél?

Als ze Norman liefhad zoals ze zich voorstelde dat liefhebben behoorde te wezen, dan zou ze nu in Engeland zijn, hem opzoekend zo dikwijls ze kon, hem zo goed mogelijk helpend deze ellendige tijd door te komen.

Maar ze had hem niet lief, ze had hem nimmer liefgehad.

Gerespecteerd had ze hem, een kalme genegenheid had ze voor hem gevoeld, die weliswaar gebléven was na het wegebben van haar eerste heftige verontwaardiging over zijn misstap, maar die overheerst werd door een met vage ergernis vermengde deernis, zoals men die voelt voor een kind dat zich door eigen onvoorzichtigheid heeft bezeerd.

Waren dergelijke gevoelens wel sterk genoeg om daarmee een gemeenschappelijke toekomst het hoofd te bieden? Een toekomst die zonder twijfel moeilijkheden en hindernissen zou opleveren?

Ze besefte dat er méér voor nodig zou zijn, een kracht die ze buiten zichzelf zou moeten vinden.

Het was in deze tijd dat Hanna, nieuwsgierig, hunkerend en onwennig, in de kapotgelezen statenbijbel van de oude Miebette naar enig houvast begon te zoeken.

Hanna's weloverlegde streven naar goodwill onder de bevolking was niet zonder resultaat gebleven. Hoewel ze met niemand werkelijk vertrouwelijk werd, was er toch van een goede verstandhouding sprake. Ze werd allerwegen gegroet als ze in het dorp kwam en weken gingen voorbij zonder dat zich enig onaangenaam incident voordeed.

Toen ze op een late zaterdagmiddag voor het eerst nogal onheus werd bejegend, was ze dan ook verwonderd en tamelijk pijnlijk getroffen.

Het was uitzonderlijk mooi weer die middag, haar vertaalwerk was ditmaal wel erg saai, en in een impuls had ze alles laten liggen zoals het lag.

Ze had zich netjes aangekleed en was gaan wandelen, de stille, smalle landweggetjes langs waaraan slechts hier en daar een eenzame hoeve stond.

Komend langs een hooiland dat wit bespikkeld was met margrieten, had ze de verleiding niet kunnen weerstaan er wat te plukken, omdat haar eigen tuintje in dit seizoen geen bloemen meer opleverde.

Bij het herhaaldelijk bukken had ze last van haar grote hoed, die ze daarom maar even in de berm vlijde. Ze waagde zich slechts langs de rand van het veld, maar eenmaal zette ze een voorzichtige voet in het hoge gras van het hooiland en strekte haar lichaam om een paar van de witte sterretjes te bemachtigen die juist buiten haar bereik waren.

Plotseling hoorde ze paardenhoeven vlak achter zich en bijna verloor ze haar evenwicht, toen een stem haar tot de orde riep met een bevelend: „Wilt u daar onmiddellijk vandaan komen!"

Hanna draaide zich schielijk om. Ze zag een paard en een veulen, die vlak bij haar op het weggetje stonden. Het ongezadelde paard werd bereden door een nog zeer jonge man, naar 's lands wijs gekleed in een manchester broek en een grijze kiel. Hij droeg een rode zakdoek om zijn hals, zoals veel boerenjongens dat deden tijdens hun werk, maar hij had noch de houding, noch het gezicht van een boerenjongen uit de streek.

Het was een merkwaardig gezicht, hooghartig en fijnbesneden, met een donker baardje dat er iets uitheems aan gaf, hoewel dat even-goed aan de felle zwarte ogen kon worden toegeschreven.

Hanna staarde hem zwijgend aan; het bosje margrieten hing verge-ten in haar hand tegen de paarsfluwelen rok die ze droeg. Na enige ogenblikken hervond ze zichzelf en stelde zich te weer tegen de blik van die ogen met het enige wapen waarover ze beschikte: de geheimzinnige, even spottende glimlach waarvan ze het monopolie bezat.

„Uw gastvrijheid overweldigt mij," zei ze ironisch. „Wanneer u meent de aangerichte schade te moeten verhalen, wil ik u met genoegen mijn adres geven."

Haar antwoord bracht bij de ander slechts een frons teweeg, maar ontlokte hem geen commentaar.

Toen waagde het prille veulen een stapje in Hanna's richting, en zij tilde haar hand op om het fijne kopje te strelen.

Maar nog voor zij het gebaar ten halve voltooid had, waarschuwde de jongeman: „Doet u dat liever niet."

Hanna tilde andermaal haar gezicht naar hem op.

„Ik heb de indruk dat een van ons beiden hier te veel is," zei ze koel, „en ik vrees dat ík dat ben. Goedemiddag."

Ze liep weg zonder eenmaal om te zien, maar haar oren registreer-den hoe de paarden zich van haar verwijderden.

Een minuut of wat later, toen ze bezig was met de schaarse bloe-men dic ze in de wegberm vond haar boeket te completeren, stond de vreemdeling plotseling bij haar.

Hij had de merrie en haar veulen kennelijk moeten verweiden, want hij was nu te voet, een lange, rechte vent, en sprak haar aan op een manier die Hanna er eens te meer van overtuigde dat hij hier even-min geboren en getogen was als zij.

„Pardon," zei hij met lichte spot, „kan ik u misschien van dienst zijn met deze zonnehoed, die ik daarginds in de berm zag liggen?"

Hanna kleurde en strekte haar hand uit naar haar eigendom.

„Ik kom steeds dieper bij u in de schuld te staan," spotte zij op haar beurt, „in ieder geval bedankt voor uw moeite."

Die laatste woorden waren een niet mis te verstaan congé, en het verwarde haar dat hij desondanks bleef staan.

„Waar wacht u nog op?" informeerde ze hoog.

„Uw adres."

„Meent u dat werkelijk," vroeg ze verbaasd, denkend aan die ene onnozele voetstap in het hooiland, die het sarcasme in haar opmerking over het verhalen van eventuele schade toch wel rechtvaardigde.

„Natuurlijk meen ik dat," zei de ander kort.

Zij haalde de schouders op: „Wel, ik woon ginds aan de Linge. Ieder kind kan u terecht helpen als u vraagt naar het huisje van de heks."

Hij nam haar bij die woorden met een lange blik van het hoofd tot de voeten op en Hanna voelde zich plotseling zeer weerloos in haar genopte blouse van doorschijnend voile, waar het onderlijfje van kostbare kant doorheen schemerde. De helle blik keerde terug naar haar gezicht, omlijst door zwarte krulletjes die uit het naar achteren geborstelde haar waren weggesprongen.

Voor het eerst signaleerde ze een glimp van een lach in zijn ogen toen hij vaststelde: „Ik moet bekennen dat ik mij van heksen altijd een volkomen andere voorstelling heb gemaakt."

Ook haar trekken ontspanden zich.

„Die aanduiding slaat niet zozeer op mij, als wel op de vorige bewoonster," lichtte ze met een glimlach toe, „de oude Miebette noemden ze die in het dorp."

Hij knikte.

„Een tragische vrouw," zei hij ernstig, „en volstrekt onbegrepen. U mag wensen dat het u daar beter vergaat. En nu wilt u mij wel verontschuldigen: er wacht nog het nodige werk op me."

Hij groette met een hoofdknik en beende weg, Hanna achterlatend boordevol indrukken, die geen van alle met elkaar schenen te kloppen. Wat was dit voor een jongen, die er uitzag als een Spanjaard en gekleed ging als een eenvoudige boer, maar wiens woordkeus ontwikkeling, en wiens manieren beschaving verrieden, zijn ergerlijk autoritair optreden ten spijt?

Haar gedachten vermochten hem niet los te laten, díe dag evenmin als de volgende. Het aanhoudende warme weer dreef haar 's zondagsavonds de benauwde woning uit. Stil zat ze tussen licht en donker op een van de treetjes die naar de wat lager gelegen moestuin voerden, de handen om haar knieën gevouwen, en keek naar de verkleurende lucht, vergeefs trachtend haar chaotisch denken te ordenen.

Zozeer was ze in de geest met de herinnering aan de geheimzinnige vreemde bezig geweest, dat het haar ternauwernood verbaasde toen ze na verloop van tijd voetstappen hoorde langs het huis.

Met een bijna triomfantelijke zekerheid wist ze dat híj daar moest zijn, omdat zijn gedachten zich niet minder hardnekkig met haar hadden beziggehouden.

Hij moest reeds met het denkbeeld gespeeld hebben een nader contact te leggen, toen hij haar spottend gelanceerde uitdaging serieus nam en haar adres opeiste. Ze vroeg zich af waarom ze niet bang was. Kwam dat door de bewogen manier waarop hij over de oude Miebette gesproken had?

Ze kuchte heel licht toen de voetstappen stilhielden bij de enige deur van de woning; die van het achterhuis.

De avondlijke bezoeker, opmerkzaam gemaakt door dat geringe gerucht, en vervolgens door de lichte plek van haar japonnetje in de diepe schemer onder de kersenboom, kwam met voorzichtige voeten nader.

Zwijgend, als betrof het een afspraak, kwam hij bij haar zitten en begon op zijn gevoel een pijp te stoppen.

Er school een wondere betovering in het rekken van dit zwijgend bijeenzijn, in het verschuiven van de vele woorden die gezegd, de vele vragen die gesteld moesten worden.

Hanna verwonderde zich mateloos over het verschil tussen de geprikkelde sfeer waarin hun vorige ontmoeting zich afspeelde en de subtiele vertrouwelijkheid die in deze minuten zonder toedoen van woord of gebaar tussen hen groeide en waarvoor zij geen enkele plausibele verklaring vond.

Het was bijna een anticlimax toen de ander, naar zijn lucifers tastend, aan haar vroeg alvorens zich van vuur te voorzien: „Mag ik…?"

Zij glimlachte om de alledaagsheid van deze plichtpleging na zijn wel zeer onconventionele entree.

„Wie ben je?" vroeg ze zacht. „Wat wil je, en hoe raakte je verdwaald in dit land?"

„Govert Vaandrager ben ik," antwoordde hij even zacht, „maar je vergist je als je denkt dat ik verdwaald ben. Ik bén niet verdwaald; eerder thuisgekomen.

Mijn vader was hier burgemeester toen ik een kind was. Ik ben ópgegroeid in deze omgeving; ik ken er iedere boom en iedere sloot, hoewel ik ze jarenlang uit het oog verloor."

„Waarom kwam je terug?"

„Om me voor de duur van deze zomer als boerenknecht bij Bramsma te verhuren," verklaarde hij laconiek. Het was een antwoord dat haar in het minst niet bevredigde.

„Waarom kwam je terug?" herhaalde ze, hardnekkig en indringend.

„Dat is een lang verhaal," zei hij onwillig, „en niet voor de oren van welopgevoede meisjes bestemd."

„Maak me niet misselijk. Ik heb dezelfde oren als iedere andere vrouw!"

Een tijdlang bleef het stil. Toen vroeg hij onverwacht: „Hoe heet je?"

„Hanna Berger."

„Hanna?" – hij proefde de naam op zijn tong. „Laat ik eerlijk zijn, Hanna: ik heb geen ogenblik geloofd dat je werkelijk naar me luisteren wilde."

„Dan had je beter weg kunnen blijven," zei ze scherp. „Waarom ben je eigenlijk gekomen?"

„Dat weet God," zei hij machteloos, en weer viel er een stilte.

Toen capituleerde hij en begon te vertellen, stil voor zich heen, over zijn jongensjaren, toen zijn vader – een strenge, liberale magistraat, veel meer burgemeester dan burgervader – hem talloze malen uit de boomgaarden en van de boerenerven had laten weghalen, omdat hij niet wenste dat zijn zoon zich met arbeiders en boeren encanailleerde; over zijn puberteitsjaren in de stad, vol van een brandend heimwee naar de Betuwe waar hij zoveel gelukkiger was geweest, jaren waarin hij opnieuw zijn vrienden en relaties zocht onder anderen dan zijnsgelijken in stand, zich heftig afzettend tegen alle vormen van maatschappelijk onrecht, die hij in deze kringen maar al te dikwijls moest signaleren.

Hij was voorbestemd om jurist te worden, zoals alle Vaandragers vóór hem. Wat zijn ouders zich daarbij voorstelden, viel niet moeilijk te raden, maar zelf kwam hij er rond voor uit ooit via vakbond of politiek aan de sociale rechtvaardigheid te willen bijdragen. Toen hij echter als student de ergernis van zijn vader op de spits dreef door openlijk lid te worden van een uiterst linkse partij en alle vergaderingen en demonstraties daarvan bij te wonen, voelde de burgemeester zich dermate geblameerd, dat hij dreigde zijn zoon elke financiële steun te ontzeggen wanneer deze zich in het vervolg niet gedroeg zoals een jongeman van goeden huize zich behóórde te gedragen. Zijn wilde haren moest hij maar zien kwijt te raken door van tijd tot tijd aan de boemel te gaan; daar zou niemand hard over vallen, als het maar op een discrete manier gebeurde, – maar hij had zich bij dit en bij dat te onthouden van die vervloekte vulgaire rooie politiek!

„Toen heb ik hem met zijn eigen wapen verslagen," besloot Govert Vaandrager met een vreemde, toonloze verbetenheid. „Uit woede om zijn huichelachtige moraal heb ik geboemeld en gezopen tot ik voor alle tentamens zakte, en achter de wijven aangezeten tot ik er ziek van werd, en de ouwe heer tenslotte mijn moeder op me afstuurde om me te sméken er een punt achter te zetten voor er onherstelbare dingen gebeurden. Ik wílde niets liever, want ik walgde van mezelf. Van nature heb ik geen talent voor liederlijkheid, en de wraakoefening had al lang zijn smaak verloren. Toch had ik er iets mee bereikt: toen ik ziek lag, verwaardigde mijn vader zich enkele malen me op mijn kamer op te zoeken en met me te praten over mijn visie op de maatschappij, hoewel hij mijn ideeën nog steeds als humbug wenste te betitelen en me hoonde dat ik vrijblijvend de rebel dacht uit te hangen, en wel op zíjn kosten.

Hij zei pas wérkelijk te zullen geloven dat het welzijn van de massa me ter harte ging, als ik het ervoor over had me tenminste een halfjaar lang af te beulen als landarbeider of mijnwerker, zonder één cent extra op zak, maar dat ik dáár wel voor passen zou.

Het was een uitdaging waar ik niet omheen kon. Ik hield hem aan zijn woord en liet hem zélf een werkgever uitzoeken. En hij wíst wie hij uitzocht: Evert Bramsma, een eersteklas slavendrijver, die zijn mensen afknijpt waar hij kan. Het zware werk is een straffe medicijn, maar ik ervaar dat het van dag tot dag meer rotte gedachten uit mijn kop veegt. Het maakt mijn geest weer helder, al maakt het mijn handen dan ook vuil en vereelt."

Hij klopte zijn pijp uit en stak die in zijn zak. Toen, in een illustratief gebaar, legde hij zijn handen met de open palm naar boven op zijn knieën, en wachtte.

Pas toen Hanna vrijwillig, met o zo voorzichtige vingertoppen, de hardheid van één van die handpalmen beroerde, sloten zich zijn vingers vast en liefkozend om de hare.

Het was Hanna vreemd te moede. Ze kon nauwelijks geloven dat zíj het was, Mrs. Norman Simpson, die daar op het lage trapje zat in de zoele avondlucht – een lucht, zwaar van de geur van bloeiende vlier – in gezelschap van die vreemde, donkere jongen, die meer dan een etmaal lang niet uit haar gedachtenwereld was weggeweest. Het leek een droom; maar de hand die de hare bleef vasthouden, was reëel genoeg.

Ze had niet gehuild toen Norman werd opgesloten, noch toen ze de breuk met haar familie forceerde, maar nu zou ze kunnen huilen, het meest om de eerlijkheid waarmee deze Govert Vaandrager haar zijn levensverhaal had toevertrouwd.

Een eerlijkheid die tot eerlijkheid verplichtte, terwijl zíj reeds haar eerste leugen tussen hen geplaatst had.

Hoe heet je? Hanna Berger.

Waarom leek die naam die ze al wekenlang weer voerde, nú voor het eerst een leugen te worden? Ze slikte moeilijk, maar kon er niet toe komen ongevraagd haar triest geheim te verwoorden of zelfs maar haar hand terug te trekken.

Hij was degene die de stilte tussen hen verbrak, kennelijk terug-grijpend op haar reeds lang verklonken vraag waarom hij eigenlijk gekomen was.

„Ik had de indruk," zei hij, „dat je al net zo alleen was als ik, en even vreemd in dit land. Vreemd; maar toch op de een of andere manier thuis tussen je velden met margrieten en je meidoornhagen. Net zoals ík hier vreemd ben – en toch thuis."

Hanna knikte. „De margrieten die ik niet hebben mocht," stelde ze vast met gespeeld verwijt. „Waarom moest je me toch zo laten schrikken, gistermiddag?"

„Ik was zelf geschrokken. Je was er zo ineens, om de bocht van de weg, als een fata morgana waarin ik niet geloven kon. Na wat er het vorige jaar gepasseerd is, ben ik er huiverig voor geworden door mooie, mondaine meisjes voor de voeten gelopen te worden. Ik wilde je kwijt, zo gauw mogelijk. Hoe kon ik weten dat je een heks was die alleen al door een blik en een glimlach onrust kon zaaien, in staat iemand tegen zijn wil naar je toe te lokken en hem dan met een paar simpele vragen zijn hele hebben en houwen te ontfutselen? Wat bén jij voor een wezentje, waar kom je vandaan, wat zoek je hier met je elegante garderobe in die primitieve stulp?"

„Vraag niet zoveel," smeekte zij gekweld, „als ik eerlijk opbiechtte, zoals jij, zou je moeten weggaan als ik mijn verhaal verteld had; voorgoed, en dat wíl ik niet! Maar dit kan ik je wel zeggen: verkijk je niet op mijn dure kleren. Ik draag ze alleen omdat ik geen geld heb om andere te kopen, die passen in dit decor. Ik ben zo arm als Job, wie dat ook geweest mag zijn."

„Wie Job was kun je in de Bijbel naslaan als je er een hebt. Maar hoe zal ik weten hoe het met jou gesteld is, als je het me zelf niet vertelt? Waarom zou ik moeten weggaan, voorgoed nog wel? Alleen mensen die leven als wassen beelden hebben een geschiedenis zonder donkere plekken. Ben jij na míjn verhaal op de loop gegaan? Nee; je bleef, en zo verheffend was het toch niet. Maar je wilde het kennen om mij te begrijpen, precies zoals ik jou begrijpen wil. Ik wacht, Hanna."

„Ik kan je alles niet zeggen," fluisterde zij koppig, en zweeg weer, zich inwendig teweerstellend tegen de autoriteit van die onverbiddelijke woorden: „Ik wacht."

Ze zweeg zo lang dat de spanning tastbaar werd. Zijn harde hand begon zich al vaster om de hare te schroeven, zó vast dat het tenslotte pijn deed en ze zich met een driftige, gesmoorde kreet verweerde tegen die dwang: „Hou daarmee op! Ik kan het niet, ik zeg toch dat ik het niet kan!"

Hij liet haar plotseling vrij en zij veegde met een snel gebaar langs haar ogen. „Je weet je wél interessant te maken!" sneerde hij bitter, terwijl hij opstond en zich omkeerde. Zijn boze rug in het maanlicht was het laatste wat ze van hem zag.

Maar de volgende avond stond hij onverwachts weer voor haar, slechts aangekondigd door het geringe geluid van de deurklink.

Hanna zat onder het gele petroleumlicht, een uurtje tevoren naar binnen gedreven door een bui, en hield zich lusteloos met haar vertaalwerk bezig.

Toen ze hem zag staan op de drempel tussen achterhuis en woonkeuken, rijziger nog dan zij zich herinnerde, met een vastberaden trek op zijn trots, temperamentvol gezicht, gekleed in een hemd met opgerolde mouwen en een liggende kraag die openstond aan de hals, een punt van zijn behaarde borst vrijlatend, krampten haar vingers zich om de pen die ze hanteerde, het warme bloed stroomde naar haar hoofd, haar pupillen verwijdden zich en haar lippen weken geschrokken vaneen: „Govert! Jij!"

„Ja. Luister Hansje. Gisteravond heb ik geprobeerd je ervan te overtuigen dat geen ding uit je verleden, hoe donker ook, zou kunnen bewerken dat ik bij je wegging. Prompt daarop ben ik tóch bij je vandaan gelopen, beledigd omdat je weigerde me in vertrouwen te nemen. Een en ander moet je wel een vrij duidelijk beeld hebben opgeleverd van de tegenstrijdigheden in mijn aardig karaktertje.

Maar sindsdien heb ik erover nagedacht en me het enige herinnerd dat erop aankwam, namelijk je beweegreden: de wurgende vrees iets kostbaars te verspelen voor je het goed en wel gevonden had. Je gééft om me, hoe dan ook.

Wat mij betreft: vanaf het moment waarop je me voor het eerst aankeek ben ik verliefd op je, zo verliefd dat het pijn doet om aan je te denken en nog meer pijn om níet aan je te denken. En ik wil je dit zeggen: wát je mag hebben gedaan of doorgemaakt, welk geheim je ook hebt, het zal me niet weerhouden om terug te komen, telkens terug te komen om naar je te kijken en met je te praten en van je te gaan houden zoals nog nooit iemand van je gehouden heeft. Hebben we elkaar nu begrepen, Hansje?"

Het was de tweede maal dat hij haar zo noemde, en het ontroerde haar. Nooit eerder had iemand zo'n volstrekt eigen naampje voor haar bedacht.

Hij was zo jong en zo levend; zijn onstuimigheid, eenmaal losgebroken uit het pantser van afgedwongen zelfbeheersing, moest in staat zijn al die toegedekte menselijke emoties in haar wakker te maken die ze slechts uit boeken kende, emoties die ze tot voor enkele dagen in zichzelf niet vermoed had en die haar tot ín haar samenleven met Norman ongeloofwaardig waren voorgekomen.

De gedachte aan Norman deed haar beven.

Hoeveel weken was ze innerlijk nu al bezig met haar gevoelens voor hem, met de vraag waar ze de kracht en de bereidheid vandaan moest halen om haar morele verplichtingen jegens hem na te komen? Ze wist een onherstelbare fout gemaakt te hebben door voortijdig naar een huwelijk te reiken. Voortijdig, want zonder nog te weten wat liefde was. Maar zou ze die fout nu op zó'n wrede wijze moeten boeten: door het geluk dat haar met beide handen wenkte af te wijzen, en behalve zichzelf ook die trotse, eenzame jongen met zijn kwetsbaar hart ongelukkig te maken?

Ze kon dat niet, ze kón dat niet. Althans deze zomer moest ze voor hen beiden aan het leven ontwringen.

De ander was blijven staan waar hij stond, zwijgend kijkend naar haar gaaf, karaktervol gezicht dat hem zeer lief was, nú al, haar alle tijd gevend om zijn woorden te verwerken.

Een gezicht, opgeheven onder de lamp: eerst ontdaan, toen getekend door een verscheurende tweestrijd, en tenslotte openbloeiend in een glimlach die zowel een uitdaging als een belofte in zich droeg. Hij begreep dat ze een besluit genomen moest hebben.

Toen Hanna de ban verbrak door op te staan en haar stoel naar achteren te schuiven, was hij in minder dan drie stappen bij haar. Zij legde een vertrouwelijke hand tegen zijn borst.

„Hoe oud ben je?" vroeg ze nieuwsgierig, naar hem opziend.

„Tweeëntwintig," bekende hij, en zij glimlachte beschaamd.

„En ik al vijfentwintig."

„Al was je vijfenvéértig," zei hij onaangedaan. „Wat telt is alleen of jij hetzelfde voelt als wat ik voel: dat er tussen ons beiden iets is, sterker dan wij, dat trekt en trekt en waaraan niet te ontkomen valt."

Hanna knikte, de ogen wijd van verwondering: „Dat is het precies wat ik voel. En het helpt niet ertegen te vechten."

Ze wist reeds dat hij zelden lachte, maar nu signaleerde ze een tinteling in zijn ogen.

„Als we ons dan eens overgaven; allebei?" opperde hij, geruggesteund door die ontwapenende glimlach. „Heeft het leven je al geleerd, wat het is om winnaar en verliezer tegelijk te zijn?"

„Nee," antwoordde ze bitter, „altijd hebben ze me de verkeerde dingen bijgebracht. Geen enkele waarde heb ik leren kennen of hij was aangelengd, verzwakt, genivelleerd tot een lege vorm. Zou jij me kunnen leren hoe dat moet: de volle maat van het leven verlangen en ook zélf niets achterhouden?"

Govert Vaandrager keek gebiologeerd in haar brandende ogen, voelend hoezeer zij geslingerd werd tussen een aangekweekte geremdheid enerzijds en het natuurlijk verlangen van haar jeugd anderzijds, een verlangen dat reeds bezig was dóór te breken en waaraan zij zich weldra gewonnen zou geven.

117

Het overviel haar toch nog, toen hij haar een eindweegs tegemoet kwam in haar wankelmoedigheid en haar dicht tegen zijn eigen warmte trok.

„Kom maar," zei hij eenvoudig.

Ze kuste als een kind, maar al doende onderwees hij haar. Haar bloed ging sneller stromen en haar aanvankelijke terughoudendheid loste gaandeweg op in het vuur van zijn omhelzing, tot zij zich als een hoopje warm en trillend levend hervond.

Ze verborg beschaamd haar gezicht aan zijn borst.

„Ik kan je maar zo weinig geven," stamelde ze bezwaard.

Hij fronste even en dwong haar op te zien; zijn ogen schenen nog donkerder geworden.

„Zeg het maar," reageerde hij toen met een bedrieglijke schijn van rust. „Ik weet liever waar ik aan toe ben. Hóe weinig?"

„Eén zomer," zei Hanna moeilijk, haar besluit van zo-even bekrachtigend door er klank aan te geven.

Toen, in de dringende behoefte tegenover deze wrede, beperkende woorden iets positiefs te plaatsen, iets waardoor hij zich getroost zou kunnen voelen, legde ze eigener beweging haar armen om zijn hals en voegde eraan toe, onbewust bewijzend dat zelfs een systematisch verstikte spontaniteit tot nieuw leven kon worden gewekt: „Eén zomer, Govert. Maar die dan ook helemaal."

Het was het begin van een hevig, bijna smartelijk geluk, dat ze beiden zeer bewust beleefden, juist omdat het zulke pijnlijk scherp afgebakende grenzen had.

Govert had zich voorgenomen haar niet meer te kwellen met vragen over het geheim dat zij voor hem verborg, maar het was een opgave die hem zeer zwaar viel. Wanneer hij na een lange, vermoeiende dag van hooien of fruit oogsten bij haar zat, buiten onder de kersenboom, of binnen onder de petroleumlamp, vertelde zij soms terloops over haar kinderjaren, haar kostschoolperiode, haar Engelse studie, maar daarachter rees altijd weer een barrière op.

Hij had zich wel eens afgevraagd of zij getrouwd kon zijn, door haar echtgenoot in de steek gelaten wellicht, maar ze had zoiets maagdelijks en onaangeroerds over zich gehad vóór zij onder zijn liefkozingen naar een steeds volwassener beleving van de liefde begon te groeien, dat hij dit denkbeeld telkens weer verwierp.

Hoewel ze steeds intiemer werden in hun relatie, respecteerde hij bewust een zekere grens. Ofschoon volkomen genezen van de dubieuze ziekte die hij een jaar tevoren opliep in een situatie waaraan hij maar het liefst zo weinig mogelijk terugdacht, had deze zwarte bladzijde in zijn bestaan hem er tot dusver toch van weerhouden Hanna geheel tot de zijne te maken.

Maar er kwam een avond waarop het schrijnende bewustzijn dat recht verbeurd te hebben, door sterker emoties overspoeld werd.

Meestal kwam hij bij het vallen van het duister naar haar toe, dan langs deze weg, dan langs die, erop bedacht de mensen te ontlopen om Hanna niet in opspraak te brengen. Voor hem, die gewend geweest was de publieke opinie te tarten, betekende deze handelwijze een moeilijk te verteren concessie, maar zijn bezorgdheid voor Hanna woog zwaar genoeg om zijn neiging tot provoceren eronder te houden.

Op een avond toen zijn werkgever hem vasthield om assistentie te verlenen bij de moeilijke geboorte van een kalf, was hij niet eerder dan om elf uur in de gelegenheid zijn eigen weg te zoeken.

Na een korte tweestrijd won zijn verlangen om Hanna, die hem verwacht had, nog even gerust te stellen en haar een nachtzoen te brengen, het van nuchterder overleggingen. Ongezien slipte hij weg van de hoeve.

Het huisje aan de Linge was donker op een enkele kaarsvlam in het slaapvertrek na. Wéér stond hij in tweestrijd, maar toen hij voorzichtig de deur van het achterhuis probeerde en voelde dat er geen grendel op geschoven was, wist hij, zelfs op dit late uur nog verwacht te worden.

Maar bij de plotseling opkomende gedachte dat elke willekeurige kerel die onafgesloten deur had kunnen binnenlopen, maakte woede zich van hem meester.

Blindelings vond hij zijn weg door achterhuis en woonkeuken.

Toen, de deur openstotend waarachter Hanna zich bevond, reageerde hij af in een scène waarin alle opgekropte jaloezie ten aanzien van haar raadselachtig verleden verdisconteerd was.

Hanna had de hele avond vergeefs op hem gewacht, zich ongerust afvragend wat er aan de hand kon zijn. Was hij ziek?

Was er iets met hem gebeurd? Een ongeluk? Ze voelde zich machteloos bij de gedachte niet eens naar hem te kunnen informeren, aangezien niemand van hun relatie op de hoogte was.

Toen het laat werd had ze zich weliswaar naar gewoonte klaargemaakt voor de nacht, maar ze had er niet toe kunnen komen de
deur af te grendelen, tegen alles in hopend dat Govert alsnog zou
komen, al was het maar voor even.

Ze liet haar kaars branden en lag te staren naar het flakkervlam-
metje, terwijl ze eraan dacht hoe ze hem weken geleden recht vanuit haar hart en zonder enig voorbehoud deze zomer en daarmee
zichzélf geboden had.

Voor de zoveelste maal vroeg ze zich af, met een kleine, pijnlijke
angel van wrok diep in haar hart, waarom hij tot dusver de volle
maat versmaadde waartoe zij in liefde bereid was geweest en nog
stééds bereid was, en zich met minder tevreden stelde.

Het brok huwelijksleven dat ze achter de rug had, had haar vrijwel
onberoerd gelaten; ze had zich geschikt naar hetgeen Norman van
haar verlangde, niet wetend of het veel of weinig was, de dingen die
haar tegenstonden aanvaardend als een blijkbaar noodzakelijk
kwaad, zijn emoties die haar vreemd bleven met achteloos onbegrip naast zich neerleggend.

Nimmer had Norman een waarlijk groot gevoel in haar weten te
wekken, nóch het lichamelijk verlangen dat haar thans maar al te
vaak tot warmgetinte fantasieën dreef, waaraan ze naderhand vaak
verwonderd terugdacht, niet recht wetend of ze trots of beschaamd
moest wezen dat ze in zo korte tijd tot een geheel andere vrouw
kon worden.

Toen ze – toch nog onverwacht – gerucht hoorde in het huisje en
Goverts voetstappen herkende die haar kamer naderden, schokte
er een helle vreugde door haar heen, en haastig, met verlangende
ogen, richtte ze zich op één elleboog op.

Als een koud stortbad echter kwamen zijn verwijten op haar neer,
en het duurde even voor zij zijn onberedeneerde woede doorzag.

De gedachte dat ook een ánder dan hij onder deze omstandigheden
bij haar had kunnen binnendringen, mocht hem dan tot deze driftige uitval hebben aangezet – een nieuw-verworven inzicht leerde
Hanna dat daarachter andere, diepere gevoelens zich opdrongen en
naar een uitlaatklep zochten: verdriet omdat hij alles waaraan hij
zich dagelijks meer ging hechten binnen afzienbare tijd weer zou
moeten afstaan; bittere jaloezie op degene die rechten op haar kon

laten gelden; kwellende onzekerheid omdat hij niet wist vanwáár ze kwam of naar wie ze zou terugkeren.

In plaats van hem bijdehand of spottend van repliek te dienen, zoals in haar aard lag, werd ze overmand door een vloedgolf van deernis, door de begeerte hem binnen de boog van haar armen te troosten als een kind.

Bezwerend strekte ze zo'n blote arm naar hem uit.

„Stil nou maar, driftkop," zei ze zachtmoedig toen hij eindelijk zweeg. „Ik weet heus wel wat ik doe. Ik ben ervan verzekerd dat niemand anders dan jij zich in het stikkedonker in het heksenhuis-je zou wagen, en zéker niet tegen middernacht.

Overigens heb ik alleen déze avond de grendel van de deur gelaten, omdat ik dodelijk ongerust over je was en almaar hoopte dat je tóch nog even komen zou."

„Ik werd opgehouden door Bramsma, tot elf uur," verklaarde hij verstrooid, nú eigenlijk pas bewust haar beeld in zich opnemend, warmer wordend naarmate het beter tot hem doordrong dat zij hem dus inderdaad verwacht had; hier, in haar slaapkamer, haar weelderig loshangend haar beschenen door die gele kaarsvlam; hier, in haar bed, één elleboog in haar kussen geleund, slechts gekleed in dat luchtige nachtgewaad met veel wit kant dat langs boezem en schouders schuimde.

Een lange siddering van heet verlangen trok door Hanna heen toen hij zich naar haar overboog en ze zijn adem warm op haar lippen voelde.

„Hansje, lieveling," zei hij gesmoord, „ik hóud het niet meer!"

„Kom dan toch bij me," antwoordden haar ogen, en met verliefde haast wierp hij zijn kleren af.

Ze beleefden een uur van liefde, langer en korter dan enig ander uur, waarin loodzware vragen en pijnigende gedachten niet meer meespeelden, weggevaagd en aan de kant gespoeld als zij werden door de stroom van tederheid en passie die hen beiden ophief en meesleurde.

Maar toen ze stil en verzadigd bijeen lagen, begonnen die verdrongen gedachten en vragen zich al weer te manifesteren, langzaam maar zeker een kille wig tussen hen drijvend, en Hanna schreide, toen reeds voorvoelend dat het niet lang meer duren kon voor ze tot het spelen van open kaart gedwongen zou worden.

Terwijl het nog donker was, vóór de eerste melkers uit de veren waren, keerde Govert onopgemerkt terug naar de hoeve waar hij werkte, naar zijn primitieve slaapplaats boven de stal, en doorwaakte daar het resterende deel van de nacht, zich grimmig voornemend desnoods met haar weg te lopen naar het andere eind van de wereld, krankzinnige plannen makend en ze weer verwerpend, omdat hij zich keer op keer te pletter liep op hetgeen ze hem verzweeg, op de onbekende motieven die haar noopten aan het eind van deze zomer een onherroepelijke streep te trekken, ofschoon het haar hart scheen te breken.

Wat wachtte haar na die zomer? Kon of wílde ze zich daaraan niet onttrekken, en waarom vocht ze haar strijd zo eenzaam uit? Moesten ze niet méétillen aan elkanders leed en lasten, nu meer dan ooit?

Ondanks zijn slapeloze nacht werkte hij die dag harder dan ooit; bijna verbeten. Na een late avondmaaltijd gunde hij zich een uur slaap voor hij zich waste en verkleedde en tegen het vallen van het donker zijn gebruikelijke eenzame wandeling ging maken, een gewoonte waaraan men in zijn omgeving reeds gewend was geraakt, evenals aan zijn andere eigenaardigheden.

Ondanks zijn vreemdheid in uiterlijk, spraak en manieren mocht men hem, de boer omdat hij had bewezen een stugge werker te zijn die nooit met smoesjes aankwam, de knechten en de meiden omdat hij iedereen zonder onderscheid des persoons met respect tegemoet trad, behulpzaam was en zich ook voor het vuilste of zwaarste werk niet te goed voelde.

Hij trof Hanna buiten, onder de kersenboom, en schoof zwijgend naast haar, juist zoals die eerste avond. Ditmaal echter hief zij hongerig haar lippen naar hem op voor een kus. Maar hij, zich verhardend, schudde zijn hoofd.

„Nog niet, Hanna. Er zal eerst gepraat moeten worden. De tijd is voorbij dat jouw problemen jouw zaak waren en uitslúitend jouw zaak. De tijd is voorbij dat je heimelijk kon liggen huilen om iets waar ik niet van weten mocht.

Je bent nu mijn vrouw, en je zult moeten delen – óók dat. Ik verwacht van je dat je over de brug komt met je geheim; nú, en zonder iets achter te houden."

Ze bracht het niet verder dan tot een verward en schreiend gestamel, waaruit hij slechts de woorden gevangenisstraf en fraude opving, en dat er in september iemand vrij kwam.

Toen ze haar gezicht tegen zijn schouder verborg nam hij haar polsen en hield haar van zich af, terwijl de echo van het woord september in duizend toonaarden weerkaatste in zijn ziel.

September, het einde van de zomer.

„Over wie hebben we het, Hansje?" vorste hij met toegesnoerde keel.

Zij boog haar hoofd.

„Over mijn wettige man," zei ze toonloos.

HOOFDSTUK 17

„Mijn wettige man," had ze gezegd. Uit die woordkeus kon Govert Vaandrager niets anders afleiden dan dit, dat zij hem als haar wérkelijke man beschouwde. Alleen omdat hij degene was die ze liefhad? Na de weken die achter hem lagen, en speciaal na zijn ervaringen van de voorbije nacht, was hij geneigd te geloven dat ze nog een andere reden moest hebben gehad om bewust dat woordje 'wettig' in te lassen. Want wat wás dat voor een man, dat zijn vrouw zich nog in een dergelijke staat van ongereptheid had kunnen bevinden?

Hij besefte dat zijn handen nog steeds pijnlijk vast Hanna's polsen omschroefden, en liet haar los.

„Ga je weg?" vroeg ze bang.

„Zo gemakkelijk kom je niet van me af. Laten we naar binnen gaan." Hij grendelde de deur achter zich toen hij als laatste het huisje binnenging, en nam plaats in de armstoel van de oude Miebette, dof zwijgend zolang Hanna met trillende handen bezig was iets te drinken te maken, in een vergeefse poging de illusie te wekken dat alles precies als anders was.

Volkomen automatisch dronk hij op wat ze bij hem neerzette.

Toen, ineens, rees hij op en stond bij haar; hij nam haar in zijn armen en kuste haar zoals hij het nog nimmer gedaan had, zonder enige tederheid, op een manier of hij haar voor altijd moest brandmerken met het vuur dat in hem smeulde.

Tenslotte stelde hij haar op ruwe toon de vraag die hem kwelde:

„Zeg op, wat weegt zwaarder: levende liefde of een dooie wet?"
Hanna legde even met een ontredderd gebaar de rug van haar hand tegen haar mond, die in brand stond.
„Liefde is ook een wet," zei ze toen hulpeloos, „een gebód zelfs, dat rechtstreeks van God komt. Ik wist dat niet, maar ik heb het hier in een oude Bijbel gevonden, op verschillende plaatsen nog wel. Maar liefde heeft zovéél gezichten, Govert. Het is niet alleen vloeibaar vuur in je bloed; het is ook menselijkheid en begrip en verantwoordelijkheid voor elkaar en toewijding, en wat al niet... Wat wist ik daar vroeger van? Ik was een egoïst, ik was een dorre tak; pas door jou heb ik leren bloeien.
Soms denk ik dat ik de ene liefde moest leren kennen om straks de andere te kunnen opbrengen."
„Daar ben ik dus goed voor geweest," concludeerde hij bitter, „om ervoor te zorgen dat jij je straks zoveel te beter kunt opofferen voor een kerel die er zelfs niet het geringste besef van heeft waar een vrouw voor geschapen is."
„Naar ik heb mogen constateren," voegde hij er niet zonder boosaardigheid aan toe, en vloekte.
Hanna kon het niet helpen dat er iets in haar steigerde toen hij op die snerende toon over Norman sprak. Ze dacht aan diens vriendelijkheid en warme belangstelling, die zijn eerste bezoek aan Holland voor haar tot een oase hadden gemaakt in de dorheid van haar toenmalig bestaan; aan zijn liefde waarvoor zij niets anders had teruggegeven dan haar decoratieve aanwezigheid in zijn huis. Ze dacht aan zijn onmacht haar te beminnen op de manier die voor Govert een vanzelfsprekende zaak scheen te zijn, maar waartoe híj om de een of andere reden niet in staat was geweest, een feit waaronder hij zelf méér had geleden dan zij, in haar dwaze onwetendheid van die dagen.
Ze herinnerde zich hoe hij tegen haar gezegd had na zijn arrestatie, duidend op zijn financiële malversaties: „Ik deed het voor jou, Hanna, om je althans op materieel gebied te kunnen geven wat je toekwam," woorden die als zovele andere onbegrepen langs haar waren afgegleden.
Nu, in een plotseling doorbrekend inzicht, zag ze de stukken van de puzzel op hun plaats vallen en schaamde zich tot schreiens toe dat ze zo achteloos langs zijn nood had kunnen heenleven.

Ze zou het onrecht dat ze hem gedaan had moeten goedmaken, wat het haar ook kosten zou, en ze moest dat Govert doen inzien, hoe dan ook.

Hij was sterker dan Norman, hij was een man in ieder opzicht, hém zou het leven niet klein krijgen, zelfs niet wanneer hij het zónder haar het hoofd zou moeten bieden. Ze wist dat, zijn boze ogen, zijn verongelijkte houding, zijn gekrenkte toon van deze ogenblikken ten spijt. Ze wist het omdat ze hem kende, en ze kende hem omdat ze hem liefhad.

Eindelijk verbrak ze de stilte die na het verklinken van zijn vloek gevallen was. Haar rug rechtend, zag ze hem vol aan.

„Hou op met op die manier te praten!" zei ze met gezag. „Je moest zo nodig alles weten; wacht dan ook tot je alles weet voor je een oordeel velt!"

Hij keek in haar onvervaarde ogen en sloeg de zijne neer. „Als ik niet vloek, ga ik janken," bekende hij nors.

Er trok iets om haar mond.

„Daar hoef je je niet voor te schamen," antwoordde ze zacht. „Ik huil zo vaak sinds die korst om mijn hart is weggesmolten. Ik wíst wel dat het je moeilijk zou vallen iets van Norman te begrijpen; ik begreep hem zelf evenmin, maar hier is het me langzaam maar zeker gaan dagen. Hij moet heel ongelukkig zijn geweest."

Het prikkelde Govert Vaandrager dat zij zo loyaal voor die ander in de bres sprong, maar diep in zijn hart wist hij dat hij haar er nog zoveel te liever om had, dat ze weigerde haar eigen geluk zonder meer te laten prevaleren. Er was iets in hem dat bewondering koesterde voor de karaktervastheid en de moed waarmee zij van meet af aan het eigen verlangen begrensd had ter wille van een verantwoordelijkheid waarmee ze innerlijk nog niet eens gereed gekomen was.

Maar het was een bewondering die pijn deed, want háár geluk was ook het zijne.

En er restten nog zoveel brandende vragen.

Plotseling ervoer hij hoezeer die twee aaneengesloten etmalen vol opwinding en harde arbeid hem hadden afgemat.

Hij ging weer zitten en trok Hanna op zijn knie. De oude rieten stoel kreunde onder hun beider gewicht, maar ze sloegen er geen acht op.

„Vertel het me dan maar, van het begin af aan," zei hij moe, „ik zal je niet meer in de rede vallen; ik beloof het je."

Hanna legde dankbaar haar wang tegen de zijne; de aanraking van het donkere baardje was als een tedere liefkozing tegen haar huid. Even sloot ze de ogen om zich te concentreren. Toen begon ze te vertellen, en al pratend verwierf ze zich ook zelf een duidelijker inzicht in de situatie waarin zij zich bevonden.

Nadat zij hem met horten en stoten haar hele verhaal gedaan had, besloot ze de reeks van feiten en gebeurtenissen met een paar van de conclusies die tijdens de voorbije maanden in haar waren gerijpt: „Weet je wat ik veronderstel, Govert? Dat ons een totaal vertekend beeld van goed en kwaad is bijgebracht. Jij moet dat al eerder ontdekt hebben dan ik, anders had je niet zoveel moeite en wanbegrip getrotseerd om voor maatschappelijke rechtvaardigheid op te komen.

Maar ík ben er pas over gaan denken toen mijn familie van me verlangde dat ik van Norman zou scheiden na zijn misstap.

Hoewel ik zelf volstrekt niet zag hoe het verder moest gaan met ons beiden, wist ik als bij ingeving dat ik me definitief van hun mentaliteit zou moeten losmaken, omdat het een roofdiermentaliteit was: toen er aan Norman Simpson geen eer meer te behalen viel, trokken ze zich weloverlegd en zonder gewetenswroeging van hem terug, als roofdieren die de versmade resten van hun prooi laten liggen voor de gieren.

Ik verdenk ze er sterk van, dat ze hem niet zozeer veroordeelden omdat hij oneerlijk was geweest – er is in hun eigen handel zovéél verkapte oneerlijkheid – maar omdat hij het zó gedaan had dat er schade en schande mee gemoeid was.

En zo gaat het op ieder terrein van hun leven: het is de schijn die telt, en niets dan de schijn.

Ik voelde dat het zo niet mocht, zo liefdeloos en onbarmhartig.

Hoe het dan wél moest wist ik niet, maar sindsdien ben ik een andere mentaliteit op het spoor gekomen."

„Dat je je naaste moet liefhebben als jezelf," zei Govert dof, blijkgevend hoe goed hij haar begrepen had. Maar niet zonder bitterheid ging hij verder. „Een nobel streven, ongetwijfeld; maar kun je het volbrengen, Hansje?"

„Kun jij volbrengen wat jij als jouw opgave in het leven ziet?" luidde haar wedervraag. „Zou het niet veel gemakkelijker en gerieflijker zijn het leven van een rijkeluiszoontje te leiden, en carrière te maken op de manier die van je verwacht wordt? Natuurlijk wel – maar je zou de verantwoordelijkheid moeten verloochenen die je voelt ten opzichte van oneindig veel naamlozen, voor wie je misschien iets goeds zou kunnen afdwingen.

Moet ik dan míjn verantwoordelijkheid overboord gooien tegenover iemand die in de meest letterlijke zin mijn naaste is?

Toen het hem goed ging, heb ik Norman in gedachteloos egoïsme gebruikt als een middel dat ik nodig had om tot een doel te geraken, hoewel ik wíst dat hij van me hield, en had moeten merken dat hij het moeilijk had ter wille van mij.

Nú gaat het hem slecht; nu heeft hij míj nodig, en achter naïeviteit en onwetendheid kan ik mij niet langer verschuilen. Blijft er iets anders voor mij over dan te bidden of ik de kracht zal vinden om terug te gaan als hij vrijkomt?

Blijft er iets anders over dan pal naast hem te gaan staan tegenover een wereld die hem veroordeeld heeft en die hem zal blijven veroordelen – zonder te beseffen wat hem dreef?"

Het duurde een hele poos voor ze antwoord kreeg, en ook zónder dat hij ze voor haar onder woorden bracht, wist ze de verleidelijke mogelijkheden die haar naast de enig juiste mogelijkheid nog overbleven; ook zonder erover te praten voelde ze hoe hij moest vechten met zichzelf om haar innerlijk vrij te laten in haar toch reeds zo moeilijke keuze.

„Je dacht dat ik hem niet begreep hè, de arme bliksem," vroeg hij tenslotte schor. „Nou, dat had je dan wel goed mis. Ik zou de wéreld voor je stelen als ik maar half vermoedde dat ik je daardoor behouden kon."

Hanna schreide om dat welsprekende, vertwijfelde 'als'.

Hij trok haar hoofd weer tegen het zijne en zo, verslagen en verstomd, verborgen ze zich lange tijd bij elkander met het verdriet dat hen verscheurde.

Toen ging hij heen, maar de volgende avond was hij er opnieuw en stelde al gauw de verhouding tussen hen beiden aan de orde.

„Is het goed of kwaad dat wij elkaar zo'n grote plaats in onze levens hebben ingeruimd? Moet ik me een schoft voelen iedere keer als ik je aanraak? Waarom moesten wij van elkaar gaan houden? Dat kan toch niet zómaar en zonder bedoeling over ons gekomen zijn? Hansje, ik word dol van al de vragen die zich de hele dag door aan me opdringen."

„Dacht je dat ík met die vragen ook niet bezig ben geweest? Volgens de gangbare normen zullen we het wel verkeerd gedaan hebben, maar we weten zelf hoe onontkoombaar het was, alsof er buiten ons om al ergens over ons beiden beslist was.

Persoonlijk zie ik het zo, dat een heel wijze God deze zomer opzettelijk en met een heel diepe bedoeling in mijn leven moet hebben ingelast. Want hoe had ik ooit een volwassen vrouw moeten worden, hoe had ik moeten leren leven en geven en liefhebben zonder jou?

Ik kan het niet anders zien, Govert; ik beschouw onze liefde met alle consequenties daarvan niet als een schande, maar als een brok genade, als een geschenk, zó waardevol, dat ik me een leven lang aan de herinnering zal kunnen warmen.

Alleen plaag ik mezelf nog met de gedachte dat het ten koste van jou is dat ik wijzer en rijper en vollediger mens geworden ben. Ik had je zo graag een langduriger en zorgelozer geluk gegund."

„Stil," zei hij, getroffen door haar visie op de dingen. „Ben ík door jouw toedoen soms niet een vollediger mens geworden? Had ík soms niets meer te leren en af te leren? Ik heb het er allesbehalve gemakkelijk mee gehad om te aanvaarden dat jouw verantwoordelijkheid al vastlag vóór we elkaar ontmoetten. Het is nog steeds moeilijk – maar wie ben ik dat ik me tussen jou en je geweten zou durven dringen? Wat mij overbleef, was de vraag hoe het nu verder moest met ons. Maar als jij deze zomer kunt aanvaarden als een toegift van het leven waarvoor je dankbaar mag zijn, zou ík me dan nog langer kwellen met gewetensbezwaren?

Laten we de weken die we nog overhebben uitkopen, Hansje, en zoveel mogelijk lieve herinneringen bijeenbrengen, te beginnen met dit moment."

Hij nam haar zacht gezicht tussen zijn vereelte handen.

„Ik hou van je," zei hij innig, „en je zult altijd een heel speciale plaats in mijn gedachten blijven innemen, wáár je ook op de wereld zult zijn, en wíe er ooit in mijn leven mag komen."

Zo begon de tweede fase van hun samengaan: onbevangener, zonder raadsels of twijfels, de vreugde om het bezit van de ander, slechts getemperd door het naderend afscheid.

Uren konden ze samen praten, gedreven door een slechts half bewust verlangen zich zoveel mogelijk van elkanders wezen eigen te maken voor het te laat was.

Ook spraken ze over de facetten van het leven die in Hanna's opvoeding taboe waren geweest. Verhelderende gesprekken, die gekenmerkt werden door grotere openheid naarmate ze meer met elkaar vertrouwd raakten.

Als bij onderlinge afspraak vermeden ze het echter de toekomst aan te roeren.

Alleen verried Govert zich eens, toen ze lange tijd zwijgend in elkanders armen hadden gelegen, door plotseling kortaf op te merken: „Zeg tegen Norman dat hij naar een dokter gaat, desnoods naar een specialist, al was het alleen maar ter wille van jou."

Toen het tot Hanna doordrong welke broeiende gedachten er aan het uitspreken van deze woorden voorafgegaan moesten zijn, peilde ze ook de zelfoverwinning die ze hem gekost hadden, en ze kuste hem sprakeloos, niet wetend wat te zeggen.

Behalve de kostbare avonden, begonnen ze ook hun vrije zondagen te benutten om elkaar te zien en te spreken.

Eenmaal begaven ze zich al vroeg naar het nabijgelegen Tiel, onderweg elkaar treffend op een afgesproken punt, en daar, waar niemand hen kende, liepen ze de hele dag als zorgeloze kinderen hand in hand.

Ze zochten een stille plek aan de Waal, stonden er in de koesterende zon op een glibberige krib en snoven genietend de geuren op van water en gras en pasgeteerd hout, al die beelden en indrukken gierig opslaand in de schatkamers van hun herinnering.

De weken gingen te snel voorbij; met pijn zagen ze de eerste gele bladeren vallen.

Hanna had brieven gewisseld met de oude Mr. Simpson, waarin haar nieuwe start in Engeland aan de orde gesteld en geregeld werd. Ook aan Norman zelf had ze eindelijk geschreven, beschaamd om haar langdurig stilzwijgen, een ellendig moeilijke brief die haar slapeloze nachten had bezorgd. Per kerende post kreeg ze antwoord, een korte, verbijsterde schreeuw van geluk dat ze terug wilde komen, hoe dan ook.

Vanaf de dag waarop dat briefje arriveerde, had Hanna af en toe last van nerveuze pijnen. Alles scheen plotseling zo definitief, en de noodzaak haar bagage verzendklaar te maken, onderstreept dat gevoel in niet geringe mate.

Ook Govert was overgevoelig; veeleisend, opvliegend vaak en snel geprikkeld, maar soms ook van een weergaloze tederheid die haar troostte en tot rust wist te brengen.

In de loop van een maandag moest Hanna naar Vlissingen vertrekken, om de nachtboot te kunnen nemen die op Engeland voer. De zaterdag daarvoor was Goverts laatste dag bij Bramsma: half september begonnen de colleges weer en moest hij zijn studie hervatten.

Dat laatste weekeinde trotseerden ze alles en iedereen.

Govert, boerenknecht-af, kwam diep in die zaterdagmiddag, na het uitbetalen van het laatste loon, met zijn bagage naar Hanna toe en bleef tot het uiterste ogenblik.

Zondags maakten ze een lange wandeling om afscheid te nemen van de omgeving, en dronken thee aan de Linge, in de uitspanning De Hamsche Brug.

Ze groetten onbekommerd wie ze tegenkwamen, zich tegen wil en dank vermakend met de verbaasde blikken van de dorpelingen. Hanna was buitensporig trots op haar cavalier, die eindelijk zijn incognito had afgelegd en het kostuum weer droeg waarmee hij maanden geleden naar de Betuwe kwam, en dat zijn mannelijk voorkomen een verbluffende distinctie verleende. Ze moest telkens even van opzij naar hem kijken, evenals hij naar haar.

Er heerste een merkwaardige stemming tussen hen; ze voelden zich als onder een plaatselijke verdoving, waarbij men iedere handeling bewust ondergaat, zonder de pijn te voelen van de wond die wordt toegebracht, maar wétend dat die pijn moet komen, onafwendbaar, als de genadige verdoving eenmaal is uitgewerkt.

's Avonds kondigde Govert wat verlegen aan: „Ik héb nog wat voor je, Hansje. Weet je wel dat je nog nooit een cadeautje van me hebt gehad?"

Hij haalde een plat pakje uit zijn koffer en even later keek Hanna neer op een in passe-partout gevatte pasteltekening van de Linge, kennelijk door een uiterst bekwame hand vervaardigd.

Ze herkende het plekje onmiddellijk, een van de mooiste uit de omgeving: het uitzicht vanaf de Hamsche brug, waar van oudsher de tolgelden werden geïnd. Ze hield de adem in. „Maar daar zijn we vanmiddag nog geweest!"

„En waarom denk je dat ik je juist dáár gebracht heb vandaag?" vroeg hij met een glimlach, de tekening op armlengte van zich afhoudend. „Ik ontdekte dit onlangs in een kunstwinkeltje in Tiel. Beschouw het als een herinnering aan onze zomer, Hansje."

Ze was nog nooit ergens zó blij mee geweest, maar kon er niets tegenover stellen dan een vrij recent portret van zichzelf, waar ze in een opwelling achterop schreef wat haar de laatste tijd telkens door het hoofd gespeeld had in verband met het kruis waaronder ze zich hadden te bukken: 'Eerst na het buigen krijgt de boog zijn kracht.'

Die nacht sliepen ze niet meer dan een enkel uur.

Granny ontwaakt uit haar herinneringen; ze strijkt zich ontreddered langs het gerimpeld gelaat. Alles van toen is haar weer zó nabij geweest, dat het haar schokt zichzelf als een oude vrouw te hervinden.

Ze ziet de betraande ogen van Hansje, het achternichtje dat zonder één woord geluisterd heeft naar hetgeen zij fragmentarisch en als in trance heeft verwoord – wat wel? wat niet? – van de dingen die als een film aan haar voorbij trokken.

„Heeft u hem ooit nog weergezien?" vraagt het meisje stil, als ze bemerkt dat de ander tot de werkelijkheid terugkeert.

„Nee kind," zegt Granny stil. „Ik reisde naar Londen en voegde me daar bij mijn echtgenoot. Het viel niet gemakkelijk weer met elkaar en het veranderde bestaan vertrouwd te raken, maar het moest.

Mijn schoonvader had via een relatie werk voor ons gevonden als filiaalhouders van een apart zaakje in exotische kunst- en huisvlijtproducten. Die branche bepaalde onze toekomst.

Na de eerste moeilijke aanloopjaren, waarin we na eindeloos veel gedokter een kind kregen en het weer verloren, ontdekten we tenslotte iets dat ons waarlijk bond: een gemeenschappelijke, meer dan plichtmatige interesse voor de dingen waar we mee werkten.

We gingen ons samen verdiepen in hun achtergrond en maakten diepgaande studie van de landen waar ze vandaan kwamen.

De eigenaar van onze winkel (het was er maar één van de vele die hij bezat; alleen al in Londen had hij er vijf), hoorde ervan via zijn accountant, aan wie wij verantwoording hadden af te leggen van het financieel beheer. Hij kreeg er aardigheid in dat wij van ons werk een hobby maakten en zocht ons hoogstpersoonlijk op; om onze capaciteiten te testen, naar later bleek.

Na verloop van tijd trok hij een ander aan als filiaalhouder en stuurde Norman en mij erop uit, soms afzonderlijk, dan weer samen, om in het buitenland geschikte artikelen voor hem op te sporen en aan te kopen.

Door dit boeiende werk waren we in de gelegenheid een groot deel van de wereld te leren kennen. We kwamen in het Midden-Oosten, Noord-Afrika, Scandinavië, Zuid-Amerika en zelfs in Japan.

Het deed ons er financieel steeds beter voorstaan, maar het gaf ook een waardevolle band tussen ons. Na verloop van jaren trokken we naar de Verenigde Staten. We begonnen daar voor onszelf en werden er Amerikaan met de Amerikanen.

Langzaam maar zeker bouwden we de bescheiden firma uit tot een bloeiende groothandel. En nu is ook dat voorbij, Hansje. Wat over is, zijn de herinneringen, het enige werkelijke bezit van een mens."

„En het allerpersoonlijkste bezit," vult Hansje aan. „Ik voel me onderscheiden met uw vertrouwen, granny."

HOOFDSTUK 18

Als Freek thuiskomt van zijn avondje bij de Korevaars, brengt hij het nieuwtje mee dat de verloving van Martijn en Colette uit is.

Het verbaast Hansje niet eens zo heel erg; ze heeft de neiging er niet zo zwaar aan te tillen, omdat ze direct bij hun eerste ontmoeting al de indruk had dat die twee niet goed bij elkaar pasten. Een jongen als Martijn zal stellig spoedig genoeg iemand vinden, wier levensinstelling en interesses beter met de zijne overeenstemmen.

Maar als Freek zijn vriend enkele dagen later meetroont naar het huisje aan de Lekdijk en ze hem een weekend lang van nabij meemaakt, dringt het tot haar door, dat deze breuk toch een diepere wond in hem geslagen heeft dan men oppervlakkig bezien vermoeden zou.

Hij is bij vlagen stil en afwezig en weet maar bitter weinig animo op te brengen voor de overvloed van plannen waarmee Freek hem van zijn tobberijen denkt af te leiden.

Hansje vraagt zich heimelijk af wat de directe aanleiding tot het uitraken van de verloving geweest mag zijn. Heeft Martijn Colette de bons gegeven of is het juist andersom?

Hóe het zij – innerlijk is hij bepaald nog niet los van haar.

Ze merkt dat het duidelijkst als Freek in goedbedoelde, ruwe kameraadschappelijkheid juist even te ver gaat, als hij op zo'n moment van kennelijke afwezigheid tegen hem uitvalt: „Vooruit, ouwe gek, hou nou eens op met kniezen over zo'n paar armzalige pondjes vel en botten! Ja, zeg zelf, die meid was zo mager dat ze onder de douche heen en weer moest lopen om nat te worden!"

Granny, weggedoken in haar diepe stoel aan de andere kant van het vertrek, kan het niet helpen dat ze moet lachen om het beeld dat haar achterneef oproept, maar Hansje vergaat het lachen als zij – wellicht als enige – een helle woede ziet oplaaien achter de donkeromrande brillenglazen.

Bij herhaling bewondert ze de zelfbeheersing van Martijn, als hij meester weet te blijven van zijn drift en Freek na een enkel eindeloos ogenblik alleen maar neerzet met een bedrieglijk rustig: „Bemoei je met dingen waar je over mee kunt praten, en hou anders je mond."

Freek licht gepikeerd zijn hielen; even later horen ze hem met onnodig veel lawaai op zijn brommer wegrijden.

Hansje waagt het een lans te breken voor haar broer.

Ze legt een bezwerende hand op de arm van Martijn, die ongeïnteresseerd in een tijdschrift bladert: „Hoor eens, Freek heeft beslist niet de bedoeling gehad je te kwetsen; daarvoor mag hij je veel te graag! Waarschijnlijk dacht hij in ernst je een dienst te bewijzen door op de aantrekkingskracht van Colette af te dingen."

Martijn slaat zijn ogen naar haar op; er is al weer een glimpje humor in te ontwaren.

„Waarschijnlijk wel," geeft hij toe. „En waarschijnlijk kun je iemand inderdaad een kniesoor noemen als hij niet kan meelachen om een geintje dat op zichzelf lang niet slecht is. Maar geloof me, Hansje, ik kan nog maar niet aan de gedachte wennen dat háár leven en het mijne nu helemáál in versneld tempo uit elkaar zullen drijven, iets dat sinds zij in Amsterdam zat eerlijk gezegd al veel te veel het geval was. Je moet niet vergeten, dat zij vanaf mijn negentiende jaar de belangrijkste plaats in mijn bestaan innam!"

„Dat snap ik," zegt Hansje warm.

„Wat Freek betreft," praat ze wat aarzelend verder, „die is heus niet zo ruw en gevoelloos als hij zich soms voordoet. Het is alleen... hij mocht Colette niet zo graag... hij had veel kritiek op haar, maar eigenlijk alleen omdat hij de indruk had dat ze meer in zichzelf opging dan in jou. Ik heb hem meermalen een bepaalde kritische opmerking horen toelichten met een verstoord: 'en dat vind ik lam voor die knaap.' Freek is trouw in zijn vriendschap, trouwer dan Mattieu."

Martijn fronst even als zij die naam noemt, als proefde hij iets bitters op zijn tong. Dan zegt hij kalm: „Ik leg het wel weer bij met Freek, maak je niet ongerust. Het is een fijn joch, en hij heeft voor zijn leeftijd een verbluffend scherpe kijk op de mensen. Ik ben ervan overtuigd dat hij al heel gauw door had waar tussen Colette en mij de knelpunten zaten, en ook dat hij precies wist wat me in haar bekoorde en wat ik in haar miste.

Maar daarom kan ik het nog niet hebben dat hij haar zwakke punten onder woorden brengt, zie je, zelfs niet vermomd als geintje, daarvoor is het allemaal nog te vers.

Tussen haakjes, heb je zin om een eind te gaan lopen en eens lekker uit te waaien?"

„Als granny het niet erg vindt om alleen te blijven," antwoordt Hansje met een duidelijk vraagteken in haar stem.

Vanachter haar hoge leuning reageert granny: „Loop maar. Ik ga een dutje doen."

Het is droog buiten, maar ze moeten zich letterlijk tegen de storm invechten.

Het schept een zekere saamhorigheid tussen hen, zelfs al is het voeren van een gesprek totaal uitgesloten.

Alleen schreeuwt Martijn een keer tegen het geweld van de wind in, als het ware om een tegenprestatie te leveren voor haar zwijgend medeleven: „Hoe is het eigenlijk met die blonde vriend van jou? Zie je hem nog wel eens?"

Ook Hansje moet haar stem uitzetten om zich verstaanbaar te maken: „Jawel! Maar hij ziet míj niet!"

Als hij zich naar haar toewendt leest ze in de ogen van Martijn dat hij begrijpt wat zij bedoelt.

„De kaffer!" schreeuwt hij complimenteus.

Dan zwijgen ze weer minutenlang. Ze verlaten de dijk en slaan een van de smalle paadjes in die door de uiterwaarden naar de tot hevige onrust opgejaagde rivier voeren. Als ze tot dicht aan het vuilschuimende water genaderd zijn, gaan ze onwillekeurig met hun rug naar de wind staan; hun haren wapperen uitbundig rondom hun gezicht.

Er is geen sterveling te bekennen in de wijde omtrek.

Plotseling zegt Martijn uit de volheid van zijn gemoed, alsof hij een reeds lang begonnen gesprek voortzet: „Het gíng niet langer zo. Binnenkort word ik drieëntwintig, en zij ook. Dan ben je toch geen kinderen meer, dan wil je toch wel eens anders gaan leven dan allebei in je eentje op een huurkamer, en ieder weekend naar moeder. Het minste wat je verlangen kunt, is een ander perspectief om naar toe te leven.

Je weet misschien dat ik medicijnen studeer en inmiddels over de helft ben.

Verschillende van mijn studiegenoten gaan in dit stadium trouwen of samenwonen met hun meisje, al naar gelang hun opvattingen zijn. Ze leggen botje bij botje en werken zich desnoods kapot om tenminste bij elkaar te kunnen zijn.

Ik ben stapelgek op Colette – nóg – maar ik heb me de laatste tijd in alle ernst moeten afvragen, of ik zélfs als ik afgestudeerd was, wel met haar zou kunnen trouwen zonder me tot mijn nek in de schulden te steken. Want op Colette hoefde ik in financieel opzicht niet te rekenen; die spendeert alles wat ze verdient aan kleren, schoenen en make-up – tot de laatste cent.

En behalve dát – ik vreesde me ook nog een keer dood te ergeren aan dat lege geflirt met allerlei willekeurige kerels. Ze hoefde me heus niet te verzekeren dat het niets om het lijf had, dat ze met niemand over de schreef ging.

Ik had haar soms bijna toegesnauwd: 'Dééd je dat maar!' Want juist die vrijblijvende manier van uitdagen, dat opeisen van bewondering zonder er iets voor terug te geven, dat haatte ik tenslotte in haar. Want in feite speelde ze het tegenover mij niet anders: altijd op een hartverscheurende manier vlak voor je ogen mooi en begeerlijk lopen te wezen, om niet-thuis te geven als het er werkelijk op ááñ-kwam.

Daar kwam tenslotte ook nog bij dat we in levensbeschouwelijk opzicht hoe langer hoe verder uit elkaar groeiden, hoewel we toch bij dezelfde geestelijke waarden groot geworden zijn. Als ik nog denk aan alle vruchteloze pogingen die ik heb aangewend om Colette er opnieuw bij te bepalen dat er toch waarachtig wel meer is tussen hemel en aarde dan al die dicht bij de grondse zaken waar wij ons zonder uitzondering zo druk om maken.

Maar het was duidelijk dat ik haar verveelde, met wat ze lachend mijn zwaarwichtigheid noemde. Het gíng eenvoudig niet langer zo," besluit hij met een zucht.

Het klinkt of hij vooral zichzelf overtuigen moet dat hij juist heeft gehandeld.

„Je had gelijk," reageert Hansje op zijn geëmotioneerde ontboeze-ming, „maar evengoed blijft het een ingrijpende amputatie."

„Ja. Het is wel zó'n gekke ervaring, na al die tijd weer alleen te zijn. Net of alles wat je doet of onderneemt opeens geen zin meer heeft. Kun je je voorstellen hoe ik me de laatste dagen gevoeld heb?"

„Maar dan ook precies: als een helft zonder andere helft, een vraag zonder antwoord," zegt Hansje, zoals ze het ook eens tegenover granny geformuleerd heeft.

Martijn Korevaar kijkt verrast opzij: „Hoe weet jij…"

„Ik ken dat gevoel al heel wat langer dan alleen van de laatste paar dagen – daarom. Maar troost je: je kunt er heel goed mee leven, als je er eenmaal aan gewend bent."

„Probeer niet cynisch te doen, jij," reageert hij onmiddellijk scherp: „ik kan geen enkele reden bedenken waarom je niet binnen de kort-ste keren gelukkig zou kunnen worden – maar blijf jezelf."

Hansje is even beduusd door deze rechtstreekse taal; dan zegt ze effen, in het midden latend of ze er zich aan storen zal: „Bedankt voor je advies."

Hij neemt haar bij de arm: „Kom, we laten ons even terugwaaien."

Op de dijk rijdt Freek hen achterop. Hij remt af en Martijn beduidt hem te stoppen.

„Loop jij vast door," zegt hij terloops tegen Hansje en zij behoeft geen nadere toelichting dan de blik van verstandhouding die hij haar geeft.

Als ze enige tijd later samen de keuken binnenstappen, waar Hansje koffie staat te zetten, is de atmosfeer tussen de beide jongens kennelijk gezuiverd.

De volgende dag gaat de wind plotseling liggen: de temperatuur stijgt aanzienlijk en het is ineens weer volop zomer.

Freek begeeft zich al vroeg op pad om de laatste hand aan zijn schilderwerk te leggen, en Hansje, aangestoken door zijn ijver, gaat eveneens hard aan de slag. Ze is er trouwens steeds op bedacht dat ze het salaris dat granny haar betaalt ook werkelijk zal verdienen.

Tegen de middag, als ze het hele huisje aan kant heeft, besluit ze ook nog even de buitenramen een beurtje te geven, omdat regen en wind er rijkelijk hun sporen op hebben nagelaten.

Het gele klinkerstoepje blijkt vol te liggen met onvolgroeide peertjes, terwijl ook heel wat dood hout naar beneden is gekomen uit de oude boom.

Terwijl ze loopt te redderen met emmers water, bezem en ragebol, hoort ze onverwacht een bekende stem haar naam roepen. Schielijk omziend ontdekt ze op de dijk een stilstaande auto met een wijdopengedraaid portierraam, waaruit een blond hoofd gretig voorover buigt.

„Hallo!" groet ze in blozend herkennen.

„Kan een eenzame reiziger op doortocht in deze uitspanning wellicht een kop koffie geserveerd krijgen?" roept Wim Heldering naar beneden, met welgevallen kijkend naar het figuurtje in de blauwe spijkerbroek en het strakke rode truitje, dat hem openlijk en vergenoegd staat uit te lachen – hij weet wel waarom – en waarmee het zo plezierig is de degens te kruisen. „Het valt in ieder geval te overwegen!" geeft Hansje plagend terug. „Kom eerst maar eens van die dijk af!"

Hij manoeuvreert zijn wagen behoedzaam via de afrit het erf op, terwijl Hansje snel nog even de laatste twee luiken afdroogt.

Ondertussen registreren haar gespitste oren hoe het portier achter hem dichtslaat als hij uitstapt en hoe rap zijn voeten hem in haar richting voeren. Op de gele steentjes blijft hij staan.

Als ze haar zeem in de emmer heeft gemikt, pakt hij met een snel gebaar haar natte polsen en bekijkt ze consciëntieus. „Even controleren of ik wel naar binnen mag!" grijnst hij, en Hansje steekt impulsief het puntje van haar tong tegen hem uit, toch blij dat ook hij zich het incidentje nog herinnert dat hun vorige ontmoeting afsloot.

Ze trekt haar handen los.

„Je hebt geluk, ik ben de gevolgen van je hardhandigheid redelijk snel te boven gekomen," zegt ze. „Vertel eens hoe je op een ordinaire, alledaagse maandagmorgen ineens hier verzeild komt?"

„Ik ben voor mijn baas op weg naar Brabant," verklaart hij, „en ik heb de vrijheid genomen mezelf op een kleine omweg te trakteren."

Hansje wrijft nonchalant haar handen droog aan haar strakke broek. „Op naar de koffie dan maar," beslist ze.

Wim blijft lunchen; hij maakt granny complimentjes over haar gastvrijheid en volhardt in zijn onvermijdelijke plagerijen tegenover Hansje. Maar als hij na een uurtje zijn reis vervolgt, is er een nieuwe afspraak gemaakt.

Hansjes hart is heel licht tijdens de dagen die volgen.

Wim Heldering kan beweren wat hij wil over het continueren van zijn vrijgezellenstaat, na de nieuwste ontwikkelingen weigert ze hem in dat opzicht al te serieus te nemen. Wanneer zij hem onverschillig liet, zou hij toch niet telkens weer blijk van zijn belangstelling geven?

Als Freek haar die zaterdagmiddag mee wil hebben naar Culemborg om Martijn te feliciteren, is zij nog steeds welgemoed, en stemt dadelijk toe.

Ze overlegt in stilte, dat die jongen bepaald niet zo'n prettige verjaardag zal hebben zonder zijn Colette; misschien zal wat belangstelling van Bergerzijde hem goed doen.

Sinds ze die zondagavond met zijn vieren urenlang hebben zitten bomen over tal van dingen, heeft ze het gevoel hem door en door te kennen, een gevoel dat haar trouwens reeds eerder af en toe bevloog, al wist ze het toen nog nergens op te funderen.

Ten huize van de familie Korevaar wacht haar een verrassing.

Vanwege het mooie weer wordt de verjaarsvisite buiten ontvangen: een gezelschap van ongeveer tien personen zit bijeen op een tegelterras dat uitzicht biedt op een royaal gazon, omzoomd door een border vol bloemen.

Dat gazon lijkt op het eerste gezicht boordevol kinderen te zijn, maar bij nauwkeuriger observatie blijken het er toch niet meer dan zes, waarvan de jongste op zijn rugje in een kinderwagen ligt, een

paar mollige, zongebruinde beentjes rechtstandig in de hoogte. Als Martijn haar aan de diverse aanwezigen heeft voorgesteld – Freek blijkt reeds geheel ingeburgerd in deze kring – en men zich beijvert stoelen voor hen aan te slepen, plaagt Hansje met een blik op de ravottende kleuters: „Je had moeten zéggen dat je een kinderpartijtje hield, Martijn, dan hadden we een toeter en een feestmuts kunnen meenemen! Krijgen we straks allemaal een lolly?"
Martijn grinnikt om haar suggestie.
„Al dat grut komt voor rekening van mijn twee getrouwde zussen," verklaart hij.
„Wil je de nieuwste aanwinst soms even van dichtbij bekijken?"
Ze lopen naar de wagen, en meteen verdringen zich de andere kleintjes om hen heen. Hansje tilt een dreumes op die niet ouder dan twee kan zijn, en laat hem even van vlakbij naar de spartelende baby kijken.
„Het vorige jaar heb ik maandenlang op de kinderafdeling van een ziekenhuis gewerkt," vertelt ze ineens, „daar had je dagelijks met dit hartveroverende kleine spul te maken. Máchtig was dat – je kunt aan kinderen van deze leeftijd je warmte nog zo kwijt, vooral als ze wat mankeren en hun moeder missen."
Nu dringt er een klein meisje tegen haar op, met de wens óók opgetild te worden. Hansje doet het, zo hoog als de lengte van haar armen het haar toestaat.
Ze lacht mee met het kind, dat gilt van plezier. „Kijk eens," zegt ze triomfantelijk, „nu ben je nog groter dan oom Martijn!"
„Wat meer is dan jij kunt zeggen," vult die droogjes aan. „Wat ben je uitbundig, vanmiddag! Ik realiseer me nu pas dat we de vorige keren dat we elkaar spraken alleen maar bloedernstige gesprekken hebben gevoerd."
Hansje zoekt zijn blik. „Ik moest mezelf zijn," brengt ze hem zijn eigen raad in herinnering.
„En zó ben je dus nú. Prettige ontwikkelingen, deze week?"
Hansje glimlacht een beetje verlegen, omdat hij haar zo dóórheeft.
„Misschien wel," zegt ze, een snelle gedachte wijdend aan Wim, met wie ze in de week die komt een hele, verrukkelijke dag zal gaan doorbrengen.
Ze keren terug naar het terras om er thee te drinken, maar vóór Hansje de hare op heeft, komen de kleuters haar al weer opeisen.

De jonge moeders protesteren beleefdheidshalve tegen hun aandrang, maar onverwacht komt Freek het grut te hulp door uit de achterhoede te roepen: „Laat ze maar. Hansje is gek op dat kleine gespuis, en dat ruiken ze!"

De kinderen zowel als Hansje hebben een heerlijke middag. Zij vertelt ze verhaaltjes en doet ouderwetse spelletjes met ze, zoals schuitje varen, theetje drinken en Jan Huijgen in de ton.

Tenslotte rijden ze om beurten paardje op haar rug en stoeien vijf tegen één: zij op haar rug in het gras en al het kleine goedje boven op haar.

Mevrouw Korevaar komt haar verlossen en fluistert erkentelijk, dat het een uitkomst was voor haar en haar dochters, dat de kleintjes de hele middag zo zoet zijn geweest.

Hansje slaat haar kleren af; ze draagt een tuniekpak van zwart en paars gevlamde stof, dat zelfs tegen de laatste gevechtshandelingen tamelijk goed bestand gebleken is. In de keuken worden alle kinderpootjes gepoedeld; vandaar dat mevrouw Korevaar Martijn voorstelt Hansje maar even de badkamer te wijzen als ze haar handen wil wassen.

Terwijl zij daarmee bezig is en veel koud water over haar polsen laat stromen, blijft hij tegen de deur leunen; gehuld in een nors stilzwijgen, dat haar bevreemdt, omdat ze aan het begin van de middag toch een normaal en prettig contact met elkaar hadden.

Ze drukt haar koele handpalmen een ogenblik tegen haar gloeiende wangen, niet op haar gemak, en ontdekt dat haar kam in haar handtas zit, die nog beneden staat.

Maar Martijn haalt reeds ongevraagd een kammetje uit zijn zak en reikt haar dat aan; tegelijk doet hij een stap naar haar toe en plukt wat dorre grassprieten van haar achterhoofd en haar rug.

„Móet je er beslist als een vagebond bijlopen?" vraagt hij.

Hansje zoekt in de spiegel zijn blik, verwonderd om de scherpte van zijn toon.

„Het lijkt wel of je boos op me bent," zegt ze verward.

„Dat ben ik ook."

„Maar waaróm dan?"

„Omdat je me het beschamende gevoel bezorgt dat ik drie jaar lang met een etalagepop genoegen genomen heb, dáárom."

Na drie weken gestadig werken heeft Freek zijn boot zoals hij zich die gedroomd had. Alvorens zijn huisgenoten met gepaste trots voor een proefvaart uit te nodigen, gaat hij samen met zijn vriend uitproberen of alles aan boord wel naar behoren functioneert.

Als hij thuiskomt met zijn invitatie, en een beetje weifelend peilt: „Dúrft u, granny," reageert de oude dame spontaan: „Als Martijn en jij allebei aan boord zijn? Ik zou jullie niet durven beledigen door nee te zeggen, zelfs al was ik zo bang als een wezel. Maar eerlijk gezegd lokt het me juist bijzonder aan; het is jaren geleden dat ik in een zeilboot gezeten heb!"

Hansje en zij gaan de volgende dag met de Volkswagen naar Culemborg, waar Freek op dat tijdstip al geruime tijd aanwezig is.

Ofschoon ze elkaar enkele uren tevoren nog gezien hebben, gaat de begroeting op het plankier van het jachthaventje met enig ceremonieel gepaard.

Freek vertelt granny, dat hij zich heeft voorgesteld dat zij zijn boot zal dopen.

Niet met champagne weliswaar, want dat laat zijn budget niet toe, maar toch wel met wijn, en van een bijzonder goed jaar, daar staat hij voor in.

Ze lachen allemaal, en Hanna zegt het een grote eer te vinden.

Ze doet wat van haar verlangd wordt en trekt er een passend gezicht bij, omdat de plechtigheid op verzoek van Freek door Martijn met de fotocamera wordt vastgelegd. Zij onthult eveneens de met sierlijke letters geschilderde naam van het ranke bootje: 'My dream'.

Als ze tenslotte werkelijk op de rivier zijn en de wijdte tegemoet zeilen, zucht ze ontspannen en tevreden.

„Had ik dat vorig jaar allemaal geweten!" zegt ze tegen haar achterneef.

Ze begint hem van alles te vragen over de zeilsport, en over de zin van de handelingen die ze hem met geïnteresseerde ogen ziet verrichten.

Martijn houdt het roer.

Naast de jongensachtige opgewondenheid van Freek springt zijn stil-zijn nogal in het oog. Het is voor het eerst dat Hansje hem weer ontmoet na die middag van zijn verjaardag.

Ze vraagt zich heimelijk af of hij zich werkelijk amuseert, óf het tochtje alleen maar meemaakt om Freek een plezier te doen.

Terwijl de andere twee opgaan in hun drukke gesprek over de boot, zegt Martijn ineens op gedempte toon tegen Hansje: „Ik vrees dat ik behoorlijk onredelijk geweest ben, zaterdag."

Zij trekt even met haar schouders.

„Ik ben maar zo vrij geweest je opmerking tot een compliment te herleiden," bekent ze met een snelle, verlegen glimlach.

„Ik weet dat het stom is," biecht hij, „maar ik ben altijd aan het vergelijken, en als een vergelijking ten nadele van Colette uitvalt, word ik kwaad."

„Went het nog niet een beetje?" vraagt Hansje.

Nu is híj degene die met zijn schouders trekt.

„Zondag was ik als de dood dat ik haar tegen het lijf zou lopen ergens. Maar toen ze helemaal niet in Culemborg scheen te zijn, liep ik me weer te kwellen met de vraag waar ze dan wél het weekend doorbracht, en met wie, en wat ze uitvoerde. Zou dat ooit overgaan?"

„Het is pas veertien dagen," troost Hansje, „het vergt wel wat méér tijd, dunkt mij, om van zoiets te genezen. Maar ik kan niet uit ervaring spreken."

Ze pauzeert even, maar vertelt dan op haar beurt, zijn vertrouwen honorerend met het hare: „Morgen ga ik de hele dag erop uit. Met Wim Heldering, je weet wel."

„Op zijn voorstel? En ik dacht dat hij je niet zag…"

„O, maar hij is wel zo'n onberekenbaar figuur!"

Ze verlangt plotseling zijn mening te horen over de opvattingen van Wim, en vertelt zachtjes iets over zijn achtergrond en over zijn kennelijke vrees zijn hart en daarmee zijn moeizaam bevochten vrijheid te verliezen.

„En wat mag hij dan wel voorhebben met jullie omgang?" informeert hij als zij uitgesproken is.

„Wat zuiver vriendschappelijk contact, veronderstel ik: bomen over allerlei dingen, elkaar wat plagen en plezier maken; meer niet."

„Wel, als híj dat 'meer niet' kan opbrengen, en jíj neemt er genoegen mee, dan is het mooi," constateert Martijn droogjes, maar de twee levensgrote restricties die hij maakt verraden overduidelijk zijn scepticisme, en Hansje heeft er geen weerwoord op, juist omdat ze zich bij zijn gedachtengang zo goed kan aansluiten.

Later op de middag, als ze weer terug zijn in het jachthaventje, en Freek granny meetroont een verder gelegen steiger op, om haar een andere zeilboot te laten zien van een type waarover ze onderweg samen gesproken hebben, blijft Hansje even wachten in 'My dream' tot Martijn klaar is met het zeil waaraan klaarblijkelijk nog iets te redderen valt.

Terwijl zijn handen bezig zijn, komt hij eigener beweging terug op hun gesprek. „Hoor eens," zegt hij, „als die vriend van jou vandaag of morgen het geluk of het ongeluk heeft een meisje of een vrouw te ontmoeten, waar hij zó van ondersteboven is dat hij haar tot elke prijs moet hebben, met huid en haar, om zo te zeggen, en ze is toevallig niet van het type dat zich als een speelbal laat gebruiken, dan zal hij toch een keer van zijn vluchtheuvel moeten afkomen, en een risico nemen, het risico dat iedere keus en iedere beslissing nu eenmaal met zich meebrengt"

„Inderdaad. Maar waarom zou ík dat meisje niet kunnen zijn?" vraagt Hansje opstandig, „wat mankeert er aan mij, dat de andere sekse alleen iemand in mij ziet waar je plezier mee kunt maken of je hart bij uit kunt storten?"

Het zou niet bij haar opgekomen zijn, zich tegenover Wim of wie dan ook zo bloot te geven, maar tegenover Martijn, die nog te vol is van Colette om voor welk ander meisje dan ook een potentiële kandidaat te kunnen zijn, voelt ze geen schaamte over de hartenkreet die haar tegen wil en dank ontglipte.

Hij kijkt naar haar om, haar schattend met zijn ogen.

„Wat er aan jou mankeert? Helemaal niets, kleine idioot!"

Met een geroutineerde beweging springt hij uit de boot, buigt zich dan naar haar toe en steekt zijn hand uit om haar bij de overstap behulpzaam te zijn.

Dan, spelenderwijs, duwt hij haar voor zich uit het plankier op, zijn beide handen om haar middel.

Ze hoort zijn lage stem vlak achter haar hoofd, met een mengsel van spot en vertrouwelijkheid: „Je bent niet overtuigd, ik voel het. Wat heb jij voor argumenten nodig? Zulke?"

Hij zoent haar onverwacht in haar nek, en Hansje draait zich schielijk naar hem om.

„Jij met je schokeffecten!" klaagt ze met een verhoogde kleur.
Hij grinnikt heel kort.
„Sorry. Maar jouw gebrek aan zelfvertrouwen is alleen met de oudste en meest primitieve therapie te genezen. Of moet ik als objectief manspersoon onder ede verklaren dat je bepaald niet van ero-
tische aantrekkingskracht verstoken bent?"
Haar ogen vangen een glimp van een lach uit de zijne op en kaatsen
die met rente terug als ze antwoordt: „Nee, dat hoeft niet. Je hebt je
verklaring al afdoende bezegeld."
„Haal je dan geen dwaze hersenschimmen meer in je hoofd," besluit
hij, bijna streng.
Daarmee komt ook een einde aan zijn levendigheid, en vervalt hij
weer in zijn somber stilzwijgen.

De volgende dag brengt geen volmaakt zomerweer; aanvankelijk
hangt er een tamelijk lage bewolking, maar tegen de middag breekt
de lucht.
Wim Heldering is Hansje in de loop van de morgen komen halen, en
zonder een speciaal doel te hebben, rijden ze eerst in oostelijke,
daarna in noordoostelijke richting. Ze volgen de Lek- en de
Rijnbandijk tot bij Rhenen, waar ze de brug overgaan. Dan steken
ze diagonaal de Veluwe over, en drinken er ergens koffie in een her-
berg die aan een van de historische hessenwegen ligt en in oude
stijl gerestaureerd is.
Hansje overpeinst, terwijl ze luchtig over van alles en nog wat van
gedachten wisselen, hoe vreemd het is dat het krampachtige dat zij
zelf dikwijls ervaart in haar houding tegenover Wim, volkomen
schijnt weg te vallen zodra hij bij haar is. Op de een of andere
manier ziet ze kans zich in zijn gezelschap zo ontspannen te gedragen, of ze wézenlijk niet verder heeft gedacht dan een prettige
kameraadschap, of ze tegen zijn onbewuste, nonchalante charme
volledig is opgewassen, terwijl ze in werkelijkheid de sensatie
beleeft dat er vlinders rondfladderen in haar maag, telkens wanneer ze een blik werpt op die blonde kop van hem met de gevaar-
lijkblauwe, altijd tot lachen en plagen bereide ogen.
Als ze Overijssel binnenrijden, weet Hansje opeens als bij ingeving
dat ze wil punteren in Giethoorn.
Ze krijgt haar zin; als ze gegeten hebben, koersen ze inderdaad naar

het waterrijke plaatsje. Ze zetten de auto neer op de parkeerplaats aan de ingang van het dorp en dwalen hand in hand langs paadjes en over bruggetjes om zich een beetje te oriënteren.

Hansje wéét dat het niets voorstelt, dit lijfelijk contact, maar ze wil daar nu niet aan denken; ze wil alleen maar genieten van het ogenblik, en voor altijd de herinnering in haar geheugen vastleggen aan al dat frisse groen, aan de geur van kroos en water, aan de hemel vol wolken en zon daarboven, aan twee handen die elkaar soms even knijpen in gemeenschappelijke pret, aan twee hoofden, naast elkaar in het water weerspiegeld.

Wim weigert pertinent een rondvaart te maken in een van die schuiten boordevol kinderrijke families en met boodschappentassen en paraplu's gewapende vrouwen die in groepsverband een dagje uit zijn.

Hij onderhandelt met een jongen van een jaar of veertien, die ergens achteraf verveeld aan de waterkant doende is, en na wat loven en bieden, bereid blijkt hen voor een tientje een uur lang rond te punteren.

In de boot zit Wim achter Hansje en vermaakt zich met haar halflange haar, waar hij ijverig vlechtjes van breit en ze dan weer losmaakt.

Eerst vindt ze het leuk, maar als hij op een gegeven moment zó ingenomen schijnt met het resultaat van zijn bemoeiingen, dat hij in zijn jaszak naar een paar elastiekjes tast en die om de punten poogt te wikkelen teneinde zijn kunstwerken te conserveren, zoals hij het noemt, dan begint het haar toch te gortig te worden.

Ze protesteert en trekt haar hoofd terug, maar Wim draait met beide handen haar gezicht naar zich toe en bekijkt haar grondig.

„Om te gappen!" prijst hij innig, met een fluwelen stem, om er dan als een ontstellende anticlimax grijnzend aan toe te voegen: „Sprekend een kind van de lagere school! Tweede of derde klas schat ik je; geen jaar ouder!"

„Soms zou ik jou met plezier iets heel hards naar je hoofd gooien!" reageert Hansje daarop.

Ze keert zich met zo'n heftige beweging van hem af dat het bootje heftig schommelt en de jeugdige schipper een waarschuwing laat horen.

Hansje begint driftig op het gevoel af aan de elastiekjes te peuteren, knipperend tegen de lastige tranen die naar haar ogen gesprongen zijn.

Nooit zal hij haar serieus nemen, nóóit...

Als ze haar haar heeft losgeschud en het zwijgend en met afgewend hoofd uitkamt, informeert Wim rouwmoedig: „Ben je écht boos? Je kunt toch wel tegen een grapje?"

„Heel goed," geeft ze koeltjes terug, „ik ben er alleen niet op gesteld dat je me als je kleine zusje behandelt."

„Maar ik had altijd zo graag een klein zusje gehad!" klaagt hij, „ik heb er wat om gejankt als kind, dat ik altijd maar alleen was! Kun je daar niet een beetje begrip voor opbrengen?"

„Jawel. Maar als je dan per se je broederlijke neigingen op mij wilt botvieren, moet je niet tegelijk nog met me flirten ook. Dat is te verwarrend voor mijn ongecompliceerde geest, vat je?"

„Flirt ik? En ik dacht nog wel dat ik me zo allerkeurigst gedroeg!"

„Dat dóe je ook. Je doet het allebei. Je bent het meest inconsequente wezen waar ik ooit pijn in mijn hoofd van gekregen heb!"

Hij lacht al weer en biedt haar verzoenend een sigaret aan.

„Laten we de vredespijp roken, zusje. Ik verzeker je dat ik maar zelden bewust met iemand flirt; werkelijk niet."

Daarom ben je juist zo gevaarlijk voor iemands gemoedsrust, denkt Hansje moe, maar ze zegt berustend: „Het is je vergeven, hoor. Tenslotte kan niemand van je verlangen dat je je ogen uit je hoofd neemt."

Wat later, als ze al weer op de thuisreis zijn, vraagt Wim: „Is het nou niet een beetje te stil voor je, daar in de Betuwe?"

„Tot dusver niet. Mijn broer Freek is juist drie weken wezen logeren, in verband met de werkzaamheden aan zijn boot, waarover ik je verteld heb, en die jongen bracht ieder ogenblik zijn vriend uit Culemborg mee naar huis, zodat er van verveling echt geen sprake was. Herinner je je het knappe meisje nog dat op granny's house-warming-party was?"

„Er waren alleen maar knappe meisjes," zegt hij galant.

„Ja, toe maar. Je weet best wie ik bedoel."

„De mannequin waarschijnlijk. Ik herinner me haar inderdaad. En ook die verloofde van haar, die bij mij overkwam als iets heel donkers: zwarte broek, zwarte trui, donkeromrande bril, donkere ogen; heel streng en ernstig allemaal."

„Maar óók heel sympathiek, en met een volwaardig gevoel voor humor!" corrigeert Hansje snibbig.

Hij duikt weg of hij bang is dat ze hem slaan zal.

„Sorry hoor, ik wist niet dat je zoveel met hem ophad! Maar om op dat meisje terug te komen: wat is er met haar?"

„De verloving van die twee is uit."

Hij fluit tussen zijn tanden: „Was de liefde over?"

„Nee, dat niet, maar ze groeiden te veel uit elkaar. Híj had graag willen trouwen binnenkort, maar een studentenhuwelijk was met haar carrière blijkbaar niet te verenigen. Hij studeert medicijnen en leeft in zijn vrije tijd voor de watersport – zíj gaat door de aard van haar werk steeds meer op de mondaine toer.

Ze vonden steeds minder geestelijke aanknopingspunten, en dan gaat het tenslotte niet meer. Maar zoiets komt toch wel hard aan na een periode van drie jaar!"

„Kun je zien hoe onverstandig het is je zo jong al te binden!" zegt Wim. „Hoe oud waren ze destijds helemaal? Achttien? Negentien? Twintig? Iemands persoonlijkheid is dan nog niet volgroeid, dat is toch duidelijk. Nu zijn ze allebei een verschillende richting uitgegroeid en kwam het noodgedwongen tot de pijnlijke breuk, die niet nodig was geweest als ze het wat voorzichtiger gespeeld hadden en vrijblijvend met elkaar waren blijven omgaan."

„Dat mag in hún geval dan opgaan, maar wat een onzin om zo te generaliseren!" protesteert Hansje. „Je kunt immers ook samen ergens naar toe groeien, en houvast bij elkaar vinden op de weg naar maatschappelijke en innerlijke volwassenheid! Het soort voorzichtigheid dat jij propageert ruikt mij te veel naar berekening. Als je werkelijk van iemand houdt, komt het woord 'vrijblijvend' in je vocabulaire niet voor. Dan wil je nummer één zijn voor elkaar en dan zal het je een zorg zijn of je carrière wat later of wat minder glorieus uit de verf komt – als je maar gelukkig bent!"

Hansje beseft dat ze zich op glad ijs bevindt met deze discussie, maar toch lucht het haar op haar broeiende gedachten nu eens onder woorden te kunnen brengen.

„Wat loop jij warm ineens!" merkt Wim op.

„Ja, mag ik?"

„Gerust. Misschien heb je ergens nog wel gelijk ook. De vraag is alleen: wanneer en waaraan kun je weten werkelijk van iemand te houden? Wie garandeert je dat je een voorbijgaande affectie niet abusievelijk voor de grote liefde aanziet, en later niet bedrogen uitkomt? Zulke vergissingen worden maar al te dikwijls gemaakt; dan wordt er gescheiden, nadat de huiselijke sfeer eerst jarenlang vergiftigd is, en weer zijn idem zoveel kinderen de dupe. Ik weet waar ik over praat, want ik heb het aan den lijve ondervonden."

Hij loopt nu óók warm: „Jij mag mijn soort voorzichtigheid dan met een zekere minachting berekening noemen, ik blíjf erbij dat er over het algemeen veel te ondoordacht gekozen wordt!"

„Je zult mij niet horen zeggen dat je je niet vooraf over zulke belangrijke dingen bezinnen moet," verklaart Hansje hartstochtelijk en met ongewone welsprekendheid, „maar zoals jíj het speelt, dat is het evenmin, jongetje! Volgens mij heb je het een of andere trauma overgehouden uit de trieste ervaringen in je ouderlijk huis. Je bent bewust of onbewust met zó'n formidabele drempelvrees voor een vaste verbintenis opgezadeld, dat je in staat bent een beslissende keus van het ene jaar in het andere te blijven uitstellen tot je oud en grijs bent.

Natúúrlijk heeft een partner de macht je mogelijkheden hoe dan ook te beperken, te beknotten, te verknoeien zelfs. Maar jij vergeet dat het ook anders kan, en ondertussen sta je met je als voorzichtigheid vermomde angst toch maar als een soort van parasiet in het leven!"

„Wil je dat 'parasiet' misschien wat nader toelichten?" verlangt hij kort.

„Jazeker wil ik dat!" zegt Hansje roekeloos, aan alle remmingen voorbij. „Wat jij van één vrouw in het bijzonder niet vragen wilt, omdat je niet voor de tweede maal in iemands macht wenst te raken, daar kun je tóch niet buiten, en dat betrek je nu vrijblijvend waar je het maar krijgen kunt, zónder er in wezen iets voor terug te geven, en dat beschouw ik als een vorm van egoïsme. Jij bent helemaal geen geboren vrijgezel; jij bent er niet zo één die genoeg heeft aan zijn postzegelverzameling. Jij hebt huiselijkheid nodig en hartelijkheid en vrolijkheid en een open oor voor je verhalen. Dat zijn allemaal dingen, die je op een 'allerkeurigste' manier kunt krijgen op adressen waar ze je aardig vinden en je graag zien komen.

En als je eens wat meer wilt, is er altijd wel een appetijtelijke luchtbel te vinden – noemde je het niet zo? – om een avondje mee te vrijen en dan weer te vergeten. Zo eentje waarvan je denkt dat ze geen gevoel en geen illusies heeft, omdat ze zo gemakkelijk te versieren valt. Maar je zult je toch eens moeten afvragen wat je áánricht her en der, door je geluk bij stukjes en beetjes bij elkaar te scharrelen!" Ze heeft het hinderlijk warm gekregen en strijkt het haar uit haar nek, ontreddderd en met het gevoel dat ze veel te véél gezegd heeft.

„Ik wist niet dat je zoveel grieven tegen me had," zegt Wim, strak en zonder een zweem van scherts.

„Ik heb geen grieven tegen jou," weerspreekt Hansje hulpeloos, „maar tegen een bepaalde opvatting van je, die telkens weer in onze gesprekken opduikt. Als ik je niet zo graag mocht, zou het me een zorg zijn hoe je je leven inrichtte, maar nu stemt het me verdrietig dat je jezelf onnodig eenzaam maakt. Zolang het je voor de wind gaat kun je je heel goed redden met wat vlotte kennissen voor wie je nummer zoveel bent. Maar als je eens narigheid krijgt, heb je iemand nodig die garant voor je is, door dik en dun. Je hebt met je ouders ook al geen band meer! Ik ben zo bang dat de afgod die je van je vrijheid maakt, op een kwade dag een monster zal blijken dat zich tegen je keert."

Een poosje blijft het pijnlijk stil; ze zíet hem denken.

Dan bekent Wim: „Ik weet niet wat ik zeggen moet, Hansje. Niemand heeft ooit op deze manier tegen mij gepraat, niemand heeft zich ooit zo indringend verdiept in mijn motieven en de herkomst ervan; ikzélf niet eens, tenminste niet bewust.

De gedachte dat je wel eens gelijk zou kunnen hebben, schokt me nogal, eerlijk gezegd. Aan het dóórdenken van deze dingen, zoals jij dat blijkbaar gedaan hebt, heb ik me nooit gewaagd. Noem het oppervlakkigheid, noem het verstoppertje spelen."

Hij pauzeert even, en Hansje heeft zijn gezicht nog nooit zo ernstig gezien.

„Ik zal proberen mijzelf in dit opzicht te corrigeren," belooft hij dan, „en bepaalde aspecten van het leven positiever te bekijken.

Maar zolang ik een eventueel huwelijk instinctmatig en tegen alle rede in nog als een bedreiging ervaar, mag ik er niemand aan wagen."

Weer zwijgt hij even; dan sluit zich zijn hand om de hare in een liefkozend gebaar, dat een onuitgesproken verontschuldiging behelst: „En jou zéker niet."

Freek is precies op tijd gereed gekomen met het werk aan zijn boot, om het jaarlijkse zeilkamp te kunnen meemaken van de school die hij kort tevoren met zijn diploma op zak verlaten heeft. Hij maakt als 'schipper' deel uit van de leiding van het kamp, dat in Friesland gehouden wordt, en moet als zodanig weer nieuw kader opleiden dat mettertijd de taken kan overnemen, juist zoals Martijn Korevaar dat jarenlang gedaan heeft.

Martijn zelf, die al geruime tijd tot de veteranen behoort, heeft beloofd nog een paar weken bij te springen, omdat er een tekort bestaat aan ervaren schippers om de zeilboten van de school te bemannen en instructie te geven; maar het zogenaamde voorkamp, waar de leiding zich gezamenlijk op het programma voor de komende weken bezint, en alles gereed maakt voor de komst van de zeillustige horde, houdt hij ditmaal voor gezien. De ware animo ontbreekt hem.

Het is opmerkelijk hoe stil het plotseling wordt in het huisje aan de dijk, als Freek met zijn hele hebben en houwen vertrokken is.

Hanna stelt voor, er ook eventjes tussenuit te trekken, en het eerstvolgende weekend samen bij Hansjes ouders te gaan doorbrengen, vóór deze zelf op reis gaan naar het buitenland.

Hansje vindt het best. Het is haar om het even waar ze zich bevindt. Nu Wim Heldering voor twee weken vakantie naar Griekenland is, mag de wereld wat haar betreft wel een poosje stilstaan. Ze is nog niet weer de oude na hun gesprek, waarin zij zo impulsief haar zienswijze heeft prijsgegeven.

Regelmatig cirkelen haar gedachten om hetzelfde onderwerp.

Ze weet dat Wim om haar geeft, véél om haar geeft. Ondanks zijn voortdurend goedmoedig getreiter is er onmiskenbare tederheid in zijn gevoelens voor haar.

Maar verliefd, zoals zij, is hij niet.

Het valt niet mee, denkt ze vaak, jezelf zulk een harde waarheid te moeten bekennen. Veel prettiger is het, jezelf aan te praten dat hij, door zijn remmingen op juist dit speciale levensterrein, nog niet rijp is voor een serieuze liefdesverhouding; te bedenken dat hij haar te zeer respecteert om zijn handen naar haar uit te steken zolang hij denkt de consequenties daarvan niet te kunnen dragen; te bedenken dat hij haar eigener beweging beloofd heeft om te proberen zijn opvattingen te corrigeren; te bedenken dat zij slechts wat geduld behoeft te oefenen.

Véél plezieriger is dat, want achter die veronderstellingen wenkt nodend een roze-rood perspectief.

Maar door dat alles heen weet ze niettemin pijnlijk scherp: ik maak mezelf wat wijs. Hij houdt van me, jawel, maar als van een lief zusje, en mijn verliefdheid, die hem nauwelijks ontgaan kan zijn, moet hem wel in grote verlegenheid brengen. Toch heeft hij die verliefdheid zelf uitgelokt. Duizendmaal vraagt ze zich af waarom ze niet boos op hem kan worden.

De onnadenkendheid waarmee hij zijn omgeving opoffert aan zijn ideefixe, de onnadenkendheid van aardig te zijn, bijzónder aardig te zijn, zonder de illusies die hij daardoor wekt te honoreren, moest ze hem eigenlijk zeer kwalijk nemen.

Het kan bijna niet anders of hij moet met die ogen, díe manieren, gecombineerd met die opvattingen, al eerder brokken gemaakt hebben in meisjesharten.

Kon hij daar geen lering uit trekken?

Heeft ze hem niet duidelijk genoeg laten merken, dat ze op zijn broederlijke handtastelijkheden niet gesteld was?

Was hij niet oud genoeg om daaruit zijn conclusies te kunnen trekken?

Kon hij niet aanvoelen dat juist de honger van haar zinnen aan haar geïrriteerdheid ten grondslag lag? Dat ze iets anders verlangde dan de speelsheid van zijn aanrakingen?

Of heeft hij het wél begrepen? En moest hij het haar dan beslist zo moeilijk maken door de band tussen hen met iedere ontmoeting nog wat aan te halen, alleen omdat híj geen afstand van zijn pseudo-zusje wenste te doen?

Is hij, ondanks zijn vertoon van hartelijkheid, dan toch oppervlakkig en egocentrisch? Sluit hij uit een zekere gemakzucht zijn ogen voor háár kant van de zaak?

Waarom kan zij niet razend worden om die nonchalance en de hele geschiedenis van zich afzetten? Waarom trekt bij iedere herinnering aan hem dat gevoel van lichamelijke zwakheid door haar heen, dat haar week maakt van verlangen, dat haar bereid maakt hem alles te vergeven wat hij haar in zijn onnadenkendheid nog aan zal doen, als hij haar maar een klein beetje hoop geeft?

Met deze en dergelijke gedachten en gevoelens worstelt zij zich een eindeloze, saaie week door.

Granny krijgt haar reactie op de drukke weken die achter hen liggen; ze is 's avonds zo moe dat ze in haar stoel in slaap valt. Vrijdagsmiddags, als zij om vijf uur al wit wegtrekt en zich duizelig aan de tafel vastgrijpt, decreteert Hansje, haar bezorgdheid in een grapje verpakkend, dat het kleine meisje direct na het avondeten naar haar bed moet, en anders de volgende dag níet mee uit mag. Granny gehoorzaamt zonder tegenstribbelen. Ze belooft de volgende week naar de dokter te zullen gaan om haar bloeddruk te laten controleren.

Ze ligt er nog maar nauwelijks in, als ze hoort praten bij de deur.

„Wat is er?" roept ze naar Hansje, moe, maar toch niet vermoeid genoeg om niet meer nieuwsgierig te zijn.

„'t Is Martijn," meldt Hansje om het hoekje van haar slaapkamerdeur. „Hij komt even gedag zeggen, omdat hij morgen voor twee weken naar Friesland vertrekt. U kunt hem nog groeten voor Freek meegeven als u wilt."

„Ja," zegt granny, „laat hem maar even hier komen."

En ironisch daar achteraan: „Als hij eenmaal dokter is, zal hij wel vaker een oude vrouw in bed zien liggen."

Ze praat wat met hem, terwijl Hansje in de keuken koffie klaarmaakt, en gaat dan werkelijk slapen.

De andere twee drinken even later zwijgend hun kopje leeg, tegenover elkaar in de diepe stoelen, terwijl een vroege schemer zich in de hoeken van de kamer nestelt.

„Blijf je een poosje?" vraagt Hansje dan.

„Ja. Je granny heeft me vergunning verleend. Het was niet goed voor jou, zei ze, zo in je eentje te zitten."

„Laat je door mij anders niet van je plannen afhouden!"

„Ik heb geen ander plan dan hier te blijven tot je me wegjaagt. Ik zie niet in waarom het voor mij wel goed zou zijn om in mijn eentje te zitten."

Hansje lacht even vluchtig om zijn vermoeide grimas.

„Laten we elkaar dan maar troosten," zegt ze.

Ook zonder dat hij het haar met zoveel woorden vertelt, weet ze dat de gedachten van de jongen die tegenover haar zit zich nu met haar bezighouden, en dat hij tot op een haar nauwkeurig haar onbevredigdheid peilt.

Haar verliefdheid ten spijt, die haar vermogen tot objectief oordelen niet bepaald in de hand werkt, beseft ze dat Martijn aanzienlijk dieper schouwt dan Wim, beseft ze dat hij over de gehele linie meer inhoud heeft.

Het irriteert haar dat het zo is, en ze herinnert zich iets dat hij onlangs tegen haar zei: „Ik ben altijd aan het vergelijken, en als een vergelijking ten nadele van Colette uitvalt, word ik kwaad."

Hoe goed begrijpt ze plotseling die reactie!

Martijn leunt ver achterover in de lage stoel; hij zet zijn bril af en wrijft met zijn hand over zijn voorhoofd, zijn ogen.

„Ik heb koppijn," zegt hij zonder omhaal.

Hansje kijkt naar zijn gezicht, dat zo anders is dan anders; naakter, weerlozer. Ze weet niet goed hoe ze het onder woorden zou moeten brengen.

Alsof hij zich op de een of andere manier aan haar uitlevert door het simpele afzetten van die donkeromrande bril, die ontegenzeggelijk een zekere strengheid en ongenaakbaarheid suggereert.

„Ik heb je nog nooit zonder bril gezien," zegt ze onwillekeurig.

„Ik zet hem ook maar zelden af in gezelschap. 'n Kwestie van onzekerheid waarschijnlijk. Maar hier voel ik me thuis."

„Merci. Ik zal een hoofdpijnpoeder voor je opzoeken."

„Laat maar. Ik houd niet van die rommel. Het is je reinste verdoving. Als ik je vertelde…"

„Neem het tóch maar," onderbreekt Hansje hem, in het geheel niet geïmponeerd, „en vergeet voor één keer dat je er verstand van hebt. Ik wil niet hebben dat je je de hele avond beroerd blijft voelen."

„Vooruit dan maar," capituleert hij met een glimlach, vermaakt door haar gedecideerde manier van spreken.

Ze brengt hem de poeder en een glas water, en gaat dan nog eens naar de keuken om koffie. „Ga even liggen," adviseert ze nog, voor ze met de lege kopjes het vertrek verlaat.

Als ze terugkomt, ziet ze dat hij inderdaad naar granny's divanbed verhuisd is. „Het begint waarachtig al te werken!" zegt hij, zo verongelijkt dat Hansje hardop lacht: „Ja, wat dacht je dan? Dat het bij jou niet werken zou, omdat je er in principe op tegen bent? Laat naar je kijken!"

153

Ze beweegt zich zachtjes door de kamer om een paar schemerlampen aan te doen.

„Hoe maakt Wim het?" informeert hij ineens.

„Buitengewoon goed, veronderstel ik. Hij houdt vakantie in Griekenland."

Ze neemt de prentbriefkaart die de post haar deze morgen bezorgd heeft en reikt hem die aan: „Kun je lezen zonder je bril?"

„Ik ben alleen maar bijziend," stelt hij haar gerust, en ontcijfert: „Schitterend weer. Geniet buitensporig. Wim."

„Konden er geen hartelijke groeten vanaf?" vraagt hij dan kritisch.

„Daar zal hij niet aan gedacht hebben," zegt Hansje vergoelijkend.

„Hij deed er beter aan, wel eens te denken," reageert Martijn.

Het klinkt bijna dreigend, en Hansje zegt bezwerend: „Maak je niet kwaad. Ik heb hem zelf vorige week de mantel al uitgeveegd om de onnadenkendheid waarmee hij te werk kan gaan. Met dit resultaat, dat ik nu althans weet hoe in zijn stuk de rollen verdeeld zijn."

„Dat is interessant. Als het tenminste geen stuk is waar maar één hoofdrol in voorkomt."

„Wat ben je scherp," zegt ze gehinderd, maar praat toch verder, voortbordurend op hetzelfde thema: „Gezien zijn bijna dwangmatige drempelvrees voor een vaste verbintenis, waarover ik je onlangs verteld heb, en die heel hardnekkig schijnt, kan het inderdaad wel eens lang duren voor er een tweede hoofdrol te vergeven valt. Tot zolang zullen alle gegadigden het met een bijrolletje moeten stellen."

Hij maakt een misnoegd geluid.

„Is het erg brutaal te vragen welke rol hij jou heeft toebedacht?"

„O, een buitengewoon respectabele."

Ze kan een zweempje onverwerkte bitterheid niet geheel bannen uit haar toon: „Namelijk de rol van het kleine zusje dat hij altijd al verlangd heeft te bezitten."

„En kun jij die rol áán?"

„O jawel. Ik sleep zelfs een aardig applaus in de wacht, af en toe. De moeilijkheid is alleen dat ik bepaalde gevoelens overhoud, waar in de tekst en de handeling geen plaats voor is."

„Overhoud…" herhaalt hij. „Dat is wel een bijzonder laconiek woord, Hansje, voor een bijzonder emotionele zaak. Ik wou voor een lief ding dat ik alles wat zich in míj de laatste tijd bij gebrek aan afzetgebied en klankbodem heeft opgehoopt, met iets van jouw wijsgerige ironie beschouwen kon."

„Ik ben me van geen wijsgerigheid bewust geweest," zegt Hansje, zo luchtig als maar enigszins mogelijk is in de geladen atmosfeer.

Op één elleboog geleund drinkt Martijn zijn koffie; dan laat hij zich loom terugvallen.

„Zet maar een goeie plaat op," stelt hij voor. „Met die conversatie van ons raken we steeds dieper in het slop; we kunnen maar beter een poosje onze mond houden."

Hansje kent zijn smaak; ze kiest een langspeelplaat van Exception: modern bewerkte klassieken. Ze luisteren er zwijgend naar.

Martijn heeft zijn ogen dichtgedaan en Hansje zit diep weggedoken in haar stoel, half van hem afgewend. Niettemin zijn ze zich op onthutsende wijze van elkaars nabijheid bewust. Het is of de ene eenzaamheid zich rekt naar de andere en als met handen tast naar wat warmte en begrip.

Als Hansje na verloop van tijd opstaat om de plaat om te draaien, nog altijd zwijgend, is de atmosfeer zo zwaar van onuitgezegde hunker, dat het haar eigenlijk in het geheel niet overvalt als Martijn haar hand grijpt als ze langs hem gaat en dwingend zegt: „Kom wat dichter bij me, jij."

Hij schuift wat op, zodat ze bij hem kan komen zitten op de behaaglijke rustbank.

„Waarom zou ik?" vraagt Hansje onafhankelijk, ofschoon weerloos gevangen in de tovercirkel die dat laatste halfuur van welsprekend zwijgen rondom hen beiden getrokken heeft.

Hij blikt naar haar op: „Heb je straks niet gezegd dat we elkaar dan maar troosten moeten? Ik hou je aan je woord, Hansje Berger."

Zijn handen zijn sterk en warm. Voor ze het beseft ligt ze in de buiging van zijn arm, haar gezicht tegen zijn shirt, en huilt om de onvrede die hen bij elkaar dreef, om de kortsluiting tussen Colette en hem, tussen Wim en haar, om heel die ingewikkelde, enerverende opgave die het leven is.

Zijn vrije hand streelt troostend haar arm, haar schouder, haar haren, net zo lang tot de krampachtigheid uit haar wegvloeit en ze tot in haar vezels voelt hoe genezend en weldadig het is je hart tegen een ander hart te voelen kloppen, de tederheid te ondergaan van iemand die precies begrijpt wat je aan hartzeer meedraagt en zelfs geen poging doet het te bagatelliseren.

De plaat is reeds lang afgelopen, maar ze hebben het niet opgemerkt. Er is iets anders dat hun aandacht opeist, want bijna onmerkbaar wijzigt zich de sfeer tussen hen.

Hansje realiseert zich pas hoezeer deze plotselinge intimiteit een spelen met vuur betekent, als de tederheid van Martijn in hartstocht begint te verkeren, als zijn spieren zich spannen en ze zijn lichaam door hun beider kleren heen hard en opstandig tegen het hare voelt.

Toch komt het niet in haar op zich te verzetten als zijn mond de hare zoekt; ze duizelt weg in hetzelfde warm-aangloeiende verlangen dat hem beweegt.

Hij volstaat ermee dat verlangen te stillen door haar keer op keer tegen zich aan te drukken en haar mond op te eisen met steeds hongeriger kussen, die ze ontredderd beantwoordt, gelukkig en ongelukkig tegelijk.

De primitiviteit van haar eigen reactie maakt haar een beetje bang; het ontstelt haar dat haar gevoelens voor Wim haar niet weerhouden zich aan deze opwelling van passie over te geven, dat ze zelfs niet weet of ze het opgebracht had nee te zeggen tegen Martijn wanneer hij méér van haar gevraagd had dan dit.

Na alles wat zij in de voorbije maanden om haar verliefdheid heeft uitgestaan, is het buitengewoon verwarrend te ervaren, dat het mogelijk is nu met een ander dan Wim ogenblikken als deze te beleven en er nog voldoening in te vinden ook.

Heeft zij maar zo weinig zelfrespect, dat ze zich door iedere willekeurige figuur met meer of minder genoegen zou laten omhelzen nu Wim haar versmaad heeft?

In een voorbijflitsende seconde toetst zij zichzelf, probeert zich met ánderen voor te stellen, oppervlakkige kennissen, randfiguren uit haar leventje, die de roep hebben aantrekkelijk te zijn. Haar verbeeldingskracht schiet echter te kort, de veronderstelling spreekt haar zinnen niet aan en wekt zelfs weerzin in haar op.

Maar over deze gedachten heen buitelt onmiddellijk de conclusie, dat Martijn zich dan toch wel een aanzienlijk grotere plaats in haar hart en haar leven moet hebben veroverd dan zij ooit beseft heeft. Ongewild?

Of nestelde hij zich daar bewust, uit spijt tegenover Colette, die hem wel zo in het bloed zit dat zelfs in deze ogenblikken zijn gedachten wellicht niet los van haar zijn? Het is zulk een warboel van gevoelens binnen in haar, dat Hansje voor even volkomen van de kaart is.

Het is haar te moede of ze vanuit een diepe draaikolk komt bovendrijven, als Martijn, zich langzaam ontspannend, haar hoofd met een verstrooid gebaar tegen zijn schouder drukt en 'liefje' zucht. Hij doet dat op een manier... hij doet alles op een manier, denkt Hansje geschokt, die een gewendheid suggereert waarvan tussen hen beiden geen sprake kan zijn.

Haar naijverig vrouwelijk instinct signaleert die ongerijmdheid, en het maakt haar pijnlijk helder ineens.

Wanneer de hand die als vanzelf zijn liefkozend strelen hervat heeft, plotseling weer stilvalt, en Martijn – tot zichzelf komend – ontdaan en verslagen haar naam fluistert, heeft ze haar positieven al weer zover bij elkaar, dat ze kans ziet zijn verslagenheid met een zekere bewuste boosaardigheid zó te interpreteren, dat ze zowel zichzelf als hem ermee wondt.

„Inderdaad, het is Hansje maar," zegt ze.

Dan maakt ze zich abrupt van hem vrij, laat zich van de bank glijden en glipt weg. In het keukentje staat ze minutenlang met haar voorhoofd tegen de koude tegelwand geleund, haar handen tegen haar gloeiende wangen gedrukt, de tanden scherp in haar gevoelige onderlip gebeten, de ene pijn met de andere verdovend. Ze probeert na te denken, een houding te vinden, opnieuw positie te bepalen evenzeer tegenover Wim als tegenover Martijn.

Maar ze is nog geen stap verder gekomen als ze de keukendeur hoort openkieren. Ze voelt dat Martijn nu ergens achter haar moet staan. Toch kan ze er niet toe komen zich om te draaien.

Na enkele ogenblikken neemt hij zelf het initiatief.

„Keer je om en kijk me aan," zegt hij kort.

Hansje schudt zwijgend haar hoofd. Dan pakt hij haar bij haar schouder en dwíngt haar, met dezelfde hand die zo-even nog zo zacht voor haar was.

Ze kijkt op naar zijn gezicht, dat weer is zoals ze het gekend heeft, met de donkeromrande bril, de onregelmatige, wat gereserveerde trekken. De uitdrukking van zijn ogen echter verraadt dat hij heel wat minder beheerst is dan hij schijnt.

„Waarom loop je ineens bij me weg?" vraagt hij agressief. „Waarom leg je me iets in de mond dat ik niet gezegd heb?"

„Kind," vervolgt hij dan met plotselinge weekheid, ontroerd door de manier waarop ze daar staat, trots en schuw, heel erg levend, maar verschrikkelijk onvoldaan, „kind, je bent zo lief voor me geweest als je maar zijn kon. Waarom geef je me niet de kans op mijn beurt een beetje lief voor jou te zijn?"

Het bloed stijgt warm naar haar gezicht.

„Dat kan ik je niet uitleggen," zegt ze zwak.

„Ik meende anders dat wij elkaar tot dusver altijd heel goed begrepen hadden."

„Ik begrijp mijzélf niet eens meer," bekent Hansje met een verdrongen snik. Er valt een pijnlijke stilte na deze woorden.

„Spijt?" vorst hij dan, kortaf.

Ze trekt hulpeloos met haar schouders: „We hadden het niet moeten doen."

„We zijn allebei vrij, Hansje," herinnert hij haar op scherpe toon.

„Ja. Daaróm juist. Zulke dingen doe je alleen als je níet vrij bent."

Haar onvervaarde ogen voegen daaraan toe: ik tart je te poneren dat wij elkaar zouden liefhebben; ik jou, jij mij.

Onwillekeurig bewondert hij de moed waarmee zij de vinger op de wond durft leggen. Maar de aanklacht die in haar woorden besloten ligt, prikkelt hem niettemin, juist omdat zijn verstand hem zegt dat zij gelijk heeft. Maar hij kan de gedachte niet verdragen dat de warme beker, waarvan hij nog maar even geproefd heeft, hem meteen weer van de lippen zal worden genomen, alleen omdat hij er te haastig naar gegrepen heeft. Hij haat en verwenst op dit moment de hardnekkige overblijfselen van vergeefse dromen en voorbije illusies die nog tussen hen beiden rondwaren en hen het zicht op elkaar belemmeren.

Door zijn ongeduld blind voor het feit dat wat geen levensvatbaarheid meer heeft gedoemd is een natuurlijke dood te sterven, doet hij een machteloze poging hun beider oude hartzeer uit te bannen door er met scherpe woorden op in te hakken: „Zou je er méér vrede mee hebben als ik je ten huwelijk vroeg? Je zou stellig een betere doktersvrouw zijn dan Colette. En wat dat blonde idool van jou betreft, met zijn verknipte ideeën, daar is immers geen wachten op voor een meisje met jouw temperament."

Hansje proeft geen warmte meer in zijn stem, zoals straks, eerder een subtiele hoon, die als gif in haar hart dringt, en haar van binnen uit verkilt.

„Néé…" zegt ze afwerend, „zó wil ik het niet, Martijn."

HOOFDSTUK 21

Justien Berger is er erg mee ingenomen dat haar dochter, samen met tante Hanna, voor het weekend overkomt.

Zij heeft een heel prettige zomer gehad tot dusver, maar wél stil.

Hansje is nu al zes weken van huis, Freek vier weken. Geen van beiden zullen ze binnen afzienbare tijd in het ouderlijk huis terugkeren, naar het zich laat aanzien. Nog afgezien van haar verdere plannen, blijft Hansje in ieder geval tot eind augustus in de Betuwe. Wat Freek betreft, die wil er ook nog wel eens een poosje met zijn eigen dierbare boot op uit, als zijn taak in de zeilkampen erop zit. En als zijn vakantie op is, trekt hij naar Rotterdam, waar hij een opleiding gaat volgen aan de Hogere Technische School.

Mattieu, die nog steeds in dienst is, laat zich af en toe wel een weekend zien, maar hij brengt zijn vrije dagen ook vaak bij kennissen door.

Hugo bevalt het rustige leventje, zonder luidruchtige popmuziek aan zijn hoofd, en zonder telkens weerkerende gezagsconflicten, bijzonder goed. Hij komt helemaal tot rust nu er niets of niemand is om zich aan te ergeren of zich tegen af te zetten.

Als voorschot op de vakantiereis die Justien en hij in de loop van augustus zullen maken, trekken ze er al dikwijls samen op uit, genietend van de aandacht van de ander, die hen opeens weer onverdeeld toevalt.

Maar om voor de afwisseling weer eens een ouderwets huis vol te hebben, is toch iets waarop Justien zich kinderlijk kan verheugen.

Toch wordt het minder genoeglijk dan zij zich had voorgesteld.

Tante Hanna moet het heel rustig aandoen, omdat haar bloeddruk niet in orde schijnt, en Hansje ziet er weliswaar gezond en bloeiend uit, prachtig gelijkmatig gebruind door de zon, maar ze is zwijgzaam en uitgesproken prikkelbaar.

Justien vraagt zich af of deze stemming in verband kan staan met de jongeman die Hansje weken geleden een avond mee uitnam en met wie ze ook nadien nog contact onderhield; de jongeman over wiens charme ook zíj uit eigen ervaring kan meepraten. Heeft hij haar sensitieve dochter wellicht een ernstige teleurstelling bereid?

Ze wil er niet naar vragen, zich niet in Hansjes vertrouwen dringen. Als ze behoefte heeft aan raad of medeleven, komt ze wel uit zich-zelf, dat is altijd nog zo geweest. Of heeft tante Hanna haar inmiddels geruisloos uit deze vertrouwenspositie verdrongen?

Die gedachte wekt bij Justien wel even afgunst op, maar ze zegt niets, kijkt alleen af en toe naar Hansje wanneer die zich onbespied waant.

Er is dan een ingekeerdheid in haar trekken, die de moeder verwonderd doet denken: het kind is bezig volwassen te worden.

Mattieu is minder behoedzaam in zijn benadering.

Op een gegeven moment komt hij naast zijn zusje op de bank zitten; zijn arm kruipt om haar heen en hij vraagt plagend, teruggrijpend op een gesprek van maanden her: „Ben je inmiddels het geluk met de grote 'G' al tegengekomen op de slingerpaadjes van het platteland, Hansje-mijn-kind?"

Zij slaat driftig zijn hand van haar arm en springt op.

„Verbeeld je niet dat ik een van je liefjes ben," zegt ze scherp, „en laat me in vredesnaam met rust! Ik bemoei me toch ook niet met jouw geluk, of met het surrogaat dat je ervoor aanziet?"

Een ogenblik later knalt ze de kamerdeur met geweld achter zich in het slot.

„Zíjn jullie weer eens bij elkaar?" merkt Hugo ontstemd op.

„Wist ík dat ze bij de geringste aanraking ontploffen zou?" verweert Mattieu zich schouderophalend. „Lijdt ze soms aan een ongelukkige liefde, granny?"

„Wie ben ík, om daar het beslissende woord over te spreken?" zegt zij voorzichtig, „maar als Hansjes geluk je ter harte gaat, jongen, laat haar dan inderdaad maar met rust."

Ondanks de vele vraagtekens in haar brein houdt zij zich ook zelf aan dat devies, en ontvangt daarvoor haar beloning als Hansje haar op de terugreis ongevraagd haar vertrouwen geeft en plompverloren opmerkt: „Martijn Korevaar heeft me vrijdagavond ten huwelijk gevraagd."

„Kon je me dat niet een beetje behoedzamer meedelen?" klaagt Hanna onthutst, overal op voorbereid, maar daarop niet. Ze denkt snel na.

„Maar kind," is haar conclusie, „die jongen weet toch wel dat jij je hart aan Wim Heldering verloren hebt? Jullie waren van het begin af aan zo vertrouwelijk met elkaar, daar moet hij toch van op de hoogte zijn?"

„Ja, natuurlijk, dat weet hij drommels goed. Maar hij weet ook, net zo goed als ik dat weet, dat er voor mij maar bitter weinig perspectief zit in die vriendschap met Wim."

„Tja…" zegt granny bedachtzaam, „als dat een gegeven is dat vaststaat tussen jullie, dan kan ik wel begrijpen dat hij, na zijn teleurstellingen van de laatste tijd… Maar zo gauw al…" voegt ze eraan toe.

„Véél te gauw," geeft Hansje volmondig toe.

Ze blijft een poosje zwijgen; dan vraagt ze, gewild luchthartig: „Zou u Martijn als kleinzoon accepteren, granny?"

„Als hij van je hield, en jij van hem, wel zeker. Ik heb hem leren kennen als een waardevol mens."

„U stelt daar wel eventjes een keiharde voorwaarde, hè?"

„Je maakt me niet wijs dat je dat zelf ook niet gedaan hebt; zo goed ken ik je wel, meisje."

Dan, recht op de man af: „Als Wim nu eens niet tussen jullie in stond, zou je dan om hem kunnen geven, Hansje?"

Hansje werpt haar een verrassend felle blik toe.

„Twijfelt u daaraan? Ik geef onder alle omstandigheden om hem, Wim of geen Wim. Zoals u zelf al hebt vastgesteld: we hebben vanaf de eerste dag een bijzonder goed contact gehad. Maar hij heeft me overrompeld door alles ineens in een ander vlak te trekken."

Haar kleine handen klemmen zich om het stuur van de auto, tot de knokkels wit worden.

„Ik zal u dit zeggen," vervolgt ze dan heftig: „Als ik ooit een relatie met Martijn zou aangaan, moest ik daarvoor een béter motief hebben dan de vrees dat Wim mij ook in de toekomst niet met andere ogen zal bekijken dan hij nu doet. En híj zou met een sterker motief moeten komen dan de veronderstelling dat ik een betere doktersvrouw zou wezen dan Colette."

De oude vrouw proeft die gedecideerde woorden nog eens na, en behalve hartzeer voelt ze ook iets van trots om dat kind, dat weigert met haar gevoelens te marchanderen.

Vrijdagavond… denkt ze, en nu is het maandag. Wat moet ze al veel hebben geprakkizeerd in al de uren die daartussen liggen, dat ze haar dilemma zo duidelijk weet te formuleren! En die jongen zal het wel niet beter vergaan zijn.

Met één oog terugblikkend op haar eigen bewogen levensepisode, veronderstelt ze dat er op de bewuste avond nog wel iets meer gepasseerd zal zijn tussen die twee dan enkel het stellen van die op zijn minst wat voorbarige vraag.

Een dergelijk onbesuisd optreden past in het geheel niet bij de in wezen evenwichtige persoonlijkheid van de Martijn Korevaar die zij heeft leren kennen en waarderen. Ze vraagt zich af of Hansje doorziet, hoezeer hij uit het lood geslagen moet zijn door het verbreken van zijn verloving, om de dingen op deze manier te gaan forceren.

Uit ervaring wetend hoe bevrijdend het kan zijn voor een mens, de mallemolen van zijn gedachten te ontspringen door ze onder woorden te brengen en daardoor tot een bewuste stellingname te komen, daagt ze Hansje langs een omweg uit door een schijnbaar naïeve opmerking te plaatsen.

„Ik had eerlijk gezegd niet gedacht," overpeinst ze hardop, „dat hij Colette zo snel al vergeten zou zijn."

„Hij is haar helemáál niet vergeten!"

– Hansje praat voor zich heen, tamelijk verbeten, haar ogen recht op de weg. „De ene helft van zijn wezen heeft haar uitgebannen, maar de andere verlangt haar terug, en daar wordt hij bek-af van. Waarschijnlijk denkt hij aan die touwtrekkerij met zichzelf te ontkomen, door de leegte die in zijn bestaan gevallen is zo snel mogelijk weer op te vullen."

„Maar nu?" aarzelt granny.

Hansje haalt haar schouder op: „Nu hij weet dat ík het zo niet wil, zal hij in Friesland misschien wel iemand vinden om zich mee te troosten."

Er klinkt in haar stem méér verweer tegen deze veronderstelling door dan ze zelf wel beseft, maar granny geeft er geen commentaar op.

„En jij?" vraagt ze alleen, „hoop jij in je hart nog altijd op Wim?"

Hansje maakt een hulpeloos gebaar.
„Ik weet niet meer waar ik op hopen moet," zegt ze.

De volgende dag rijdt ze haar oudtante naar Culemborg, voor het afgesproken bezoek aan de dokter. De toenemende vermoeidheid en de regelmatig terugkerende duizelingen blijken aan een te lage bloeddruk te wijten.

Granny krijgt er medicijnen voor, én het advies iedere dag een paar glazen port of wijn te drinken. Haar overige klachten echter, die ze zelfs voor Hansje heeft stilgehouden: het beklemde gevoel achter haar ogen, de zeurende pijn, dán hier, dán daar in haar hoofd, daar weet de arts niet direct de herkomst van aan te wijzen. Hij meent dat deze verschijnselen vanzelf weer zullen verdwijnen bij het stijgen van de bloeddruk naar een normaler niveau.

Niet geheel bevredigd gaat Hanna terug naar haar woonplaats.

Ze voelt zich honderd in plaats van drieënzeventig, en tobt erover dat ze niet het aangewezen gezelschap is voor Hansje, die juist afleiding zou moeten hebben nu, vrolijkheid en bedrijvigheid om zich heen.

Wanneer ze zich zo fit voelde als in het voorjaar, zou ze stellig hebben voorgesteld iets leuks te ondernemen samen, een weekje Parijs, een vliegreisje hier of daar naar toe; wát dan ook.

Maar ze zou het niet kunnen opbrengen, en Hansje alléén erop uit sturen, durft ze ook niet, want wat zou ze moeten beginnen als ze eens bedlegerig werd?

Niet dat Hansje ooit klaagt; ze gaat stilletjes haar gang, ze verricht haar bezigheden plichtsgetrouw en bijna pijnlijk secuur voor haar doen, en na dat gesprek in de auto komt ze niet meer op haar innerlijke tweespalt terug.

Als de week is omgekropen, en de vakantie van Wim Heldering voorbij, is er, behalve die ene prentbriefkaart, geen levensteken meer gekomen uit Griekenland.

Freek heeft een beschreven kaart gestuurd met een aantal enthousiaste kreten, maar voor het overige geeft ook Friesland taal noch teken.

Bij ogenblikken heeft Hansje het gevoel, samen met granny op een onbewoond eiland te zitten. Zo roerig en gezellig het de eerste zes weken van hun verblijf in de Betuwe geweest is, zo stil is het er nu.

Iedereen die zij kent ís of gaat met vakantie; er zijn dagen waarop ze geen andere mensen ziet dan de winkelier bij wie ze haar boodschappen haalt en de zwijgende Van Ewijk wanneer hij de beide koeien komt melken.

Ze betreurt het nu dat ze nog steeds geen telefoon hebben.

Soms snakt ze ernaar, even haar moeders stem te horen, of een ouderwetsvertrouwelijk praatje met Heleen te maken.

Maar als haar ouders op een avond onverwachts vóór haar staan om gedag te zeggen voor ze aan hun zwerftocht door Europa gaan beginnen, rept ze met geen woord over haar gevoel van verlatenheid, noch over haar zorg om granny, die er al teerder gaat uitzien.

Wat zou ze ermee bereiken als ze bij het afscheidnemen gehoor gaf aan de opwelling haar hoofd tegen haar moeders mollige schouder te verbergen en een paar kinderachtige tranen te vergieten om de warboel in haar binnenste?

Wat anders, dan dat ze het plezier van die lieverd volkomen bedierf, en haar wekenlang een zorg belastte?

Ze wordt in zoverre opgebeurd door dit bezoek, dat haar ouders aan granny's gezondheidsverslechtering veel minder zwaar schijnen te tillen dan zíj dat in stilte doet.

Haar vader feliciteert zijn tante zelfs met het feit dat haar vermoeidheid slechts aan lage bloeddruk te wijten blijkt. „Wees blij, mens, dat het geen verhóógde is, zoals bij mij," zegt hij met ruwe hartelijkheid, „aan lage bloeddruk is nog nooit iemand doodgegaan!"

Goedgemutst vertelt hij over zijn reisplannen, en uit in één adem zijn misnoegen over het feit, dat geen van zijn drie kinderen telefonisch bereikbaar is.

Hij heeft nu maar de afspraak gemaakt, af en toe vanuit zijn pleisterplaatsen in het buitenland een goede kennis op te bellen die ook in de Nassaustraat woont. Als Hansje óók eens belt naar deze familie wanneer ze in de buurt van een telefooncel komt, kunnen ze via-via toch nog eens iets over elkaars wedervaren te weten komen.

Ook Mattieu en Freek heeft hij van deze regeling op de hoogte gesteld.

Justien heeft op de valreep nog even een apartje met haar dochter over Freek, met zijn onmiskenbare neiging tot vagebondéren, die in deze lange zomer naar haar smaak veel te weinig verzorging geniet.

„Als hij hier soms nog langskomt, voor hij zich na die zeilkampen weer in een ander avontuur gaat storten," zegt ze bezorgd, „wil jij dan wat voor hem wassen Hansje, en erachterheen zitten dat hij voldoende schone kleren bij zich heeft als hij weer vertrekt? Die jongen is in staat zes weken met dezelfde vuile spijkerbroek te blijven rondlopen."

„Gaat u nu maar rustig uit," raadt Hansje moederlijk. „Als hij hier opduikt zal ik naar beste weten voor hem zorgen, en als hij niet komt, is er nog geen man over boord: de giechelwichten die hij leert zeilen, vechten erom wie zijn sokken mag wassen; gegarandeerd!"

Justien laat zich geruststellen; nog nalachend stapt ze bij Hugo in de auto, en Hanna en Hansje zwaaien hen samen na vanaf de dijk. Zonder het tegenover elkaar onder woorden te brengen, hebben ze ieder voor zich het gevoel zich op bevredigende wijze grootgehouden te hebben.

Als ze nadien nog even op de tuinbank zitten, in de schuinvallende stralenbundel van de ondergaande zon, kijkt Hansje, verborgen achter haar zonnebril, tersluiks naar granny's kleine gezichtje; naar de gedistingeerde make-up die ze de laatste tijd weer zorgvuldig aanbrengt, en die heel wat camoufleert. Hansje, die wéét hoe moe en onwel zij zich al dagenlang gevoeld heeft, bewondert dat ondanks de zelfdiscipline die de ander in staat stelt deze moeite op te brengen, al ziet ze niet in waarvoor het nodig is, nu ze eigenlijk niemand meer over de vloer krijgen. Wil granny haar of zichzelf om de tuin leiden door zo nadrukkelijk te maskeren dat ze er slecht uitziet? Ze overpeinst dat ze haar huisgenote toch minder goed kent dan ze wel eens gedacht heeft. Ze kan slechts vermoeden, dat ze veel in het verleden vertoeft met haar gedachten, want er gaan uren voorbij waarin ze vrijwel niet spreekt, alleen maar werkeloos in haar stoel zit, de handen gevouwen in haar schoot.

Zij herinnert zich nu, dat granny maanden geleden gezegd heeft terug te willen keren naar het stille land van haar herinneringen, om daar klaar te komen met zichzelf en met de dingen die in het leven van wezenlijk belang waren.

Soms is er zulk een gewijde stilte om de oude vrouw, dat Hansje met eerbiedige verwondering denkt: ze bidt.

Ze voelt zich dan zelf getroost door een goddelijke tegenwoordigheid, maar tegelijkertijd maakt het haar bang, omdat granny in die ogenblikken iets etherisch heeft, en de indruk wekt reeds geheel aan het aardse onthecht te zijn.

Op andere ogenblikken echter kan ze weer zo nuchter en zakelijk wat zeggen, of met iets van haar oude bazigheid uit de hoek komen, dat Hansje opgelucht denkt: er is niets aan de hand.

Op de dag na het korte bezoekje van Hugo en Justien, als Hansje haar na een laat ontbijt meedeelt wat ze die dag denkt te gaan doen, zegt granny, en het klinkt welhaast als een bevel: „Nee. Je moet me naar de Linge rijden. Vandaag wil ik Kapel-Avezaath weerzien, en alles wat er gebleven is van toen."

„Als u dat wilt – natuurlijk," geeft Hansje toe, haar verwondering verbergend. Ze denkt aan de eerste week van hun verblijf hier, toen zij, in haar geestdrift om de ander ter wille te zijn, voorstelde zo gauw mogelijk de omgeving te gaan opzoeken waar granny achtenveertig jaar geleden die zomer doorbracht.

Het was niet doorgegaan.

„Nee kind," had granny hoofdschuddend gezegd, „later misschien eens; nog niet, nog niet."

Dat was vóór zij op die betoverde avond – het album met de jeugdportretten in haar schoot – die hele bewogen zomer opnieuw doorleefde, er flitsen en brokstukken uit onthulde, de naam en het wezen prijsgaf van de geliefde die zijn onuitwisbaar stempel op haar leven drukte, het geluk en de strijd aanduidde die haar beurtelings verrukt en gemarteld hadden daarginds.

Is zij nu wel klaar voor een confrontatie met haar herinneringen, of ducht ze verder uitstel omdat er een moment kan aanbreken waarop van een 'later' geen sprake meer kan zijn?

Het is een warme zomerdag; de lucht trilt boven de velden.

Terwijl ze naar het zuiden rijden, weg van de Lek, langs het rustieke Asch, het parmantige stadje Buren voorbij, dat zijn allure ontleent aan poorten en wallen en oeroud geboomte, en verder nog, tot waar de zusterdorpen Kerk- en Kapel-Avezaath hun torentjes omhoog steken, vraagt Hansje zich beklemd af of granny niet ernstig teleurgesteld zal worden door wat ze vinden zal.

Zélf heeft ze op een keer, toen ze naar Tiel geweest was, de verleiding niet kunnen weerstaan haar route door Kapel-Avezaath te nemen, waar ze opmerkelijk veel nieuwbouw aantrof. Het eigene van een halve eeuw her moet welhaast geheel verloren zijn gegaan.

Maar granny taalt zelfs niet naar het dorp; het is of ze de nieuwe huizenblokken en bungalows ternauwernood opmerkt als ze er langs rijden. Ze is rechterop gaan zitten en dirigeert Hansje met een enkel beslist gebaar aan de bebouwde kom voorbij in de richting van de Linge, die als een verrassing eensklaps binnen hun gezichts-veld komt: een feestelijkglanzend lint, slingerend tussen de weilan-den door, geflankeerd door een enkele boerderij.

Niets sterks of dreigends is er aan dit simpele riviertje; het ademt slechts vrede. Op een gegeven moment zet Hansje op een wenk van haar oudtante de langzaam voortkruipende Volkswagen geheel stil.

„Het huis waar ik gewoond heb... het is weg," constateert Hanna ademloos. „Ik had het kunnen weten: het was tóen al oud en bouw-vallig. Zo gaat het met huizen en met mensen, Hansje. Goddank dat er dingen bestaan die tijdloos zijn. Zoals dit..."

Ze maakt een gebaar dat alles omvat wat zich voor hun ogen aan schoonheid ontrolt, en blikt een tijdlang in gedachten verloren naar het landschap dat zichzelf gebleven is, een gerimpelde hand boven haar ogen om ze te beschermen tegen het helle licht.

Dan eerst maakt ze haar zin af: „en goddank dat dromen niet ster-ven of vervallen, maar zich steeds weer vernieuwen."

„Kun je ook danken voor dromen die níet in vervulling gaan?" vraagt Hansje naast haar, zo zacht of ze die vraag eigenlijk alleen aan zichzelf stelt.

Maar de ander heeft haar toch verstaan.

„De dromen die nooit vervuld worden zijn de kostbaarste, kind," antwoordt ze weemoedig.

„Waarom?"

„Omdat ze niet aangetast kunnen worden door de gewenning en de desillusie die het geluk altijd volgen op de voet. De dróóm over het leven is altijd mooier dan het leven zelf."

Hansje krijgt daar een brok van in haar keel.

„Ja," zegt ze weerloos, en dan toch ook weer, na enig nadenken: „Néé!"

„Je zegt ja en nee, want je hébt het al ervaren, maar je hart aan-vaardt het niet, en dat is goed. Je bent nog te jong om niet te gelo-ven dat je één van de weinige gezegende uitzonderingen zou kun-nen zijn. God geve dat het inderdaad zo wezen mag!"

De oude vrouw is zichtbaar ontroerd; na die laatste hartstochtelijke uitroep brengt ze een bevende hand naar haar keel.

Ze rilt ondanks de warmte, maar met inspanning van al haar krachten weet ze zich enigermate te herstellen.

„Ik voel me niet zo goed kind," zegt haar dunne stem met een bedrieglijke schijn van rust. „Breng me zo gauw mogelijk thuis."

HOOFDSTUK 22

Granny wordt hard ziek. Direct na hun thuiskomst is zij, koortsig en met bijna ondraaglijke hoofdpijn, door Hansje naar bed geholpen, en toen de inderhaast gealarmeerde dokter verscheen, diezelfde avond nog, moest hij constateren dat de oude dame aan een ernstige voorhoofdsholte-ontsteking leed.

Hanna was toen nog genoeg bij de pinken om hardop te veronderstellen, dat haar wat onbestemde klachten van de laatste weken, die hij tijdens haar bezoek niet helemaal serieus nam, stellig al naar dit euvel hadden gewezen – een opmerking die bij de geneesheer niet in al te goede aarde viel.

Toen Hansje hem uitliet, zwaar gedrukt door de verantwoordelijkheid die op haar rustte, vroeg ze kleintjes: „Is er gevaar bij, dokter? Ik bedoel: zou het niet beter voor granny zijn als ze in een ziekenhuis werd opgenomen?"

„Als ze thuis een goede verzorging heeft, lijkt me dat volstrekt overbodig; uw grootmoeder is taaier dan ze er uitziet, juffrouw," antwoordde hij kortaf, voor hij zijn hoed lichtte en verdween.

Maar Hansje zat toen direct al met het probleem dat ze granny alleen moest laten om naar de apotheek in Culemborg te rijden en de voorgeschreven medicijnen te halen: hun kleine dorp is noch een eigen dokter, noch een eigen apotheek rijk.

Ook in de dagen die volgen moet ze noodgedwongen wel eens even van huis, om de meest noodzakelijke boodschappen te halen. Ze doet het met een bang hart, want haar huisgenote wordt al zieker.

De koorts stijgt nog voortdurend, en bijdehante opmerkingen maken is er voor granny in het geheel niet meer bij, noch tegenover Hansje, noch tegenover de dokter, die dagelijks even komt kijken. Ze laat zich willoos helpen en verzorgen, en kreunt alleen hartbrekend als iemand, hoe behoedzaam ook, haar zere hoofd verlegt of alleen maar aanraakt.

Hansje is in deze moeilijke dagen heel dankbaar voor het jaar verpleging dat ze achter de rug heeft, en waarin ze toch wel heel veel geleerd heeft dat haar nu te pas komt.

Ze slaapt zelf al even onrustig en onregelmatig als haar patiënte – de tussendeuren open opdat geen verdacht geluid haar zal ontgaan. Maar wanneer de koorts tot meer dan eenenveertig graden oploopt, durft ze granny niet meer uren alleen te laten; ze sleept de gemakkelijkste stoel uit de woonkamer tot naast het bed van de zieke en met een deken om zich heengeslagen brengt ze daarin wakend de nacht door.

Granny is ijlende al dagenlang met het verleden bezig geweest, in haar dromen hardop pratend tegen haar ouders, haar echtgenoot, haar minnaar, flarden van gedachten onder woorden brengend die lang geleden in haar gistten.

Hansje voelde het reeds als een indiscretie dat zij deze dingen aanhoorde, maar in die nachtelijke uren komt er nog heel wat meer los: vrees voor de dood, een hijgend worstelen om het behoud van haar ziel, een dwingend beroep op het verzoenende lijden van Christus, een hortend belijden van haar vertrouwen daarin, dat even een ontspannen glimlach tovert om haar bleke mond – dan tóch weer de kwelling van oude schuld, die zij met angstig-prevelende lippen biecht.

Met een schok beseft Hansje, die telkens het gloeiende voorhoofd van de zieke met o zo voorzichtige handen verkoelt, dat haar geest bezig moet zijn met de baby die ze eenmaal verloor, het kind van Norman Simpson dat ze met gemengde gevoelens verwachtte, juist omdat het van Norman was en niet van degene die ze zo bitter had liefgehad – het kind dat kort na de geboorte stierf.

Heeft granny wezenlijk, al die eindeloze jaren lang, rondgelopen met het heimelijke schuldgevoel het kind door haar vermeend tekort aan liefde zijn levenskansen ontnomen te hebben? Granny, wier hele bestaan offer en boete geweest is? Ze huivert bij die gedachte en bidt spontaan om vrede voor dat gekwelde hart.

De volgende morgen blijkt de temperatuur van de zieke aanmerkelijk gedaald. Als Hansje, huiverig en moe na de vrijwel slapeloze nacht, nieuwe hoop zoekt, brengt de postbode, na al die dagen van vergeefs wachten op een berichtje uit de buitenwereld, ineens van alles tegelijk. Tweé prentbriefkaarten, één van Hugo en Justien ergens uit Oostenrijk; één van Heleen en Dick en de baby, die hun vakantie in Egmond aan Zee doorbrengen. Verder een briefkaart van Freek, die meedeelt dat hij zich voor twee weken bij een zeilschool verhuurd heeft als instructeur, omdat hij finaal door zijn geld heen is en door dit goedbetaalde werk zijn budget weer enigermate op peil kan brengen alvorens er met 'My dream' op uit te trekken.

„M. is tijdens het weekend zijn boot al wezen ophalen," schrijft hij in een postscriptum, „die zwerft hier nu moederziel-alleen ergens op de meren rond."

Hansje vraagt zich onwillekeurig af of die jongens het zeilen dan nooit moe worden.

Ze leest de kaart nog een keer; haar blik haakt zich vast aan die M. Tijdens het weekend, denkt ze bitter, toen was hij hier dus vlakbij. Zou hij langsgekomen zijn wanneer hij vermoed had hoe radeloos ze was, alleen met de doodzieke vrouw die van haar afhankelijk was, en met die nog immer onbesliste tweespalt in haar hart?

Ze weet het niet. Ze weet alleen dat hij haar zelfs geen kaartje gestuurd heeft. Maar wat had ze dan verwacht? Dat hij haar ellenlange brieven zou schrijven, nadat ze hem zelf zijn congé gaf?

Leunend tegen de trap die naar de zolderverdieping voert, scheurt ze het laatste poststuk open dat nog rest: een aan haar gerichte brief. Het schokt haar te zien wie de afzender is.

„Beste Hansje," schrijft Wim Heldering met nonchalant-grote letters, „zaterdag aanstaande wordt er een feestje gegeven door vrienden van mij die in de loop van deze week in ondertrouw gaan. Wil jij mijn dame wezen? Ik wacht tegen vijven op je in hetzelfde cafeetje van toen. Hartelijke groeten voor Mrs. Simpson! Wim."

Een tijdlang staart ze wezenloos op die paar regeltjes, voor het tot haar moede hersens doordringt dat het helemaal niet kán wat hij wil, en dat hij met de mogelijkheid dat zij wel eens verhinderd zou kunnen zijn zelfs geen rekening houdt. Ze zwijgt over de uitnodiging tegenover granny, die tamelijk helder is na haar zeer onrustige nacht, het niet nodig achtend de ander met nog meer schuldgevoelens te belasten.

Maar vroeg in de middag, als de zieke is ingesluimerd, haast ze zich naar café De Zwaan, verderop langs de dijk, en belt van daaruit het detectivebureau waar Wim in dienst is, op hoop van zegen dat hij op kantoor zal zijn, en niet op pad om de een of andere opdracht uit te voeren.

Ze heeft in zoverre geluk dat hij inderdaad aanwezig blijkt, maar haar telefoontje komt kennelijk op een ongelegen moment. Hij antwoordt tenminste nogal kortaf als zij haar precaire situatie met een paar woorden heeft uitgelegd. „Dat is spijtig. Nu zal ik naar een andere partner moeten omzien."

Maar na een moment van bezinning, kennelijk om de pil wat te vergulden als het tot hem doordringt dat het voor haar minstens zo spijtig is, voegt hij eraan toe: „Probeer dan de volgende week of over veertien dagen naar Amsterdam te komen! Tegen die tijd zal Mrs. Simpson toch wel weer beter zijn?"

Veertien dagen, denkt Hansje, nóg twee volle weken niet weten van ja of nee – dat breng ik niet meer op. Ik moet hem zien, ik moet hem persoonlijk ontmoeten om te kunnen toetsen wat mijn gevoelens nog waard zijn na die schokkende confrontatie met Martijn.

„Kun jij niet een keer hier naar toe komen?" vraagt ze kleintjes.

„Ik heb het toevallig nogal druk," weifelt hij. „Volgende week heb ik sowieso geen uur over. Maar ik zal wel eens zien. Het beste, zuster Berger, en ook mijn beste wensen voor je patiënte."

Er gaan enkele dagen voorbij van langzaam op gang komende beterschap, dagen waarin granny weer wat begint te eten van de speciale kostjes die Hansje met zorg voor haar klaarmaakt, dagen die vol zijn van een stille intimiteit, zoals die bestaan kan tussen mensen die van elkanders diepste geheimen weten zonder er nochtans met woorden aan te raken.

Een keer zegt de oude vrouw, terwijl Hansje met haar bezig is: „Een professionele verpleegster had me niet beter en nauwgezetter kunnen verzorgen, kind. Je mag destijds dan in bepaalde dingen tekort geschoten zijn, je bent een geboren verpleegstertje, en ik heb de indruk dat je deze zomer heel wat geleerd hebt."

„Daar díende die zomer immers ook voor?" zegt Hansje, voortgaand met haar bezigheden, en ze maakt van de gelegenheid gebruik om onder woorden te brengen welke gedachten er de laatste weken in haar gerijpt zijn: „Weet u, granny, als u beter bent, en het gewone leven weer begint, zou ik graag een opleiding voor ziekenverzorgster gaan volgen, het liefst in het ziekenhuis hier in Culemborg, zodat ik bij u kon blijven wonen. Als u een werkster nam om het huis op orde te houden, zou het wel kunnen, nietwaar?"

„O kind," zegt de ander verrast en aangedaan, „een mooier cadeau had je me niet kunnen geven!"

's Zondagsmiddags, als Hansje haar oudtante – voor het eerst sinds ze ziek werd – op de rustbank in de woonkamer geïnstalleerd heeft en een plaat voor haar op de pick-up heeft gelegd, wordt er gebeld. Het is zulk een onverwacht geluid – hoewel ze het toch al dagenlang heimelijk verbeid heeft – dat Hansje even stokstijf staan blijft om zichzelf meester te worden eer ze naar de deur loopt.

Haar voorgevoel heeft haar ditmaal niet bedrogen: het is Wim.

Hij brengt bloemen en eau de cologne mee voor de zieke; hij zwijgt fijngevoelig over haar vervallen uiterlijk, bezweert haar alleen op zijn eigen hartelijke manier dat ze maar weer gauw de oude moet worden.

Tijdens het theedrinken vertelt hij dermate argeloos over het feest van de vorige avond, en van het geluk dat hij had tóch nog bijtijds een aardig meisje had kunnen opduikelen om hem te vergezellen, dat Hansje wel tot de conclusie moet komen dat hij het geëmotioneerde gesprek dat ze destijds op de terugreis uit Giethoorn voerden al lang weer vergeten is, dat hij er althans níet de indruk uit heeft overgehouden, dat zij gevoelens voor hem koestert die hij zou moeten ontzien.

Terwijl haar gedachten zich met deze dingen bezighouden, vertelt Wim honderduit over zijn Griekse vakantie. Aanvankelijk is het granny, die als gastvrouw het gesprek op gang houdt met een geïnteresseerde vraag af en toe, maar zij wordt ál stiller, en op een gegeven moment acht Hansje zich geroepen eerlijk te zeggen: „Het wordt te vermoeiend voor granny, Wim. Ze is zieker geweest dan je misschien vermoedt. Laten we een poosje naar buiten gaan, dan kan ze wat uitrusten."

Terwijl ze wandelen, eerst langs de zonnige dijk, later over het paadje door de uiterwaarden, is het voornamelijk Hansje die aan het woord is.

Haar gesprekken met Wim – met uitzondering van dat éne – zijn altijd aan de luchthartige kant geweest, maar nu wenst ze de gelegenheid tot elke prijs te benutten om erachter te komen of ze ook over dingen die níet zo gemakkelijk binnen het bereik liggen, met hem van gedachten kan wisselen.

De aanleiding tot zulk een gesprek ligt voor de hand: ze begint te vertellen over de middag toen granny afknapte, nadat ze samen naar Kapel-Avezaath gereden waren om daar met het verleden geconfronteerd te worden. Zo komt ze als vanzelf terecht op de geestelijke spanningen die zich tijdens de ziekte van de oude vrouw hebben gemanifesteerd.

Wim luistert naar haar.

Luistert beleefd, denkt Hansje. Een onaardige gedachte, die ze zo snel mogelijk verdringt, terwijl ze, moeizaam verder worstelend, haar gedachten en conclusies van die moeilijke dagen en nachten voor hem op een rijtje poogt te zetten.

Dicht aan de waterkant zijn ze stil blijven staan. Al pratend kijkt Hansje naar het silhouet van Wijk bij Duurstede aan de overzijde van de rivier, naar de oude bomen, de stompe toren en de hoge molen die dat silhouet domineren. Ze worstelt tegen het verlammende gevoel, dat de essentie van hetgeen zij zegt eenvoudig niet tot Wim doordringt, hoezeer hij ook tot luisteren bereid mag zijn.

Er vaart puffend een motorbootje voorbij en in de verte plekt in de helle zon het blinkend wit van een paar zeilen. Zeilen van wildvreemde boten, waaraan zij geen boodschap heeft, maar die haar gedachten bepalen bij een ándere boot, en wel heel in het bijzonder bij Martijn Korevaar, die op een andere zondagmiddag, bijna overstemd door het geweld van een late voorjaarsstorm, op ditzelfde plekje tegen haar zei: „Als ik nog denk aan alle vruchteloze pogingen die ik heb aangewend om Colette er opnieuw bij te bepalen dat er toch waarachtig wel méér is tussen hemel en aarde dan al die dicht bij de grondse zaken waar wij ons zonder uitzondering zo druk om maken.

Maar het was duidelijk dat ik haar verveelde met wat ze lachend mijn zwaarwichtigheid noemde..."

Het schokt Hansje dat ze die woorden, met uitzondering misschien van dat 'opnieuw', zonder meer op haar eigen situatie zou kunnen toepassen.

Wie zich aan een ander spiegelt, spiegelt zich zacht, Hansje Berger, citeert ze voor zichzelf in stilte – niet zonder ironie – het oude spreekwoord, maar haar mond gaat er nochtans koppig mee verder onder woorden te brengen wat zij zich had voorgesteld te zeggen. „Granny is een heel merkwaardige vrouw. Ze begon zonder één cent, met een gebroken hart, en met een geestelijk ontwrichte echtgenoot tot haar last, die juist een gevangenisstraf had uitgezeten wegens fraude, en ze kan nu op een geweldige carrière terugzien, waar ze in zekere zin ook wel trots op is.

Maar toch is dat de eigenlijke Hanna Simpson niet.

In de vijf maanden die sinds onze kennismaking verlopen zijn, heb ik alleen af en toe glimpen opgevangen van haar diepste gevoelens, want ze loopt daar bepaald niet mee te koop. Het meeste kwam nog voor de dag op een avond toen ze me over haar verleden vertelde, maar tijdens deze ziekte heb ik haar pas wérkelijk leren kennen.

De eigenlijke Hanna Simpson is een heel afhankelijk wezentje, allesbehalve zelfingenomen, dat haar leven alleen maar heeft kunnen wegschenken zoals ze het heeft weggeschonken, omdat ze een krachtbron gevonden had waaruit ze telkens weer nieuwe moed kon putten.

En dat boeit mij nou zo ontzaglijk, Wim: dat iemand iets bezitten kan buiten de vicieuze cirkels van deze aangevreten maatschappij waarop je telkens weer stukloopt met je goeie bedoelingen: een vast punt, een Verlosser die mensen een helpende hand toesteekt.

Want met zijn allen zijn we toch niet meer dan drenkelingen die zich aan hun eigen haren uit een moeras proberen te trekken.

Het lukt niet; het lukt nooit; ténzij je die hand grijpt. Door granny heb ik pas begrepen wat dat zeggen wil, en ik blijf er maar steeds mee bezig. Geloof jij ook niet dat de wereld weer naar die alleroudste oplossing van zijn problemen terug zou moeten?"

„Daar heb ik nog nooit over nagedacht," zegt Wim Heldering eerlijk, zoals hij dat ook zei toen het over een ander aspect van zijn levensopvatting ging.

Het valt bij Hansje, die zich het vorige gesprek dat ze voerden nog vrijwel woordelijk herinnert, wel zó verkeerd, dat ze hem een uiterst scherpe vraag voor de voeten gooit: „Waar denk jij eigenlijk wél over na?"

Wim kijkt haar van terzijde aan, van zijn stuk gebracht door die toon.

„Hé zeg, je zoekt toch geen ruzie?"

Hansje knippert schuldbewust met de ogen.

„Misschien zoek ik alleen naar je binnenkant," oppert ze zacht.

„Ja, hoor eens," reageert hij wrevelig, in de verdediging gedrongen, „ik ben met die dingen nu eenmaal niet grootgebracht."

„Ik ook niet," zegt Hansje, „en granny helemaal niet, maar daarom kun je er nog wel over gaan nadenken! Granny stamt, net als mijn vader trouwens, uit een milieu dat stijf stond van materialisme en keiharde zelfgenoegzaamheid. Bij ons thuis is die sfeer door de invloed van mijn moeder gelukkig wel afgezwakt, maar van enig geestelijk leven is toch geen sprake."

„Alleen mijn jongste broer," corrigeert ze dan zichzelf, „díe zet zich al verscheidene jaren af tegen wat hij dikwijls kwaad 'dat vreselijke horizontalisme van jullie' noemt. Die heeft ook altijd heel andere vrienden om zich heen dan Mattieu bijvoorbeeld; lui waar hij wél mee praten kan."

„Zoals die Korevaar," zegt Wim droog.

Hansje kleurt betrapt. „Onder andere," beaamt ze strak.

„Hoor eens, Hansje," stelt hij, „ik ben maar een ongecompliceerde jongen, die zo goed en zo kwaad als het gaat zijn sociale verplichtingen nakomt en verder zoveel mogelijk honing uit het leven probeert te puren in de vorm van wat plezier en succes, en ik dacht niet dat ik daar verkeerd aan deed.

Maar ik gun ieder ander, die filosofischer is aangelegd dan ik, van harte zijn religieus besef."

Het klinkt niet onvriendelijk, maar wel erg definitief. De welwillendheid waarin hij zijn afzijdigheid verpakt, treft Hansje pijnlijker dan een heftige aanval op haar standpunt gedaan zou hebben. Ze vindt geen weerwoord meer.

Verdiept in hun gedachten, zonder nog veel te zeggen, wandelen ze terug naar de dijk. Als ze in de schaduw van de perenboom zijn teruggekeerd, legt Wim in een onverhoeds gebaar zijn beide handen om haar gezicht.

„Het klikte niet zoals anders, hè," vraagt hij trouwhartig, en ridderlijk de schuld op zich nemend: „Misschien had ik nog wel een kater van gisteravond," Hansje schudt haar hoofd.

„Ach nee, dat is onzin, en dat weet je best. Ik ben zo vervelend geweest, door te zagen over dingen die je volstrekt niet interesseren. Maar voor mij waren ze heel belangrijk, Wim."

„Je moet niet zo moeilijk leven," adviseert hij hartelijk. „Ik kan nu eenmaal niet geven wat ik niet heb, maar dingen die je bij míj niet vindt, vind je misschien weer bij iemand anders."

Hansje kijkt in die helle blauwe ogen, die haar zo dikwijls hebben verward, voor het eerst in staat zich aan de invloed ervan te onttrekken, geholpen door een besef van vervreemding dat ál sterker in haar wordt.

Al zouden we jaren met elkaar optrekken, denkt ze verwonderd, we zouden ten diepste steeds langs elkaar heen blijven praten. Het is onmogelijk samen op bevredigende wijze een spel te spelen wanneer men totaal verschillende spelregels hanteert.

„Wat je bij míj niet vindt, vind je wel weer bij iemand anders…"

Dat zei hij, volkomen te goeder trouw, omdat hij zélf zo leeft: nemend, gevend, maar nooit alles, nooit uitputtend – om met een welhaast verbijsterende argeloosheid zijn weg te vervolgen, blind voor wat hij achterliet.

Zij wil zo niet leven: hier wat plezier, daar wat flirt, ginds misschien een serieus gesprek en elders wellicht wat hartstocht.

Tal van relaties en contacten mogen haar leven boeiend en veelzijdig maken, maar aan één mens in het bijzonder wil zij zich hechten, voorgoed en volledig, met inzet van haar hele persoonlijkheid; iemand die ook háár wil hebben zoals ze is, niet slechts dit of dat van haar, maar alle facetten van haar wezen. Met minder wenst ze geen genoegen te nemen.

„Je bent lief," zegt ze eindelijk zacht, en haar glimlach, reikend naar een droom die ver kan zijn maar ook nabij, is meer dan ooit van een geheimzinnige bekoring, „je bent heus wel lief, maar ieder leeft tenslotte zoals hij zélf voelt dat het moet."

Schuw kust ze zijn bruinverbrande wang, en hij beantwoordt die liefkozing zonder verder commentaar, enigszins verbijsterd beseffend dat het hier om een afscheid gaat, en niets minder dan dat, hóé dikwijls ze elkaar wellicht nog zullen ontmoeten.

HOOFDSTUK 23

Na haar hoopvol inzettend herstel krijgt Hanna Simpson een ernstige teleurstelling te verwerken: in de loop van de week begint ze opnieuw koortsig te worden.

Hansje vermoedt aanvankelijk, dat het slechts een opkomende kou betreft, omdat granny onder meer over een verstopte neus klaagt, maar als de koorts zo hoog gaat oplopen dat deze in geen enkele verhouding meer staat tot de vermeende kou, maakt zij zich werkelijk ongerust.

De dokter is inmiddels met vakantie gegaan. Hij heeft een vervanger, wiens assistente Hansjes verontruste telefoontje honoreert met de vage toezegging dat de dokter zo gauw mogelijk zal langskomen. Maar die dag wacht ze tevergeefs.

Ze probeert de zieke zo goed mogelijk op te beuren, maar het ontgaat haar niet dat granny zelf ook piekert en weer veel pijn lijdt.

Op een gegeven moment vraagt zij om haar chequeboek. De protesten van het meisje ten spijt, laat zij zich door Hansje ondersteunen terwijl ze moeizaam en met pijnlijk vertrokken gelaat verscheidene malen haar handtekening plaatst.

„Toe nou, granny," smeekt Hansje, „mat u toch niet zo af; wat moet u toch met cheques? Dat soort dingen kan toch wel wachten?"

„Kind," zegt de oude vrouw, ondanks haar zwakte met autoriteit, „jij beseft nog niet hoeveel moeilijker moeilijke dingen kunnen worden wanneer men verlegen zit om zoiets platvloers als geld. Als ik nóg zieker zou worden, of bewusteloos, of sterven zou, dan betekende dat voor jou al genoeg zorg en narigheid ook zónder financiële problemen. Nu kun je voorlopig terecht bij de bank als er iets betaald of geregeld zou moeten worden, wat dan ook. Dat geeft mij een rustiger gevoel. Je hebt tóch al zo'n grote verantwoordelijkheid te dragen, juist nu iedereen weg is. En beloof me dat je Freek vandaag zult schrijven hoe de zaken er hier voor staan. Het is niet goed dat je helemaal alleen voor alles opdraait; ik heb al veel te veel van je gevergd."

Hansje ligt op haar knieën voor het bed en huilt, voor het eerst sinds al die bange dagen van ziekte en zorg.

„Ik wil niet," snikt ze verward, „dat u praat over sterven; die koorts gaat immers wel weer over, net als de vorige week. Granny, alstublieft, ik hóu toch van u, ik kan u niet missen. God, ik ben al een-zaam genoeg!"

Hanna tast over het dek tot ze dat schokkende meisjeshoofd vindt; ze legt haar hand op het sluike haar dat zacht en zijdeachtig aan-voelt en laat die hand daar troostend liggen tot Hansje vanzelf kal-meert.

Ze schrijft inderdaad aan Freek, diezelfde middag nog, en geeft hem een eerlijk verslag over granny's ziekte en het verloop daarvan. Maar ze vraagt hem niets; als Freek maar hálf weg kan daarginds, komt hij wel uit zichzelf, en als men hem op die zeilschool niet laat gaan, is er tóch niets aan te doen.

De volgende morgen is ze al vrij vroeg weer present in 'De Zwaan' om opnieuw contact te zoeken met de dokter, maar ook ditmaal krijgt ze niet meer dan een vage toezegging los. Het schijnt over-druk in de praktijk, en een oude vrouw in een van de buitendorpen, die alleen maar koorts heeft, wordt stellig niet als een spoedgeval aangemerkt.

Traag kruipt de lange dag om, tot granny in de namiddag onver-wacht een hevige neusbloeding krijgt, die de druk op haar ogen en de pijn in haar gezicht weliswaar verlicht, maar die – door de schrik-wekkende aanblik van al dat bloed op beddegoed en nachtkleding – zowel patiënte als verpleegster voor even in paniek brengt.

Met trillende handen reddert Hansje de boel als het bloeden einde-lijk is opgehouden. Ze wast en verschoont granny en zorgt voor fris-se lakens en een andere deken op het bed.

De zieke is door al dat inspannend bewegen, en niet het minst ten gevolge van de doorstane emotie, wel zó moe dat ze vrijwel dade-lijk in slaap valt. Hansje gaat telkens even bij haar kijken en ver-baast zich erover dat granny zoveel beter schijnt dan de voorafgaande dagen, koeler en rustiger, blijkbaar koortsvrij.

Toch gaat ze in de vooravond, in een vroege schemer, nóg een keer de deur uit, zich niet safe voelend zolang zij het gebeurde niet gemeld heeft aan de verantwoordelijke arts, ofschoon die nog steeds niet meer dan een naam voor haar is.

Als ze terugkomt ziet ze vanaf de dijk iets bewegen op hun erf in de schemer onder de vruchtbomen, de gestalte van een man.

Ze krijgt slechts een zeer vluchtige indruk van hem, eigenlijk niets dan een profiel met de schaduw van een donkere baard.

Haar eerste gedachte geldt Freek, maar Freek is blond.

Even blijft ze bang en besluiteloos staan; dan, met trillende knieën, loopt ze langs de schuine afrit langzaam op het huisje toe.

Al vroeg in de morgen van dezelfde dag heeft Freek haar brief ontvangen. Hij is er nogal van uit zijn doen. Het zit hem helemaal niet lekker dat hij nu zo gebonden is, dat hij zich verkocht heeft voor een paar dooie tientjes per dag, zodat hij niet meer gaan en staan kan waar hij wil.

Een uur lang loopt hij erover te broeien wat hij doen moet; dan valt hem een hoopvolle gedachte in.

Als hij er eens in kon slagen Martijn op te sporen, die minstens zo'n ervaren zeiler is als hij, en hem vroeg zijn baantje over te nemen voor de dagen die nog resten, zodat zijn tijdelijke baas niet in ongelegenheid raakte, dan zou hij misschien toch in de gelegenheid zijn zijn zusje bij te staan in haar moeilijkheden!

Martijn kent zowel granny als Hansje en zal ongetwijfeld met hen meeleven; bovendien is hij iemand voor wie vriendschap geen hol begrip is. Hij zal stellig niet weigeren hem deze dienst te bewijzen.

Hij gaat er met zijn werkgever over praten en krijgt verlof de jachthavens in het merengebied af te bellen om langs die weg zijn vriend op het spoor te komen.

Het duurt een hele poos voor hij beet heeft, zó lang dat het zweet hem in de handpalmen komt staan. Maar tenslotte krijgt hij toch een man aan de lijn voor wie de naam Korevaar niet vreemd is, die hem weet te vertellen dat de boot van Martijn al enkele nachten in zijn haventje gelegen heeft.

„Is hij nóg in de buurt?" vraagt Freek gespannen. „Waar zit hij?"

„Hij heeft niet de gewoonte een ander te vertellen waar hij heen gaat," zegt de man droog, „maar als ik hem zie zal ik hem zeggen dat hij je direct moet terugbellen. Geef me je nummer maar, jong, dan komt het wel in orde."

Freek doet zijn werk die morgen met veel onrust in zijn lijf.

Maar sneller dan hij heeft durven hopen, aan het einde van de etenspauze reeds, is zijn vriend aan de lijn. Hij luistert zwijgend naar wat Freek te vertellen heeft; dan valt er een moeilijk verklaarbare stilte, die de jongen onzeker maakt.

„Wil je het doen?" vraagt hij ten overvloede.

„Nee," zegt Martijn.

Het valt Freek wel erg rauw op het lijf. Maar de ander heeft nog meer schokeffecten in petto.

„Hoor eens," zegt hij zonder omhaal, „jouw zusje betekent wel zoveel voor mij, dat ik er de voorkeur aan geef er zélf op af te gaan als ze hulp nodig heeft. Als ze me de deur uitschopt, kom ik linea recta terug naar Friesland, dat beloof ik je, en dan kun jíj je diensten gaan aanbieden."

Hij heeft drie kwartier nodig om zijn boot in orde te maken voor een korter of langer non-actief, zijn spullen bij elkaar te rapen en zijn zaken te regelen met de beheerder van de jachthaven. Het kost hem nóg eens drie kwartier om in Leeuwarden te komen, maar niet minder dan drie uur om zich per trein naar Culemborg te laten brengen.

Zijn ouderlijk huis vindt hij secuur afgesloten, en hij gunt zich niet de tijd zijn eigen huissleutel uit zijn bagage op te diepen, want in het schuurtje staat althans één goed berijdbare fiets, en dat is op dit ogenblik alles wat hij nodig heeft.

Nog voor het geheel donker is, bereikt hij het huisje aan de Lekbandijk, dat heel deze middag zijn doel geweest is. Maar op zijn bellen wordt niet opengedaan. Ongerust kijkt hij onder het afdak of de Volkswagen weg is.

Wanneer hij zich omkeert, staat Hansje bovenaan de afrit, afgetekend tegen het laatste beetje daglicht aan de lucht, verstard in een gebaar van schrik. Dan, langzaam, aarzelend, komt ze op hem toelopen.

Naderbijkomend herkent ze hem, ondanks de schemering, ondanks de amper vier weken tellende baard, die nieuw voor haar is en hem een geheel ander aanzien geeft.

„Martijn! Jij!" zegt ze ademloos en het klinkt als een verdrongen snik. „Ik dacht dat je van de aardbodem verdwenen was!"

Slechts aan deze woorden, die verraden dat zij hem evenzeer gemist heeft als hij haar, ontleent hij de vrijmoedigheid haar naar zich toe te trekken.

Zijn armen komen als vanzelf om haar rug, haar schouders; zijn hoofd buigt zich over het hare en zijn mond praat zacht en wat gejaagd ergens in de buurt van haar oor. „Hansje, je begrijpt toch wel dat ik niet terug kon komen, na díe avond niet terug kon komen vóór ik zeker wist wat mijn gevoelens waard waren? Je moest eens weten wat een stuk chagrijn ik in het kamp geweest ben voor die arme kinderen, hoe ik ernaar gesnakt heb om van ze verlost te zijn om eindelijk te kunnen nadenken; je moest eens weten hoe beroerd moeilijk het was om niet éven naar je toe te komen toen ik zo dicht in je buurt was om mijn boot op te halen! Ik durfde niet; ik heb zelfs mijn toevlucht tot de buitenboordmotor genomen om zo gauw mogelijk weer op de Friese meren te geraken. Maar toen ik er eenmaal was en werkelijk kon gaan zeilen, ben ik in plaats daarvan hals over kop naar Amsterdam gelift om mijn balans op te maken ten aanzien van Colette. Ik heb haar gezien, voor het eerst na al die weken, en ze was mooier dan ooit; maar o, Hansje, ik had gelijk die keer, ik wist zelf niet hoezeer ik gelijk had toen ik beweerde dat ze een etalagepop was naast jouw natuurlijkheid.

Al die dagen daarna, in mijn eentje op het water, heb ik me erover verwonderd hoe veel beter ik jou in die onnozele zes weken kon leren kennen dan haar in al die tijd daarvoor, als een fijne kameraad in je ongekunsteld meeleven, als een lief moedertje tussen mijn kleine nichtjes en neefjes, als een geestverwante in onze gesprekken, en tenslotte als een warme, levende vrouw in mijn armen.

Hansje, heus, ik maak me geen al te grote illusics omdat je zo geduldig naar me luistert en het me gunt je nog even zo dicht bij me te hebben. Ik wéét dat ik op geen stukken na zo knap en charmant ben als die ander, ik wéét dat ik niet in een positie ben om de oprechtheid van zijn gevoelens voor jou in twijfel te trekken, maar dít wil ik toch van je eisen: dat je je serieus afvraagt of jullie elkaar niet op zó verschillende golflengten benaderen, dat er van een wezenlijk contact geen sprake kan zijn. Wat ons betreft, Hansje, jij zult evenmin als ik kunnen ontkomen aan het bewezen feit dat jouw ziel de taal van mijn ziel verstaat, jouw bloed de roep van het mijne. Is dat niet veel? Is dat niet genoeg om samen op verder te bouwen? Hansje?"

In één adem heeft hij alles eruit gegooid; geen speld had ze ertussen kunnen krijgen wanneer ze dat gewild had. Maar ze wilde niet, het was haar goed zich weer binnen de beschermende boog van zijn armen te weten en verwonderd te luisteren naar de klank van zijn diepe stem aan haar oor, die beurtelings nederig, hartstochtelijk en opstandig alles verwoordde wat hij in die eindeloze weken gevoeld, doordacht en gehoopt had en dat zoveel overeenkomst vertoonde met hetgeen zij zelf in die eindeloze weken voelde, hoopte en dacht. Als hij tenslotte zijn hoofd opheft om haar aan te zien na dat laatste, dwingende noemen van haar naam, zegt ze enkel stil, als een zucht die uit de grond van haar hart komt. „Ja."

„Wát ja?" vorst hij wantrouwend, de overtuigingskracht van zijn eigen betoog onderschattend.

Zij glimlacht met bevende mond haar kleine, onvergelijkbare glimlach.

„Ja, het is heel veel," preciseert ze gehoorzaam.

„Bedoel je…?"

„Je moet niet denken dat jij de enige bent die wekenlang heeft nagedacht," zegt Hansje. Weer is dat speciale trekje present in haar mondhoeken.

Martijn kijkt haar aan; ineens zijn zijn handen met kracht om haar schouders, alsof hij de nog half versluierde waarheid uit haar wringen moet: „Zeg op, heb je Wim dan niet ontmoet in die tijd?"

„Jawel. Hij is hier geweest, ik heb hem gezien, ik heb met hem gepraat en in stilte de balans opgemaakt, net als jij. Een balans die schrikbarende tekorten aan het licht bracht, om in stijl te blijven."

„Hansje, maar hij…"

Ze tilt haar hand op en legt hem met drie vingers het zwijgen op.

„Je hebt het gewonnen," zegt ze zacht, „laat dat je genoeg zijn. Vraag niet meer over dingen die al begonnen zijn verleden te worden – je maakt me er zo verlegen mee."

Hij heeft niet veel tijd nodig om de consequentie van wat zij gezegd heeft tot zich te laten doordringen. Met een enkel gebaar maakt hij zich vrij van die bezwerende vingers op zijn lippen, zijn ogen lichten op en er sluipt gaandeweg een lachende overmoed in zijn stem als hij haar toevoegt: „Verlegen? Voor ik met je klaar ben, zul je nog heel wat verlegener worden, meisje!"

Hij trekt haar dichter tegen zich aan en kust haar voor al die weken van ontberen, gretig en overgegeven, innerlijk verwarmd door haar spontaan reageren daarop, dat hij nog niet als iets vanzelfsprekends ervaart, gewend als hij was steeds een maximum aan aangeboren koelheid te moeten overwinnen, die door buitenstaanders achter de verleidelijke oogopslag van de mooie Colette van de Brandt niet of nauwelijks te raden viel.

Hij beseft bevrijd, terwijl zijn hand liefkozend Hansjes halflange haren dooreenwoelt, dat gekreukte japonnen, verwarde kapsels en bedorven make-up in de toekomst geen rol van betekenis meer zullen spelen in zijn bestaan. Hansje is de eerste die zich hervindt, die zich realiseert dat het inmiddels vrijwel geheel donker geworden is, en dat granny nu al bijna een uur alleen ligt.

„Laat me eens los," zegt ze nerveus, „ik moet nodig naar binnen; granny is ziek, moet je weten."

„Maar dat wéét ik immers? Daarom ben ik juist naar je toe gekomen! Ik schaam me dat ik het arme mens voor even totaal vergeten was, maar ik heb een verschrikkelijk lief excuus."

Hij pakte het verschrikkelijk lieve excuus met één hand in de nek, en neemt haar met de andere de huissleutel af, waarmee ze onhandig manoeuvreert. Terwijl hij de deur voor haar openmaakt, vraagt hij: „Hoe staat de patiënte er voor sinds de dag van gisteren?"

„Ik begrijp niet… wat weet jij… hoe weet jij…?"

Vóór alles doet ze voorzichtig de deur van de ziekenkamer open en pas als ze opgelucht geconstateerd heeft dat granny rustig slaapt, neemt ze de tijd om te luisteren naar Martijns verslag over het speurwerk van Freek, over zijn noodkreet om hem tijdelijk te vervangen en over alles wat hij met die noodkreet aan het rollen heeft gebracht.

Hansje op haar beurt vertelt over het verloop van granny's ziekte, en speciaal over de hevige neusbloeding die zij in de namiddag heeft gehad en die haar ertoe bewogen heeft in de avond nog naar café 'De Zwaan' te gaan om de dokter te bellen, ofschoon ze daarvan niets wijzer geworden is omdat de man naar een bevalling was en waarschijnlijk eerst de volgende morgen verschijnen zal. Wonder boven wonder is de koorts juist nu gaan zakken; begrijpt Martijn hoe dat mogelijk is?

Hij legt een geruststellende hand op de hare.

„Ik ben nog maar een leerjongen," zegt hij bescheiden, „maar ik geloof dat er voor paniek geen reden is, Hansje, eerder voor dankbaarheid. Je granny heeft na die pijnlijke voorhoofdsholte-ontsteking van onlangs nu kennelijk óók nog van een lelijke neusholte-ontsteking te lijden gehad. Die kan doorgebroken zijn vanmiddag, en dat is eerder een zegen voor dat arme, geplaagde hoofd, dan een reden tot paniek.

Dat de koorts snel gezakt is en dat ze nu rustig slaapt, zouden wel eens hoopvolle tekenen van een beginnende beterschap kunnen zijn."

Even later, als Hansje, herademend overgaand tot de orde van de dag, het keukenlicht aandoet om koffie te gaan zetten, vindt ze eindelijk gelegenheid Martijn eens goed op te nemen.

Behalve aan de nog jonge baard, die zijn gezicht juist dat tikkeltje ruigheid verleent dat tot de verbeelding spreekt, verkijkt ze zich ook aan de weinig conventionele plunje waarmee hij rechtstreeks vanuit zijn boot is overgestapt in de trein naar het zuiden: de donkere schipperstrui, de sandalen aan zijn blote voeten.

Lachend beweert ze dat hij er bijloopt als een bedelmonnik, waarop hij verontwaardigd vaststelt dat ze geen slechter beeld had kunnen kiezen: wát hij zich deze avond ook voelen mag, dat niet.

Het duurt lang voor de koffie is gezet en ingeschonken, omdat er tussen de bedrijven door nog zoveel ingehaald moet worden. Maar eindelijk zitten ze dan toch samen in de woonkamer. Hansje vertelt hem van haar plan zich in het ziekenhuis van Culemborg tot ziekenverzorgster te gaan bekwamen als granny beter is, een plan dat merkwaardig goed in zíjn toekomstplannen in te voegen blijkt.

Nadat ze andermaal bij granny zijn wezen kijken, die nog steeds ontspannen ligt te slapen, korten ze de tijd met wat Hansje later plagenderwijs 'roekeloze inhaalmanoeuvres' noemt. Martijn geeft toe dat haar beeldspraak erop vooruit gaat en desgevraagd weet hij haar ook te vertellen welke straf er op dit soort roekeloosheid staat, namelijk levenslang, een straf die hij met vreugde zal uitzitten.

Maar tenslotte verstomt alle scherts tussen hen en overheerst een wijde, woordeloze dankbaarheid, die genoeg heeft aan de warme, welsprekende druk van andermans hand.

Tegen elven wordt granny wakker. Hansje gaat naar haar toe bij het eerste gerucht dat ze hoort, en na verloop van tijd roept ze Martijn. Ze neemt hem bij de hand als hij met enige schroom de ziekenkamer binnenkomt en brengt hem tot vlak voor het bed van de oude dame. Zij zit geleund in haar kussens, niet meer dan een schaduw van wat ze vroeger was. Haar ogen echter staan helder.

„Dág Martijn," zegt ze met zwakke stem, maar niet zonder humor, „ben je helemaal uit Friesland gekomen om mijn pols te voelen?"

Hij lacht even: „Niet alleen dáárom. Maar ik wil met liefde op u oefenen, mevrouw Simpson. Of mag ik granny zeggen, net als Hansje?"

„Ik herinner mij," haakt de zieke daarop in, „dat dit kleine meisje mij een week of wat geleden gevraagd heeft of ik jou als kleinzoon accepteren zou. Ik heb haar toen gezegd dat ik dat inderdaad zou doen – op twéé voorwaarden."

„En die waren?"

„Dat ze van je zou moeten houden – en jij van haar."

Martijn kijkt naar Hansje en zij naar hem. Het is een zó veelzeggende blik, dat granny geen andere reactie meer nodig heeft.

„Ik heb het al gezien," zegt ze, weer met die zwakke stem, waarin niettemin een klank van oprechte vreugde te onderkennen valt, „ik heb het al gezien, kinderen. Míjn zegen hebben jullie. Pas goed op elkaar, en bid om bescherming van je geluk. Het leven is een voortdurend onderweg-zijn door een gebied vol gevaren, en niemand komt er veilig doorheen op eigen kracht."

Even aarzelt er een verlegen zwijgen tussen hen, opgeroepen door de ongewone plechtigheid van het ogenblik.

Dan antwoordt Martijn voor hen beiden: „Dat weten we, granny; het is niet de eerste keer dat deze dingen tussen ons ter sprake komen. Maar het is goed dat u er juist deze avond deze woorden voor gevonden hebt. We zullen ze onthouden en elkaar eraan herinneren – óók nog als u het zelf niet meer doen kunt."

„Dank je, jongen," zegt Hanna Simpson zacht, en even vaart er een trilling van ontroering door haar vervallen trekken; dan hervindt ze iets van haar oude half-spottende, half-bazige toon: „En voel nu die oude pols maar eens en vertel me eerlijk of het erin zit dat ik weer een beetje opknap, genoeg om nog een poosje getuige te kunnen zijn van jullie geluk."

Martijn waagt zich niet aan een voorspelling die buiten zijn competentie valt, maar hij neemt bereidwillig dat deerniswekkend dunne polsje tussen zijn vingers.

„Zo rustig als wat," kan hij naar waarheid vaststellen, na enkele ogenblikken van concentratie. „Tussen ons gezegd en gezwegen: Hansje mocht willen dat de hare zo rustig was!"

„En wie zijn schuld is dat?" springt zij er verontwaardigd tussen, „granny, doe me een plezier en stuur die onruststoker naar huis – iemand moet er toch verstandig zijn hier! – dan kan ik u helpen voor de nacht, want u wordt veel te moe van dat gepraat! Nu u beter wordt, hebt u veel rust in te halen."

Martijn grinnikt om de parmantige manier waarop ze ineens de regie in handen neemt en ruimt eigener beweging het veld, maar wacht toch nog even met naar huis gaan.

Als het werkelijk zover is, staan ze samen op de dijk, hij met de fiets aan de hand, en kijken naar het glinsteren van de rivier in het maanlicht. Het inspireert Hansje tot het citeren van een oud, Chinees spreekwoord: 'Het is met de liefde als met de maan: als ze niet groter wordt, wordt ze kleiner.'

Martijn lacht herkennend en bekent dat hij met de minuut meer van haar gaat houden.

„Dat belooft wat!"

Hansje probeert te schertsen, maar ze voelt zich te zeer overweldigd door alles wat er deze avond gebeurd is om die losse toon te kunnen volhouden. Hulpzoekend steekt ze haar voelsprieten naar hem uit in een tasten naar begrip voor haar twijfels: „Martijn, het leven, het omvat nog zoveel meer dan jou en mij. Zullen we het wel aankunnen? Ben jij niet bang om zelfs sámen nog tekort te schieten?"

„Nu niet meer," zegt hij eenvoudig.

„Waarom nu niet meer?"

„Omdat jij je ervan bewust bent wat je nodig hebt om het aan te kunnen. En wat ík nodig heb. En wat de wereld nodig heeft. Maar dat valt niet zo eenvoudig samen te vatten, of het zou in déze drie woorden moeten zijn: het anker, het hart en het kruis."

SOMS KRIJGT GELUK EEN NIEUW GEZICHT

EERSTE DEEL

HOOFDSTUK 1

Toen Reyer Schuurman zijn Regine leerde kennen, was die, haar meisjesachtig uiterlijk ten spijt, al meer dan twee jaar weduwe. Haar beide dochtertjes, de donkere Renate en de blonde Lilian – ook wel Lia genoemd – waren toen ternauwernood de luiers ontgroeid, en zelfs nog niet rijp voor de kleuterschool.

Reyer Schuurman, van beroep destijds machinist op een kustvaarder, was een op zichzelf aangewezen jonge man, die tijdens zijn verlofperioden hoe langer hoe meer de behoefte had aan een vast punt in zijn leven, aan een partner, een thuishaven.

Kopschuw geworden door slechte ervaringen in zijn ouderlijk huis, had hij zich lange tijd slechts aan vrijblijvende contacten met de andere sekse durven wagen, en gedurende de laatste jaren had hij door de aard van zijn werk nooit de tijd gevonden enig meisje grondig genoeg te leren kennen om met haar in zee te durven gaan.

Daarom had hij tenslotte welbewust naar tijdelijke bezigheden aan de wal gezocht, en toen de kans zich voordeed, had hij zich voor één seizoen te werk laten stellen als badman op het strand van een klein dorp nabij de Noordzeekust. En wel met de vooropgezette bedoeling, in deze zomer een vrouw te vinden.

Het was een tamelijk wilde zomer geworden, waarin hij in kort bestek meer flirtte en vrijde dan in alle voorafgaande jaren, hoewel hij in deze en gene havenstad toch werkelijk wel zijn pleziertjes had gezocht.

Er was voor hem als badman op het strand gelegenheid te over om hier en daar een praatje aan te knopen, om contacten te leggen en afspraakjes te maken. Meer dan eens kreeg hij weliswaar de kous op de kop, maar niettemin ontbrak het hem vrijwel geen avond aan vrouwelijk gezelschap.

Het waren echter vluchtige vakantie-avontuurtjes gebleven, stuk voor stuk, die hem even leeg en onbevredigd hadden gelaten als hij tevoren was geweest. Avontuurtjes waaraan hij geen vervolg wenste, althans geen serieuzer vervolg.

Nog wilde hij geen gehoor geven aan de inwendige stem, die steeds dwingender poneerde dat het een grove misvatting was geweest, te veronderstellen dat zoiets beslissends als het vinden van een levenspartner op een dergelijke manier te forceren viel.

Ontevreden met zichzelf als hij was, had hij al dagenlang tamelijk humeurig zijn werk gedaan, toen hij op een warme middag vóór in augustus werd geroepen door een oudere vrouw, die een huilend kind aan de hand hield.

„Badman, kijk eens even, weet ú hier aan het strand ergens een tentje met een paarse wimpel?" Met een welsprekend gebaar duidde ze op het kaartje, dat was vastgehecht aan het badpakje van het kind.

Hij was naderbij gekomen door het hete zand en had zich gebukt om te lezen: „Ik ben Renate van Palland, en hoor thuis bij een tentje met een paarse wimpel, dicht bij paal 38."

„Niet dom bekeken van die ouders," was zijn waarderend commentaar, „als iedereen zijn kroost op deze manier van naam en adres voorzag, spaarde dat een massa rompslomp!"

„Ze liep huilend rond," vertelde de vrouw, „op zoek naar haar mama. Ik heb al rondgekeken naar dat paarse vlaggetje, maar ik kon het niet ontdekken, en dat van die paal begreep ik niet. Weet ú wat ze kunnen bedoelen met paal 38?"

„Natuurlijk. Draagt u dat verdwaalde lammetje maar aan mij over, mevrouw, dan komt het wel terecht."

Hij tilde het kindje, dat niet ouder kon zijn dan een jaar of drie, met een zwaai van de grond en nam het op zijn arm.

Maar dat was niet naar de zin van de kleine: ze krijste en trappelde, en trok zoveel aandacht, dat Reyer zich meer dan opgelaten voelde. Zo snel mogelijk worstelde hij zich met het obstinate hummeltje door de drukte naar de vloedlijn. Daar zette hij het neer op het harde zand, en rammelde het eens duchtig door elkaar. Van schrik klapte het eigenzinnige mondje dicht. Twee grote, betraande ogen keken hem ontsteld aan.

„Je wilt toch naar je mama?" vroeg hij streng, hoewel hij vertederd werd door de ogen van dat onhandelbare hoopje mens.

De peuter beaamde heftig: „Naar mama toe!"

Het stemmetje trilde nog erbarmelijk, maar dat schelle schreeuwen was in ieder geval stilgevallen. Het betekende een verademing voor de man.

„Als je niet meer brult, zal ik je naar je moeder brengen," onderhandelde hij schaamteloos.

Zij overwoog die woorden, nog naschokkend van het huilen; toen knikte ze instemmend, de rest van haar tranen inslikkend met een aandoenlijk, sidderend zuchtje.

Reyer wilde het meisje weer optillen, maar zij, kribbig en onafhankelijk, bedong kortaf: „Zélf lopen!"

Toen nam hij ten einde raad haar kleverige handje, en begon te lopen in de richting van paal 38, met moeite zijn tempo bij de capaciteit van haar korte beentjes aanpassend.

Het was nog een hele wandeling; hij verbaasde zich erover dat het kleine ding zo ver uit de koers had kunnen raken.

Een hernieuwde poging om sneller tot zijn doel te geraken door het kind op de arm te nemen, mislukte even jammerlijk als de vorige: Renate zette zich schrap als een strakgespannen boog, ze sloeg een paar vervaarlijke ogen naar hem op en trok al weer het huillipje dat hij had leren duchten.

Hij was geen jonge kinderen gewend, maar vond het wel grappig spul. Ook deze temperamentvolle jongedame bleef hem vertederen tegen wil en dank, al had hij haar om haar eigenzinnigheid wel graag een paar ferme tikken tegen haar parmantig gatje willen geven. Hij zag er echter van af, omdat hij de ouders niet de stuipen op het lijf wilde jagen door ze een dochtertje terug te bezorgen dat met haar luide brullen associaties zou oproepen aan mishandeling of erger.

Het kleine tentje met de paarse wimpel was gemakkelijk genoeg te vinden. Er stond een houten strandkar naast, waaraan bij nadere beschouwing een nóg kleinere peuter bleek vast te zitten.

Reyer bekeek het geheel eens wat grondiger: het kind was met de zware kar verbonden door een solide touw, dat was vastgemaakt aan een tuigje dat zij over haar zonnepakje droeg, een touw dat haar voldoende speelruimte liet, volgens het systeem van de geit die graast aan een ring in de wegberm. Ook zij was voorzien van een kaartje met haar naam.

De kleine Renate had zich dadelijk getroost met een lappenpop, die ze achteloos aan één slappe arm uit het tentje sleurde.

Ze hield het verfomfaaide ding innig tegen haar dikke buikje gedrukt, stak een duim in haar mond, en was kennelijk tevreden weer op haar basis terug te zijn, ook al viel er van een vader of moeder vooralsnog niets te ontdekken.

Reyer stond even in dubio.

Toen stoorde hij een vrijend paar dat enkele meters van de strandkar op een badlaken lag. De jongelui daalden met tegenzin uit hun zevende hemel af, maar bleken van niets te weten toen hij naar de ouders van de beide peuters informeerde. Zich omkerend zag hij echter een meisje zich voorthaasten in de richting van het tentje; hijgend, vuurrood van het snelle lopen door het mulle zand. Ze was klein van stuk, tamelijk mollig, maar wel goed van bouw. Het krullende haar droeg ze in een slordige knot boven op haar hoofd.

„Renate!" riep ze lachend en huilend tegelijk, „stout kind, ik heb me gék gezocht!"

Reyer Schuurman deed een stap naderbij om zich in haar aandacht te plaatsen.

Zij herkende in hem de badman, die ze tijdens de weken van haar verblijf hier al met vogels van allerlei pluimage had gesignaleerd.

De geamuseerde ongelovigheid in zijn stem, toen hij haar vroeg of zij werkelijk de moeder was van die twee ándere kinderen, joeg een golf van wrevel door het vrouwtje heen.

„Nee," zei ze dwars, „ik ben hun kindermeid."

Wat had die charmeur zich met haar te bemoeien? (en uitgerekend op zo'n ongelukkig moment, terwijl zij zich voelde of ze levend gekookt was?)

Ze veegde met haar onderarm langs haar gloeiend gezicht.

„En laten ze u heel alleen op die twee wurmen passen?" vorste hij kritisch, „dan kunt u die andere ook maar beter vastbinden. Ik heb haar helemaal vanaf de volgende strandtrap hier naartoe gebracht."

Hij gaf met een armgebaar de richting aan.

Onwillekeurig wendde zij zich wat om en tuurde in de verte, met haar blik de afstand schattend die haar kleine wegloopster had afgelegd. Het was onwaarschijnlijk ver.

Ze moest even slikken.

„Heel erg bedankt," zei ze ontwapend.

„'t Was vrij eenvoudig," verklaarde de ander, „dankzij de manier waarop die pupillen van u gemerkt zijn. Iets om patent op te nemen!"

Zij lachte, en hij ontdekte terloops dat ze een aardige mond met tanden had.

„Eigenlijk moest u zelf ook zo'n kaartje op hebben!" voegde hij in een opwelling aan zijn verklaring toe. Maar vlak daarop dacht hij wrang, het lege routine-geflirt van al die weken eigenlijk méér dan beu: je zoveelste openingszet, Reyer Schuurman... en ook dít zal wel weer op niets uitlopen.

„Wilde u míj misschien óók thuisbrengen?" reageerde het kinderjuffie, niet zonder spot.

„Wie weet," zei hij effen.

„Maar dan zonder kinderen zeker?"

Hij liep blindelings in die val. „Uiteraard," grinnikte hij breed.

De blik die langs de zijne schampte, verkilde zienderogen.

„Precies wat ik gedacht had," concludeerde het meisje haarscherp. „Nogmaals bedankt, badman, en laat u zich door ons voorál niet langer van uw werk houden!"

Hij was gegaan, zonder groet, nijdig om dat onverwachte, niet mis te verstane congé.

Maar de volgende dag, beroepshalve slenterend langs het strand, ontdekte hij het groepje weer, schelpen zoekend aan de rand van een binnenzeetje achter de zandbank, de beide peuters aangelijnd als hondjes.

Hoewel het bijdehante kindermeisje deze keer een heel wat rustiger gelaatskleur vertoonde, en ze haar haren niet opgestoken maar los op haar rug droeg, herkende hij haar direct.

Onwillekeurig hield hij even zijn pas in, doch niet van zins opnieuw zijn neus te stoten, corrigeerde hij die reflex en liep door, zonder opgemerkt te zijn. Maar het driftige stemmetje van de kleine Renate dwóng hem eenvoudig tot omkijken.

„Mama!" riep ze, „kijk es, wat is dit voor een beestje? Mam! Kijk dan! Hier!"

Ditmaal stond hij werkelijk stil, alsof iemand hem plotseling aan de grond had vastgespijkerd, en keek met snel-opschietend begrip voor de situatie naar de aangesprokene, die diep over het jongste kindje stond heengebogen.

„Wacht maar even, juffertje ongeduld," mopperde zij goedmoedig. „Mama moet nu eerst even Lia helpen."

Toen richtte zij zich op.

Haar blik, die Renate zocht, werd onderschept en gevangen door de zijne. Hij bracht beleefd een hand aan zijn witte pet, en zocht in zijn herinnering naar de naam die op dat kaartje had gestaan.

„Mevrouw Van Palland!" groette hij uitgestreken, maar diep in zijn ogen vonkte iets.

Zij deed het enig mogelijke, en lachte.

„Och heden!" verzuchtte ze ondeugend.

Toen vroeg Renate opnieuw om aandacht voor haar vondst.

Een ogenblik later zaten ze allemaal op hun hurken rondom een aangespoelde krab, en het kind kreeg haar uitleg.

Maar Reyer bleef voorlopig met zijn vraagtekens zitten.

HOOFDSTUK 2

Regine wist feilloos welke vragen zij door haar verwarring stichtend gedrag moest hebben opgeroepen.

Voor zichzelf kon zij die vragen wel beantwoorden, al vereiste dat op sommige punten een eerlijkheid die pijn deed.

Waarom had zij zich met een zekere boosaardigheid voor de kindermeid van haar eigen kroost uitgegeven? Was het niet omdat zij zich – haar diep gewortelde liefde voor Renate en Lilian ten spijt – maar al te dikwijls zo voelde: een kindermeisje in doorlopende dienst?

Het benauwde haar soms fel, dagenlang, wekenlang geen andere aanspraak te hebben dan die twee kleintjes, en geestelijk voortdurend op haar hurken te moeten zitten.

Sinds haar echtgenoot, de veelbelovende coureur Ferry van Palland, met zijn wagen uit de bocht vloog en binnen een halfuur aan zijn verwondingen bezweek, vormden de beide kinderen in feite haar enige levensvulling.

Financieel kon zij maar net rondkomen; daarom zat ze 's avonds nog dikwijls te naaien, thuiswerk voor een atelier, om wat bij te verdienen.

Overdag had ze al haar aandacht nodig voor de twee hummels, die met hun gezonde ondernemingsgeest eigenlijk niet half genoeg uit de voeten konden, vierhoog op een klein flatje in een buitenwijk van Amsterdam.

Helemaal vergeten werd zij niet.

Af en toe was er bezoek: haar moeder, haar zusje; Ferry's moeder, Ferry's zusje; vriendinnen van voor haar huwelijk; een enkele maal een collega van Ferry, meestal met vrouw of vriendin.

Het was aardig dat ze aan haar dachten. Maar ten diepste accentu-
eerden de bezoeken van die jonge mannen haar alleen-zijn slechts.
Als ze weer weg waren, keek ze in de spiegel naar haar bedrieglijk
kindergezicht, dat er uitzag of slopende dingen als verdriet of wur-
gend verlangen in háár leven niet voorkwamen.

Later kuste ze dan haar slapende kinderen, zich tegelijkertijd bitter
afvragend wanneer zij weer eens iets voor zichzelf zou mogen verlangen.

Deze voorzomer had een verrassing gebracht: een van de vroegere
kennissen stelde haar gratis voor zes weken zijn huis aan de kust
ter beschikking. Zelf moest hij die tijd toch voortdurend in het buitenland zijn, schreef hij, en haar kinderen dreigden echte bleek-
neusjes te worden.

Ze had gehuild van blijdschap, en was op reis gegaan met de onbestemde hoop op iets heel goeds.

De meisjes waren bruin geworden, en gedijden geweldig in de zee-
lucht. Zij ook. Maar als het er op aankwam, was ze hier toch evenzeer hun gevangene als thuis in Amsterdam.

's Avonds, als die beiden vast in slaap waren, maakte ze wel eens
snel een ommetje, even proevend van de vakantiesfeer in het bad-
plaatsje, hartstochtelijk jaloers op de jonge mensen die twee aan
twee door de straten gingen, hand in hand, of met de armen om
elkaar heengeslagen.

Zo had ze ook die jonge badman zien lopen, meermalen, maar telkens met een andere schone.

Zo een als die zal met een moeder van twee kinderen nooit een
afspraakje maken, had ze bij zo'n gelegenheid wel eens gedacht; zo
een als die pikt alleen de krenten uit de pap. Het was mede om die
herinnering geweest, dat zij zich tegenover hem bij hun onverwachte ontmoeting zo kribbig en onverdraagzaam had opgesteld.
Maar al kon zij zichzelf in een voorbijflitsend ogenblik deze dingen
bewust maken – het zou ten enenmale onmogelijk zijn, ze voor die
vreemde man te verwoorden, wanneer hij om opheldering mocht
vragen.

Toen echter beschaamde hij haar met een fijngevoeligheid die ze
niet in hem vermoed had.

Nog steeds ten overstaan van de dode krab merkte hij op: „U ziet eruit of u met een verklaring worstelt, mevrouw. Maar ik begrijp zo ook wel waarom u dat gisteren zei, van die kindermeid.

Al zijn het nog zulke lieve poppetjes, die twee daar, al zou u zich geen raad weten als u ze kwijt was; u moet er toch maar de hele lieve lange dag op passen, terwijl u waarschijnlijk ook wel graag eens alleen in zee zou willen, of een balletje gooien met andere jongelui."

Het was de spijker zo precies op zijn kop, dat zij niets anders kon opbrengen dan een verwonderd, woordeloos knikken.

Terwijl zij haar ogen neergeslagen hield, dwaalde zijn blik langs haar kleine gestalte, die heel vrouwelijk was van lijn, en veel volwassener dan haar gezicht, met die grappige kinderlijke rondingen van wangen en kin, waarin putjes waren verschenen toen ze lachte.

Die kerel van haar, dacht hij bevreemd, waar mocht die wel uithangen? Kwam waarschijnlijk alleen de weekends hier naar toe.

Hij spiedde tersluiks naar haar handen, ja, ze droeg een ring, dus gescheiden was ze in ieder geval niet.

Hij kwam soepel overeind uit zijn gehurkte houding.

Regine begreep dat hij zijn weg ging vervolgen. Toen ze tegenover hem stond, ontdekte ze precies een hoofd kleiner te zijn.

„Eén ding moet u me nog even vertellen," bedong hij op de valreep, „waarom werd u toch zo boos op mij toen ik naar een afspraakje hengelde? Het was toch mijn schuld niet dat ik u als een vrij meisje tegemoet trad?"

Regine was er even verlegen mee.

Toen zei ze eerlijk: „Sorry, maar ook als vrij meisje had ik mij door u niet voor een afspraakje laten strikken."

„Waarom niet?" vroeg hij beledigd.

„Omdat ik u ieder ogenblik weer met een ander zie. Misschien ben ik kieskeurig, maar ik zou het eenvoudig geen prettige gedachte vinden, iemands zóveelste keus te zijn."

Enkele ogenblikken zag hij eruit of hij knock-out geslagen was.

Ze kreeg bijna spijt van haar straffe medicijn. Maar hij herstelde zich, en deed een trouwhartige poging tot rehabilitatie: „Maar ik ging niet zómaar met al die meisjes op stap! Ik had echt een veel solider motief dan u mij toeschrijft!"

„O, toch?"

„Mevrouw, ik ben zeeman in mijn gewone doen. Een zeeman die zich tijdens zijn verlof met hotelkamers tevreden moet stellen. Ik klaag niet, maar op den duur is dat een vervloekt eenzaam leven. Deze zomer heb ik speciaal uitgetrokken om een vrouw te vinden." Zijn toespraak ontroerde haar een beetje, omdat ze begreep dat die eenzaamheid geen verzinsel was. Maar het verhaal werkte ook een beetje op haar lachlust. De naïeve gedachte, dat zulk een krampachtige werkwijze ten opzichte van de liefde vruchten zou afwerpen!

„Werkelijk?" vroeg ze meelevend, met bedrieglijke ernst.

Alleen haar kuiltjes verrieden haar bedwongen plezier.

„En na al dat zware voorbereidende werk dat u verzet heeft," praatte ze verder, „bent u er nog steeds niet in geslaagd de ware te vinden?"

„Nee. Ik heb niet veel geluk. En nu bent ú ook al weer getrouwd," besloot hij galant.

Hij lachte, maar slaagde er niet geheel in daarmee zijn ergernis te overstemmen. Ergernis over al dat banale gedoe dat achter hem lag, en dat tot niets goeds geleid had.

„Ik wens u veel succes," zei Regine zo waardig mogelijk. Ze keek hem na toen hij verder liep, met gemengde gevoelens.

... en nu bent ú ook al weer getrouwd... had die man gezegd, met echte of goedgefingeerde teleurstelling. Had zij hem op dát moment haar onthulling moeten doen: u vergist u, meneer, mijn man is al meer dan twee jaar dood. Soms moet ik naar zijn foto's kijken om me te binnen te brengen hoe hij er uitzag, en toch hield ik veel van hem. Anders was ik zijn ring niet blijven dragen, als een lieve herinnering aan die paar chaotische, al te korte jaren die we samen mochten hebben.

Ze had niets van dat alles gezegd. Ze had gezwegen, dwars tegen het verlangen van haar opstandig bloed in.

Want die jongen begon haar steeds beter te bevallen, en ze voelde dat ze hem had kunnen hebben, althans voor een poos.

Maar ze wist zich toch te fijn gebouwd om zichzelf op een presenteerblaadje aan te bieden.

Langzaam trok ze haar turende blik af van de verdwijnende figuur in de verte en bukte zich naar haar kinderen.

Ze was vijfentwintig jaar, Regine. Reyer Schuurman trouwens ook, maar ze wisten het niet van elkaar. Wat wisten ze wél?

De volgende morgen stond hij ineens bij haar toen zij in het losse zand met de onhandelbare strandkar worstelde, en bood haar de helpende hand.

Hij was even snel weer verdwenen als hij was opgedoken, maar dat gebaar van pretentieloze hulpvaardigheid gaf kleur aan haar dag.

Het was overigens niet bij die ene keer gebleven: hij hield haar in de gaten, dat leed geen twijfel.

Ze liet nooit na hem voor zijn diensten te bedanken, maar hij bagatelliseerde ze even dikwijls: het zou wat moois wezen, als hij zo'n klein mevrouwtje alleen liet omtobben!

Na een paar dagen stond hij zomaar midden op de dag vóór hen, en deed Regine het aanbod een halfuurtje op de kinderen te letten, zodat zij eens lekker zorgeloos een poosje zou kunnen zwemmen.

Hij zag het verlangen naar zo'n brokje langontbeerde vrijheid in haar ogen oplichten.

„Kan dat?" vroeg ze verrast. „Waarom zou het níet kunnen?"

„Maar als er iets gebeurt waar u bij moet zijn, als badman?"

„Zelfs een badman heeft wel eens een vrije dag, mevrouw."

„En brengt hij zelfs die op het strand door?" verbaasde zij zich, veel te leep naar zijn smaak.

Hij kleurde als betrapt.

„Als hem dat belieft – welzeker," antwoordde hij kort, „gaat u nu maar gauw."

Toen zij druipend terugkwam bij het tentje, was hij zo druk in de weer met Renate en Lilian, dat hij haar niet eens zag aankomen.

Hij was bezig de kleintjes tot aan hun middeltjes in te graven, en zweette ervan, want al trappelend met hun beentjes maakten ze zijn werk voortdurend ongedaan.

Regine genoot: van de opgetogen snuitjes van haar joelende kinderen, van de ontwende gezelligheid die zo'n man meebracht, van de spieren die ze zag bewegen onder zijn donkerverbrande huid; zelfs van zijn zweten genoot zij. Het was een heerlijke, primitieve sensatie, dat zo te ondergaan, terwijl ze dampend onder de hete zonnestralen stond met haar tintelend lichaam, als onder een stortbad van vreugde.

Ze besefte ineens hoe wijs het geweest was, dat ze hem tot dusver verzwegen had een alleenstaande vrouw te zijn, want onbewust had ze hem daardoor de kans geboden, zijn belangeloze hartelijkheid te waarmerken.

Een man die zo aardig was voor een paar willekeurige kinderen, en voor een vrouw van wie hij redelijkerwijs niets te verwachten had, die moest een waardevol mens zijn, alle mislukte avontuurtjes ten spijt.

HOOFDSTUK 3

De volgende dag regende het, voor het eerst sinds twee weken. Het regende hard en langdurig. Het zag er niet naar uit dat ze naar het strand konden gaan.

De eerste morgenuren vond Regine genoeg afleiding in achterstallige bezigheden, maar toen de tijd verstreek en de somberte aanhield, voelde zij zich snel neerslachtig worden. Haar feestelijke stemming van de vorige dag leek plotseling overdreven en ongemotiveerd.

Wat was er helemaal gebeurd? Een aantrekkelijke man had haar een paar maal een dienst bewezen; meer niet.

Na verloop van tijd stopte ze de beide peuters, die haar innerlijke onrust aanvoelden en lastig werden, in hun bed voor een middagslaapje, vastbesloten zich door geen gehuil of geroep te laten verbidden. Ze móest nu even alleen zijn.

Lang stond ze voor het raam en keek de stille straat in, waarin zich steeds meer plassen vormden, die ze zag en toch niet zag, bezig als ze was om met haar op drift geraakte gevoelens in het reine te komen.

Ze dacht eraan dat ze nu vier achtereenvolgende avonden haar gebruikelijke loopje gemaakt had door de straatjes van het dorp, slenterend langs de snackbars en cafeetjes op het pleintje, zonder een glimp op te vangen van haar hulpvaardige badman, die ze voorheen toch zo dikwijls gesignaleerd had in gezelschap van zijn eendags-scharrels.

Meisjes waarvan ze nu wist dat ze als aspirant echtgenote stuk voor stuk gewogen waren en te licht bevonden. Wat betekende het dat ze hem niet meer zag, behalve dan aan het strand? Betekende het eigenlijk wel iets? Was het puur toeval? Liep ze hem en zijn huidige

vlam telkens mis, of máákte hij geen afspraakjes meer?
En wanneer dat het geval mocht zijn – had zij er dan iets mee te
maken? Ze kon dat niet geloven: hij waande haar immers een
getrouwde vrouw, en niets had erop gewezen dat het in zijn bedoeling lag haar tot een slippertje te verleiden.
Ze verwenste hartgrondig de weersverandering.
Nog één week, dan ging ze met Renate en Lilian terug naar
Amsterdam. Als de regen aanhield, die week, zag ze hem waarschijnlijk nooit weer.
Hoe had zij de vorige dag kunnen menen dat ze er goed aan gedaan
had, Ferry's dood zo lang voor hem te verzwijgen?
Alsof ze de garantie had gehad dat er nog tal van zonnige dagen en
evenzovele ontmoetingen zouden volgen, waarin zij opening van
zaken zou kunnen geven!
Een roekeloze, kortzichtige dwaas was ze geweest!
Nu hád ze een man ontmoet die haar aantrok, die haar meer had
opgewonden en dieper geraakt dan ze zichzelf tot dusver had willen bekennen, een man die leuk met haar kinderen omsprong, en
haar nota bene met zoveel woorden gezegd had, een vrouw te zoeken. En zij had haar mond gehouden, uit een soort dwaze, mis-
plaatste trots, die ze nu niet meer begreep, hem alle gelegenheid
latend om geruisloos uit haar leven te verdwijnen. Haar leven, dat
op de oude voet dreigde voort te gaan na deze vakantie, zo bloed-
arm en eentonig, dat de gedachte eraan haar opstandig maakte, en
haar deed huilen van spijt en ergernis.
De uren sleepten zich voort, via een grauwe middag naar een vroeg
invallende avond.
Regine las verhaaltjes voor, ze maakte boterhammetjes klaar en
waste kleverige handjes. Voor de tweede maal die dag bracht ze de
kinderen naar bed, ongeduldig ten opzichte van hun voortdurend
vragen-om-aandacht, zichzelf inwendig honend om haar onmiskenbare verliefdheid.
Ze besefte dat haar nerveuze spanning en innerlijke onzekerheid
haar als moeder beneden de maat hadden doen blijven, die dag.
Opnieuw stond ze voor het raam, alsof zij de regen op de een of
andere manier zou kunnen bezweren.
Het duurde tot een uur of halftien; toen klaarde de lucht op, een
aanwakkerende wind deed het wolkendek breken, en er kwamen

een paar sterren tevoorschijn. Om tien uur kon Regine het niet langer uithouden in het stille huis, waar de kleintjes verzonken lagen in hun eerste, grondeloze slaap.

Ze schoot haar regenmantel aan en trok behoedzaam de huisdeur achter zich toe.

Zij was de enige niet, die na de troosteloze regendag een luchtje dacht te scheppen: uit alle hoeken en gaten kwamen badgasten en dorpelingen opduiken, getweeën of in groepjes.

Muziek zwalpte uit de open deuren van de cafés, en bij de bekende trefpunten was het een drukte en gelach alsof de schade van uren er moest worden ingehaald.

Regine liep haar vertrouwde rondje, de handen gebald in de zakken van haar rode mantel, beurtelings zichzelf rechtvaardigend en verachtend om dit eenzaam, hunkerend voortgaan met oplettende ogen, op hoop tegen hoop.

Het was bij een grote kraam aan het eind van de dorpsstraat, dat ze de man die de hele dag niet uit haar gedachten was geweest, tenslotte zag staan.

Hij scheen in gesprek met een paar heel jonge meisjes, kinderen van een jaar of zestien.

Regine zag in één oogopslag dat ze hem verveelden, maar toch ergerde ze zich.

Toen hij haar opmerkte was er eerst een helle verrassing in zijn blik, toen, even onmiskenbaar, iets van wrevel.

Zij knikte hem toe in het voorbijgaan, doorlopend met het gevoel of ze een pop was met een mechaniekje erin.

Terwijl ze zich nog afvroeg hoe ze de wrevel in die blauwe ogen moest uitleggen, wendde Reyer Schuurman de twee tieners nadrukkelijk zijn rug toe en bracht haar tot staan met een duidelijk en niet te negeren: „Goedenavond, mevrouw Van Palland!"

Zijn stemgeluid deed de al te strak opgedraaide veer van het mechaniekje knappen, en Regine ervoer bevrijd dat ze weer kon ademhalen als een gewone, warme, levende vrouw. Ze keerde hem langzaam haar blozend gezicht toe: „O, dág," zei ze met volkomen ongekunstelde verlegenheid. „Is het niet vreemd dat ik nog steeds uw naam niet ken?"

Hij fronste verbaasd: „Wérkelijk niet? Ik heet Reyer. Reyer Schuurman."

„En ik heet Regine," stelde zij daar tegenover.

„Hé! En uw dochtertje heet Renate….Dat lijkt wel wat op elkaar."

„Dat klopt. Renate is in dit geval een samentrekking van Regina en Nathalie," legde zij uit.

Ze haalde diep adem.

De bakwalm maakte haar een beetje misselijk en ze was zich er hinderlijk van bewust, dat een oppervlakkig praatje als dit, gemaakt temidden van saamgedrongen jongelui voor een patatkraam, zich er allerminst toe leende enige belemmering tussen hen beiden uit de weg te ruimen.

Ze voelde nu weer zuiver aan waarom zij tijdens de voorbije dagen haar beslissende onthulling niet gedaan had.

Kon zij op dit moment die populaire zeeman aan zijn mouw trekken met de woorden: Hé zeg, luister es, jij denkt wel dat ik getrouwd ben, maar dat was in een vórig leven?

Dan zou ze net zo goed kunnen zeggen: Tast toe; ik sta tot je beschikking.

Er waren nu eenmaal dingen die je niet deed.

„Regina. Betekent dat niet koningin?" informeerde Reyer, dwars door haar paniekerig denken heen. „Mag ik u misschien iets aanbieden, majesteit?"

Hij maakte een weids gebaar naar de lijst van hartige hapjes die warm werden aanbevolen.

Regine schudde haar hoofd.

„Ik heb al meer dan genoeg frituurvet geroken, vanavond," zei ze eerlijk, „ik ga weer eens verder."

Alsof dit het magische woord was waarop de beide tieners hadden gewacht, zo prompt namen ze de jonge man weer in beslag. Met zijn tweeën hingen ze aan zijn arm: „Je zou ons trakteren, Reyer Schuurman, waar blijf je nu met je patat?"

Regine hoorde het hoge lachen van het ene meisje boven alle rumoer uit, terwijl zij haar wandeling hervatte.

Achter haar rug greep Reyer een handvol kleingeld uit zijn zak.

„Hier, koop zelf maar wat, kinderen," maakte hij zich van hen af, „saluut."

Binnen een minuut had hij Regine ingehaald.

„Ik loop zover met u mee, als uw reputatie dat tenminste gedoogt," verklaarde hij, kort en stekelig.

Zij stond op scherp, na wat ze zojuist had gezien en gehoord.

„Ik wil niemand van uw aangenaam gezelschap beroven, meneer Schuurman," merkte ze op, al even stekelig.

„Ach, hou toch op, wat kunnen mij die opdringerige grieten schelen?" deed hij grof.

Regine wist nu waarom zijn ogen zo wrevelig waren geworden, zoeven. Omdat hij juist weer in contact was met een paar van die opzichtige kinderen, toen zij kwam aanlopen. Hij moest het zich hebben aangetrokken wat zij die keer op het strand over zijn snelwisselende affecties had gezegd.

„U hebt het volste recht om u te amuseren met wie u wilt," stelde ze vast.

Het had redelijk moeten klinken, maar dat deed het niet. Ze hoorde zelf dat het klonk of ze het tegendeel bedoelde.

We kibbelen als jaloerse gelieven, dacht ze verbaasd, en ondertussen blijven we maar u zeggen, en meneer en mevrouw, alleen omdat we die vormelijkheid nodig hebben als een laatste wankele dekking om achter weg te schuilen.

„Ik amuseerde me niet in het minst," weerlegde Reyer Schuurman nors.

Toen viel er een langdurige stilte, waarin ze naast elkaar voortgingen tot aan het punt waarop de zee binnen hun gezichtsveld kwam.

Op die plek stonden ze stil, als bij onderlinge afspraak.

De lucht was meer en meer opengewaaid, en een smalle maan strooide lichtconfetti her en der op het donkere water.

Reyer was de eerste die weer sprak.

„Het is vrijdagavond," heropende hij het gesprek.

„Ja."

Zij wist niets anders te zeggen; het scheen dat al haar esprit haar ontvallen was.

„Interesseert het u wat ik deze hele week gedacht heb?"

„Ja," bekende zij, met beschaamde openhartigheid.

„Vrijdagavond begint het weekend," dacht ik. „Dan komt die kerel van haar over – hij moet wel gek zijn als hij het níet doet. Was dat logisch geredeneerd?"

„Ja," zei Regine voor de derde maal.

Het was weinig meer dan fluisteren, want haar keel zat dicht.

Maar van binnen voelde ze zich reeds warm en stralend openbloeien vanuit de stellige zekerheid dat haar de kans zou worden geboden om te gaan bouwen aan een nieuw geluk. Dank u wel, God, dacht ze nederig, o, dank u wel.

„Nu is het vrijdagavond," vervolgde naast haar onverbiddelijk de stem van Reyer Schuurman, „maar nóg loopt u moederziel alleen bij de weg."

Regine slikte haar ontroering weg.

„Hij is verongelukt," zei ze snel, verdere vragen voorkomend, „mijn man is verongelukt, Reyer, meer dan twee jaar geleden al. Lia was nog maar net geboren."

Hij wist zich geen houding te geven, toen de deur waartegen hij zonder noemenswaardige hoop op succes de eerste machteloze trap gegeven had, aan de andere kant onmiddellijk gastvrij werd opengedaan.

Reyer, had ze gezegd, met volstrekt nieuwe vertrouwelijkheid.

En haar man was dood. Niet werkzaam in het buitenland; zoals hij in dat laatste wonderlijke halfuurtje heimelijk had overwogen; niet gevangen gezet, niet in een inrichting opgenomen, niet spoorloos wegens kwaadwillige verlating.

Ze had geen man meer. Ze was vrij.

„Sorry," zei hij tenslotte, een beetje verbijsterd, „ik moet dit eerst even verwerken."

„Ik begrijp het. Laten we teruggaan; ik moet weer naar de kinderen."

Natuurlijk, de kinderen. Die zouden er altijd zijn, en hun rechten eisen.

Zonder woorden liepen ze terug naar het centrum van het dorp.

Daar sloeg Regine een zijstraat in; ze scheen het vanzelfsprekend te vinden dat hij haar vergezelde.

Hij wist niet waar zij tijdens haar vakantie verblijf hield. Misschien wel vlakbij. Die overweging maakte zijn tong los.

„Waarom kon je me dat niet meteen vertellen, Regine dat je weduwe bent?"

Zij schokschouderde: „De gelegenheid deed zich eenvoudig niet voor."

„Dat is niet waar, en dat weet je."

„Nou ja. Die eerste keer misschien. Maar toen was ik bepaald nog niet genegen je aardig te vinden."

Ze lachte even naar hem op, en hij vergaapte zich aan de kuiltjes in haar wangen.

„Later dan wel?" vorste hij gretig.

„Ja, later wel. Maar toen kon ik het niet meer ter sprake brengen, echt niet. Ik heb het overwogen, dat zeg ik je eerlijk, maar de opzettelijkheid ervan stuitte me tegen de borst. Het zou de schijn hebben gewekt dat ik mijzelf voor een zacht prijsje in de uitverkoop deed. En van dat soort ben ik niet, Reyer Schuurman, dat moet je goed begrijpen."

„Wat ik begrijp is dit, dat je van een heel dapper soort moet zijn, om jezelf zo hoog te houden. Een soort waar ik mijn petje voor afneem. Want je moet afschuwelijk alleen geweest zijn tijdens die twee eindeloze jaren, waarin je geen kant op kon vanwege die beide baby's."

„Ja," gaf ze redelijk toe, „ik leefde maar voor een kwart. Hóógstens."

Ze stond stil voor de deur van een klein, vrijstaand huis aan het eind van de zijstraat.

Hij legde zijn hand op haar arm; het was de eerste maal dat hij haar aanraakte.

„Regine," zei hij moeilijk, „je weet waar je met mij aan toe bent: ik heb een rommeltje van mijn leven gemaakt, deze zomer. Dat had jij ook kunnen doen. Ik ben blij dat je het niet gedaan hebt. Ben je bereid de kennismaking voort te zetten, zodat ik me ook eens een keer van een minder beroerde kant kan laten kennen?"

Regine knikte.

„Dat héb je al gedaan," corrigeerde ze. „Ik zal je mijn adres in Amsterdam geven. Vandaag over een week moeten wij al weer terug."

„Ik ga in september weer varen. Maar ik zal je schrijven, Regine. En jullie ook komen opzoeken daarginds, als ik in het land ben."

Ze kwam hem verder tegemoet dan hij onder de gegeven omstandigheden had durven verwachten.

„Daar hoef je niet per se mee te wachten tot we weer in Amsterdam zijn," zei ze plagend, „kom maar binnen, dan gaan we koffie zetten."

Regine liep meteen door naar de keuken, in het voorbijgaan haar regenmantel op een haak mikkend.

Sinds zij het geheim kwijt was dat haar de hele dag zo zwaar op de ziel gewogen had, voelde zij zich opgelucht, en heel wat onbevangener dan tevoren.

Reyer benijdde haar om die onbevangenheid.

Hij zag er nog geen kans toe zich los te maken van zijn onbehagen over het feit dat zijn escapades van vóór hun kennismaking zich als het ware onder haar ogen hadden afgespeeld.

Zij had indruk op hem gemaakt, speciaal tijdens hun tweede ontmoeting.

De hele resterende week had hij schuw om haar heengezworven, zonder enige pretentie, slechts met de bescheiden wens haar te mogen zien, haar af en toe de helpende hand te mogen bieden.

Ze was getrouwd; hij had dat geaccepteerd, hij moest wel.

Toch was het pech; het zette hem lelijk buiten spel, want geen enkele andere vrouw had nog attractie voor hem gehad.

Naarmate hun ontmoetingen zich vermenigvuldigden, was hij zich echter gaan afvragen of er niet iets wás met dat huwelijk van haar.

Dat ze tegen een wildvreemde vent als hij was met geen woord over haar echtgenoot repte, soit, maar ook in haar gebabbel met de kinderen kwam geen enkele maal een papa ter sprake.

Hij had zichzelf een termijn gesteld. Tót aan het weekend zou hij zijn mond houden; kwam er dan geen man op de proppen, dan vroeg hij haar eenvoudig bij hun eerstvolgend treffen waarom ze hier zo alleen aan zee was met die twee kinderen.

Zo ver was het niet eens gekomen.

Zodra hij op ondubbelzinnige wijze had laten blijken hoeveel belang hij in haar stelde, had ze zonder koketteren of interessantdoen haar kaarten op tafel gelegd.

Ze wilde hem een kans geven, dat was duidelijk.

Maar hoe bitter ze zelf ook om een man verlegen mocht zitten, ze zou hem niet nemen wanneer hij niet aan bepaalde normen voldeed, dat had hij inmiddels wel begrepen.

Het maakte hem onzeker. Hij had niet zo'n hoge dunk meer van Reyer Schuurman. Waar begon hij aan?

Dit was maar niet zo'n banaal spelletje waarvan hij de regels uit zijn hoofd kende. Dit lag op een volkomen ander niveau.

Kon hij het wel waar maken?

Twee kinderen, dacht hij beducht, twee kinderen voor wie je verantwoordelijkheid aanvaardde, die iets van je zouden verwachten. Die iets van je mochten verwachten, als het je ernst was met de wens dat je verliefdheid voor hun moeder de kans zou krijgen om tot een volwassen liefde uit te groeien. Staande in het gangetje van de woning die ze zojuist waren binnengegaan, zag hij hoe Regines mantel langzaam naar beneden gleed van de haak waar ze die zojuist nonchalantweg had opgemikt.

Automatisch, vol van de vele gedachten die door hem heenjoegen, raapte hij het kledingstuk op – hij was van nature een ordelijk mens – en voelde dat het de warmte van haar lichaam nog vasthield.

Die warmte kalmeerde hem als de vertroostende aanraking van een zachte hand. Misschien is dat kind van haar maandagmiddag niet voor niets verdwaald, dacht hij bevrijd, plotseling veel rustiger; als het zo beschikt is dat wij beiden elkaar moesten ontmoeten en over en weer verliefd worden, dan zal het ook verder wel in orde komen.

Regine kwam om een hoekje kijken: „Waar zit je toch?"

„Ik vond iets van je, onder de kapstok. Je zou er van opkijken als je wist hoeveel stof tot mediteren er in zo'n klein rood manteltje zit!"

Hij volgde haar de keuken in, trok een kruk onder de tafel uit en ging daar op zitten, toekijkend hoe zij koffie zette.

Op haar verzoek haalde hij even later kopjes uit de woonkamer.

„Wat een wonderlijk huis is dit," zei hij, terugkerend met het gevraagde. Hij keek om zich heen in het keukentje, dat de charme vertoonde van geblokte gordijntjes en valletjes, heel erg verschoten weliswaar, en van een veldboeket in de vensterbank, maar waar een enorme koelkast vrijwel het enige moderne comfort vertegenwoordigde.

„In die kamer," constateerde hij, „staat voor een slordig kapitaaltje aan geluidsapparatuur en dure leren clubs, maar 't is een vertrek dat nu net niets gezelligs heeft: nog geen plantje, nog geen schemerlamp, niets. Wat rondslingerend speelgoed van jouw kinderen, dat is het enige. En dan als contrast zo'n bijna onaangeroerd vooroorlogs keukentje, dat kennelijk aan de aandacht van die sfeervermoorders ontsnapt is!"

Regine lachte om dat zelfgemaakte woord.

„Ik zit niet voor niets zo vaak hier," zei ze. „'t Is de vrouwenhand die je mist, daarbinnen. Dit is een echte vrijgezellenwoning."

„Heb je het huis gehuurd?"

„Nee, ik mocht er zes weken gratis in. Aardige vrijgezel, hè?"

„Hij moet een heleboel met je ophebben," stelde Reyer weinig geestdriftig vast.

„Je hoeft niet jaloers te zijn," suste zij, hem zonder moeite doorziend, „hij zit veilig in het buitenland. Ik dank dat mooie aanbod alleen aan zijn oude vriendschap met mijn man. Hij is namelijk ook coureur, net als Ferry was, en hij zit de hele zomer vast op de diverse races."

Dit was weer iets nieuws voor Reyer om te overdenken. Uit haar hele manier van optreden begreep hij dat zij het verlies van haar verongelukte coureur goeddeels verwerkt moest hebben. Maar die vriend zat hem nog dwars.

„Als ík die vrijgezel was," zei hij abrupt, „dan had ik jou allang voorgoed hierheen gesleept. Onder meer om dit gekke lege huis een ziel te geven."

„Dánk je!" reageerde Regine met vonkenspattende ogen, „hij is een beste jongen, daar niet van, maar we zijn ab-so-luut elkaars type niet! Stel je iemand voor die eenvoudig verslaafd is aan de moderne hartstocht die snelheid heet, maar tegelijk zo bijgelovig als een middeleeuwer, iemand die overal mascottes en amuletten mee naar toe sleept. Nee, niks voor mij. Ik heb hem onlangs nog in zijn gezicht gezegd dat een mens wat béters moet hebben om zich op te verlaten, maar we zijn het er niet over eens geworden."

„Ik hoop van harte, dat wij het over dergelijke dingen wel eens zullen worden, als jij die zo belangrijk vindt," verklaarde Reyer met ernstige ogen.

„Ze zijn belangrijk," verbeterde zij, „speciaal als de nood aan de man komt; ik weet het toch uit ervaring!"

Hij begreep dat zij nu dacht aan het ongeluk dat haar bestaan tot in zijn voegen had doen kraken.

Hij vroeg zich vergeefs af wat hij zeggen moest. Maar Regine verbrak zelf de wat pijnlijke stilte en verwoordde haar gedachten voor hem, nog eenmaal op het onderwerp terugkomend: „Overigens zou ik nooit weer met een coureur trouwen, Reyer, nooit weer. Ik zou dat allemaal niet nóg eens kunnen doormaken."

Ze bleven in de keuken hangen, en dronken daar de koffiepot leeg, tegenover elkaar aan het kleine tafeltje.

Hun ogen – de zijne een weinig blauwer dan de hare – hielden elkaar lange tijd vast, peilend, veroverend; ook wel verlegen retirerend voor een korte poos.

Tenslotte noodde Regine, opnieuw de geladen stilte tussen hen verbrekend: „Vertel eens wat over jezelf!"

„Wat wil je weten? Alles? Dat is veel, hoor!"

„Ongetwijfeld," beaamde zij plagend, „maar het mag wel in afleveringen, als je bang bent dat het anders te laat wordt."

Hij overtuigde haar dat dát zijn minste zorg was, en schilderde met een vernis van ironie zijn verre van ideale jeugd als kind van slechtharmoniërende ouders, waarvan de vader na de scheiding hertrouwd en geëmigreerd was, en de moeder zich meer en meer gedistancieerd had van de opgroeiende jongen, die ze niet anders had kunnen zien dan als een levende herinnering aan haar ongelukkigste levensperiode, zodat hij al vroeg zelfstandig zijn weg had moeten zoeken. Over de studiejaren vertelde hij, vrolijk en eenzaam tegelijk, toen hij zijn opleiding volgde tot machinist; over het leventje dat hij in die hoedanigheid aan boord had geleid tot dusver.

Al luisterend nam Regine ieder detail van zijn uiterlijk in zich op. Hij was iemand van normale lengte, donkerblond, gladgeschoren en vrij mager, zodat het de schijn had dat zijn door zon en zeewind gelooide huid wat aan de ruime kant was.

Zijn wenkbrauwen waren opvallend zwaar, en zijn neus was wat te groot, maar het misstond hem volstrekt niet, integendeel. Regine kwam tot de slotsom dat deze schoonheidsfoutjes het mannelijke van zijn verschijning alleen maar beklemtoonden.

Met een gevoel van saamhorigheid om het verzwegen verdriet dat onmiskenbaar tussen zijn nuchtere woorden had doorgeschemerd, vertelde ook zij het een en ander van haar achtergrond en omstandigheden.

Tijdens hun gesprek kierde plotseling de keukendeur open. Door de ontstane spleet vingen ze een glimp op van de kleine Renate in haar blauwe ponnetje. Een bloot voetje stond parmantig op de drempel.

„Met wie praat jij, mama?" informeerde ze met een verontwaardigde ondertoon in haar stem. „Jij praat anders nooit als het donker is. Ik kan helemaal niet meer zo goed slapen als ik zoveel praten hoor!"

De deur draaide verder en verder open; tenslotte stond het meisje, als een plaatje zo scherp, afgetekend tegen het duistere, gapende gat van de onverlichte gang.

„Je bedoelt dat je nieuwsgierig was wie er bij mama in de keuken zat," vertaalde Regine plagend, het kind op haar schoot trekkend. „Kijk dan maar eens goed, Renate, wie daar zit. Nou, weet je het al?"

De peuter duwde even met een verlegen gebaar haar gezichtje tegen Regines borst, maar direct daarop gluurde ze al voorzichtig onder haar wimpers door naar Reyer en vroeg met een allerliefst, meewarig stemmetje, blijkgevend dat ze hem wel degelijk herkende: „Heb jij jouw pet en jouw toeter verliest?"

Hij schoot in de lach.

„Nee hoor, ik heb er goed op gepast. Morgen heb ik ze weer bij me. Goed?"

Terwijl Regine haar dochtertje wat te drinken gaf, verliet zijn vrolijkheid hem echter.

Hij realiseerde zich geschokt, hoe tekenend die verbazing van het kind was geweest over het simpele feit dat haar moeder met iemand práátte, 's avonds.

Dat hield niets meer of minder in dan dit, dat zij hier nu al vijf weken lang in gedwongen zwijgen avond aan avond alleen had gezeten. En hoe oneindig veel eenzame avonden in Amsterdam waren daaraan al voorafgegaan?

Het deed zeer aan zijn hart, toen hij zich dat bewust werd.

Op dat moment legde hij zichzelf voor het eerst in ernst de vraag voor, of hij het Regine wel mocht aandoen van haar een zeemansvrouw te maken, en haar zodoende opnieuw tot een eindeloze reeks van stille avonden en lege nachten te veroordelen.

Hij werd er stil van.

Niet lang daarna, nog vóór het kind weer naar boven was, nam hij plotseling afscheid, zichzelf bewust de pas afsnijdend tot voorbarige intimiteiten, doordrongen als hij was van een nieuw verantwoordelijkheidsgevoel, dat hem noopte tot nadenken alvorens iets te ondernemen, en zo nieuwe fouten te voorkomen. Regine echter begreep de oorzaak van zijn wat overhaaste aftocht niet. Ofschoon zij zichzelf probeerde wijs te maken dat die door het late uur ruimschoots te excuseren viel, ging ze onbevredigd slapen.

Er moest ergens een kortsluiting geweest zijn, maar zij vond er geen, hoe lang ze ook piekerde.

Hoewel het half twee was voor zij in bed stapte, duurde de nacht zeer lang.

HOOFDSTUK 5

Al was het de volgende morgen dan ook droog, stralend was het weer bepaald niet. Maar zeven paarden hadden Regine niet bij de zee vandaan kunnen houden: de vorige dag met zijn vele uren van verplicht binnen blijven, heugde haar nog te goed. Het liefst zou ze een kilometerslange wandeling gemaakt hebben om haar ongedurigheid eruit te lopen, in een fors tempo en dwars tegen de bolle wind in. Maar dat kon nu eenmaal niet – om de kinderen.

Ze ging eens poolshoogte nemen, buiten, en overwoog dat het eigenlijk te fris was voor het strand.

Toch bond ze de twee scheppen die ze hadden aan de strandkar en trok de kinderen hun kleurige trainingspakjes aan. „We gaan een groot fort bouwen," vertelde ze hen, zich tot enig enthousiasme opwerkend, „als we hard graven, blijven we wel warm. Voor Lilian kopen we er onderweg een klein schepje bij, en we vragen in de winkel ook om een mooie vlag, om boven op de berg te zetten."

Renate liep gelukkig dadelijk warm voor het plan.

Zij was een ondernemende kleuter met een eigen willetje en een heftig temperament. Lia daarentegen was een rustig kind, dat zich altijd lief en blijmoedig naar alle omstandigheden schikte.

Het was niet druk aan het strand, maar Reyer Schuurman was er natuurlijk beroepshalve. De zee scheen gevaarlijk; er werd herhaaldelijk gewaarschuwd, en Reyer diende extra attent te zijn op roekeloze zwemmers.

Een paar maal wisselden ze een armzwaai als hij op enige afstand langsliep. Het scheen Regine een eeuwigheid voor hij naar hen toekwam, en zelfs toen bleef hij maar even. Ze maakten een oppervlakkig praatje over het weer en de zee, en over het fort in aanbouw. De kinderen lieten hem opgetogen de vlag zien die mama gekocht had.

Hoewel hij zich belangstellend genoeg betoonde, bleef bij Regine de indruk bestaan dat er ergens iets niet goed zat. Het maakte haar nerveus en kortaangebonden.

Na verloop van tijd, toen Renate onbeheerst driftig werd omdat het jongere zusje – in haar nog ongerichte graafijver – meer bedierf dan tot stand bracht, deelde Regine al even onbeheerst-driftig een paar tikken uit. Het kind huilde en bleef nog lange tijd mokken.

Reyer Schuurman liet zich niet meer bij hen zien, en al met al bleek de morgen niet zo'n succes.

Ook het weer werd er niet beter op.

Regine had ditmaal geen brood meegenomen, omdat ze 's middags haar boodschappen voor het weekend nog moest doen, en ze was tenslotte bijna blij met het excuus van etenstijd om te kunnen inpakken.

Ze ergerde zich aan haar eigen ongedurigheid. Eerst wilde ze uit huis weg, dan weer van het strand; wat hád ze toch?

Ja, wat had ze? Toen ze eindelijk ophield verstoppertje te spelen met zichzelf, wist ze heel goed wat haar scheelde.

Haar zinnen waren geactiveerd door dat veel te langdurig kijken – recht en roekeloos – in een paar helle ogen die beurtelings vroegen en beloofden, die het opgehoopte en verdrongen verlangen van vele, vele maanden hadden losgewoeld, zonder het nog te stillen.

Theoretisch had ze er alle begrip voor dat Reyer, speciaal na de onverbloemde kritiek die zij op zijn vroegere aanpak van de dingen had geuit, nu niet te hard van stapel wilde lopen.

Maar haar onrustig bloed had lak aan alle theorie.

De hele miezerige middag lang worstelde ze met de vragen waarom Reyer zich die morgen zo op een afstand had gehouden en waarom hij er tijdens hun al te kortstondige treffen dermate ernstig en nadenkend had uitgezien of hij met zichzelf in een innerlijk conflict verwikkeld was.

Reyer was inderdaad met zichzelf in conflict.

In de eenzaamheid van een vrijwel doorwaakte nacht had hij de overrompelende gang van zaken tijdens die late avonduren over-dacht en verwerkt.

Tot zichzelf inkerend realiseerde hij zich beschaamd, voor de volstrekt eerste maal deze zomer, hoe weinig hij bij zijn uitkijken naar een eventuele partner eigenlijk aan de belangen en wensen van de andere partij had gedacht.

Hij had iets gewild voor zichzélf, een vaste relatie met een leuk, sexy typetje, dat ook nog wat geest en beschaving diende te hebben. Zij zou hem in de toekomst het tehuis moeten bieden dat hij sinds zijn prilste jeugd ontbeerd had, een thuis waarop hij na iedere reis weer zou kunnen terugvallen.

Wat de meisjes die op zijn avances waren ingegaan zélf mogelijkerwijs aan dromen en illusies hadden meegebracht – hij had er nooit bij stilgestaan. Het was ook zo snel weer van de baan geweest, iedere keer.

Na één, hooguit twee avonden van samenzijn wist hij al op het verkeerde paard gewed te hebben, voelde hij al weer dat het niet klikte, door welke oorzaak dan ook.

In het begin had hij nog zorgeloos kunnen denken: nou ja, meisjes genoeg, geen hand vol maar een land vol, en de praktijk scheen hem in het gelijk te stellen. De meesten waren maar ál te happig op een rendez-vous, en lieten zich zonder slag of stoot versieren.

Hij had ze er in stilte om veracht, intussen hardnekkig en zeer inconsequent op de oude voet voortgaand, misschien wel in de onbewuste hoop dat hij tenslotte eens iemand zou treffen met karakter, die haar eigen eisen zou durven stellen.

Maar al doende had hij een steeds viezere smaak in de mond gekregen, nog het meest van zichzelf, tot hij ten laatste avond na avond in zijn eentje doorbracht, achteroverliggend op zijn bed met een boek of een krant.

Het was in die gemoedstoestand dat hij Regine leerde kennen.

Regine, die aan al zijn heimelijke wensen voldeed, al was zij, zeker wat haar maten betreft, geen schoonheidskoningin. Ad rem was ze, karaktervol en van een prikkelende aantrekkelijkheid; maar onbereikbaar.

Wat geen enkele vrouw nog ooit in hem wist te wekken, had zij in hem wakker gemaakt: een onberedeneerde beschermingsdrang, een verlangen om de opgaven waarvoor zij gesteld was, zoveel als hem mogelijk was te verlichten.

Hij had dat geprobeerd, het – met een behoedzaamheid die hij van zichzelf niet kende – vermijdend om brokken te maken in haar leven door haar vermeende huwelijk te ondermijnen.

Achteraf begreep hij, dat slechts die bereidheid om eens andermans geluk boven het zijne te laten prevaleren een afdoende bewijs was voor het feit dat hetgeen hij voor Regine voelde liefde mocht heten.

Juist dát, en niet zijn bewondering voor haar slagvaardigheid, zijn gevoeligheid voor haar charmante kuiltjes, haar rijpe vormen.

Hij lag maar wakker die nacht, uur na uur, helemaal overweldigd door dat verrassende, totaal nieuwe dat met haar in zijn leven was gekomen, bewust proevend het bitterzoete geluk van een zorgend en gevend, zichzelf wegcijferend beminnen, dat zulk een geheel andere smaak bleek te hebben dan hetgeen hij voorheen voor liefde had aangezien.

Het had allemaal volmaakt kunnen zijn, als zijn gevoel van welbevinden niet was aangevreten door de vrees dat hij Regine in een gezamenlijke toekomst tekort zou doen door de vele en lange afwezigheden die zijn beroep meebracht.

Na alles wat zij al had meegemaakt en ontbeerd, had ze nu toch eindelijk wel eens recht op een normaal, dagelijks huwelijksgeluk, op meer dan hij haar kon aanbieden.

Want dat was toch in feite niets anders dan een gecontinueerd alleen-zijn, van tijd tot tijd slechts onderbroken door een paar wilde dagen en nachten, om gulzig alle achterstand in te halen.

Kon hij haar dat wel aandoen?

Maar alleen al de simpele overweging, dat dan te zijner tijd een ánder dan hij haar leven en haar bed zou delen, een ander met haar zou koffiedrinken, zou luisteren naar haar lieve stem die vertellend en verklarend een web van vertrouwelijkheid weefde – alleen die overweging al maakte dat hij heet van ergernis en afgunst het dek van zich afsmeet.

Die nacht en de hele volgende morgen werd hij heen en weer geslingerd tussen zijn verlangen haar binnen de kortste keren ten huwelijk te vragen, én zijn wens alleen datgene te doen of te laten dat háár geluk zou dienen.

Het weerzien met Regine, die zaterdagmorgen aan het strand, had deze tweestrijd alleen maar toegespitst.

Pas door de uren heen groeide hij toe naar een beslissing, die diep in zijn leven zou ingrijpen. Een beslissing die – naar hij voelde – enige tijd vergde, om terdege overwogen te kunnen worden.

Toen hij die nacht ver na twaalven afscheid had genomen van Regine, hadden ze afgesproken dat hij de volgende avond zou terugkomen.

Naar die ontmoeting leefden ze toe, elk op zijn eigen manier.

Regine had de gewraakte vrijgezellenkamer, waaraan zij langzamerhand al een beetje gewend was, opnieuw met kritische ogen bekeken, en met middelen die haar ten dienste stonden wat warme, levende accenten aangebracht: bloemen, kaarsen, een grote schaal fruit, een handwerk waaraan zij bezig was, wat boeken en tijdschriften her en der.

Vreemd, dacht zij daarbij, dat je je zoveel méér moeite getroostte om sfeer te scheppen, wanneer je iemand verwachtte die daar gevoelig voor was.

Ze had geaarzeld of ze de kinderen vroeg naar bed zou brengen óf ze voorlopig zou laten opblijven om als bliksemafleidertjes te dienen. Maar toen het er op aankwam, werd de beslissing daarover haar uit handen genomen, want Reyer Schuurman was er al voor halfzeven. Hij kwam achterom, en overliep haar terwijl ze bezig was de afwas te doen.

Regine wierp een snelle, onderzoekende blik op zijn gezicht.

Toen ze zag dat het zorgelijke, onzekere van 's morgens uit zijn ogen verdwenen was, herademde ze en verzoende zich met zijn onverwacht-vroege komst, hoewel het haar dwarszat dat ze zich nog niet had opgeknapt.

Maar Reyer scheen daarvan geen weet en geen last te hebben.

„Hoe speel je het klaar," zei hij bij wijze van begroeting, „om er elke dag nog weer liever uit te zien dan de vorige!"

„Goeienavond," gaf zij terug, met een verhoogde kleur vanwege deze overrompeling, maar ze kon toch niet laten hem even op de vingers te tikken: „Hoewel je op dit uur eigenlijk nog nauwelijks van avond kunt spreken!"

„O, ben ik te vroeg?" begreep hij pienter. „Sorry hoor, maar ik kon echt niet langer wachten!"

„En ik dacht nog wel dat je spijt gekregen had, sinds gisteravond," biechtte Regine.

215

„Spijt? Je bent gek. Waarom?"

„Omdat je vanmorgen zo anders was. Zo nadenkend. Alsof je niet goed wist wat je met ons aan moest."

Nu was het zíjn beurt om verlegen te worden.

„Jij merkt ook alles, zeg! Ik vertel je straks wel wat ik allemaal bepiekerd heb. Als dat kleine gespuis van de vloer is."

Hij plukte Lilian van de vloer, die de keuken was komen binnen-dribbelen, en toonde zich verrast toen ze dadelijk haar armpjes om zijn hals sloeg.

„Je jongste dochter is aanhaliger dan de oudste, Regine," consta-teerde hij, „toen ik die op mijn arm nam, was het trappen en schreeuwen geblazen. Welke van de twee lijkt op haar moeder?"

„Dat moet je zelf maar uitvinden," plaagde Regine.

Ze was klaar met haar bezigheden en riep Renate uit de woonka-mer, die grote ogen opzette toen ze Reyer zag.

„Kom jij alwéér bij ons?" verbaasde ze zich, haar hoofdje schuin achterover in aandachtige beschouwing van zijn ongedekt hoofd. „Héb jij nou jouw pet en jouw toeter meegebrengt?"

„Welnee meisje, die had ik vanmorgen immers bij me, op het strand? Nu heb ik wat anders: voel maar eens in mijn zak. In deze." Renate stak dadelijk een vrijmoedig handje in de zijzak van zijn jasje en bracht met een opgetogen gezicht een pakje tevoorschijn waaruit twee kermistoeters kwamen in oogbedervende kleuren, die beide kinderen een verrukt kreetje ontlokten. Reyer wees ze hoe het speelgoed werkte, en hield direct daarop in paniek beide handen tegen zijn oren.

„Wat ben ik begonnen?" klaagde hij met stemverheffing, dwars door het tweestemmig lawaai heen.

Dat zul je je nog wel vaker afvragen, dacht Regine vluchtig, maar ze zei het niet.

Dit waren kostbare ogenblikken, die tot kostbare herinneringen rij-pen zouden, en Reyers ogen waren te gelukkig om ze – door welke zure opmerking dan ook – te laten verduisteren. Het leven zou hem vanzelf wel leren dat kinderen-bezitten een voortdurend balance-ren betekende tussen vreugde en ergernis.

De twee peuters leefden zich een minuut of vijf uit op hun toeters; toen vond Regine het welletjes voor die avond, en kondigde aan dat het bedtijd was. Als pleister op de wonde mochten ze Reyer laten zien waar ze sliepen; vooral Renate scheen daar zeer op gebrand. Hij bleek met zijn luidruchtig geschenk definitief haar sympathie gewonnen te hebben, want hij mocht haar zelfs naar boven dragen. Regine nam Lia voor haar rekening.

Renate kwam dadelijk met haar verrassing op de proppen: ze wees Reyer apetrots, dat ze tijdens de vakantie in een grotemensenbed sliep. Hij speelde het spel mee, en toonde een gepaste bewondering.

Regine vertelde terloops dat het ledikantje van Lia per vrachttaxi uit Amsterdam hier naar toe was gebracht, met alle andere bagage, beddegoed, kleren, schoenen en speelgoed, en dat deze kleine volksverhuizing de volgende week in omgekeerde richting zou moeten plaatsvinden.

Hij bedacht wat zij allemaal te regelen had gehad, en herinnerde zich de efficiënte manier waarop ze aan het strand met tuigjes en naamkaartjes een maximum aan veiligheid voor haar kinderen had gewaarborgd.

Ondertussen bukte hij zich om de constructie van het kinderledikantje te bekijken.

„En wie heeft dat geval nou weer in elkaar gezet voor je?" wilde hij weten.

Ze keek hem verbaasd aan.

„Ikzelf," zei ze, „wie anders?"

„Jij bent eventjes een zelfstandige vrouw!" merkte hij op.

„Jawel," spotte zij, „maar de zelfstandigheid komt me neus en oren uit, af en toe. Als het móet, weet je, is het helemaal zo leuk niet meer om in alles je eigen baas te zijn. Ik was er niet voor niets zo gevoelig voor, van de week, dat jij me het een en ander uit handen nam!"

Terwijl ze praatten gingen haar handen door met het uitkleden en wassen van haar kinderen. Reyer leunde tegen een vensterbank, en liet geen oog van haar af.

„Dus," recapituleerde hij, „dat je mij een kans gaf, dank ik meer aan mijn hulpvaardigheid dan aan mijn mooie ogen."

Zij keek op. Ze lachte net niet, maar al haar kuiltjes waren weer present.

„O, héb je die dan?" informeerde ze blank, „jongen, ze hebben je over het paard getild!"

Renate, het oude spreekwoord waarmakend dat kleine potjes grote oren hebben, dook als een aal onder haar moeders natte handen uit: „Heb jij een paard? Breng jij morgen jouw paard mee?"

Regine, die er zelf sinds lang mee opgehouden was zich over Renates invallen te verbazen, proestte om Reyers verbluft gezicht. Maar juist dat moment koos de rondscharrelende Lilian uit om met haar hoofd tegen de scherpe rand van een kast te vallen.

Reyer had haar het eerst te pakken.

Even wist hij niet wat hij met het huilende kind aanmoest, maar toen hij Regines ontstelde ogen ontmoette, waaruit plotseling alle lust tot plagen geweken was, vergat hij zichzelf en knikte haar geruststellend toe.

„Het valt mee," zei hij bezwerend, en zonder dat iemand hem onderrichtte vond hij vanuit een soort oerinstinct de juiste gebaren om het hevig geschrokken kind te sussen en tot bedaren te brengen.

Veel later pas zou hij beseffen dat dát het moment was geweest waarop hij begonnen was zich vader te voelen.

En al die tijd stond Regine met verwonderde ogen naar hem te kijken.

HOOFDSTUK 6

„Hè, hè," verzuchtte Reyer spontaan, toen ze zich tenslotte als volwassenen onder elkaar hervonden op het kleine overloopje.

Het kwam hem voor of het onwaarschijnlijk stil was ineens, zonder getoeter, zonder gehuil en zonder het gekwetter van kinderstemmetjes.

Regine had op die verzuchting een laconiek commentaar. „Iedereen die kleine kinderen heeft, beleeft tussen vijf en zeven uur 's avonds een slijtageslag. Je had jezelf heel wat bespaard als je een wat gangbaarder uur had uitgezocht om op bezoek te komen!"

Voor hem uit liep ze de trap af, over haar schouder naar hem opziend haar opmerking afrondend: „Maar misschien is het juist wel goed, zo. Nu weet je meteen wat er allemaal bij de transactie is inbegrepen!"

Beneden gekomen hield hij haar staande door zijn handen op haar schouders te leggen: „Hé zeg, je denkt toch niet dat ik mij laat afschrikken door dit soort toestanden? Ik neem aan dat Lia niet elke avond zal vallen."

„O jawel," onderbrak Regine hem met een nerveus lachje, „'s morgens en 's middags trouwens ook, te vaak om op te noemen. En Renate steekt overal op ieder moment van het etmaal haar eigenwijze snaveltje tussen. Je hebt echt niets bijgewoond dat hier niet aan de orde van de dag is."

„En wat wil je daar nu eigenlijk mee zeggen?"

Ze lachte niet meer. Haar ogen stonden groot en heel ernstig in haar kinderlijk gezicht, toen ze zei: „Je hebt mij bij een bepaalde gelegenheid verteld dat je een vrouw zocht, en het was niet moeilijk te begrijpen dat je sindsdien aan mij gedacht hebt in dat verband. Maar al ben ik volop vrouw – ik ben ook nog volop moeder van twee kinderen. Je moet goed weten waar je aan begint, Reyer."

„Dus daar heb jij over getobd."

„Een beetje wel, eerlijk gezegd. En jij dan?"

„Ik heb vrijwel de hele nacht wakker gelegen om te piekeren over iets waar Renate gisteravond laat in haar kinderlijke onschuld mijn aandacht op vestigde, toen ze verontwaardigd naar beneden kwam omdat jij zomaar práátte met iemand.

Sindsdien heb ik die eindeloze rij van saaie avonden en lege nachten voorbij zien trekken die achter je lagen, Regine, en ik heb me in ernst afgevraagd of ik het je wel mocht aandoen, om na dat alles uitgerekend een zeemansvrouw van je te maken, omdat dat verdacht veel op een nieuwe veroordeling tot eenzame opsluiting zou lijken. Ik dacht dat jij, na de prestatie die je de laatste jaren geleverd hebt, toch op zijn minst een man verdiende die lijfelijk aanwezig was, iedere dag, iemand met wie je alles samen zou kunnen doen."

Ja, morgen brengen, de mannen liggen nogal voor het opscheppen, dacht zij wrang, in een voorbijflitsend ogenblik; en al lágen ze voor het opscheppen, wist ze meteen daarop, ik hoef ze niet meer. Jóu wil ik, zeeman of geen zeeman.

Maar tegelijk besefte ze dat hij het bij het rechte eind had, dat de prijs voor dit geluk heel hoog zou zijn, té hoog wellicht.

Ze kon niet helpen dat haar ogen vol tranen liepen om het beeld dat zijn woorden hadden opgeroepen.

Alles samen doen. Ja, daarnaar had ze verlangd, wanhopig verlangd. Het kon niet, ze begreep dat wel. Maar alleen al het feit dat hij het tot een punt van overweging gemaakt had, was als balsem op haar eenzaamheid.

„Misschien fiks ik het toch wel, als zeemansvrouw," opperde ze koppig, door haar tranen heen, „met een training als de mijne."

Dat was teveel voor Reyer.

„En het gebeurt níet," zei hij verbeten, en schudde haar door elkaar, „jij dappere kleine bliksem, hou óp met huilen."

Zij begreep er niets van; ze wist alleen dat ze vlak bij hem was, veel dichterbij nog dan tevoren, en dat hij haar kuste tot zijn gezicht net zo nat was van haar tranen als het hare.

Ze wreef haar wangen droog tegen zijn shirt.

„Ik verlang een verklaring," klaagde ze haar nood. „Jij kunt nu wel zeggen: het gebeurt niet! op een toon of je woest bent, maar dan gebeurt er juist van alles. Je maakt me helemaal in de war!"

„Ik zal het allemaal uitleggen," beloofde Reyer met een geamuseerde glimlach.

„Vóór of ná de koffie?"

„Tijdens," vond hij een compromis.

Regine had haar kuiltjes al weer terug.

„Heb je lucifers?" was haar volgende vraag, die hem verbaasd deed fronsen.

„Jawel," zei hij.

„Steek jij dan in de zitkamer alvast een paar kaarsen aan. Ik kom zó bij je."

Ze zette koffiewater op en holde toen naar boven. Daar verfriste ze bij de wastafel op haar slaapkamer haar gloeiend gezicht met een massa koud water; ze schoot een feestelijk jurkje aan, haalde een kam door haar haar en deed wat crème en poeder op haar neus. Nog een zuinige druppel van het heerlijke parfum dat ze eens cadeau kreeg in het kuiltje van haar blote hals.

„Zo, dat was een record, Regine," zei ze tegen haar spiegelbeeld.

Ze schrok bijna van het gretige, fel-levende gezicht dat haar aanzag. Zó ziet iemand er dus uit die voor het eerst sinds jaren vakkundig gezoend is en het heerlijk vond, dacht ze nog snel.

Toen was ze al weer op weg naar beneden.

Reyer was de woonkamer binnengegaan.

Het verraste hem dat het vertrek zo'n totaal andere aanblik bood dan de vorige avond, toen hij het daar met één lange, taxerende blik wel bekeken had.

Hij registreerde stuk voor stuk de dingen die voor deze verandering verantwoordelijk waren: zonnebloemen in de donkere hoek die volgens hem om een schemerlamp gevraagd had, kleine roosjes op de lage tafel, een bak met appels en druiven, kaarsen overal.

Wacht, die moest hij voor haar aansteken.

Hij ging rond in de kamer, en hoe meer vlammetjes er bij kwamen in de vallende schemer, hoe meer hij ontwaarde aan persoonlijke accenten: een sprookjesboek met platen, dat Renate bij zijn komst kennelijk open op de bank had achtergelaten, breinaalden met kleurige bolletjes wol, pantoffeltjes die onder een stoel uitpiepten.

Dat Regine die kale boel inderdaad een ziel had weten te geven – voor hém, het maakte hem helemaal warm van binnen.

Hij was in zijn leven nooit met huiselijkheid verwend.

Jarenlang had hij het bestaan geleid van een sleutelkind, dat na schooltijd zichzelf moest zien te redden.

Driftige of zuchtende uitlatingen van zijn moeder, die altijd vermoeid thuiskwam van haar werk, hadden hem al vroeg bijgebracht dat zijn vader haar jeugd gestolen had, en dat het simpele feit dat híj bestond haar in haar mogelijkheden beknotte tijdens de weinige, kostbare jaren die nog restten voor ze oud zou zijn.

Het had een kind van hem gemaakt met twee gezichten. Onder vrienden betoonde hij zich de spontane branie die hij van nature was, maar thuis gedroeg hij zich stug, en was niet zelden brutaal, om het verdriet dat hem heimelijk aanvrat te overschreeuwen.

Later had hij diverse redelijk prettige jaren op internaten doorgebracht. Daarna waren er huurkamers geweest, in zijn vakanties hotels en pensions, en overigens natuurlijk het leven aan boord.

Opnieuw keek hij de feestelijk aangeklede kamer rond.

Het was als een thuiskomen – en nu was dit nog niet eens Regines éigen leefsfeer.

Regine. Hij kon zich een toekomst zonder haar al volstrekt niet meer voorstellen. Hoe kon iemands leven in één week tijd in een dusdanige stroomversnelling raken?

Toen hij haar na verloop van enkele minuten hoorde op de trap, en even later geluiden uit de keuken hem bereikten, ging hij haar achterna.

Zij schonk juist de koffie op. Ze wendde haar hoofd om en zag hem in de deuropening staan.

„Regineke," zei hij geroerd, „als je óóit eer van je werk gehad hebt, dan nú wel!"

„Voel je je meer thuis in die kamer dan gisteren?" begreep zij met een lachje.

„Kind!" barstte hij los, „weet je wel dat ik nooit meer een echt thuis heb gekend sinds ik acht was, en mijn vader wegging? Straks, daarboven, met dat kleine geschrokken molletje tegen mijn schouder, dat mij zo vanzelfsprekend accepteerde…"

Hij maakte zijn zin niet af.

„Regine," zei hij in plaats daarvan, „je weet niet wat je aanricht, door een uitgehongerde, eenzame kerel als ik, die niets gewend is, zomaar in de warme intimiteit van je gezinnetje te laten meedraaien, alsof het de gewoonste zaak van de wereld was. Je raakt me nooit meer kwijt!"

Zijn reactie verblufte Regine, maar bracht toen een nieuw inzicht tot rijpen. Dat meedraaien van hem in de huiselijke gang van zaken – zij had er zich in geschikt, maar eigenlijk was het een inbreuk geweest op haar zorgvuldige regie, die doorkruist was door zijn overrompelend vroege komst.

Maar Reyer zelf had het kennelijk ondergaan als een weldaad, zozeer aanvaard te worden dat hij méé mocht doen, dat hij niet als visite werd beschouwd, maar als iemand die bij de intieme gebeurtenissen van hun kleine gemeenschap betrokken was er zelfs een functie in mocht vervullen.

Een eenzame, uitgehongerde kerel, had hij van zichzelf gezegd.

Hij moest een verschrikkelijk tekort hebben gehad aan aandacht en hartelijkheid; een verschrikkelijk tekort ook aan intieme relaties, aan wie hij op zijn beurt wat aandacht en hartelijkheid kwijt kon.

Haar hart liep vol.

„En wie beweert dat ik je kwijt wil?" vroeg ze eenvoudig.

Rever trok haar met een heftig gebaar naar zich toe.

„Ik moet je wat vertellen," zei zijn gejaagde stem vlak boven haar opgeheven gezicht, „als je met me trouwt – je wilt toch met me trouwen, Regine? – dan ga ik uit de vaart, meisje, dan blijf ik bij je. Ik wil niet dat je er nog weer eens opnieuw in je eentje tegenaan moet!"

„Nee!" reageerde Regine geschrokken, „nee, Reyer, dat is niet iets wat je zomaar even in een verliefde bui beslissen kunt. Dat wil ík nou niet! Een beroep – dat is iets dat een man kiest voor zijn leven, en zo'n besluit om het roer radicaal om te gooien, daar moet je eerst naar toe groeien, anders krijg je er spijt van, vroeg of laat!"

Zijn trekken werden harder.

„Ik weet heel goed wat ik zeg!" volhardde hij bij zijn besluit, „ik heb er lang genoeg over nagedacht!"

Lang genoeg... voor zó'n ingrijpende beslissing... terwijl ze elkaar nog maar zo kort kenden... Dit was nu al de tweede maal deze week, dat Regine getroffen werd door een zekere naïviteit in zijn denken.

Als het werkelijk wat gaat worden tussen ons, dacht ze in een vreemde vlaag van nuchterheid, dan zal ik er altijd attent op moeten zijn dat hij geen onbesuisde, overijlde dingen doet.

Maar tegelijkertijd had ze hem om zijn impulsiviteit zeer lief.

Ze wijdde een snelle gedachte aan de slechte kansen die hem geboden waren in zijn jeugd, waarover hij haar de vorige avond het een en ander verteld had. Ze dacht aan de afwezige vader, de bittere, door verdriet en grieven hard geworden moeder, die in dat verhaal af en toe waren opgedoken.

Onbewust zette ze zich af tegen die twee onbekenden, toen ze bijna triomfantelijk dacht: En toch zijn jullie er niet in geslaagd die jongen tot in zijn gave kern te verknoeien! zijn vertrouwen in de mensen is ondanks alles overeind gebleven, goddank!

Reyer keek geboeid naar de wisselende uitdrukkingen van haar gezicht. Hij begreep dat zij nog bezig moest zijn met het aspect van de zaak dat hij zojuist had aangeroerd: de koersverandering waartoe hij bereid was om haar te bewijzen hoezeer het hem ernst was met zijn gevoelens, ditmaal.

Hij begreep haar schichtigheid tegenover die plannen niet.

Toen haar reactie wat lang uitbleef, bleek zijn geduld ontoereikend. Kortaangebonden merkte hij op: „Laten we bijzaken niet met hoofdzaken verwarren. Ik heb je een vraag gesteld, Regine."

„Of ik met je trouwen wilde," wist zij ogenblikkelijk, „dat was ik heus niet vergeten."

Ze keek hem recht in de ogen, en hij twijfelde al niet meer aan een bevestigend antwoord, toen het leek of ze plotseling ergens voor terugschrok. Ze onderbrak zichzelf abrupt, ze haalde diep adem en hij had het verbijsterende gevoel of ze innerlijk van hem terugweek. Hoewel ze binnen de omarming van zijn armen bleef als tevoren, ervoer hij zeer scherp hoe ze – al dan niet tegen het eigen verlangen in – bewust een afstand tussen hen beiden schiep, alsof haar geest die ruimte nodig had om de aanloop te nemen voor een moeilijk haalbare sprong.

Toen eerst voltooide ze haar zin: „maar laten we wel zo wijs zijn, Reyer, om elkaar in dit stadium geen onherroepelijke beloften te doen."

HOOFDSTUK 7

Het was een koud stortbad. Geen onherroepelijke beloften, had ze gezegd. Reyers greep verslapte; hij keek Regine aan met een paar boze, beledigde ogen.

„Jij wilt bij nader inzien dus een slag om de arm houden," concludeerde hij bitter, „je vertrouwt me niet, je denkt natuurlijk dat ook dit weer een bevlieging van mij is.

Maar heb je dan niet gevoeld hoe diep dit volkomen nieuwe in mijn leven ingrijpt? Denk je soms dat ik voor een van die losse vlammen zelfs maar overwogen heb het varen eraan te geven? Daarvoor moet er toch wel iets meer aan de hand zijn dan een beetje verliefdheid.

Als jij denkt, dat ik dit van ons tweeën even makkelijk achter me zal laten als al dat andere, dan ken je me wel slecht!"

Zijn verontwaardiging verwarmde Regine, maar ze voelde toch dat ze voet bij stuk moest houden.

„Dat geef ik je direct toe, Reyer Schuurman," zei ze, hem vangend op zijn eigen woorden, „ik ken je nog slecht, net zo slecht als jij mij kent, met al mijn hebbelijkheden en onhebbelijkheden, mijn drift en mijn slordigheid. Logisch toch, na zo'n korte periode van kennismaking?"

Ze legde een overredende hand op zijn arm: „Maar daar moeten we nu juist wat aan gaan doen, in de komende maanden, voordat we ondoordachte dingen ondernemen, en zéker voordat jij wat je beroep aangaat de schepen achter je verbrandt!"

Reyer maakte zich van haar los en leunde tegen de gesloten keukendeur.

„Je bent afschuwelijk verstandelijk bezig," mokte hij, „ik neem geen genoegen met een voorwaardelijk ja, Regine."

Zij had daar niet aanstonds een antwoord op.

Ze keerde zich van hem af en schonk de koffie in; toen zette ze de kopjes op een blad.

„We hebben nog een hele avond voor de boeg om daarover te kibbelen," zei ze in een slecht geslaagde poging tot luchthartigheid, „houd de deur maar eens voor me open."

Het vredige kaarslicht in de woonkamer temperde Reyers ontstemming. Hij legde het sprookjesboek van Renate op een andere plaats en installeerde zich op de bank, terwijl zijn ogen Regine volgden toen ze de kopjes neerzette en daarna, toen ze zich zwijgend door de kamer bewoog om de gordijnen te sluiten.

Het viel hem nu pas op dat zij zich verkleed had.

Ze droeg een mouwloos jurkje met een lage hals, in een kleur geel die het egale, zomerse bruin van haar gladde jonge huid duidelijk beklemtoonde. Het donkerblonde haar droeg ze los; het hing tot halverwege haar rug, alleen op het voorhoofd was het kort geknipt tot een ponnie, die in speelse komma's uiteenviel.

Hoe kon iemand er tegelijk zo jong en zo volwassen uitzien?

Hij kwelde zich met de vraag waarom zij, na haar aanvankelijk onbeschroomd ingaan op zijn toenadering, opeens zo'n voorzichtig voorbehoud gemaakt had. Diep in gedachten dronk hij zijn koffie, om verrast op te zien toen Regine hem plotseling een vraag stelde:

„Hoe oud ben jij, Reyer?"

„Vijfentwintig."

„Vijfentwintig? Hé, ik ook."

Ze vouwde de handen om haar knieën, en bespiegelend, met in haar stem een lichte klank van verbazing om het eigen, onbewust-verworven inzicht, praatte ze verder. „Ik was pas twintig toen ik met Ferry trouwde, en hij was niet veel ouder, geestelijk althans niet. We waren weinig meer dan een paar dwaze, roekeloze kinderen, die meenden dat ze alles aankonden. Alles – behálve wachten. Ferry leefde ontstellend intens; bijna gulzig.

Misschien houdt iedere coureur op de achtergrond van zijn denken wel rekening met de mogelijkheid dat hij minder tijd zal hebben om te leven en gelukkig te zijn dan menig ander.

Hoe dan ook: híj deed dat, en ik ook, al geloof ik niet dat we het ons destijds zo scherp bewust waren.

We werden snel en probleemloos verliefd en trouwden vrijwel meteen; de kinderen kwamen maar een jaar na elkaar, en dat was géén abuis.

Alles wat we wilden namen we zonder uitstel.

Het leverde een paar bruisende jaren op, maar het was zoiets als een wedren die je voor lange tijd ademloos maakt.

Wij hadden altijd maar gedáán; actie! actie! alle denkbare emoties en ervaringen naar ons toeharkend. Zoveel mogelijk wilden we beleven: alle facetten van de liefde; het ouderschap; de prikkelende, soms moordende spanning van de races; de triomf als er succes geboekt was, – maar aan samen stilzijn en vertrouwelijk praten met elkaar waren we eigenlijk nooit toegekomen.

Toen Ferry plotseling weg was, wist ik niet eens hoe hij gestaan had tegenover de eeuwigheid, waar hij zonder enige voorbereiding ingeslingerd was.

Tijdens die twee eindeloos saaie jaren die ik na dat wilde leventje kreeg toebedeeld om tot mijzelf in te keren, heb ik wél leren nadenken, Reyer. Ik had me voorgenomen het wel even anders aan te pakken dan de vorige keer, als ik ooit weer een entree zou krijgen in het leven. Maar ik ben toch kennelijk nog dezelfde Regine, want het had maar weinig gescheeld of ik was weer even impulsief en onvoorbereid als toen in zo'n sneldraaiende mallemolen gestapt."

Reyer boog zich naar haar toe: „En toen schrok je ineens van jezelf," verwoordde hij zijn indrukken voor haar, „je deed als het ware een stap achteruit, om een beter overzicht te krijgen van de situatie."

Regine knikte, verrast door de juistheid van zijn waarnemingen.

Maar gaandeweg sloop er een andere klank in zijn stem toen hij verder ging: „Misschien dacht je: Wat haal ik eigenlijk aan? Die vent waar ik verliefd op werd, kan wel veroordeeld zijn wegens bigamie, of besmet met de een of andere smerige ziekte."

„Dat waren niet direct de dingen die mij voor ogen stonden," onderbrak Regine hem bezwerend, „eigenlijk was ik alleen geschokt door de mate waarin jij op je gevoel en je impulsen afging.

Hij óók al, dacht ik. Het ging me te snel ineens; iemand moest op de rem trappen. Toen trápte ik op die rem, want ik werd overvallen door de gedachte dat wij niet alleen voor onszelf hadden te kiezen met alle risico's vandien, maar dat we ook in de levens van Renate en Lilian ingrepen met een beslissing. Om zo'n vierdubbele verantwoordelijkheid op ons te kunnen nemen, dacht ik geschrokken, moeten we elkaar langer en grondiger kennen dan we nu doen."

Hij zei niets, fronste slechts de zware wenkbrauwen.

„Juist omdat je eigen ouders in je jeugd zo aan je tekort geschoten zijn," pleitte Regine, „moet je toch begrijpen hoe belangrijk het is, voor onszelf, maar niet minder voor die kleintjes, om een sterke basis te hebben om op te gaan bouwen, zodat we later niet voor onvermoede teleurstellingen komen te staan!"

„Het zal wel waar zijn," gaf hij tenslotte onwillig toe, „maar ik haat het gevoel van onzekerheid dat je me bezorgt op deze manier."

Regine voelde zich driftig worden om zijn bouderende houding.

„Je gedraagt je als een dwingend kind!" verweet ze scherp.

„Dat kan wel zijn!" barstte hij los, „maar nu ik eenmaal ontdekt heb wat ze bedoelen met 'geluk', nu wil ik niet meer terug aan boord met de vage vrees in mijn lijf dat ik het nog weer verspelen kan! Nu ik eindelijk wéét waar ik naar zocht, en het gevonden heb, nu wil ik nog maar één ding: het veilig stellen."

Buiten, langs de ramen aan de straatkant, klonken de snelle voetstappen van gehaaste voorbijgangers luid op in de stilte die na Reyers heftige woorden was ingevallen.

Het waren geluiden die tot hen kwamen als uit een andere wereld, en de intimiteit van hun bijeenzijn, hun betrokkenheid op elkaar nog eens nadrukkelijk onderstreepten.

Regine voelde dat er iets gebeurde in haar geest; alsof daarin een handle werd overgehaald, zo plotseling doorzag ze hoe vergeefs de woordenstrijd was waarin ze verwikkeld waren geraakt. Doorzag ze dat ze niet tegenover, maar naast elkaar stonden, omdat ze in wezen precies hetzelfde wilden.

Reyer met zijn dwingen om een ogenblikkelijk, onherroepelijk antwoord, – zij zelf met haar terugschrikken voor de spoed waarmee dit alles zich aan hen voltrok, haar verlangen naar een vollediger kennen en gekend zijn: het kwam alles voort uit eenzelfde dringende, hunkerende behoefte aan zekerheid.

Een maximum aan zekerheid.

Dát was het waar ze voor gepleit hadden, hij zo goed als zij.

Omdat ze zo radeloos alleen waren geweest, elk op zijn eigen manier, elk met zijn eigen gemis. Omdat ze dit plotselinge geluk nog niet vertrouwen durfden, maar heimelijk vreesden dat het hen nog bedriegen kon, ontglippen, of teleurstellen. Maar dat zou voorbij-gaan.

Een sterke vreugde sprong in haar blik. Ze stond op en liep om de lage tafel heen; haar ogen glansden hem tegemoet.

„Reyer," begon ze, een beetje ademloos.

Hij trok haar op zijn knieën, en zo, dicht tegen hem aan, maakte ze hem deelgenoot van de gedachten die haar zelf zo hadden verrast.

Haar warme, willige lichaam, dicht tegen het zijne, woelde een begeerte in hem los die het bloed deed bonzen in zijn polsen.

Maar een nieuw ontwaakt instinct waarschuwde hem dat hij haar rustig moest laten uitpraten, dat deze vorm van contactmaken op dat ogenblik voorrang had.

Toen Regine, aarzelend soms en tastend naar de juiste woorden, haar gedachten had uitgesproken, knikte hij verwonderd.

Ja, zo was het met hen gesteld.

Met bevreemde dankbaarheid vergeleek hij deze wonderlijk snel opschietende liefde tussen hen met een levende plant, die met tal van dorstige wortels in de aarde drong en zo – afstekend naar de diepte – zijn levensvatbaarheid verkreeg. Dit in onthutsende tegen-stelling tot zijn vroegere hitsige eendagsavontuurtjes, die te verge-lijken waren met afgerukte, ontijdig opengebroken bloemen, gedoemd om te verdorren en vergeten te worden.

Zijn ernst versmolt in een warme blijdschap, die zich paarde aan het koortsig verlangen in zijn bloed. Het koppige mengsel steeg hem als een roes naar het hoofd.

„En dus," begreep hij jongensachtig, teruggrijpend op wat zij gezegd had, „dus is er eigenlijk geen probleem. We gaan er gewoon mee door, elkaar te ontdekken."

Regine greep plagend naar zijn handen, zodat hij midden in een ondernemend gebaar bleef steken.

„En als we geen van beiden spijt krijgen," vulde ze zijn woorden aan, „dan trouwen we over een maand of wat, en is deze ontdek-kingsreiziger in één klap vader van twee kinderen."

„Al had je er twaalf!" gromde hij overmoedig in haar haren.

„Nee, híer jij! Niet weglopen! Ik wil geen koffie meer, ik wil een zoen, maar nu een die niet naar tranen smaakt!"

„Dat was je eigen schuld, van die tranen," verweerde Regine zich zodra ze weer aan het woord kon komen, „had je dat maar niet moeten zeggen, van 'alles samen doen.'"

„Moet ik het nog eens herhalen?"

„Als je het risico neemt dat ik weer volschiet"

„Stil maar, ik probeer wel wat anders. 'Ik hou van je', bijvoorbeeld. Wist je dat overigens al?"

„Wat praten we heerlijke verliefde wartaal."

„En zo hoort het ook!" – Hij kuste haar opnieuw, en drong toen: „Wat wil je van me hebben, Regine? Ik ben in staat om mijn verdienste van de hele zomer om te zetten in een kroonjuweel voor mijn koninginnetje."

„Ik hoef geen juweel," zei Regine. „Je mag een ring voor me kopen, een gewone gladde ring, en jij krijgt er een van mij. Dan kunnen we de hele wereld laten zien dat er iemand is met wie we een toekomst opbouwen."

Het raakte hem midden in zijn hart. Ergens bij te horen, iemand te hebben voor wie hij nummer één was, dat was het wat hij altijd ontbeerd had. Zij moest hem toch wel goed hebben doorschouwd, dat ze hem zo'n stukje tastbare zekerheid bood, nu al.

Toen herinnerde hij zich dat moment aan het strand waarop hij heimelijk gespied had naar die misleidende trouwring, die ze was blijven dragen als een lieve herinnering. Droeg ze die nog steeds?

Hij nam haar twee handen in de zijne, en keek ernaar, zeer bewust. Ze waren roze van binnen, gebruind op de rug, maar zonder enige sier. Alleen een dun wit streepje verwees nog naar iets dat deze week voltooid verleden tijd geworden was.

Voor hem had ze haar vorig leven afgelegd.

HOOFDSTUK 8

Deze avond maakte Regine haar gebruikelijke loopje niet alleen. Het was een onwezenlijke gewaarwording, door de overbekende entourage te wandelen zonder die kwellende afgunst op andere jonge mensen, een afgunst die haar steevast begeleid had, weken en weken lang.

Ook om háár hand sloot zich nu een andere. Ze kon het nog niet helemaal vatten. Het pleintje en de straten daaromheen, waar mensen waren, en licht, en vertier, ze hadden plots alle attractie verloren.

Het dorp slechts als passage gebruikend, liepen ze in de richting van de zee. Verder dan het einde van de winkelstraten had Regine zich in haar eentje maar zelden gewaagd, zo laat in de avond. Waar de Dorpsstraat in de stille Zeeweg overging, stond een café met de reputatie dat het er nogal rauw toeging. Het spuwde van tijd tot tijd groepjes opgeschoten jongens uit, die dikwijls lichtelijk aangeschoten waren, en even dikwijls opdringerig en handtastelijk. Zij had dergelijke contacten instinctief gemeden.

Nu echter was Reyer bij haar.

Ze wisselden er een paar woorden over, toen ze van een afstand alweer het rumoer hoorden van startende brommers en harde stemmen, met de enkele hoge kreet van een meisje daartussen.

„Heb jij nooit sjans gehad," vroeg Reyer ironisch, „bij die lekkere jongens?"

Regine rimpelde haar neus.

„Die halfdronken melkmuilen? Ik zorgde wel dat ik uit hun buurt bleef. Al voelde ik me nog zo alleen – je stelt toch ergens je grenzen, nietwaar?" Haar woorden waren nauwelijks verklonken, toen de schreeuwerige groep onverhoeds op hen inreed en hen scheidde.

Regine was verschrikt terzijde gesprongen, en de jongelui – blij met een nieuw verzetje – sloten haar plagerig in.

Eén van hen riep haar wat toe; door het lawaai dat de brommers maakten, kon ze het maar half verstaan, maar die helft was al voldoende om haar te doen kleuren van ergernis.

Ze voelde echter dat het geraden was, dit heetgebakerd gezelschap niet al te zeer te prikkelen, en ze reageerde dan ook zo luchtig mogelijk: „Ik héb mijn keus al gedaan, zoals je ziet!"

Meteen greep ze naar de uitgestoken hand van Reyer, die zich zwijgend en verbeten, tussen brommers en jongenslijven door, weer een weg naar haar toegevochten had.

„Ja waarachtig, dat zie ik!" riep de vreemde spottend. „Een ervaren kracht, zus, die badman! Hij heeft ze allemaal al gehad, dus waarom jóu niet!"

Zijn honende woorden werden gevolgd door een ruw, obsceen scheldwoord aan Reyers adres. Toen, onder luide bijval en schaterend lachen, liet hij zijn brommer optrekken en reed weg; de anderen in zijn kielzog.

Ze bleven samen achter, en zochten schuw elkaars blik.

Het incidentje had in totaal nog geen drie minuten in beslag genomen. Louter mechanisch begonnen ze verder te lopen, de donkere Zeeweg op, in een ongemakkelijk zwijgen; geen paar meer, maar opnieuw twee eenzame, van hun anker geslagen mensen, terwijl de honende woorden van de vreemde bleven naklinken in hun hoofd.

Af en toe, wanneer ze onder een lantaarn doorgingen, kon Regine even iets zien van de stuurse uitdrukking op Reyers gezicht, van de krampachtigheid waarmee hij voortdurend zijn handen opende en sloot.

Half en half verwachtte ze een woedende uitval over dat stelletje ordinaire straatschenners. Maar toen ze tenslotte stilstonden op de plaats waar het altijd nieuwe vergezicht over de zee zich voor hen openvouwde, kwam er iets heel anders.

„Ik schaam me morsdood," zei hij nors. Toen zweeg hij weer.

„Reyer..." begon zij ongelukkig, toen ze de stilte niet langer verdragen kon.

„Zeg niet dat het je niet schelen kan," bezwoer hij haar hartstochtelijk. „Het kan je wél schelen. Toen je nog geen reden zag om mij te sparen, heb je me recht in mijn gezicht gezegd dat je het een rotidee zou vinden de zóveelste voor iemand te zijn. En je had gelijk. Ik begrijp dat nu. Ik vind het al rot dat jij van Ferry geweest bent – kun je nagaan!"

Hij lachte bitter.

Even later begon hij weer. „Je hebt het gehoord hè? Duidelijk gehoord. Leuke reputatie heb ik. Ik had me dat nooit gerealiseerd, ik leefde maar zo'n beetje voor het vaderland weg; het scheen er zo weinig op aan te komen. Ik had immers niemand om rekening mee te houden?

Vroeger, toen ik jonger was, rondom de twintig, eerder nog, begon het al. Ik was vuurbang om een echte, goede relatie met een meisje aan te gaan. Uit angst voor een teleurstelling, alleen uit angst

231

voor een teleurstelling. Ik had te veel gehoord en meegemaakt als kind – ik geloofde er niet in. Daarom bleef het altijd bij een oppervlakkig spelen – met het soort dat het makkelijkst te krijgen was. En ze speelden zo goed mee, Regine, daar heb je geen idee van. Al spelend boorden ze mijn respect voor alles wat liefde genoemd werd al dieper de grond in. En toen ik het beu was, dat leven, toen ik tenslotte toch maar de gok waagde en een vrouw zocht voor meer dan een spelletje, alleen om die verschrikkelijke leegte te vullen – toen kende ik geen andere manier om het aan te pakken dan die ene – die niet deugde.

Pas toen jij op het toneel van mijn leven verscheen met je twee handenbindertjes, met je veel te zware strandkar, pas toen ik de aandrang voelde je bij alles te helpen, zomaar, zonder er iets voor terug te verwachten, toen pas begon het me te dagen dat liefde geen kwestie van nemen is, maar van geven. Je weet hoe het gegaan is: een kort poosje ben ik onvoorstelbaar gelukkig geweest, Regine. Maar na die ontmaskering van vanavond zie ik het niet meer zitten. Opnieuw beginnen, dat is een illusie, want je ontloopt je verleden niet; de mensen blijven altijd met stenen gooien.

Maar vernederingen als die van straks kan ik je in de toekomst tenminste besparen. Ik ben bereid je je woord terug te geven."

Dat laatste kwam eruit met een onherkenbare, geknepen stem, en Regine begreep dat hij op de grens van zijn zelfbeheersing balanceerde. Zij worstelde zich moeizaam boven haar verwarring uit. Diep in haar was iets dat rebelleerde tegen de stelling dat alle fouten en dwaasheden die een mens ooit begaan had als een morele last aan zijn nek moesten blijven hangen, zijn leven lang.

Als kind van een katholieke vader en een protestantse moeder – geen van beiden erg stipt in hun plichten, maar toch genoeg doortrokken van de grote heilswaarheden om die aan hun kinderen over te dragen – voelde Regine haarscherp dat er een fout school in Reyers bittere redenering.

Want wie gebiecht had met berouw, die mocht met een schone lei beginnen.

Maar op wiens gezag kon zij zich beroepen om hem daarvan eens en voorgoed te overtuigen?

De mensen blijven altijd met stenen gooien, had hij moedeloos gezegd.

Ze herhaalde die woorden, hardop, in verwonderde herkenning plotseling beseffend dat dáárin de sleutel lag.
Reyer schokte geschrokken op bij het pijnlijk verbeide geluid van haar stem.
„De mensen blijven altijd met stenen gooien," hoorde hij haar zeggen. „Weet je eigenlijk waar die uitdrukking vandaan komt?"
Hij schokschouderde. „Hoe zóu ik?"
„Uit een heel oud verhaal, dat ergens in de bijbel staat," verklaarde zij, met zachte stem voor zich heenpratend, omdat ze schroomde hem aan te zien.
Ingespannen groef ze in haar herinnering.
Ze had het in al zijn beknoptheid altijd zo beklemmend mooi gevonden, dat verhaal; die woorden moest ze toch kunnen terugvinden.
„Waar gaat dat dan over?" vroeg hij wantrouwend, wel begrijpend dat ze dit onderwerp niet zómaar aansneed.
„Over een vrouw die zich met mannen had afgegeven, en daarvoor volgens de wet van haar land gestenigd moest worden.
Ze brachten haar bij Christus, om eens te horen hoe Hij daar nou wel over dacht. Hij viel die wet niet af, maar weet je wat hij tegen ze zei?
'Wie van u zonder zonde is, werpe de eerste steen op haar.'
Dát zei Hij. Toen knepen ze er één voor één beschaamd tussenuit, tot alleen die vrouw nog bij Hem stond.
'Heeft niemand u veroordeeld?' vroeg Christus, 'dan veroordeel Ik u ook niet. Ga heen, en zondig niet meer.' "
Ze voegde er niets aan toe, maar wachtte op zijn reactie. „Staan er zúlke dingen in de bijbel?" vroeg Reyer wat schor, na een korte, maar zwaargeladen stilte.
„Ja," beaamde zij eenvoudig.
„O kind!"
Hij boog zijn hoofd naar haar schouder en klemde zich met kracht aan haar vast. Regine voelde aan dat hij huilde, op de moeilijke, ongewende manier waarop mannen huilen, vrijwel zonder tranen.
Ze wist niet wat ze zeggen moest, ze deed ook geen moeite iets te bedenken. Ze had genoeg gezegd; hij had het begrepen, gelukkig.
Haar hand streelde zijn gebogen nek en zijn achterhoofd; ze liet hem alle tijd. Het was die voortdurende, bijna moederlijke liefko-

zing die hem tot rust bracht, die hem overtuigde dat ze zelfs niet overwoog hem op te geven.

Zonder het onder woorden te brengen, wisten ze ieder voor zich dat het uiterst pijnlijke uur dat achter hen lag hen opnieuw vele stappen dichter tot elkaar had gebracht.

HOOFDSTUK 9

Na die emotionele avond volgden een paar rustige dagen, waarin ze elkaar herhaaldelijk ontmoetten, dagen waarin Reyer zowel met Regine als met de twee peuters op steeds vertrouwelijker voet raakte.

Het viel Regine ronduit mee dat hij de kinderen niet verwende.

Na de bonte toeters van die eerste avond, die inmiddels al weer ter ziele waren, had hij geen cadeautjes meer meegebracht, evenmin als snoepgoed. Maar hij had aandacht voor ze, en nam er de tijd voor om zich in hun leventjes een plaats te veroveren.

De eerste de beste keer dat hij een vrije middag had, huurde hij een auto, om met elkaar naar de naburige stad te rijden.

Toen hij zijn gezelschap kwam afhalen, vond hij een andere Regine dan hij tot dusver had leren kennen, een Regine die verhit en kribbig was na uren van optornen tegen het lijdelijke verzet van Renate, die toevallig deze dag had uitgezocht om eens lekker dwars te liggen, iets dat Lia van de weeromstuit ook moeilijker hanteerbaar maakte dan gewoonlijk.

„Een koninkrijk voor een oppas!" verzuchtte ze na Reyers begroeting.

„Niks oppas, ontaarde moeder!" wierp hij tegen, „die meiden gaan gewoon mee, die moet ik er nou juist bij hebben, vandaag!"

„Maar jij kunt vrijaf krijgen," voegde hij er goedig aan toe, met een blik op haar geagiteerd gezicht, „ik zal ze wel temmen als ze vervelend zijn."

„En dat zijn ze," reageerde zij, een beetje boosaardig, „je zult er je handen aan vol hebben, meneer. Maar beloofd blijft beloofd, je doet je best maar. Ik zal wel rijden, dan heb je allebei je handen voor ze vrij."

„Jij rijden? Kun je dat?"

„Kún je dat?" snoof Regine, niet in een stemming om subtiel te zijn of rekening te houden met andermans gevoelige punten.

„Man, een paar jaar geleden, in onze rijke tijd, toen we alles van de grote boom plukten, hadden Ferry en ik allebei onze eigen auto. Ik moest alles meemaken, en overal bij zijn, dat heb ik je al verteld, nietwaar? En ik sleepte Renate altijd met me mee, eerst in een soort hondenmand op de achterbank, later in een autozitje. Zij en ik hebben er samen heel wat kilometertjes opzitten!"

„Je bent een geëmancipeerde vrouw, hoor! Maar het is mij best, laten we de rollen maar eens wisselen."

Onderweg moest Regine bekennen dat hij het heel goed rooide met de kinderen, tot dusver. Hij raakte minder snel geïrriteerd dan zij, maar áls hij iets verbood, luisterden ze ook.

Ze prees zich gelukkig daarom; het had zo goed anders kunnen zijn. Zij genoot ervan weer eens auto te rijden, en haar humeur verbeterde in snel tempo.

In de stad loodste Reyer haar zonder verwijl bij een juwelier binnen.

„Verlovingsringen," zei hij kort en bondig toen er naar hun wensen gevraagd werd.

Regine glimlachte om zijn gedecideerdheid; later trouwens weer, toen ze hun keus gemaakt hadden en de man achter de toonbank vroeg welke datum hij in de ringen graveren mocht.

„De datum van zaterdag jongstleden," besliste Reyer, zonder ruggespraak nodig te achten.

Regine dacht terug aan die bewogen avond; met name aan de geladen ogenblikken toen ze elkaar bijna verloren en tóch weer vonden – en toen voorgoed, naar ze durfden geloven.

Ja, hij had gelijk: een beslissender datum dan die zou er in hun leven wel niet meer aan de orde komen. Het was goed zo. Toen verraste Reyer haar door de kinderen erbij te halen, die zich vermaakt hadden met het op en neer hollen van de langgerekte winkelruimte.

Hij tilde ze één voor één op de toonbank, en informeerde: „Hebt u ook ringen in huis voor dit soort garnalenvingertjes, meneer? Geen prullen, maar wel iets echt kinderlijks, dat ze zelf ook leuk vinden!"

Er werd even gezocht in laden en vakken; toen kwam er een collectie kinderringetjes voor de dag, in goud, in zilver, met klavertjes, met hartjes, met lieveheersbeestjes, met allerlei kleuren steentjes – een grote verscheidenheid.

De meisjes vonden het prachtig, ze wezen en pasten, en vergaten alle verlegenheid. Geholpen door Reyer bepaalden ze tenslotte hun keus, terwijl Regine half vermaakt, half ontroerd naar die drie stond te kijken.

Eerst zag ze het alleen als een aardige attentie, dat hij de kleintjes ook iets wilde geven, nu zij elkaar over en weer een ring kochten.

Maar toen, met een doorzicht dat haar even kippevel bezorgde, begreep ze dat het hierom geweest was dat hij de kinderen er beslist bij wilde hebben, doorschouwde ze op eenmaal de symboliek die hij hiermee betrachtte: met dit gebaar gaf hij Renate en Lilian dezelfde aanspraken op zijn liefde en loyaliteit, die hun moeder sinds die bewuste zaterdag kon laten gelden.

Zij waren deelgenoot geworden in hetzelfde verbond.

Stilletjes liep ze naast hem terug naar de auto, maar toen ze weer waren ingestapt, liet ze zich plotseling gaan: „Dat vergeet ik van mijn leven niet, dat je zó'n lief gebaar kon bedenken, om de rechten die de kinderen in onze verbintenis hebben te erkennen en zichtbaar te maken!"

Ze trok zijn hoofd naar zich toe en kuste hem, heftig, zonder enige terughouding.

Die geëmotioneerde uitvallen van zijn geliefde bezorgden Reyer telkens nog weer een kleine schok van verrassing. Ze vormden een welkom tegenwicht voor de superioriteit, die de waardig gedragen verantwoordelijkheden van het weduwschap haar in zijn ogen verleenden.

Als ze met vlammende ogen uit haar slof schoot, hetzij in onbeheerst enthousiasme of in onbeheerste boosheid, was ze zo vrij van alle aangekweekte verstandelijkheid, zo heerlijk ongeremd zichzelf, dat het hem warm maakte van kop tot teen.

Veel te snel was het ogenblik aangebroken waarop Regine met de kinderen terug moest naar Amsterdam.

Ze hoefden maar nauwelijks afscheid te nemen, want Reyer zou hen tijdens ditzelfde weekend al weer komen opzoeken, daarginds. Zelf had hij nog een week te goed in zijn tijdelijk baantje; dan moest hij zich weer gereedmaken om voor een periode naar zee te gaan.

De eerste avond die ze samen op Regines flat doorbrachten, praatten ze lang en breed over de toekomst.

Reyer had contact opgenomen met iemand die vroeger bij dezelfde maatschappij gevaren had als hij, maar terwille van zijn gezin uit de vaart was gegaan. Deze man had hem bereidwillig wegwijs gemaakt in de mogelijkheden die aan de wal voor hem openstonden.

Hij zou kunnen solliciteren naar de functie van chef-machinist bij een of andere grote fabriek, bij een elektriciteitsmaatschappij of bij de surveydienst van een havenbedrijf.

Het nadeel was, bekende hij schoorvoetend, dat hij in al dat soort functies beduidend minder zou gaan verdienen dan hij de laatste jaren gewend was geweest; eerlijk gezegd was het nog niet de helft. Ter illustratie noemde hij een paar welsprekende cijfers. Hij was daar wel een beetje van geschrokken, vertelde hij eerlijk, en vreesde dat Regine nu nog wel meer bedenkingen zou hebben tegen zijn plannen dan vorige week.

Toch moest zij de knoop doorhakken.

Wat had ze liever: een groot brok vrijheid en een royaal inkomen bovendien, of een bescheiden inkomen en daarbij nog dagelijks een veeleisende kerel over de vloer?

Uit de manier waarop hij de zaak voordroeg, proefde Regine dat zijn eigen hart ernaar trok om bij haar en de kinderen aan de wal te blijven.

Aanvankelijk had zij zich spontaan afgezet tegen het idee dat hij zijn carrière zou moeten offeren om haar eenzaamheid op te heffen. Maar het offer dat hij bracht, wás in wezen geen offer, omdat hij verwachtte iets beters terug te ontvangen.

Even beangstigde haar de roekeloosheid waarmee hij alles wat hij had en was op de kaart van haar liefde zette. Had zij genoeg te geven om zo'n hooggespannen verwachting te honoreren?

Alles samen doen. Dat had hij gezegd toen hij dit onderwerp voor het eerst ter sprake bracht. Zij rechtte haar rug: op dat dooie geld alleen zou zij die droom van hem, die immers ook de hare was, stellig niet laten stukspringen.

Het moest kunnen, zeker met de bescheiden uitkering van de levensverzekering erbij die Ferry indertijd in het buitenland voor haar afgesloten had, de uitkering die tot dusver het leeuwedeel van haar karig inkomen had gevormd. En als de kinderen meer gingen kosten, kon ze altijd weer proberen met naaiwerk wat bij te verdienen.

Wat haar meer dwars zat dan het financiële aspect van de zaak, was de vraag of Reyer na verloop van tijd geen heimwee zou krijgen naar de zee, naar de vrijheid en de zelfstandigheid die zijn tegenwoordig beroep hem waarborgden.

Het was deze twijfel die ze aarzelend onder woorden bracht.

„Och meisje!" zei hij, „als je eens wist hoe negatief de gevoelens waren die mij indertijd naar het zeemanschap dreven! Ik ben naderhand wel van die grote haringvijver gaan houden, gerust wel, maar toen ik als jongen het besluit nam om naar zee te gaan, was dat enkel en alleen omdat ik zo gruwelijk de pest had aan de samenleving, waar de ene mens de andere een wolf was, tot in het huwelijk toe.

Wég uit die zooi, dacht ik, alleen met een paar kameraden op een schip, en verder aan niemand een boodschap hebben.

Maar ik vergat dat een mens er niet op gemaakt is, om aan niemand een boodschap te hebben. Hoe ouder ik werd, hoe duidelijker ik voelde dat onder mijn cynische houding een begraven verlangen zich was blijven roeren.

Ik was me er bitter van bewust dat ik een oude vordering had op het leven, een vordering aan liefde en aandacht en erkenning, en ik nam me voor die rekening ergens te presenteren, te zorgen dat ik alsnog aan mijn trekken kwam."

Hij grinnikte een beetje beschaamd.

„Tjonge Regine, wat kan een mens kortzichtig redeneren, hè? Dat was allemaal voor ik jou ontdekt had. Dat was voor ik ontdekt had dat je om iets te ontvangen eerst de bereidheid moet opbrengen om zelf iets te geven."

„Weet je wel," bekende Regine, „dat ik soms verlegen ben met het blinde vertrouwen dat je in mij stelt, en dat na alle achterdocht die je vroeger in de weg zat! Ben je werkelijk nooit bang dat ik je ook nog eens in de kou zal laten staan?"

„Nee," zei hij eenvoudig.

„Waarom niet?"

„Omdat ik toch voor mijn ogen zie hoe jij met je kinderen omgaat! Als er ooit iemand geweest is die door kinderen in haar mogelijkheden beknot werd, om de tekst van mijn moeders litanie nog eens

te citeren, dan was jij dat toch wel, de laatste jaren.
Je leed daaronder – dat is een natuurlijke zaak. Maar dan wel op
een manier die Renate en Lilian niets te kort deed aan liefde en zorg
en nestwarmte. Dat zegt mij het een en ander over je trouw en je
verantwoordelijkheidsbesef en de warmte die je in je hebt. Daarom
voel ik me veilig bij jou, Regine."
Zijn argumentatie frappeerde Regine. Zij had nooit iets bijzonders
gezien in haar relatie tot haar kinderen. Je eigen vlees en bloed,
daar hield je van, dat sprak toch vanzelf.
Ze dacht aan die moeder van Reyer.
Het ontstelde haar wat die vrouw, in haar gefixeerd zijn op eigen
tegenslagen, in het zielenleven van haar kind had aangericht, waarschijnlijk zonder zich dat ten volle gerealiseerd te hebben.
„Lééft je moeder eigenlijk nog?" waagde ze.
Ze had het onderwerp tot dusver omzichtig vermeden, wel voelend
door hoeveel taboes het omgeven was.
„Ja," zei hij kort. „Ze zit al jaren in Engeland, waar ze dame van de
huishouding heet te zijn bij de een of andere excentriek, die haar
mee op reis neemt van tijd tot tijd. Dan krijg ik een prentbriefkaart
uit Nairobi of Johannesburg, met niets dan haar naam, waar ik
natuurlijk dolblij mee ben."
Regine legde een bezwerende hand op de zijne. „En je vader?"
„O, die doet zijn best. Hij is indertijd met zijn nieuwe vrouw geëmigreerd naar Australië, waar hij in het bedrijf van een van haar
broers is opgenomen. Ze hebben het daar niet slecht gedaan, financieel. Hij heeft jarenlang geld gestuurd om mijn opleiding en mijn
huisvesting te betalen; net zo lang tot ik zelf ging verdienen. Nu nóg
stuurt hij ieder jaar met mijn verjaardag een cheque naar mijn bank.
Die vind ik daar als ik terugkom van de een of andere reis, en dan
schrijf ik een formeel bedankje.
We hebben elkaar niets te vertellen, Regine. De man heeft een gezin
daarginds, en daar zal hij best een goeie vader voor zijn. Ik ben
alleen een oude schuld, die hij in jaarlijkse termijnen afbetaalt."
Regine had hem nog nooit zo bitter horen praten.
Datgene wat hij als opgroeiend kind gemist had, scheen een obsessie voor hem geworden.
Eens te meer begreep ze hoe ongelooflijk belangrijk het voor hem
moest zijn, zelf een gezond gezinsleven op te bouwen. Binnen in

haar huilde het van medelijden met de kleine jongen die door zijn vader was verlaten, door zijn moeder afgewezen; – de kleine jongen die nooit helemaal in hem gestorven was.

Ze slikte met alle macht die ontroering weg, tot haar keel er scherp van werd. Hij hoefde niet te weten hoezeer hij zich onbewust had blootgegeven. Want het zou hem volstrekt niet bevallen, als iemand hem vertelde dat hij in haar, behalve een kameraad en een minnares, ook een moeder zocht. En toch was dat zo.

Niet dat het er iets toe deed; een echte vrouw was dat van nature allemaal tegelijk. Maar mannen hadden nu eenmaal de zwakheid dat ze altijd sterk wilden lijken. Dat was wel vermakelijk soms, en ze had ze er onbarmhartig mee geplaagd, als het zo uitkwam.

Maar het kostte haar nu niet de minste moeite Reyer te doorzien en hem nochtans in zijn waarde te laten.

Op hetzelfde moment waarop zij het zich bewust werd, wist ze hoe dat kon: omdat ze hem liefhad; niet slechts om zijn hartelijkheid of zijn viriliteit, maar om alles. Ze hield van hem precies zoals hij was, compleet met zwakheden en frustraties.

Het was een glorieus ogenblik, waarop Regine zich tot veel in staat voelde. Reyer mocht zijn rekening presenteren: zij zou wel zorgen dat ze aan hun trekken kwamen, zowel de volwassen kerel als de kleine jongen in hem. Ze zóuden alles samen doen.

Een groter of kleiner inkomen was geen beslissende factor meer. Níet voor haar.

„Met ingang van deze zomer," zei ze, haar blije ogen recht in de zijne – en haar woorden overspoelden de naklank van alles wat Reyer aan wrangs over zijn ouders had laten vallen – „met ingang van deze zomer hoef jij nooit en nergens meer het gevoel te hebben een mens te veel te zijn, want wij hebben je nodig."

Ze wilde nog meer zeggen, maar Reyer nam de vrijheid een flinke pauze in te lassen.

Toen ze hem verweet dat hij haar niet liet uitspreken, kwam hij met het excuus dat hij echt even tijd nodig had om wat ze al gezegd had naar behoren te verwerken.

Toen hij haar weer aan het woord liet, vroeg ze: „Toen je dat hoorde, van je vroegere collega, over dat enorme verschil in inkomen, heb je je toen gerealiseerd dat je dat grote salaris in je eentje kon opmaken, maar dat kleine met een gezin zou moeten delen?"

„Inderdaad."

„En heb je toen echt niet even gedacht: die prijs is me te hoog?"

„Naar eer en geweten: Néé, Regine. Geld is mijn probleem niet."

Zij lachte bevrijd.

„Nou, dan bof je, want ik heb ook niets meer nodig dan precies genoeg. Jij gaat maar naar een arbeidsbemiddelingsbureau, jongen, jij zegt je contract met je maatschappij maar op met een maand of wat – mijn zegen heb je. Maar áls we dan welbewust uit een tamelijk dunne portemonnee gaan leven mettertijd, is het wel heel belangrijk in welke streek van het land we dat gaan doen."

„Hoe bedoel je?"

„Dat zal ik je uitleggen. Ik heb het nu een paar jaar behoorlijk krap gehad, en ik weet dus waar ik over praat. Het ergerlijke van het zuinig zijn zat 'em niet in het eten van uitgebakken spek of gehaktballen in plaats van biefstuk of gestoofde paling.

De ramp was ook niet dat ik geen dure kleren meer kon kopen; ik maakte zelf wel wat.

Voor mij was het erge dat ik in deze betonwoestijn zat opgesloten, en geen autootje kon betalen om eruit te trekken als ik daar naar hunkerde. Ik bén nu eenmaal geen grotestadsmens.

Maar om met hummels als Renate en Lia een dagje de vrije natuur in te gaan, eerst met een bus, dan met de tram, dan met de trein, om daarna nog een hele afstand lopend te moeten overbruggen – dat gáát niet; zo'n plan is niet haalbaar, dat snap je wel.

Als jij en ik hier samen zouden wonen, zonder de financiële armslag te hebben die een auto tot een haalbare zaak maakt, zouden we nóóit al die fijne dingen kunnen ondernemen met onze kinderen die ik tijdens de voorbije nachten uitgedacht heb, dingen die zouden maken dat zij later met plezier op hun jeugd zouden terugzien.

Maar als je nu eens een baan kon vinden ergens in Gelderland, of in Twente, – ja, daar zijn veel fabrieken, hè? – dan lag het allemaal zo anders. Dan hadden we de bossen binnen ons bereik, dan zouden we halve provincies verkennen met die kleine boeven achter op de fiets, en grote pakken boterhammen mee. Later laten we die meiden natuurlijk zelf trappen, want dan is er inmiddels wel een klein Reyertje om bij vader achterop te zitten."

„Néé, laat me nu eens úitpraten! We zouden helemaal geen spectaculaire dingen met ze doen: wandelingen en fietstochten maken;

241

een beetje spoorzoeken; bramen plukken, 's morgens vlak voor zonsopgang de wilde konijntjes tellen die we tegenkwamen. En 's winters natuurlijk alle mogelijkheden benutten van sneeuw.

Voor de hand liggende dingen allemaal; maar jij en ik zouden weten dat we week na week bezig waren om een kapitaal voor ze bijeen te brengen aan fijne herinneringen."

„Hoe ter wereld bedénk je al die dingen?" vroeg Reyer verbluft. Hij keek of ze sprookjes verteld had.

„Al die dingen deed mijn vader met ons, voor hij ziek werd," verklaarde Regine eenvoudig.

Even bewolkte haar blik.

Toen lachte ze weer: „En als de kinderen opeens zo groot blijken dat ze liever op eigen kracht willen gaan, dan hebben we altijd elkaar nog! Dan kun jij eindelijk eens alléén zijn met je liefje, en de schade inhalen van die gekke zomer, toen je met een heel gezin verloofd was. En wát voor één!"

„Kom niet aan mijn gezin," zei Reyer.

HOOFDSTUK 10

Tijdens de laatste drie maanden dat hij voer, kwam Reyer nog een paar maal met verlof. Het werden, door de sollicitatie-afspraken en alles wat daaraan vast zat, drukke en enerverende dagen voor hem en Regine.

Dagen, waarin zich reeds duidelijk aftekende, op wie ze wél en op wie ze niet konden rekenen voor wat betreft het opvangen van de kinderen tijdens alle besognes rondom de verhuizing. Toen hun plannen nog in een heel pril stadium verkeerden, had Reyer erop gezinspeeld dat Regine aan haar moeder wel veel steun zou hebben in de vermoeiende fase die ze ongetwijfeld tegemoet ging. Zij had daar wat gegeneerd overheen gepraat.

Een van de laatste augustusdagen die Reyer restten voor hij weer naar zee moest, hadden ze gebruikt om haar een bezoek te brengen. Toen Reyer erover begon: „Moet ik voor mijn vertrek eigenlijk niet met je moeder kennismaken?" had Regine bekend. „Ik heb er de hele week al over lopen denken hoe we dat in het vat moeten gieten. Het leek mij het beste om maar met zijn tweeën te gaan, maar

het is me helaas nog niet gelukt om een oppas te vinden."
„Maar waarom zouden we de kleintjes niet gewoon meenemen?"
Toen had Regine er niet meer onderuit gekund, open kaart te spelen.
„Ach, weet je," verklaarde ze onwillig – ze kende zijn overgevoelig-
heid op het punt van familiebetrekkingen, en vond het domweg vervelend hem weer een illusie te moeten ontnemen, „mijn moeder is
niet sterk; ze is gewend aan een heel afgepast leventje, en jonge kinderen bezorgen haar binnen een halfuur hoofdpijn."
„Maar haar eigen kleinkinderen toch niet! Wanneer heeft zij ze voor
het laatst gezien?"
„Toen ik pas met vakantie aan zee was, is ze samen met mijn zus
een dagje bij ons geweest."
„Nou, dat is inmiddels meer dan een maand geleden! Daar moet ze
nu maar van uitgerust zijn!" vond hij hardvochtig. Hij keek zo beledigd of zijn eigen vlees en bloed versmaad was, maar Regine kon op
dat moment geen humor vinden in de situatie. Zijn duidelijke
teleurstelling stak haar, ofschoon ze erop voorbereid was.
„Je moet niet denken dat mama niet van Renate en Lilian houdt,"
verdedigde zij met enige scherpte haar moeder. „Ze is voortdurend
voor ze aan het breien en loopt altijd met foto's van ze in haar tas,
die ze te pas en te onpas laat bewonderen. Wat Lia betreft, daar
heeft ze nog wel eens een dagje opgepast; die kan tijden bij iemand
op schoot zitten, of rustig spelen in een hockje. Maar Renate is een
zee die haar te hoog gaat. Ze kan zoveel vitaliteit eenvoudig niet
aan. Mijn tempo lag haar ook altijd te hoog, en toen was ze toch nog
zoveel jonger. Maar omdat mijn vader mij altijd zo goed opving als
kind, hinderde het niet. Mama is altijd ontzien en in de watten
gelegd, en nu doet ze het zichzelf. Daar valt in dit stadium niets
meer aan te veranderen."
„Het spijt me dat de zaken zo liggen," bekende Reyer eerlijk.
„Ik had gehoopt dat je van haar een heleboel daadwerkelijke hulp
zou krijgen als er straks een verhuizing aan de orde komt, waarvoor
je je handen toch wel eens vrij zult moeten hebben."
„Zet die illusie maar uit je hoofd," antwoordde Regine kort.
Het verliep zoals zij gesuggereerd had.
Het begin van hun treffen was een groot succes geworden.
Regine, die haar moeder al over Reyer geschreven had, introdu-

ceerde hem met een paar simpele woorden, en de tengere, vroeg-
grijze moeder, blij met het geluk van haar dochter, ontving hem
vriendelijk en legde ook voor de kleintjes een liefdevolle belangstelling aan de dag.

Maar toen ze bijeenzaten, en zij allerlei geïnteresseerde vragen stelde, toonde ze zich zichtbaar gehinderd door iedere kleine storing
van het gesprek, en tot onrust gebracht door alles waarmee de peuters hun levenslust en onderzoekingsdrang trachtten te bevredigen.
Zelf verbood zij niets, maar Regine zoveel te meer.

Toen de kinderen, de spanning in de atmosfeer proevend, in plaats
van te luisteren juist ongezeggelijker werden, kreeg zij bepaald iets
kwijnends over zich. Eigener beweging nam Reyer de kleintjes voor
een poos mee naar buiten, zodat de moeder nog even in alle rust
met haar dochter praten kon.

Toen ze gedrieën weer binnenkwamen – ze hadden gestoeid in de
tuin, en de hummels wisten hun uitgelatenheid niet onmiddellijk
weer af te leggen – zag Reyer in één oogopslag hoe gespannen het
Regine maakte, zo tussen twee vuren in te zitten.

„Mama vroeg of het onze bedoeling was, hier brood te eten," vertelde ze hem met een welsprekende blik.

Met een snelgerijpt begrip voor de situatie, proefde hij uit die formulering hoezeer de gastvrouw met een bevestigend antwoord verlegen zou zijn.

Hij speelde het balletje sierlijk terug: „Laten we dat niet doen. Het
zou dan te laat worden om ook nog bij de moeder van Ferry aan te
gaan."

Na het afscheid, toen ze weer met zijn vieren in de huurauto zaten,
viel Regine onmiddellijk uit: „Waarom zei je dat over Ferry's moeder? Daar hadden we het heel niet over gehad!"

Voor háár is het hard, ons samen te zien, flitste het door haar heen,
maar ze verdrong die gedachte.

„Wist ík zo gauw wat beters te bedenken!" verweerde Reyer zich,
„het lijkt me trouwens niet eens zo'n gek idee. Zo ver is het niet, en
dan hebben we alle plichtplegingen in één keer afgewerkt."

Op die woorden begon Regine te huilen.

Reyer zette de wagen aan de kant: „Wat krijgen we nu?"

Haar explosieve reacties kwamen voor hem nog altijd als verras-
singen.

„Dacht je dat ík niet wist," mokte zij, „dat mama altijd een verwend, egocentrisch kind gebleven is? Maar ik kan het toch niet hebben, dat jij haar bij de afdeling plichtplegingen onderbrengt!"

Hij keek haar even nadenkend aan.

„En dat siert je," was zijn onverwachte weerwoord.

Toen keerde hij zich om naar de verontruste peuters, die er kennelijk niet tegen konden, Regine te zien huilen.

„Gauw, zoen mama's traantjes af," maande hij, „en dénk erom dat jullie later net zo trouw zijn aan je moeder als zij!"

Regine snoot haar neus, en fleurde snel op.

De manier waarop Reyer alle kritiek op anderen tot een compliment voor haar wist om te smeden, amuseerde haar en deed haar verbazend veel goed.

Ze was nuchter genoeg om zich te realiseren dat het eerste stadium van verliefdheid waarin hij verkeerde hieraan niet vreemd was, maar ze besloot er onbeschaamd van te genieten zolang het verschijnsel zich voordeed.

Mevrouw Van Palland, een lange, magere vrouw, die in een korte broek en een truitje van aan elkaar geknoopte gaten achter haar grasroller liep toen ze aankwamen, toonde zich – ofschoon volkomen onvoorbereid op hun komst – blij verrast met het bezoek dat ze haar brachten.

Toen Regine Reyer had voorgesteld en het verhaal van hun verloving gedaan had, feliciteerde ze hen beiden zonder enige bedenking.

„Ik hoop dat u mij de kinderen van uw zoon toevertrouwt," zei Reyer serieus.

„Och jongen," antwoordde ze wijs, „zolang jij van Regine houdt en Regine van jou, en jullie allebei van die kinderen, hoef je je verder aan niemand te storen, zelfs niet aan een bloedeigen grootmoeder!"

Reyer vond haar meteen een geweldig mens, al was het hem zeer vreemd, een grootmoeder in haar te zien. Daarvoor maakte ze een veel te sportieve indruk.

Voor ze het wisten, waren ze allemaal in de keuken, waar mevrouw Van Palland Reyer aan het eieren bakken zette en Regine aan het brood smeren, terwijl zijzelf zich met haar kleindochtertjes onderhield over hun vakantie aan het strand.

Toen Lia een van haar onvermijdelijke smakken maakte bij een poging om op oma's knieën te klimmen, lachte die verstolen om de routine waarmee Reyer haar met zijn linkerhand in een terloops gebaar omhoogtrok, haar over zijn schouder gooide zonder zijn bezigheden langer dan een tel te onderbreken, en voortgaand met eieren bakken kans zag haar gehuil te doen verstommen, zó van de ene seconde op de andere, dat het leek of hij op een knopje had gedrukt.

„Evengoed heb jij lef," zei ze, „om je aan drie vrouwen tegelijk te wagen!"

„Ze waren nou eenmaal niet afzonderlijk op de markt; alleen als set van drie," gaf hij terug.

„En om welke was het je nu eigenlijk begonnen?"

Hij legde het pannenkoeksmes neer, en kietelde het tweejarig doe-deltje dat plezierig over zijn schouder hing rond te kijken.

„Deze natuurlijk," plaagde hij, „die andere twee zijn kattenkoppen!"

„Renate, laten we ons dat zeggen?" stookte Regine.

Renate begreep er het fijne niet van, maar zij was altijd ín voor een stoeipartijtje.

Pas terwijl ze aten, daalde er wat rust, en spraken ze over de plannen voor de nabije toekomst.

„Als jullie het stellen kunnen met een huwelijksreisje van een week," bood mevrouw Van Palland aan, „dan wil ik die tijd wel bij de kinderen komen."

„Ma!" kreet Regine verbluft, „meent u dat? Maar uw baán dan?"

„O, ik heb nog wel wat snipperdagen, en verder régel ik het wel met mijn baas."

„Dat is het liefste en origineelste huwelijkscadeau dat u had kunnen bedenken," stelde Reyer vast, en gaf haar over de etensresten heen een keiharde hand, „ik hoop dat u váák bij ons zult komen, mevrouw Van Palland, ook als er niets te babysitten valt."

Later, toen hij de met dode insekten bespikkelde voorruit van de auto afsponsde voor ze wegreden, stonden de twee vrouwen op een afstandje naar hem te kijken.

„Ik mág hem," zei de oudste gedempt.

„Ik ook," beaamde de jongste laconiek, met vonkende ogen naar haar schoonmoeder oplachend. Die ervoer dat het jonge vrouwtje weer dezelfde hevige uitstraling had als toen Ferry haar voor het eerst in het ouderlijk huis bracht.

Het was waarachtig geen wonder dat er weer een jonge kerel zijn oog op haar had laten vallen.

Zelf al gedurende acht jaar weduwe, moest ze even een opwelling van naijver bevechten om deze nieuwe kans die de ander geboden werd.

Toen zei ze, glimlachend neerblikkend in die gelukkige ogen: „Je spettert van leven, meid! Dat die jongen dol op jou is, verbaast me niets. Maar dat hij die twee kleine pottenkijksters zo positief benadert!"

„Reyer is altijd onvoorstelbaar alleen geweest," verklaarde Regine, „daarom is het nu een feest voor hem, te ervaren dat mijn kinderen om hem geven. Zijn ouders zijn uit elkaar, al jaren. zijn vader zit in Australië, zijn moeder in Engeland. Hij ziet ze nooit, en behalve hen heeft hij geen sterveling. Hij denkt zelf dat zijn nare jeugd hem geweldig cynisch gemaakt heeft, maar dat is helemaal niet waar; hij heeft juist hooggespannen, bijna naïeve verwachtingen ten aanzien van zaken als huwelijks- en familieleven."

„Dan heb je heel wat waar te maken, kind."

„Ja. Maar daar ga ik niet voor opzij, ma."

„Daar zie je ook niet naar uit! En je hebt gelijk: neem de uitdaging maar aan, kind. Je levensdrift heeft lang genoeg op een laag pitje gestaan."

„Weet u wel dat u een kei bent?" barstte Regine daarop los.

De ander wist aarzelloos waarop die woorden sloegen; hun beider gedachten waren er immers vol van geweest, al die tijd. „Ach Regientje, als ooit iemand jouw geluk gewild heeft, was het Ferry wel. Wat kan ik dan anders doen dan de deur openhouden, en het leven vrij baan geven?"

HOOFDSTUK 11

Het werd hartje winter voor ze trouwden.

Reyer had een baan gevonden als chef-machinist op een grote papierfabriek in een dorp op de Veluwe. Hij kreeg daar de leiding over olielieden, stokers en machinebankwerkers.

Zelf stond hij onder een werktuigbouwkundig ingenieur.

Bij het nemen van de uiteindelijke beslissing was het een factor van groot belang geweest, dat ze niet naar woonruimte hoefden te zoeken, maar zonder meer in het huis van zijn voorganger konden trekken.

Al deze zaken kregen na voorafgemaakte afspraken tijdens de betrekkelijk korte verlofperioden van Reyer hun beslag.

Tijdens het laatste van die verloven gingen ze in ondertrouw, en nog geen week na het definitieve afscheid van de zee viel de trouwdatum.

In die week was het nog maar nauwelijks leeggekomen huis behangen en gestoffeerd, en met het huisraad uit Regines flat voorlopig ingericht.

Door de omstandigheden was het uiteraard Regine geweest, die de regie had gevoerd van die hele, veelomvattende operatie. Het had haar behoorlijk wat kopzorg gekost, het zo te organiseren, dat alles feilloos in elkaar greep.

Een van de grootste problemen bleek telkens weer, de kinderen goed onderdak te brengen wanneer zij ergens op af moest.

Ze charterde links en rechts vrouwelijke vrijwilligers: familieleden, buurvrouwtjes en vriendinnen, die Reyer naderhand, op de bruiloft, zonder onderscheids des persoons met een hartelijke zoen bedankte voor hun gewaardeerde hulp.

„Hij heeft er wel voor minder gekust," ketste Regine een beetje spits, wanneer ze haar plagend vroegen of zij dat wel goedvond, allemaal.

Ze zag er die dag nog jonger uit dan de meesten zich haar herinnerden, want door alle inspanningen en organisatorische rompslomp had ze ongeveer vijf kilo aan gewicht verloren. Ze wíst dat het haar flatteerde wat slanker te zijn, en ze lachte dan ook al haar kuiltjes tevoorschijn als Reyer bij iedere verraste opmerking over haar lijn met aplomb beweerde zich zwaar bestolen te voelen.

Ze was heel vrolijk en sprankelend, maar op de nerveuze manier van iemand die op zijn reserves teert. Het was iets dat Reyer niet ontging, maar hij liet bewust iedere zinspeling achterwege, vaag beseffend hoeveel zij op zo'n tweede trouwdag te verwerken moest hebben.

Zelf had hij ook min of meer het gevoel een geforceerd vrolijke rol te spelen, omdat een uiterst summier gesteld gelukstelegram, de volstrekt enige reactie die uit Engeland op zijn huwelijk gekomen was, de hele dag als een onverteerbaar brok op zijn maag lag.

Maar iedereen hield zich goed, zelfs Regines moeder, uit wier huis zij trouwden, en bij wie ze de laatste paar dagen hadden gelogeerd. Toen oma Van Palland echter met de twee kleintjes naar haar eigen woonplaats afgereisd was, toen alle gasten vertrokken waren, was het een enorme genoegdoening voor Reyer en Regine om samen weg te kunnen gaan, en eindelijk de rust en de tijd te hebben om weer een wezenlijk contact met elkaar te kunnen leggen, iets waartoe de week die achter hen lag, een week die als één lange roes voorbijgegaan was, nauwelijks gelegenheid had geboden.

Het hotel in de bossen waarop ze hun keus hadden laten vallen, met veel optimisme mikkend op lange wandelingen in de sneeuw, bleek bij de onophoudelijke stortregens die ze troffen niet veel meer te bieden te hebben dan goed eten en aanzienlijk minder goede bedden.

Niettemin brachten ze twee etmalen lang verreweg de meeste tijd daarin door, tot ze volkomen uitgerust van alle vermoeienissen, bijgepraat, en verzadigd van liefde als vanzelf de veerkracht en de energie hervonden om weer tot enig initiatief te komen.

Op de derde dag rekte Reyer zich uit voor het hotelkamervenster dat uitzag op druipend, kletsnat kreupelhout, en informeerde verbaasd: „Wat zoeken we eigenlijk nog in deze contreien? Ze gooien er dag en nacht met water, en een behoorlijk hoofdkussen hebben ze niet aan te bieden!"

Hij greep de gewraakte kussens en smeet ze één voor één tegen het plafond.

Slap en onaangedaan ploften ze terug.

Regine lachte.

„Ik weet een plek waar ze werkelijk sublieme kussens hebben," lichtte ze hem in.

„Waar dan? Dan gaan we dáár naartoe!"

„Thuis," verklaarde zij laconiek.

Het bezorgde Reyer nog steeds een onversneden geluksgevoel, iedere keer als hij erbij bepaald werd, weer een thuis te hebben.

Hij verlangde er eensklaps hevig naar.

Maar Regine had recht op haar welverdiende vakantie.

Hoewel, waarom had ze dat gezegd, zo-even? Was het een hint geweest? Wou zij ook?

„Hé, zeg eens even, mevrouw Schuurman," schudde hij haar, „je bedoelt toch niet dat we dáár naar toe zouden moeten gaan, om de rest van onze huwelijksreis als verstekelingen op het eigen schip door te brengen?"

„Waarom níet?" wilde zij weten, en voegde er schaamteloos aan toe: „Ik krijg zin om jouw banksaldo om hals te brengen, en al die inkopen te doen waarvoor we de vorige week geen tijd en geen moed meer hadden."

Hij rammelde met zijn sleutelbos: „Waar wachten we eigenlijk nog op?"

Binnen een uur hadden ze gepakt en afgerekend, en diezelfde avond nog zaten ze aan weerszijden van de eigen gloeiende haard hun plannen voor de volgende dag te bespreken. Al bijtijds gingen ze op stap naar de nabijgelegen stad.

Ze konden zich niet permitteren alle huisraad te vervangen, en vonden dat ook niet nodig, maar ze kochten een paar lampen, een lage ronde tafel en heerlijke gerieflijke stoelen om een nieuwe zithoek mee samen te stellen.

Behalve twee splinternieuwe fietsen schaften ze ook nog een wasmachine aan.

Daarna aten ze in de stad, méér dan voldaan, en om de kroon op deze dag te zetten, kocht Reyer voor Regine nog een armvol chrysanten, en voor de kleintjes een schommel, die hij persoonlijk onder zijn arm mee naar huis wenste te dragen, ook al kon de solide ombouw pas na verloop van weken in de achtertuin gemonteerd worden.

Nog een paar dagen genoten ze volkomen zorgeloos van hun vakantie; toen hernam het nuchtere leven van alledag zijn rechten.

Reyer begon aan zijn nieuwe loopbaan, die hem in het beginstadium heel wat spanningen bezorgde.

Renate en Lilian, terug van hun logeerpartij bij oma Van Palland, bleken in de totaal nieuwe omgeving allebei met aanpassingsmoeilijkheden te kampen te hebben.

Al met al vielen die eerste maanden bepaald niet mee.

Renate, overweldigd door de vrijheid van het ongekende buiten spelen, het omgaan met leeftijdgenootjes in de straat, vertoonde op het onverwachtst agressieve streken, die conflicten met verontwaardigde moeders opleverden.

Lilian, die al helemaal zindelijk was geweest, begon weer in bed te plassen en had van tijd tot tijd onverklaarbare huilbuien.

Het sleet allemaal mettertijd, maar het bezorgde Regine wel een moeilijke periode, temeer omdat bleek dat er tussen Reyer en haar in de praktijk van het dagelijks leven óók nog wel het een en ander te overbruggen viel.

Ze had hem in het begin van hun omgang al gewaarschuwd voor haar zwakheden: drift en slordigheid, maar in zijn verliefdheid had hij die woorden achteloos terzijde geschoven. Nu echter begon zijn ordelijke geest zich schoorvoetend af te zetten tegen haar nonchalance. Als zij echter tekort schoot in geduld tegenover de kinderen en onredelijk driftig tegen hen uitviel, ergerde hij zich openlijk en las haar de les.

Van haar kant had Regine het er wel eens moeilijk mee dat Reyer zo volkomen opging in het gesloten cirkeltje van hun eigen gezin, dat hij niet de geringste behoefte toonde om contacten te leggen met mensen die op de een of andere manier op hun weg kwamen, en eventueel tot vrienden of kennissen zouden kunnen worden.

Ze hadden zich na veel diepgaande gesprekken over de grote vragen van leven en dood in onderling overleg bij een kerk aangesloten, en Regine liet zich gaarne inschakelen bij allerlei activiteiten in de gemeente, omdat ze het fijn vond mensen te leren kennen en haar geest te scherpen in gesprekken en discussies met anderen. Reyer voelde die behoefte niet.

Wel werd hij keer op keer geboeid door de wijsheid en de troost van het evangelie, maar overigens bepaalde hij zich tot de meest nabijliggende opgave die het leven hem naast zijn werkkring stelde. Pas door de maanden heen begreep Regine dat ze niet aan hem moest trekken, maar hem de vrijheid moest laten om naar hartelust op te gaan in alles wat met huis en haard, huwelijks- en gezinsleven te maken had, zoals hij haar de vrijheid liet om haar gretige belangstelling over tal van aspecten van het leven te verdelen.

Ze leerde aanvaarden dat hij een te enkelvoudige geest had, dan dat hij die op veel dingen tegelijk zou kunnen richten.

Zou zij, die zijn achtergrond kende en het trauma dat hij uit zijn kinderjaren had overgehouden, niet billijken dat het juist het gezinsleven was waarop hij zich geheel en al fixeerde?

Overigens voeren zij en de kinderen er wél bij, want hij vatte zijn rol nauwgezet genoeg op, om op zijn tijd ook onverbiddelijk te kunnen zijn, en zijn voortdurende aandacht en beschikbaarheid niet in kwalijke verwennerij te laten ontaarden.

Toen het voorjaar kwam, en de zomer, leken de moeilijkheden van het begin als het ware te verdampen, zonder noemenswaardige sporen na te laten.

Stuk voor stuk vonden ze de maatslag van het nieuwe leven, dat in al zijn simpelheid toch wel bijzonder goed was.

Reyer legde in de steeds langer wordende avonden een rotstuin aan, en ze schilderden eendrachtig de keuken en de kinderkamer. Ook kregen ze de kans hun plannen uit te voeren en per fiets de wijde omgeving te verkennen. Bijna wekelijks ontdekten ze nieuwe, ongedacht mooie plekjes.

Collega's of buren verbaasden zich er bij gelegenheid wel over, dat zij na verloop van maanden al meer van de omgeving hadden gezien, en meer bijzonderheden kenden dan menigeen die er sinds jaar en dag woonde.

„Weet je wat het is?" placht Regine dan te zeggen, „jullie laten de dingen te veel op hun beloop, je hebt geen plan. Je zult nog wel zien wat je met een vrije dag zult doen, en meestal is het dan laat voor je het weet, en kom je nergens toe. Zo zou het mij óók vergaan, verkleefd als ik ben aan mijn bed. Mijn geluk is, dat ik Reyer heb. Die raadpleegt van te voren een kaart, en 's morgens vroeg staat hij met Renate en Lia – als een beul met zijn twee handlangers – vastberaden aan mijn bed, en ze rusten niet vóór ik op de fiets zit. Alleen als het regent, mag ik ongelimiteerd uitslapen. Soms lig ik fanatiek te duimen dat het regenen zal, maar achteraf ben ik altijd weer zielsblij dat ik me heb laten meetronen!"

Zo kwamen en gingen de seizoenen, en het leven hield maar niet op hun verwachtingen waar te maken. Het gaf met overvolle handen, tot beschamens toe. Ze hadden veel te danken, deze jaren.

De kleine meisjes waren allang vergeten dat er ooit een tijd geweest was waarin ze het zonder vader moesten stellen.

Renate ging naar de basisschool, wat haar een wereld van goed deed. Een jaar later volgde Lilian, en nóg een jaar later werd hun broertje geboren, een prachtige, gezonde baby: Jasper Schuurman. Wat Reyer betreft, die was helemaal ontdaan van geluk, in die dagen.

„Het is te veel," zei hij nederig in Regines haren, toen ze na de bevalling voor het eerst weer samen waren, „nu heb ik zóveel, dat ik er bang van word."
Regine realiseerde zich eens te meer, met hoe weinig hij genoegen nam, in vergelijking met anderen die ze kende of gekend had.
Want wat hád hij helemaal, voor het oog van de wereld?
Een tamelijk slecht gehonoreerde baan, een verre van riant huurhuis in een doodgewoon straatje, nauwelijks geld voor zichzelf, voor hobbies of reizen; niets, niets bijzonders.
Zijn rijkdom bestond uit zijn gezin, uit de onbevangenheid waarmee hij daarvan genoot, en uit zijn vermogen om uit dit simpele bestaan alles te halen wat erin zat.
Ze dacht aan Ferry, met zijn brandende ambitie om de top te bereiken; ze dacht aan de man van haar zusje, die een welstand in huis bracht waaraan zíj nimmer zouden kunnen tippen, maar die nooit tijd had of fut om iets gezelligs te doen met zijn vrouw, wiens kinderen zich altijd verveelden, ondanks hun dure speelgoed.
Ze besefte met niemand ter wereld te willen ruilen, en zei hem dat.
Ze vrijden een beetje en waren tot schreiens toe gelukkig.
Kort daarop hadden ze contact met de gewezen zeeman, die Reyer destijds wegwijs maakte in de mogelijkheden die aan de wal voor hem openstonden. Sinds die bewuste zomer hadden ze niets meer van elkaar gehoord, maar op het toegezonden geboortekaartje van de kleine Jasper reageerde hij met een vrij langdurig bezoek.
Hij vertelde hen onder meer, tijdens de voorbije jaren een avondopleiding gevolgd te hebben tot leraar bij het nijverheidsonderwijs. Ofschoon zijn omscholing nog niet geheel voltooid was, werkte hij reeds geruime tijd als assistent-leraar op een lts. Hij verdiende als zodanig al iets meer dan hij voorheen als chef-machinist ontving, terwijl zijn nieuwe vooruitzichten die van zijn vorige baan geheel in de schaduw stelden.
De omgang met de jongens op zijn school vond hij plezierig, en zijn hele betoog ademde dan ook de geest van: „Man, denk er ook eens over!" al zei hij dat niet met zoveel woorden. Reyer was na zijn bezoek een paar dagen opvallend stil. Toen betrok hij Regine in zijn tweestrijd.
„Zou jij het prettig vinden, als ik het voorbeeld van Machielse volgde?"

Zij keek hem onderzoekend aan.

„Als je er zélf zin in had misschien wel," zei ze toen.

„Och, wat zal ik zeggen? Dat lesgeven in technische praktijkvakken en kennis van machines, ja, dat zou me wel lijken, en ik geloof ook wel dat ik met die jonge knullen overweg zou kunnen.

Maar zo'n studie, Regine, drie of vier jaar lang iedere week drie avonden van halfzeven tot tien uur op zo'n school zitten, de nodige uren verreizen, de rest van de tijd studeren, geen ogenblik meer overhouden voor elkaar – nee, die prijs lijkt mij wel heel hoog. Maar ik heb het gevoel dat ik jullie besteel door zo'n reële kans op een hoger inkomen domweg te laten lopen."

„Hoor eens, Reyer Schuurman," zei Regine gedecideerd, „als ik dan toch bestolen word, dan maar liever van iets fictiefs, dat ik nog nooit bezeten heb, dan van iets dat de basis onder en de kroon op mijn tegenwoordige bestaan vormt!"

Hij rukte haar naar zich toe.

„En dat is?"

Haar ogen lachten toegenegen in de zijne.

„Alles samen doen," spelde ze woord voor woord hun persoonlijke toverformule.

Later wreef ze haar blauwe plekken.

Nee, Reyer was bepaald geen ambitieuze man. Maar een man was hij wel. Soms had ze het gevoel dat hij zijn eigen kracht niet kende, in meer dan één opzicht.

HOOFDSTUK 12

Toen Renate ongeveer een halfjaar in groep drie van de basisschool zat, kreeg ze een enorm probleem te verwerken. Al hadden ze haar nooit verzwegen dat ze lang geleden nog een andere papa gehad had, toch moest het voor haar een vaag begrip gebleven zijn, anders had ze niet zo geschokt kunnen wezen toen oudere kinderen haar kattig vertelden dat het gek was dat zíj Van Palland heette, en haar vader en moeder Schuurman.

„Dat is helemaal niet gek," verweerde het kind zich driftig, „mijn zusje heet ook Van Palland, en mijn oma ook, dat is héél gewoon."

„Helemaal niet gewoon," treiterde een buurmeisje, „mijn moeder

zegt lekker, dat het komt omdat jouw vader geen echte vader is."
„Je jokt het, je jokt het! Mijn vader is de echtste vader van de hele wereld! Je hebt zelf een snertvader, rotmeid!"

Ze had erop geslagen; het was een vechtpartij geworden die er niet om loog, en ze kwam helemaal beschadigd en van streek naar huis.

Regine probeerde haar nog eens opnieuw uit te leggen hoe het allemaal in elkaar zat, maar Renate bleef ontroostbaar. Er stond Schuurman op hun huisdeur, en zij wilde óók Schuurman heten, anders hoorde ze er niet bij.

Toen Reyer van zijn werk kwam, kreeg ook hij het opgewonden relaas te horen.

Hij zat een tijdlang met het nerveus huilende kind op zijn schoot, zoekend naar een sleutel die op dit probleem zou passen.

„Kom," zei hij tenslotte, tot een besluit gekomen, „haal me de schroevendraaier uit de gereedschapskist, Renate."

Zij ging en deed het, niet-begrijpend, maar met een blindelings vertrouwen. Hij nam haar mee naar buiten, schroefde in haar bijzijn het naambordje van de voordeur en gaf het haar: „Hier meid, gooi maar in de vuilnisbak."

„Waarom heb je dat gedaan, pap?" wilde zij weten, haar behuild gezichtje naar hem optillend.

„Omdat het een waardeloos naambordje is, waar de helft niet op staat. We gaan een nieuw bestellen. Kom maar kijken, en probeer of je al kunt lezen wat erop komt te staan."

Zonder haast calligrafeerde hij op een correspondentiekaart het voorbeeld voor de leverancier: Schuurman & Van Palland.

Renate zat op haar knietjes op een stoel en keek de letters uit zijn pen. Ze wist ze allemaal te benoemen en tot woorden te vormen; alleen het tekentje dat de beide namen verbond was haar vreemd.

„Wat betekent dat dingetje, pap?" wilde ze weten.

„Dat betekent dat we bij elkaar horen, de Schuurmannen en de Van Pallands, en dat niemand ons ooit weer van elkaar krijgt."

Renate knikte bedachtzaam. Ja, zo was het goed. Dat zou ze die meiden de volgende dag wel eens vertellen.

Over haar hoofd heen keken Reyer en Regine elkaar aan.

Ik hou van je, zeiden haar ogen.

Ze zouden dat overigens nog heel wat keren zeggen in de jaren die kwamen en gingen, evenals de zijne, want ze hadden een uitgesproken gelukkig huwelijk. Daar kon geen korzelige aanmerking van Reyer, geen driftige uitval van Regine iets aan afdoen.

Weliswaar scheen niet altijd de zon. Ze kregen net als ieder ander hun portie zorg om de kinderen.

Lia moest aan neus- en keelamandelen worden geholpen; Renate, de wildste van de drie, brak eenmaal een pols en eenmaal een been; de kleine Jasper raakte op een kwade dag onder een auto en werd flink beschadigd, ofschoon niet onherstelbaar. Ze leden alle drie aan de gebruikelijke kinderziekten, – maar dat alles kwam niet tegelijk, en ze werden het uiteindelijk allemaal de baas.

Een van de dingen die dieper ingrepen in hun leven, was een brief uit Engeland, van Reyers moeder, waarin deze vertelde dat ze binnen afzienbare tijd een hartoperatie zou moeten ondergaan.

Na de spaarzame prentbriefkaarten die gedurende negen jaren met grote tussenpozen hun woning waren binnengedruppeld, bracht deze onverwachte brief een schokeffect teweeg. Hij bracht Reyer volkomen uit zijn balans, en bleek in staat om uit een langdurig smeulend meningsverschil tussen hem en Regine hoogoplaaiende vlammen te doen slaan.

Zij had het nooit goedgekeurd dat hij, die met zijn vader een – weliswaar summier – contact onderhield, zijn moeders bestaan zoveel mogelijk negeerde.

Na de geboorte van Jasper had ze het er met veel moeite doorgekregen dat hij bericht naar Engeland stuurde, maar evenals bij hun huwelijk destijds, had zijn moeders reactie slechts bestaan uit een geluktstelegram met standaardtekst.

Regine had er dikwijls over gepiekerd of er geen mogelijkheid was om deze diepgaande contactstoornis op te heffen.

Maar de relatie tot zijn moeder was een van de weinige zaken waarin Reyer zich uitermate koppig toonde.

Toen hij haar zwijgend het korte, bijna zakelijk gestelde briefje ter lezing aanbood, en de inhoud tot haar doordrong, zei ze impulsief: „Je moet naar haar toegaan, Reyer.”

„Dat kan ik niet,” sneed hij kortweg die suggestie af, en liep weg.

Maar Regine liet het er niet bij zitten: ze ging hem na.

„Maar ze wil je zien,” drong ze aan.

„Dat lees ik nergens,” reageerde hij wrevelig.

„Dacht je werkelijk dat zij je met zoveel woorden durft vragen of je

256

komt?" sprong Regine op de ketting. „Ze durft niets meer, níets, al in geen jaren. Niets dan die schuwe, onbeschreven ansichten; – en weet je waaróm niet? Omdat ze aanvoelt dat jij tegenover haar op een torenhoge rechterstoel zit, en een oordeel zonder genade velt."
Reyer bukte zich onder die felle woorden als onder een klap.
„Regine," zei hij gekweld, smekend om begrip, „ik kón niet anders. Ze heeft me zo in de steek gelaten."
„Dat weet ik wel. Maar als je nú niet naar haar toegaat, maak je precies dezelfde fout, dan heb je nooit meer recht van spreken."
Ze knelde haar handen om zijn arm, wanhopig om de ontoegankelijkheid van zijn gezicht.
Hoe had hij ooit kunnen bidden: 'Vergeef ons onze schulden, gelijk ook wij vergeven onze schuldenaren?'
Hóe, met zóveel versteende wrok in zijn hart?
„Dit is een test-case voor ons, Reyer," huilde ze geëmotioneerd, „nu komt het er op aan om wáár te maken wat we belijden. Dat zij je dat briefje geschreven heeft, juist nu, na al die jaren. Ze moet bang zijn, letterlijk doodsbang, en onvoorstelbaar alleen."
Reyer slikte moeilijk. Hij maakte zich zwijgend van haar los en liep het huis uit, vluchtend in de eenzaamheid van de natuur.
Pas laat in de avond kwam hij terug, toen de kinderen al uren sliepen; doodmoe, ontredderd, nog steeds niet tot een besluit gekomen.
Regine voelde zo'n deernis met hem in deze crisis, dat haar eigen hart erdoor verscheurd werd, maar ze wist dat ze hem een slechte dienst zou bewijzen, wanneer ze nu geen voet bij stuk hield.
In een lange, doorwaakte nacht voerden ze – onderbroken door zwaargeladen stiltes vol broeiende gedachten – een ontdekkend gesprek, waarin ze de naakte kern van het leven meer nabij kwamen dan ooit.
Maar ten laatste moest Regine terugtreden, omdat alles gezegd was wat er te zeggen viel. Reyer worstelde zich alleen naar een beslissing toe, verzet biedend tot het laatst.
Maar wélke vluchtroute hij ook insloeg, nooit kwam hij voorbij de stille figuur die hij telkens op zijn weg vond, de Man van Smarten, méér in de steek gelaten dan wie ook, die zichzelf tot het uiterste prijsgaf om anderen uit de wurggreep van het kwaad te ontzetten.
Oók Reyer Schuurman, met zijn lang gekoesterde wrok.

Tegen de morgen gaf hij zich gewonnen, tot het besef gekomen dat er in een hart geen plaats kon zijn voor liefde en onverzoenlijkheid beide. Er was geen keus.

Ongeveer een week later maakte hij de overtocht naar Engeland en ontmoette er zijn moeder, voor het eerst sinds hij een opgeschoten jongen was, en zij, na jaren van ontevredenheid met haar bestaan, haar lot in eigen handen nam.

Ze bleek financieel onafhankelijk, daar de reislustige Brit, in wiens leven zij jarenlang een rol gespeeld had, haar in zijn testament niet zuinig bedacht had. Maar ze moest na zijn dood tot een zo grote eenzaamheid vervallen zijn, dat er letterlijk niemand in haar omgeving was met wie zij de spanning om haar bedreigde gezondheid delen kon.

Reyer had maar weinig tijd nodig om te begrijpen dat Regine het wel goed had aangevoeld: dat sobere, terughoudend gestelde briefje was in wezen niet minder geweest dan de schreeuw van een mens in doodsnood.

Het ontwapende hem volkomen, de moeder die hij zich was blijven herinneren als een kaarsrechte verschijning in de bloei van haar jaren, terug te vinden als een oude vrouw met diepe lijnen in het gezicht, véél kleiner dan hij zich had voorgesteld, en met een moede rug die doorboog of er een onzichtbare last op drukte.

Toen hij weer thuis was, gaf hij pas gaandeweg, bij stukjes en beetjes, iets prijs van hetgeen er tussen hen beiden gepasseerd was.

Maar toen de maanden verstreken, besefte Regine dankbaar, dat het mes naar twee kanten gesneden had.

Níet alleen was haar onbekende schoonmoeder, inmiddels geopereerd en herstellend, uit haar heilloos isolement verlost geraakt, maar Reyer zelf had in zeer korte tijd een groot stuk innerlijke groei ingehaald, eindelijk de laatste barrière nemend naar volledige volwassenheid.

De verongelijkte kleine jongen in hem, die haar in het verleden sóms vertederd, soms geërgerd had, liet zich niet meer signaleren.

Enige tijd daarna kwam Reyer terug op iets dat een jaar of zeven tevoren ook tussen hen aan de orde was geweest.

Het was zondagmiddag; ze zaten met zijn tweeën aan een bosrand, en keken uit over de akkers. De meisjes waren een weekend naar oma Van Palland en Jasper speelde bij een vriendje.

Terwijl ze fietsten hadden ze niet veel gezegd, bezig als ze waren met hun eigen gedachten. Regine had haar zorgen om de meisjes: Lia, zó kinderlijk nog met haar twaalf jaren, en zó graag nog in het gezelschap van vader en moeder, dat zij zich wel eens afvroeg of ze niet wat al te traag was in haar ontwikkeling.

Renate daarentegen, reeds volop in de puberteit, steeds meer haar eigen gang gaand, opstandig vaak en ontevreden.

Was zijzelf óók zo geweest tussen haar dertiende en haar veertiende jaar? Ze wist het niet meer.

Reyer verbrak een langdurige stilte met de woorden: „Luister eens, Regientje, ik speel al een poosje met de gedachte, alsnog die avondopleiding tot leraar aan een technische school te gaan volgen, waar Machielse indertijd de mond zo vol over had."

Regine wendde zich met een ruk naar hem toe, onmiddellijk verband leggend tussen deze mededeling en diverse opmerkingen van Renate, die de laatste maanden met pijnlijke regelmaat aan de harmonie van hun bestaan hadden geknabbeld.

– Waarom hebben wij nog steeds geen auto?

– Waarom gaan wij óók niet eens op vakantie naar het buitenland?

– Waarom krijg ik niet meer zakgeld?

– Waarom blijf je altijd maar in datzelfde suffe baantje plakken, pap? Je zou best meer kunnen verdienen. De vader van Jacqueline... de vader van Gerry... de vader van Marja...

Regine kon die opschepperige 'vaderverhalen' van haar oudste niet uitstaan; verhalen waarin juist die vaders ten tonele werden gevoerd, die uit alles geld wisten te maken.

Reyer, hoewel hij er minstens zo door bezeerd moest worden als zij, reageerde er verstandiger op, dat was zij zich terdege bewust.

Hij wond zich nooit op, gaf weinig en laconiek commentaar.

Eenmaal slechts had hij het meisje stevig in de nek gepakt, en kalmweg gezegd: „De vader van Renate zou wel het driedubbele kunnen verdienen als hij dat wou. En als zijn vrouw en zijn kinderen het wilden."

Toen had Regine, vóór haar beurt pratend, er scherp en verontwaardigd haar mond tussen gestoken: „Ja, dan moest hij weer gaan varen, zo ver mogelijk uit de buurt en zo lang mogelijk achter elkaar. Dat levert het meeste op, weet je. Maar toevallig zijn wij liever altijd bij elkaar, dan alleen af en toe."

Lilian was haar moeder bijgevallen. Die kreeg al grote ogen van schrik bij het idee alleen; zij wenste de eigen clan tot elke prijs bijeen te houden.

Renate was anders. Die had een beetje gegeneerd met haar schouders getrokken en iets gemompeld over een middenweg. Dat woord drong zich onweerstaanbaar aan Regine op, toen Reyer over die avondopleiding begon te praten.

„Je overweegt dat toch niet terwille van die ontevreden snotneus?" vroeg ze boos, met vlammende ogen. „Ik wil niet dat je aan dat soort dwingelandij toegeeft, Reyer. Je bent een toegewijder vader voor haar geweest dan al die kerels waar zij de mond zo vol over heeft, voor hun bloedeigen kinderen zijn, maar dat zal ze pas weer gaan beseffen als ze wat ouder is. Laat je alsjeblieft niet van de wijs brengen, maar blijf jezelf!"

Hij lachte even plagend om deze ouderwetse explosie, innerlijk toch verwarmd door haar nooit verflauwende solidariteit.

Toen zei hij, een nieuw licht op de zaak werpend: „Het ís niet in de eerste plaats om Renate tevreden te stellen. Sinds die nieuwe ingenieur bij ons loopt, is de sfeer in de fabriek niet meer zoals hij geweest is.

Ik werk niet langer met plezier, Regine. Die man tast zijn mensen aan in hun gevoel van eigenwaarde, en ik voel me langzamerhand te groot om als een leerjongetje op zijn plaats gezet te worden, en dat gebeurt herhaaldelijk – ónverdiend."

Het luchtte hem op, deze dingen, die al een tijdlang in hem gegist hadden, onder woorden te brengen nu de tijd er rijp voor was.

Regine kneep pijnlijk stijf zijn hand, terwijl ze de over elkaar heen buitelende gedachten ordende die zijn onthullingen hadden losgemaakt.

„Het zal je niet meevallen, jongen," zei ze tenslotte beducht, „om op je vijfendertigste nog weer aan de studie te moeten gaan."

„Nee. Maar aan de andere kant: als ik het roer nog wil omgooien, zal ik het nú moeten doen. Acht jij het de offers waard die je er ongetwijfeld voor zult moeten brengen? Tijdens de avonden kun je mijn gezelschap sowieso afschrijven."

„Als je de zondagen maar voor ons houdt," bedong Regine.

„Eis ingewilligd," deed hij zonder enige bedenking uitspraak.

„En wat dacht mevrouw van de nachten?"

„Dat meneer moet oppassen zich niet te overwerken," plaagde mevrouw.

Ze stoeiden een beetje, en praatten toen weer verder, met name over de praktische uitwerking van de plannen die Reyer aan de orde gesteld had.

„Je staat er wel heel anders tegenover dan zeven jaar geleden, hè?" merkte Regine op terwijl ze terugfietsten naar huis.

„Ja. Ik was toen tevreden met mijn omstandigheden, die destijds inderdaad prettiger lagen dan nu. Maar achteraf bezien geloof ik dat er aan mijn afkerigheid om zoveel tijd aan mijn gezin te onttrekken, toen wel een groot brok innerlijke onzelfstandigheid ten grondslag lag.

Na wat er het vorige jaar tussen moeder en mij uit de weg geruimd is, ben ik dat langzaam maar zeker gaan doorzien.

Je kunt de situatie mijnentwege vergelijken met die van een kind dat verdwaald is en nadien voortdurend in de onmiddellijke omgeving van zijn veilige thuis wil blijven, omdat het zich alleen daar gelukkig en onbedreigd voelt. Als dat kind opgroeit zal het niet minder van zijn thuis houden, maar toch zal het zijn actieradius gaan uitbreiden.

Wat mij betreft: ik voel me meer dan vroeger geprikkeld om bepaalde uitdagingen van het leven en de maatschappij aan te nemen.

Maar ik veronderstel dat jij dat allang opgemerkt had; zo bijdehand ben je wel."

„Als ik zulke dingen opmerk," pareerde Regine, „dan is dat niet omdat ik bijdehand ben. Dat ben ik mijn hele leven al geweest, maar denk je dat ik daarom iedereen begreep?"

„Kan het zijn," informeerde hij naar de bekende weg, „dat je je inzicht ontleent aan heel speciale gevoelens die je mij toedraagt?"

„Dat zou best eens kunnen, verwaande kerel!" zei zij.

Toen lachten ze allebei.

Die dag was er weer één met een gouden rand.

HOOFDSTUK 13

Driekwart van zijn avondopleiding tot leraar bij het nijverheidson-derwijs had Reyer achter de rug, en reeds was hij enkele maanden met een voorlopige aanstelling werkzaam aan een grote technische school, toen zich tussen hem en Regine plotseling een verwijdering voordeed waarvoor hij geen enkele plausibele verklaring wist te vinden, en die hem juist daarom verschrikkelijk dwars zat.

Behalve het feit dat ze hém al dagenlang met weinig overtuigende voorwendsels op een afstand hield, was ze ook onevenwichtig en lichtgeraakt in haar omgang met de kinderen.

Eerst had hij goedmoedig gepeild: „Wat is er toch, meisje?" bij een andere gelegenheid had hij zich gepikeerd getoond, maar haar weerwoord bestond uit louter dooddoeners, iets dat zózeer in tegenspraak was met haar gebruikelijke manier van reageren, dat zijn bevreemding en ergernis gaandeweg in een kwellende onrust verkeerden.

Argwanend bleef hij haar ongewoon gedrag observeren.

Had hij Regine tijdens die overbezette jaren, waarin hij werkkring en studie combineren moest, dan tóch teveel alleen gelaten? Was er wellicht een ander in het spel gekomen, om wie zij zich van hém distantieerde?

Die gedachte maakte hem heet van naijver.

Al kon hij zich verstandelijk niet voorstellen dat zoiets van de ene dag op de andere gebeuren kon – waar ze het toch altijd zo goed hadden gehad met elkaar – toch liet hij de leden van de besturen de revue passeren waarin Regine ooit zitting had, de kennissen uit de clubs waarin zij een deel van haar energie opbrandde. Wie mocht het wel zijn, die haar in deze ongekende verwarring had gebracht? Op zekere avond, vastbesloten niet te gaan slapen voor hij wist wat haar bezielde, trok hij Regine met een heftig, in bezit nemend gebaar naar zich toe.

„Reyer, alsjeblieft, ik heb slaap," verweerde zij zich.

„Je liegt het!" zei hij hard, aan het omzichtig vermijden van de zere plek een definitief einde makend door het mes in de wonde te zet-ten, „je liegt het. Je hébt geen slaap. Je hebt heel iets anders, en je vertelt mij nu, op dit moment, wat het is."

Toen zij zich ondanks deze aandrang in een grondeloos zwijgen bleef hullen, vervolgde hij bitter: „Wil je het míj soms horen zeggen? Dat je een bevlieging voor een andere kerel hebt?"

Tot zijn verbijstering lachte Regine.

Dat had ze al meer dan een week niet gedaan, wist hij ineens.

Ze lachte luidop, maar haar lachen was te schril, er scheen iets van wanhoop in door te klinken, iets dat hem de vreemde sensatie bezorgde of er plotseling ijskristallen in zijn bloedbaan werden meegevoerd.

„Was het maar waar," zei Regine tenslotte, wrang en raadselachtig.

Hij schudde haar door elkaar: „Hoezó, was het maar waar?"

„Van een bevlieging voor een ander, (wíe in vredesnaam?) zou ik gauw genoeg genezen zijn. Niet van dit... nooit meer van dit..."

De wanhoop in haar stem was nu onmiskenbaar, en hij omgreep haar met zijn harde handen, door dat woordje 'genezen' ineens op het goede spoor gezet. „Zeg op: ben je ziek?"

Toen liet Regine de krampachtig bewaarde afstand varen en drukte zich heftig tegen hem aan.

„Ik heb een knobbel in mijn lies, Reyer," bekende ze gesmoord, onder tranen, „een knobbel die groter wordt, en die me bang maakt, doodsbang."

Hij had even tijd nodig om deze woorden, en vooral de verzwegen woorden daarachter, op zich te laten inwerken.

Toen vorste hij, te geschokt om subtiel te zijn: „Bedoel je... kanker...?"

„Ja."

„Zegt de dokter dat?"

„Ik ben nog niet bij de dokter geweest, ik durfde niet."

Hij trok met een ruk het licht aan en zat recht overeind. „Jij grote gekkin," zei hij ruw, zijn eigen angst overbluffend, „dat moet je maar doen: jezelf een week lang een hel bezorgen, en ons erbij, zonder ook maar iets zeker te weten. Het kan wel iets onschuldigs zijn, dat dadelijk kan worden weggenomen."

„Dacht je?" vroeg Regine automatisch, als een welopgevoed kind dat te beleefd is om tegen te spreken. Maar er klonk zó weinig hoop in, dat Reyer ontsteld begreep hoever zij onbewust al gevorderd was bij haar pogingen, zich met de idee van onafwendbaarheid vertrouwd te maken.

Hij nam haar in zijn armen, haar liefkozend met overstromende tederheid, haar aan de sterke staaldraad van zijn liefde stukje voor stukje terughalend uit het smalle, eenzame ravijn waarin zij zich dagenlang tegen de rotswanden angst en wanhoop te pletter gelopen had – terug naar de wijde hoogvlakte van het 'nu', waarin alles nog mogelijk was.

De volgende dag reeds stelde Regine zich onder behandeling.
Haar conclusies waren niet zo voorbarig geweest als Reyer vurig bepleit en gehoopt had: zonder uitstel moest zij worden opgenomen om het zorgwekkende knobbeltje operatief te laten verwijderen, en toen na wurgende spanning de uitslag van het laboratoriumonderzoek kwam, viel er niet meer af te dingen op de ernst van de zaak. Er was wel degelijk sprake geweest van een kwaadaardig gezwel.
Nieuwe moed putten ze echter uit de verklaring van de chirurg, dat hij goede hoop had, door deze ingreep het kwaad met wortel en tak te hebben uitgeroeid.
De kinderen waren erg van streek geraakt, toen ze op de hoogte werden gesteld van hetgeen er aan de hand was.
Jasper begreep de draagwijdte van de dingen nog niet, maar de meisjes hadden zich nu pas goed gerealiseerd, wat ze in hun moeder bezaten.
Ze wedijverden in hulpvaardigheid toen Regine terug was uit het ziekenhuis, even spontaan en saamhorig als ze tijdens haar afwezigheid zo goed en zo kwaad als het ging de huishouding hadden gerund.
Toen Regine snel haar veerkracht herwon, taande die ijver weliswaar aanzienlijk, maar zij ervoer dat zelf bijna als een opluchting: alles was weer gewoon, ze zagen haar kennelijk niet langer als patiënte.
Ze gunde die twee tieners hun herkregen zorgeloosheid van harte.
Reyer en zij echter leefden hun leven anders dan voorheen.
Dwars door hun onuitgesproken beduchtheid voor de toekomst heen, aanvaardden ze elke nieuwe dag bewust als een geschenk uit de hemel.
Iedere wandeling iedere omhelzing, iedere samen-genoten zonsondergang was een toegift geworden.
Drie maanden duurde dat broze geluk, dat – met zorg beheerd – als

kleingeld was dat drie maal wordt omgekeerd voor het wordt uitgegeven.

Toen keerden de verschijnselen van Regines kwaal terug, en werd het pas werkelijk ernst met zaken als pijn, strijd en onthechting.

Een operatie was opnieuw noodzakelijk; daarna volgde de kwelling van telkens terugkerende, zeer pijnlijke injecties; de langzame afbraak van haar bloeiende lichaam, nog zo uitzonderlijk gaaf voor haar achtendertig jaren vóórdat de verraderlijke ziekte toesloeg.

Toen Reyer zijn ontslag genomen had op de papierfabriek om naar het onderwijs over te stappen, hadden ze het huis moeten verlaten waarin ze bijna twaalf jaar gewoond hadden. Ze konden een soortgelijke woning betrekken in het veel grotere dorp, ongeveer tien kilometer verderop, waar de lts stond waaraan Reyer zich verbonden had.

Voor Renate en Lilian was de verandering niet zo ingrijpend geweest als voor Jasper, zelfs wel préttig, omdat zij in deze zelfde plaats al een jaar of wat naar de middelbare school gingen, zodat ze de meeste van hun vrienden en vriendinnen behielden, maar wél werden ontlast van de vrij pittige fietstochten naar en van school.

Voor Jasper echter was het een heel ding geweest, zijn klas en zijn vriendjes en zijn hele vertrouwde omgeving te moeten prijsgeven. Hij begon zich nog maar juist een beetje aan te passen, toen de tweede fase van zijn moeders ziekte opnieuw al zijn zekerheden aan het wankelen bracht.

Rondom haar eerste operatie hadden de vier groten in zijn bijzijn als bij onderlinge afspraak de dingen sterk gebagatelliseerd, maar na de tweede ingreep was dat niet meer waar te maken.

Toen Regine telkens moest rusten en ál magerder werd, toen de wijkzuster aan huis kwam om injecties toe te dienen, toen hij ontdekte dat Lia soms lag te huilen, 's avonds in bed – toen besefte de tienjarige jongen gaandeweg scherper waarin hij bedreigd werd, en tobde erover.

Op een middag kwam hij na schooltijd aan de deur van Regines kamer.

„Slaap je, mam?" hoorde ze zijn hoge kinderstem door de dichte deur heen. „Ik ben zo alleen, beneden."

Het klonk zo verloren, dat ze haar grenzeloze moeheid ervoor vergat.

„Kóm maar, Jasper!" riep ze terug.

Ze draaide haar gezicht naar de langzaam openzwenkende deur en zag hem staan op de drempel, een smal ventje met donker haar en blauwe ogen. Een afgietsel van Reyer, zoals Renate haar leven lang een verjongde uitgave was geweest van háár. Ze moest eraan denken, dat zijn vader net zo'n jongetje geweest moest zijn als Jasper, toen de bodem onder zijn bestaan werd uitgeslagen.

Haar hart bloedde terwille van haar jongste, die zo'n moeilijke opgave te verwerken zou krijgen, maar tegelijk kon ze dankbaar zijn om alles wat hij méér bezat dan de kleine Reyer destijds: zijn twee zusjes, die van hem hielden, en een vader die door dik en dun garant voor hem zou zijn.

Het kind kwam schoorvoetend dichterbij.

„Mam," klaagde hij, „ik moet zo verschrikkelijk dénken, iedere dag."

Regine knikte.

„Ik ook, joh," bekende ze, „daar word je moe van, hè?"

Ze stak een zoekende hand naar hem uit en trok hem aan zijn trui naar zich toe.

Zich onbespied wetend, durfde hij, in de sfeer van openheid en vertrouwen die spontaan tussen hen beiden ontstaan was, ineens als een klein kindje tegen haar aan te kruipen en de angst te verwoorden die al dagenlang als een geheimzinnig, vraatzuchtig dier onderhuids aan hem knaagde, en hem uitholde. „Mam, beloof dat je niet dood gaat!" smeekte hij, zijn hoofd tegen haar aandrukkend.

Regine mobiliseerde al haar resterende krachten om het beven van haar leden te bedwingen.

Ze schoof haar arm onder zijn rug door en trok hem nog wat dichter tegen zich aan. Zo verborgen zij zich bij elkaar met hun machteloos verdriet.

„Dat kan ik niet beloven, lieverd," zei ze eindelijk stil, „alle mensen sterven immers, vroeg of laat?"

Zij werd zich bewust hoe grondig het leven de mensen bijsleep, en daarmee voortging tot aan hun laatste ademtocht toe.

Hoe geheel anders zou zij vroeger, primair reagerend, volbloedig en ongeremd als ze was, een dergelijk overweldigend verdriet hebben verwerkt!

Ze herinnerde zich nog maar al te goed hoe ze na Ferry's dood onstuimig geschreid en geschreeuwd had in bitter verzet, de uitwerking op haar omgeving niet achtend. Tijdens de voorbije maanden had ze óók gehuild, dikwijls gehuild, samen met Reyer soms, maar ingetogener dan vroeger en zonder enig misbaar, alsof iedere uiting van leed, wanhoop of vrees getemperd werd door de wetenschap dat ergens binnen gehoorsafstand haar kinderen waren, die ze emotioneel niet zwaarder belasten mocht dan onvermijdelijk was.

Reyer en zij wisten beiden dat zij niet meer beter zou worden.

Door hoopvolle woorden van welke dokter ook zouden zij zich niet meer laten misleiden.

Niet dat ze zich door de chirurg in kwestie bedrogen voelden.

Zijn geruststellende woorden, die geen hout gesneden hadden, waren stellig voortgevloeid uit zíjn opvatting van barmhartigheid, en wellicht had die wel degelijk bestaansrecht.

In ieder geval hadden die woorden de zorgeloosheid van de kinderen en hun eigen angstig gekoesterd geluk met drie kostbare maanden verlengd.

Maar ofschoon ze de kinderen aanvankelijk nog spaarden, voor zichzelf en tegenover elkaar erkenden zij na die tweede operatie de noodzaak, de wrede werkelijkheid onder ogen te zien.

De meisjes lieten zich echter niet langer dan enkele weken zand in de ogen strooien. Ze reageerden heel verschillend, al naar gelang hun karakter en temperament.

Renate had Reyer uitgedaagd hen de waarheid over hun moeders ziekte te vertellen, maar toen ze die eenmaal wist had zij zich zó onbeheerst aan haar verdriet en machteloze woede overgegeven, dat Reyer met haar had moeten worstelen om te voorkomen dat zij in die gemoedstoestand naar boven vloog om bij Regine weer een ontkenning af te dwingen van hetgeen ze zojuist te verstaan had gekregen.

Het gebeurde op een avond, toen Jasper al sliep. Reyer had Lilian ongehinderd naar Regine laten gaan met haar zwijgende ontreddering – die twee konden elkaar niet schaden, alleen maar troosten – maar Renate had hij meegenomen naar buiten, waar ze kilometers ver gelopen hadden tegen een meedogenloze oostenwind in, die aan hun haren en kleren rukte. Als zij niet verder wilde gaan, had hij haar gedwóngen tot doorlopen, een ijzeren hand in haar rug.

Eindelijk, op de terugweg, waren ze aan het praten geraakt, een onthutsend openhartig gesprek waarin hij zijn eigen nood niet verzweeg, noch de strijd die hij had moeten voeren om na zijn overrompelend geluk ook dit leed uit Gods hand te aanvaarden. Een gesprek waarin Renate tenslotte verder kwam dan tot machteloos opstandige uitroepen als 'Ik wíl het niet!'

Toen ze thuiskwamen was ze gekalmeerd, en volgens haar eigen zeggen vijf jaar ouder geworden.

Sinds die avond toonde ze een nieuw respect voor haar stiefvader. Met Regine had ze iedere dag een kort onderonsje, evenals Lia, die veel in stilte verwerkte, die dikwijls huilde, maar daarbij de anderen ontliep.

Speciaal haar kleine broertje, die ze een heel ander gezicht liet zien, die ze zoveel mogelijk opvrolijkte en afleidde.

Toen Reyer daar eens tegen Regine over repte, verklaarde die met smartelijke trots: „Ze heeft hem geadopteerd, nu al, op eigen initiatief. Dat wordt later een moedertje uit duizend, Reyer."

Later, dacht hij bedroefd, wéér een stukje later waarvan zij geen getuige meer zal zijn.

Toen zij nog de injecties kreeg toegediend die het ziekteproces moesten ophouden, had Regine eenmaal, machteloos rebellerend tegen de gehate pijn, aan de wijkzuster gevraagd: „Móet dat nou echt, zuster? Wat koop ik ervoor?"

„Uitstel," had de nuchtere, woordarme vrouw gezegd. Meer niet. Maar toen Regine zich hardop afvroeg of het wel loonde iemands ellende als een stuk elastiek tot de uiterste spankracht uit te rekken, had ze aan haar sober commentaar nog iets toegevoegd: „Dat kan ík niet voor u bepalen, mevrouw Schuurman, ik weet immers niet wat u nog te doen hebt?"

Nu, terugkerend van haar bliksemsnelle gedachtenreis, met het warrige bolletje van Jasper in de buiging van haar arm, wíst Regine welke taak haar nog restte: ze moest met haar kleine zoon praten, om aan zijn dagelijks-groeiende vrees voor de toekomst de angel te ontnemen.

Via haar eigen hot-line met God, zo onmisbaar geworden tijdens haar ziekte, vroeg ze woordeloos om wijsheid voor dit gesprek.

„Jasper," begon ze aarzelend, „zo'n vijftien jaar geleden gebeurde er iets dat mama heel ongelukkig maakte. Je weet wel wat ik bedoel, hè? De vader van Renate en Lia kreeg een ongeluk met zijn auto, en hij ging dood zonder dat we nog een woord tegen elkaar hadden kunnen zeggen.

Mama dacht toen dat ze nooit meer blij zou kunnen zijn, nooit meer zou kunnen lachen of zingen.

Jij begrijpt nu wel hoe ik me toen voelde, nietwaar? Je kent het zelf nu ook, dat gevoel of er een zware steen binnen in je zit, die je aldoor moet meezeulen."

„Ja," zei de jongen verwonderd.

Ze voelde hoe zijn linkerhand tastte naar die zwaarte op zijn hart, op zijn maag, die beklemming die maar niet wijken wilde.

„Maar zeg nou eens, Jasper," praatte Regine verder, dicht bij zijn oorschelp in grote vertrouwelijkheid, „was het waar wat mama toen dacht? Is ze nooit meer blij geweest sinds toen, heeft ze nooit meer gelachen of gezongen of feest gevierd?"

„Jawel," weerlegde het kind. Hij herinnerde zich tal van toespelingen, in de loop der jaren in de huiselijke kring gemaakt.

„Jawel, maar dat kwam omdat pap Renate bij je terugbracht toen ze verdwaald was op het strand, en toen gingen jullie later samen trouwen; toen kwam ik er ook bij, en toen waren we alle vijf bij elkaar, toen hóefde je niet meer verdrietig te wezen."

„Zo is het, lieverd. En dat moet je nu heel goed onthouden, daar moet je telkens aan denken wanneer er dingen gebeuren die je zo verdrietig maken dat het lijkt of je nooit meer blij zult kunnen worden.

Mama verzekert je dat die zware steen op een dag van je hart rolt, dat je weer rustig kunt spelen en gelukkig zijn. Niet omdat alles weer precies wordt als vroeger, dat niet. Soms krijgt geluk een nieuw gezicht, Jasper, maar dat hindert niet. Geluk heeft véél gezichten."

Later, toen de jongen haar alleen gelaten had, afgeleid omdat hij buiten een vriendje hoorde roepen, zette zij als onder dwang haar eigen woorden in beelden om.

Ze berouwde het niet dat zij ze gesproken had, er tegen het kind op had gezinspeeld dat de geschiedenis zich zou herhalen, dat er eenmaal weer een goede tijd voor hem zou aanbreken, omdat een lege plaats opnieuw gevuld kon worden.

Jasper had die geruststelling nodig gehad, zijn moeders instemming met deze toekomstige gang van zaken, die onafwendbaar scheen, ja, zelfs het beste was wat hem gebeuren kon.

Maar toch – haar gezicht in haar kussen verbergend, leeg en ontredderd na het uitputtend gesprek – had Regine het gevoel of ze Reyer had weggegeven in dit uur. Afgestaan aan een andere vrouw, zonder gezicht nog en zonder contouren, zodat jaloezie een zinloze zaak was. Maar niettemin weggegeven.

Ze huilde.

Van vermoeidheid viel ze in slaap, een uurtje maar, toen werd ze weer wakker, wonderlijk verkwikt en met een inwendige vrede die ze niet eerder gekend had. Haar hand reikte naar het liedboek dat sinds weken op haar nachtkastje lag: een onuitputtelijke bron van troost.

Toen Reyer na verloop van tijd thuiskwam en voorzichtig de deur van de slaapkamer opende, lag Regine in een nieuwe, nog lichtere sluimering verzonken.

Hij bukte zich om een potlood op te rapen dat op de grond was gevallen, en zag in dezelfde oogopslag waarvoor Regine het had gebruikt.

In de openliggende bundel waren een paar regels met onzekere hand omlijnd. In gebukte houding las en herlas hij die: 'Gods goedheid is te groot voor het geluk alleen, zij gaat in alle nood door heel het leven heen.'

Toen Regine haar ogen opsloeg, zag ze hem daar staan in zijn houding van gespannen aandacht.

Ze tilde een moede hand op en streelde de zijne, die neerhing langs zijn zij.

Hij keerde onmiddellijk zijn gezicht naar haar toe.

„Lieveling! Hoe is het?"

Regine zuchtte heel diep.

„Het is goed," zei ze toen, „ik heb eindelijk ook met Jasper gepraat, en nu voel ik dat ik klaar ben, dat ik me niet meer hoef te verzetten. Ik heb alles overgegeven, Reyer, en het is heel stil geworden, hier." Ze legde met een veelzeggend gebaar een vermagerd handje op haar vervallen borst. Reyer vouwde er zijn sterke vingers omheen; hij zakte door zijn knie en legde zijn gezicht op die twee handen.

Te vol voor woorden, deed hij op zíjn beurt afstand van háár.

Kort daarna ging Regine voor de derde maal naar het ziekenhuis, en stierf er drie weken later.
De laatste kus die ze wisselden smaakte evenzeer naar tranen als de eerste.
Bijna dertien jaar lang hadden ze alles samen gedaan.

TWEEDE DEEL

HOOFDSTUK 14

Reyer Schuurman mag maandenlang de tijd hebben gehad om zich vertrouwd te maken met de gedachte dat hij weldra weduwnaar zou zijn, hij heeft zich daarbij nauwelijks reële voorstellingen kunnen maken.

Het was of zijn gedachten eenvoudig weigerden verder te reiken dan het tijdstip, waarop het zwaard dat aan een ragdunne draad boven hun hoofden hing, zou vallen om scheiding te maken tussen hem en de vrouw die het middelpunt was van zijn bestaan.

Maar nu alles voorbij is, nu het onverbiddelijke leven zijn eisen weer stelt, ervaart hij aan den lijve wat het inhoudt.

En eerst nú doorvoelt hij tot op de bodem wat Regine destijds na Ferry's dood te verstouwen heeft gehad.

Dat zij dit alles óók heeft doorgemaakt, het wordt de reddingsboei waaraan hij zich vastklemt, waarop hij zich drijvende houdt, die eerste, moeilijke tijd.

Telkens wanneer zich iets bijzonders voordoet in de gang van het dagelijkse leven, vooral waar het de opvoeding of de begeleiding van de kinderen betreft, en hij het als een schrijnend gemis ervaart, de dingen niet meer als vanouds te kunnen doorpraten alvorens een beslissing te nemen – steeds als hij de bijna onweerstaanbare neiging voelt om de eenzaamheid op te zoeken met zijn bitter verdriet, maar beseft daaraan niet ongelimiteerd te mogen toegeven, omdat zijn plaats temidden van zijn kinderen is, die hun éigen ontreddering te verwerken hebben en die het houvast dat zijn aanwezigheid en bereikbaarheid hen verschaft niet ontberen kunnen – steeds wanneer zijn zoekende hand 's nachts slechts een leegte naast zich aantreft en het met nieuwe, wrede felheid op hem afkomt dat hij alleen is achtergebleven met zijn zwaar hart en met zijn onrustig hongerend lijf, dat niet meer weet waarop het zijn begeerte projecteren moet.

Altijd, altijd klampt hij zich weer vast aan de troostende gedachte dat Regine dit alles lang geleden evenzo heeft moeten doorworstelen – en erdoorheen gekomen is.

Regine, die deze zelfde nauwe, donkere schacht heeft moeten doorkruipen, en toch weer de zon gevonden heeft, de zon van een ander, maar even volwaardig geluk.

Nóg kan hij zich met geen mogelijkheid iemand voorstellen die ooit Regine voor hem zou kunnen vervangen, want elke vrouw in zijn dromen heeft háár gezicht – maar ook deze fase moet zij hebben doorleefd, voor zij heengroeide naar de bereidheid een nieuw begin te maken en zich voor de toenadering van een ander open te stellen.

Behalve de dingen die innerlijk verwerkt moeten worden, zijn er echter ook tal van praktische zaken aan de orde die hij onder ogen moet zien, of zijn hoofd er naar staat of niet. Oma Van Palland, toeziend voogdes over Renate en Lilian sedert de dood van haar zoon, is door de Raad voor de Kinderbescherming geraadpleegd over de benoeming van een voogd voor de verweesde meisjes; ook elders zijn inlichtingen ingewonnen over het gezin Schuurman, en een en ander heeft hierin geresulteerd, dat in overleg met de kantonrechter aan Reyer het voogdijschap over zijn beide stiefdochters is toevertrouwd.

De meest voor de hand liggende oplossing, vinden ze zelf. Dat er zóveel poespas nodig was om de verantwoordelijkheid rechtsgeldigheid te geven die hij zelf als een volkomen logische zaak ervaart, het is iets dat hem – dwars door alle verstandelijk begrip voor de gevolgde procedure heen – gevoelsmatig niet weinig geïrriteerd heeft.

Direct na de begrafenis van Regine heeft hij een familieraad belegd, waarin de kinderen elk hun mening konden zeggen over de manier waarop ze in de toekomst de praktische problemen van het gezinsleven het hoofd zouden moeten bieden.

„Een huishoudster kunnen we niet betalen, jongens," had hij eerlijk gezegd, als uitgangspunt voor de discussie.

Lilian vond meteen spontaan, dat ze geen vreemd mens over de vloer hoefden te halen, maar de zaak met elkaar wel draaiende konden houden, zeker als mevrouw De Wit vrijdagsmorgens zou blijven komen werken.

Mevrouw De Wit is de hulp die tijdens de voorbije maanden eenmaal per week de grote beurten voor haar rekening nam, ook in de periode dat er een gezinshulp in huis was omdat Regine geheel bedlegerig was geworden.

Renate, die over meer werkelijkheidszin beschikt dan haar zusje, somde als reactie op Lia's voorstel nuchter op: „Lilian gaat hopelijk deze zomer over naar de vijfde klas van de havo; ik naar de zesde van het atheneum. We zitten dan allebei in de examenklas, en hebben er eenvoudig de tijd niet voor om ons met wassen en strijken en schoonmaken te bemoeien, afgezien van de vraag of we er na ons huiswerk nog de fut voor zouden hebben. Ik voor mij hoop, dat we mevrouw De Wit zo ver kunnen krijgen dat ze voortaan een keer of drie in de week hier komt werken, zodat we tenminste niet verpauperen met zijn allen. Zit dat er financieel in, pap?"

„We zullen ons budget er eenvoudig op moeten instellen. Maar zelfs als de zaak zo geregeld kan worden zoals Renate voorstelt, blijft er nog genoeg voor jullie over, meisjes."

„Ik zal de boodschappen wel doen, iedere dag," bood Jasper aan, „en voor mama's planten zorgen."

„Dat is een geweldig aanbod, mijn jongen," had Reyer geaccepteerd, met een genegen blik naar het kind, voor hij verder ging, en voorstelde: „Als we nu eens afspreken, dat wij drie groten om beurten een week koken. Wie gekookt heeft is verder vrij, de anderen wassen dan samen af.

Ik zal op mij nemen 's morgens het ontbijt klaar te maken en voor de lunchpakketten te zorgen.

Ieder houdt zijn eigen bed in orde en ruimt zijn eigen rommel op. Daar moeten we op aan kunnen, zodat er geen onderling geruzie van komt.

Jasper, jij mag voortaan tussen de middag bij de buren brood eten; dat is mevrouw Ameling mij speciaal komen zeggen. Het leek haar gezellig voor je, omdat wij geen van drieën om twaalf uur thuis kunnen komen. Je kunt dan nog wat spelen met Kees en Jan-Jaap, en samen met je vriendjes weer naar school gaan, 's middags.

Weten jullie verder nog iets waarover we afspraken moeten maken?"

Afwachtend keek hij de kleine kring rond, beheerst, maar zichtbaar moe na al deze noodwendige zakelijke beslommeringen, waartoe hij zichzelf had moeten dwingen.

Lia keek in de verdrietige ogen onder de zware wenkbrauwen, die vele nuances donkerder schenen dan gewoonlijk.

„Ja," zei ze en haar lip trilde kinderlijk, „volgend jaar, na mijn examen, wil ik voorgoed thuiskomen om voor alles te zorgen, pap. Dan hoeft Jasper niet meer naar een ander als hij uit school komt, en dan gaat het hier misschien weer een klein beetje op vroeger lijken, allemaal."

Zodra ze het gezegd had, barstte ze in tranen uit.

Reyer trok haar naar zich toe en suste haar tegen zijn schouder, net als toen ze dertien jaar jonger was.

Zijn eigen mond boven het donkere baardje dat hij droeg, vertrok als in hevige pijn. Renate zag het, vóór het weelderige blonde haar van haar zusje zijn gezicht aan haar blik onttrok.

Ze wist van Lilians voornemen af, en ze herinnerde zich wat haar speciale vriend Walter Beijnen erover gezegd had toen zij er met hem over sprak, de vorige dag: „Je zus is wel goed gek als ze dat werkelijk doet! Wedden dat je vader in tijd van ja en nee hertrouwd is? En dan wordt zíj afgedankt – logisch toch? Jullie kunnen maar beter zorgen dat je allebei zo gauw mogelijk de deur uitraakt na het eindexamen!"

Ik weet het nog niet zo net, Walt, dacht ze, ik zie het gewoon niet zitten dat wij ons ooit op zo'n manier van elkaar zullen afmaken, over en weer. Daarvoor zit het allemaal te diep tussen ons.

Maar wat weet jij daarvan, Walt?

Jij gaat alleen maar op de belaste woorden stiefvader en stiefdochters af. Maar wat weet je van een piepklein gouden ringetje, dat nog altijd ergens in mijn kast ligt, boven, net als bij Lia? Een ringetje dat wij op zijn verlovingsdag kregen van de verliefde jongeman die onze moeder wou hebben, niet ondanks, maar met haar twee kinderen. Die op deze manier zichtbaar wilde maken dat wij peuters dezelfde aanspraken konden laten gelden op zijn trouw en zijn genegenheid als zij. Jij weet dat zo niet, Walter, maar wíj hebben het verhaal uit de eerste hand, en dat het geen loos gebaar geweest is, weten we uit eigen ervaring.

Je denkt misschien dat je mij vrij aardig kent, Walt, maar wat weet je bijvoorbeeld van mijn onstuimig kinderverdriet, dat aanleiding werd tot het bestellen van dat excentrieke naambordje op onze voordeur, het bordje dat meeverhuisde van het oude huis naar het nieuwe, als een waardevolle herinnering aan een uur toen het wel bijzónder goed zat tussen Schuurman en Van Palland?

Wat weet je van de volharding waarmee papa met me oefende toen ik mijn been gebroken had, en met veel pijn en moeite opnieuw moest leren lopen? Wat van het geduld waarmee hij me jaar na jaar met mijn wiskunde voorthielp? Wat van de meedogenloze liefde waarmee hij mij – hoe kort geleden nog maar! – voortjoeg tegen een harde voorjaarsstorm in, om me daarmee te behoeden voor het kinderachtig, zelfzuchtig toegeven aan mijn domme impulsen, dat me naderhand diep zou hebben berouwd?

Al deze gedachten en herinneringen welden warm in Renate op terwijl ze keek naar dat donkere en dat blonde hoofd, dicht bij elkaar in een gemeenschappelijk, maar toch zo verschillend verdriet.

Zij had haar tranen niet zo snel bij de hand als Lilian, maar in een diepe, innerlijke ontroering wist zij zich evenzeer bij de gemeenschap van het eigen gezin betrokken als het zusje, dat zo spontaan had aangeboden de moeder in huis te vervangen, maar nog te kinderlijk dacht om te kunnen begrijpen dat dit eenvoudig niet mogelijk was.

De ontwakende vrouw in Renate peilde iets van de leegte die met het sterven van de partner in het leven van haar tweede vader gevallen was, een leegte die door de genegenheid van zijn gezin maar ten dele kon worden gevuld.

Misschien had Walter toch wel gelijk gehad met zijn veronderstelling dat papa zijn troost zou vinden in een nieuwe verbintenis.

Maar hoe dan ook – zijn houding tegenover Lia's noodhulp zou er één van bedanken zijn, níet van afdanken, dat wist ze bij voorbaat.

Nee Walt, dacht ze fel, dat misselijke woord vergeef ik je niet.

HOOFDSTUK 15

Renate van Palland zal binnen afzienbare tijd haar zeventiende verjaardag vieren. Ze is nu al iets langer dan haar moeder was: een bloeiende meid met een gevuld, goed geproportioneerd lichaam, met felle ogen in een gretig gezicht, en putjes in wangen en kin als ze lacht.

Ze draagt het lange, donkerblonde haar los op haar rug; het is haar enige sieraad, want van opschik en make-up moet ze niets hebben, evenmin als van mooie jurkjes.

Ze loopt vrijwel altijd rond in spijkerbroeken, gecombineerd met tshirts of truien, afgewisseld door een enkel oosters aandoend jak.

Toen ze dertien was, keken de jongens al naar haar, en dat is er in de loop van de jaren niet minder op geworden.

Ze geniet van hun uitgesproken of onuitgesproken bewondering, en weet die laatste wonderwel te onderkennen in hun soms grove plagerijen, hun gewild onverschillig gedoe.

Ze heeft al verschillende speciale vrienden gehad, maar ze is grillig, Renate. Zomaar ineens kan ze een veelbelovende relatie afkappen met een paar bitse woorden of een geringschattend spotlachje.

Jongetjes zijn het, die haar vervelen, omdat zij ze om haar vinger windt.

Walter Beijnen kan ze niet om haar vinger winden.

Hij heeft iets hards in zijn karakter, dat haar afstoot, en toch gaat ze juist met hem al langer om dan met een van de vroegere vriendjes. Het is een omgang met veel ups en downs.

Renate is een driftkop, en niet op haar mondje gevallen; Walter is nog scherper dan zij, en buiten alle proporties jaloers.

Er zijn dikwijls twistgesprekken tussen hen, scènes, dagen van mokkend negeren, afgewisseld door plotselinge verzoeningen en steeds heviger vrijages.

Lilian is aan al deze dingen nog niet toe.

In haar hart is zij een beetje bang voor Walter, tegen wiens stijl van converseren zij in het geheel niet is opgewassen. Ze ontloopt hem dan ook zoveel mogelijk.

Tegen haar zusje zegt ze wel eens kregel: „Wat zie je in die vent? Hij is niet eens aardig voor je – jullie maken bijna altijd ruzie.”

„Hij is tenminste niet saai!” is Renates uitdagend commentaar, „zo'n leventje als het jouwe, zonder enige opwinding, daar zou ík nou op afknappen! Zo gezapig als een slapende poes bij een snorrende kachel. Laat mijn haren dan maar eens tegen de vleug in gestreken worden!”

Lia echter verkiest haar kalme leventje.

Reyer heeft in het nieuwe huis een eigen hokje voor haar afgetimmerd op de zolderverdieping, zodat ze niet langer met Renate een kamer hoeft te delen. Ze is zielsgelukkig met dat eigen domein, en zit daarboven vaak wat te prutsen: macramé of Hindeloper schilderwerk. Ook heeft zij haar moeders handigheid bij het hanteren van naald en draad. Overigens houdt ze niet zo heel veel tijd over voor haar rustige hobbies. Ze zit meestal langer te leren dan Renate, omdat ze de dingen minder snel in zich opneemt. En dan is er Jasper, die zo graag een kaartspelletje met haar doet voor hij naar bed moet, en er zijn de huishoudelijke plichten, die ze heel serieus opneemt. Als een klein huisvrouwtje kan ze een boodschappenlijstje zitten opstellen, ernstig wikkend en wegend om het menu voor de komende dagen in evenwicht te brengen met het beschikbare huishoudgeld.

Zij heeft zich al gauw deze taak toegeëigend, toen in de praktijk bleek dat Renate een veel te royale hand van inkopen had.

Daar staat tegenover dat die op basis van vrijwilligheid het meest in de keuken staat. Zij heeft een zwierige stijl van koken; met durf en fantasie weet ze zelfs uit een paar kliekjes nog een feestelijk gerecht te creëren, dat alle huisgenoten zich goed laten smaken. Ze schept er veel plezier in; heel wat meer dan in opruimen of afwassen.

Reyer is er dankbaar voor, dat het met de taakverdeling zo soepel loopt, al vallen er net als voorheen wel eens kleine ruzietjes tussen beide zusjes te bezweren.

Hij doet dat wanneer het nodig is, net als vroeger, maar beseft niet dat het snelle resultaat van zijn bemoeiïngen meer te maken heeft met zijn oogopslag dan met zijn overtuigingskracht. Ze ontzien hem, de meisjes, omdat ze het niet verdragen kunnen hem zo te zien kijken: alsof hij er niets meer bij kan hebben.

Reyer heeft inderdaad een zware dobber, die eerste maanden.

Er zijn zoveel dingen tot een inspanning geworden. Het lesgeven bijvoorbeeld, aan jongelui die zo weinig consideratie tonen met zijn verlies.

Kan hij aan een nieuwe klas, die zich beijvert hem op een uiterst vermoeiende manier uit te proberen, om clementie vragen? Kan hij een beroep doen op het verdriet om Regine, dat hem overal vergezelt, als een parasiet die zijn levensbloed wegzuigt?

Ze hebben daar niets mee te maken, het is hún schuld niet als hij slecht geslapen heeft omdat hij zijn vrouw zo bitter mist.

Op school is hij niet de beroofde minnaar, maar de leraar die zich met inspanning van al zijn krachten iedere dag weer waar moet maken. Een leraar die verondersteld wordt zijn aandacht te hebben bij de dingen die aan de orde zijn, en onrustige elementen in de greep te houden met een ironische opmerking of een kwinkslag waarachter men staal kan vermoeden. Hij weet weliswaar de reputatie te handhaven die hij vóór Regines ziekte, in de eerste maanden na zijn indiensttreding, verwierf. Maar wat destijds bijna vanzelf ging, kan hem nu moe maken, tot uitputting toe.

Dan is er het resterende deel van zijn avondstudie, waarvoor hij twee avonden per week de deur uit moet, om de zogeheten 'pedagogische aantekening' te halen die hem tot all-round leraar kan maken, iets dat vereist is om zijn salaris tot een hoger peil te kunnen optrekken.

Hoewel hij er dikwijls tegenop ziet weer van huis te gaan, voelt hij toch dat de interessante lessen een heilzame afleiding betekenen voor zijn geest, die het nodig heeft zich af en toe op iets anders te concentreren dan op de eigen zorg. Zoals de begeleiding van de kinderen thuis.

Ook díe is tot een bewust afgedwongen inspanning geworden, hoewel hij dikwijls diep beschaamd wordt door hetgeen hij terugkrijgt; bij een spelletje met zijn kleine zoon, bij een schijnbaar terloops babbeltje op Renates kamer, bij wandelingen tijdens de weekends, meestal met Lia en Jasper, de twee die zich er het minst voor schamen openlijk hun aanhankelijkheid te laten blijken.

Renate gaat meestal haar eigen gangetje.

Reyer heeft zijn onuitgesproken zorgen om haar. Hij volgt van verre haar stormachtige romance met de weinig plooibare Walter Beijnen, die hij onmogelijk zijn volle sympathie kan geven, al begrijpt hij heel goed dat een typetje als Renate iets anders nodig heeft dan een zachtgekookt ei.

Maar er gaat zo weinig warmte van de jongen uit.

Hij zou daarover in vertrouwen van gedachten willen wisselen met iemand; maar wie heeft hij? Lia? Al voelt zij dat gebrek aan hartelijkheid en warmte in Walter precies zo aan als hij – met Lia kan hij nog niet op volwassen niveau over deze dingen spreken.

Zij ziet alleen nog maar wat voor ogen is; de geheimzinnige aantrekkingskracht tussen de seksen is voor haar nog zulk een theoretische zaak, dat ze er alleen volstrekt ongenuanceerde opmerkingen over kan maken.

Hij is blij als oma Van Palland een weekend overkomt. Van het begin af aan heeft hij met haar een uitstekend contact gehad, veel beter dan met Regines moeder, die inmiddels overleden is, evenals de zijne. Wat mevrouw Van Palland betreft: Reyer heeft voor haar in veel opzichten de plaats van haar verongelukte zoon ingenomen.

Zij is nu vijfenzestig jaar, minder sportief in de kleren dan toen ze jonger was, maar nog altijd een energieke verschijning.

Reyer haalt haar van de trein. Ze geven er beiden de voorkeur aan, de bus te laten wegrijden en de afstand tussen station en huis te voet af te leggen, wel beseffend dat er niet veel gelegenheid meer zal zijn om onder vier ogen te praten, nu de meisjes aan de kinderbedtijd ontgroeid zijn.

„Kun je het een beetje stellen, jongen?" vraagt de oude dame, als na het gebruikelijke begroetingsgepraat een stilte tussen hen valt.

„Het moet wel, hè?" reageert Reyer met een zekere gelatenheid. „De kinderen zijn allerliefst voor me, alle drie op hun eigen manier. Maar ik zou iemand moeten hebben, bij wie ik me eens kan laten gáán als ik er geen gat meer in zie.

Renate en Lilian zijn wel de laatsten die ik daaraan wagen mag. Ze zijn zelf nog te hard bezig om een nieuw evenwicht te vinden. Het zou misdadig zijn om ze uit hun wankele balans te brengen door de volle zwaarte van mijn misère op hun jonge schouders te laden. Ze moeten op míj kunnen steunen.

Maar een mens kan niet altijd flink zijn, ma. Ik merk nu pas, wat ik mijzelf te kort gedaan heb door geen vrienden te maken in mijn gelukkige tijd. Ik had aan Regine genoeg, ik meende dat ik verder niemand nodig had. Maar nu snak ik er vaak naar om met een volwassen mens te praten, die er weet van heeft wat ik voel, en die me raden kan in de zorgen die ik af en toe in verband met de kinderen heb."

„Jullie wonen hier nog maar kort, dat maakt het niet eenvoudiger. Maar is er werkelijk niemand bij wie je zomaar eens kan binnenlopen en die naar je luisteren wil? Geen collega ook?"

„Och nee. Aardige lui zijn er bij, hoor, maar ze hebben Regine niet eens gekend, het is te onpersoonlijk, allemaal."

Na een nieuwe, veel langere stilte herneemt mevrouw Van Palland: „Regine kon wél vrienden maken, nietwaar?"

„O ja. Zij zat overal in; ze kon zich geven. Ze had zelfs nog contacten uit haar schooljaren. Als u wist wat ik aan reacties heb gehad op haar overlijdensbericht; hartverwarmend. Een hele stápel brieven."

„Heb je die nog?"

„Natuurlijk, zoiets doe je niet weg, zeker niet meteen."

„Lees die post dan nog eens aandachtig door, jongen. Misschien zijn er mensen onder de afzenders die binnen je bereik leven, misschien is er wel iemand bij die bereid is de vriendschap voor Regine op jou over te dragen.

In ieder geval zul je met haar vrienden of vriendinnen over Regine kunnen praten, herinneringen ophalen, je samen met iemand die haar goed gekend heeft, afvragen wat zíj in deze of gene situatie het beste voor de kinderen had geoordeeld. Zulke gesprekken werken bevrijdend, ik weet het toch uit eigen ervaring!"

„Inderdaad, u hebt óók een harde leerschool gehad in het afstand doen. Eerst uw man, toen Ferry, nu Regine."

„Ja, dat is hard geweest, iedere keer weer even hard. Weet je dat ik wel eens jaloers ben op jullie, die geloven kunnen dat dat alles niet op de willekeur van een blind noodlot berust, maar dat er een zín in schuilt, een goddelijke bedoeling, die je eenmaal met verwonderde ogen zult doorzien?"

„Verdriet wordt stellig zwaarder," beaamt Reyer, „als je moet geloven dat het zinloos is. Het verrast me anders dat u er op deze manier tegen aankijkt, ma," voegt hij er openhartig aan toe.

„Al ben ik niet kerks, daarom graaf ik nog wel eens wat dieper dan de oppervlakte, Reyer. Wist jij…"

Al pratend zijn ze de laatste hoek omgeslagen, en mevrouw Van Palland onderbreekt zichzelf abrupt, zomaar midden in haar pas begonnen zin. Stilstaand klauwt ze haar vingers met een heftig gebaar in Reyers arm.

„Regine!" zegt ze ademloos.

Maar het is Regine niet die voor het huis op hen staat te wachten, natuurlijk niet. Het is Renate, ter ere van oma's komst gekleed in de lange rok die ze onlangs, en niet dan na de nodige tweestrijd heeft aangeschaft, omdat ze zich er wel mooi en bij de tijd, maar toch erg onwennig in voelt.

„Ik dacht werkelijk even dat Regine daar stond," bekent mevrouw Van Palland ontdaan.

Haar blik kruist die van Reyer voor een ondeelbaar ogenblik, en ze ziet er haar eigen schrik in weerspiegeld. Hij dus ook, denkt ze. De gekwelde uitdrukking van zijn ogen ontstelt haar, en haar hart stroomt vol om zijnentwil.

Reyer echter herneemt zich ogenblikkelijk; hij maakt haar krampachtige vingers los van zijn mouw.

„Dat overkomt mij nou regelmatig," zegt hij vlak.

HOOFDSTUK 16

Renate is in een moeilijk parket geraakt.

Toen oma Van Palland tijdens het weekend dat ze op de Veluwe doorbracht, vertelde dat ze voor een tiental augustusdagen een huisje gehuurd had op Texel, vlak bij het strand, dat ze de kleinkinderen daar graag zou ontvangen, dat Jasper een vriendje mocht meevragen als gezelschap, en dat alle kosten inclusief de reis voor haar rekening waren – toen was zij net zo verrast geweest als de anderen, en ze had zich er oprecht op verheugd, evenzeer als Lilian en Jasper.

Maar als het bijna zover is, zit ze er even mee in haar maag, want Walter is met plannen voor de dag gekomen die met deze Texelse vakantie niet te combineren vallen.

Juist in diezelfde periode mag een vriend van hem over de auto van zijn broer beschikken.

Hij heeft geïnformeerd of Walter en Renate ervoor voelen om met hem en zijn vriendinnetje een week te gaan zwerven langs diverse Duitse campings.

Ze hebben er naderhand een avondje over zitten praten met zijn vieren, en de meest fantastische plannen gesmeed.

In dat stadium bestond er nog een grote vaagheid over de vraag om welke week het nu precies ging.

In eerste instantie leek het Renate geweldig, en ze heeft zich dan ook niet onbetuigd gelaten bij het plannen maken.

Maar toen ze die avond in bed lag, vroeg ze zich al met enige scepsis af, of papa wel bereid zou zijn om toestemming te geven. Hij zou dat zeker niet doen, wist ze, wanneer hij erachter kwam hoe krakkemikkig het vijfde- of zesdehands troetelkind van de broer van Walters vriend wel was, ondanks het feit dat die er zonder aflaten aan sleutelde, en het met verliefde koppigheid een auto bleef noemen.

En afgezien daarvan wist ze nóg wel een paar bedenkingen die papa zou kunnen aanvoeren – en niet zonder grond.

Toen kort daarop bleek dat de bewuste week precies in haar Texelse vakantie viel, heeft ze even gestampvoet van boosheid.

Maar achteraf wist ze niet of ze nu teleurgesteld moest zijn dan wel opgelucht. In ieder geval heeft ze er tegenover de jongelui geen twijfel aan laten bestaan dat ze zich zou moeten terugtrekken. Inwendig was ze blij dat ze haar dilemma thuis nog niet ter sprake had gebracht.

De anderen accepteerden haar beslissing, maar Walter had er geen genoegen mee genomen.

„Je zus en je broertje kunnen immers zonder jou gaan," argumenteert hij nog eens opnieuw, als hij haar naar huis brengt, „ik mag toch aannemen dat jij die week liever bij mij bent dan bij zo'n ouwe taart, die je korthoudt!"

„Mijn oma is geen ouwe taart," weerspreekt Renate nijdig, „ze is ruimer van begrip dan menigeen die vijfentwintig jaar jonger is!"

„Als ze zo ruim dacht als jij beweert," kaatst Walter, „dan had ze míj ook wel in haar uitnodiging betrokken. Maar nee hoor."

Het gaat Renate vervelen.

„Ik wíl jou helemaal niet mee hebben!" sart ze, hem bewust in zijn zwakke plek rakend, „wat moet ik daar op dat strand met zo'n jaloerse pottenkijker, die iedere knipoog in mijn richting onderschept?"

„Kreng!" zegt hij verbeten.

Hij trekt haar in de schaduw van een groot gebouw dat ze passeren, en revancheert zich met een boze mond en een paar begerige, weinig zachtzinnige handen.

Die meid maakt hem dol, met haar gezicht, met haar lichaam, met haar getreiter, maar vooral met de gewoonte om – al haar vurigheid ten spijt – op bepaalde beslissende momenten op haar stuk te blijven staan.

Hij is ervan overtuigd geweest haar tijdens de vakantie door de knieën te zullen krijgen, en juist díe week zal hem nu door de neus worden geboord.

Renate heeft geen woord meer tegen hem gezegd na die brute

omhelzing, die haar meer heeft gedaan dan ze voor hem weten wil. Zo gaat het meestal tussen hen.

Als ze voor haar huis staan, vraagt Walter nors: „Heb je vorige week de boel zitten beduvelen, toen je zo enthousiast deed over Marks idee?"

„Nee, ik had er werkelijk zin in."

„Waarom doe je dan niet méér moeite om van die andere vakantie af te komen?"

„Omdat ik mijn grootmoeder niet voor haar hoofd wil stoten. En omdat ik, toen ik er eens nuchter over nadacht, op mijn vingers kon natellen dat papa weinig zou voelen voor zo'n trektocht van vier lui tussen de zestien en de negentien, in een auto waarvan de onderdelen alleen uit solidariteit aan elkaar blijven hangen."

„Heb je er eigenlijk wel met hem over gepraat?"

„Waarom zou ik hem lastig vallen? Hij heeft al genoeg aan zijn hoofd. Ik had tóch al besloten om naar Texel te gaan, zin of geen zin."

„Als je het mij vraagt, ontzien Lilian en jij die man tot in het waanzinnige."

„Wil je er even aan denken dat mijn moeder nog geen drie maanden dood is, en dat hij meer van haar hield dan jij je zelfs maar voor kunt stellen?"

„Daarom hoeft hij óns nog geen belemmeringen in de weg te leggen! Als jij het dan vertikt om erover te praten, zal ik wel mee naar binnen gaan, en hem zélf zeggen dat ik van plan ben je mee te nemen naar Duitsland."

„Doe dat vooral!" hoont zij, „ík ben dan wel van plan om naar Texel te gaan, maar laat je door zo'n bijkomstigheid niet weerhouden! Het interesseert mij hogelijk wie er met wie de kachel gaat aanmaken in dat gesprek, Walter Beijnen!"

„Zeg, aan welke kant sta jij eigenlijk?"

„Dat vraag ik me ook wel eens af."

Renate schrikt als ze merkt dat Walter volstrekt niet van plan is het op te geven, maar doelbewust om het huis heenloopt en de achterdeur binnengaat. Even heeft zij gemeend dat haar sarcasme hem overtuigd had van het feit dat zij ernst maakt met haar besluit, iets dat ieder vragen om toestemming voor dat weekje Duitsland volslagen zinloos maakt.

Het heeft niet de gewenste uitwerking gehad. Is zij haar doel voorbij geschoten door hem al te zeer te prikkelen?

Een gevoel van ergernis om haar eigen aanpak van de dingen klopt in haar keel. Ze wíl helemaal niet dat Walter papa gaat lastigvallen. Het is echter al te laat. Zonder zelfs nog naar haar om te zien, beent Walter de keuken door, slaat met zijn knokkels een snelle roffel op de huiskamerdeur en gaat er binnen.

„Meneer Schuurman," zegt hij kortaangebonden, „ik zou u even willen spreken."

Reyer heeft onder de staande lamp zitten lezen. Hij kijkt op en laat zijn krant zakken.

„Walter, jij!" zegt hij geschrokken, „er is toch niets met Renate?"

Maar zijn verontruste woorden zijn nog niet verklonken als het meisje al naast Walter opduikt – helemaal intact, zo op het oog.

Reyer herademt, en animeert: „Vertel maar eens wat je op je hart hebt."

„Wij kunnen een weekje naar Duitsland, Renate en ik," komt de jongen onmiddellijk ter zake, „samen met een paar vrienden die ons hebben uitgenodigd. U begrijpt wel dat dat een buitenkansje betekent. De enige moeilijkheid is, dat het om de tweede week van augustus gaat. Mijn vraag is nu, of u Renate wilt ontslaan van haar verplichting om naar Texel te gaan."

Reyer moet dat even op zich laten inwerken. Als hij begrijpt wat er aan de hand is, is zijn eerste reactie er een van teleurstelling, omdat Renate kennelijk niet de zelfverloochening heeft kunnen opbrengen zich zonder meer aan de reeds gemaakte afspraak met haar oma te houden, al voelt hij heel goed dat een dergelijke uitnodiging voor zo'n jong ding een zware verleiding moet inhouden.

Maar dat zij Walter nu de kastanjes uit het vuur laat halen.

Hij zoekt met zijn ogen de hare, en ontmoet een zeer boze blik, een boosheid waaraan hij zich niet schuldig weet, omdat hij zelfs nog niet de kans gehad heeft zijn mening over hun plannen naar voren te brengen.

Renate is schuin achter Walter stil blijven staan, toen ze na hem de kamer binnenkwam, en de jongen kan dus niet registreren welk antwoord Reyer krijgt op zijn vorsende, ietwat ontgoochelde kijken. Het is een antwoord dat hem zeer verrast: een klein, spottend glimlachje, dat vergezeld gaat van een geruststellend nee-schudden, dat boekdelen spreekt. Zij staat hier helemaal niet achter, vertaalt Reyer bliksemsnel dat gebaar, dit moet een persoonlijk initiatief van die knul zijn, en als zodanig nog tamelijk aanmatigend ook. Hij gaat de situatie steeds beter doorzien. Ze hebben natuurlijk weer eens ruzie gehad, die twee; vandaar die boze ogen van Renate. Tien tegen één dat die kleine feeks zich bewust buiten de conversatie houdt, en op deze geruisloze, subtiele manier met hem samenzweert, alleen om er getuige van te zijn hoe die eigengereide knaap afgaat.

Hij heeft nog nooit een verkering meegemaakt waarin zo weinig rekening werd gehouden met de wensen en gevoelens van de ander.

„Ik vrees dat ik niets voor je kan doen, Walter," zegt hij eindelijk, „die logeerpartij is een zaak tussen Renate en haar grootmoeder, waar ik buiten sta."

„Maar als ze liever naar Duitsland ging om te kamperen, zou u haar dan vrijlaten?"

„Eerlijk gezegd zou het me een beetje van haar tegenvallen als ze de boel in de steek liet. Maar haar dwingen om naar Texel te gaan – dat zou ik natuurlijk niet kunnen. Of ik haar zou vrijlaten om met jou en je vrienden te gaan kamperen is een andere zaak. Misschien, als ik ervan overtuigd zou zijn dat het haar geen kwaad zou doen. Wie zijn die bewuste vrienden?"

„Mark Zwart en zijn meisje."

„En wat bedoelde je straks, toen je vertelde dat zij jullie hadden uitgenodigd?"

„Dat zíj de beschikking hebben over vervoer, en over een tent."

„Twee tenten," corrigeert hij zichzelf, en Reyer verbergt een geamuseerde grijns achter zijn hand, die in één vloeiende beweging doorgaat naar zijn baard, waar hij schijnbaar-verstrooid langsheen strijkt.

„Twee tenten," herhaalt hij bloedernstig, „een voor de jongens en een voor de meisjes, neem ik aan."

„Natuurlijk."

In één oogopslag ziet hij Renates spottende ogen en het pokergezicht van die jongen.

„Sta me toe dat ik even lach," zegt hij tenslotte toch maar eerlijk.

„Wat bedoelt u?"

„Jongen, het is niet zo verschrikkelijk lang geleden dat ik zo oud was als jij, en me illusies maakte over kamperen met vriendinnetjes. Er mankeert echt niets aan mijn geheugen."

„Een reden te meer om begrip te tonen voor mensen die nú jong zijn," haakt Walter daar op in, even brutaal als gevat.

Terwijl hij het knappe, zelfbewuste gezicht van de achttienjarige jongen in zich opneemt, worden Reyers gedachten onweerstaanbaar getrokken naar een van die terloopse gesprekjes die hij onlangs op haar kamer met Renate voerde, een gesprekje waarin haar relatie met deze Walter Beijnen aan de orde was.

„Geef jezelf niet te goedkoop weg, meid," heeft hij haar bij die gelegenheid op kameraadschappelijke toon geraden, „niets verveelt een man zo gauw, als een meisje waarvoor hij geen moeite hoeft te doen."

„Ik kijk wel uit," zei Renate nuchter.

„Wat een bravour!" was zijn spottende reactie daarop, „vrijen blijft altijd een spelen met vuur, hoor!"

Zij kleurde toen toch wel even.

„Nou ja. Ik beweer niet dat het mij niets doet. Maar het gevoel de touwtjes in handen te hebben, en Walt daaraan te zien spartelen, maakt een boel goed."

Reyer herinnert zich, inwendig geshockeerd te zijn geweest op dat moment, evenzeer door de openhartigheid van dat kind, als door de manier waarop zij zich tegenover haar vriendje opstelde.

Voor de zoveelste maal heeft hij zich toen afgevraagd of de gevoelens tussen die twee eigenlijk wel iets met liefde te maken hebben.

„Aardig gevonden!" zegt hij nu, als reactie op Walters vrijmoedige weerwoord, „maar er is altijd nog een aanzienlijk verschil tussen jong en té jong."

Met zorg zijn woorden kiezend, praat hij verder: „Renate is zestien jaar, Walter, en zonder haar te onderschatten wil ik toch stellen dat ze nog te onvolwassen is voor een avontuur als dat waarin jij haar wilt betrekken. Daarom zal ik er niet aan meewerken. Daarbij speelt het ook een rol van betekenis, dat ik er voor mijzelf nog lang niet van overtuigd ben dat zij voor jou de ware is, en jij voor haar. Overigens zou ik nu wel graag eens willen horen hoe Renate zelf tegenover die vakantieplannen staat."

„Ik heb al tot vervelens toe tegen Walter gezegd dat ik besloten heb om naar Texel te gaan," verklaart die ongeduldig. Reyer maakt een veelzeggend gebaar. „Je hoort wat mijn dochter zegt, Walt. Je had je de moeite kunnen sparen."

„Uw dochter!" zegt Walter schamper.

Renates waakzame oren horen aan de klank van zijn stem dat hij op ontploffen staat. Ze doet een paar passen naar voren en gaat bij de stoel van haar stiefvader staan. Om te beschermen of bescherming te zoeken?

„Ze is úw dochter evenmin als de mijne," hoont Walter, geprikkeld door de rust waarmee die man hem te woord gestaan heeft, zo vol werkelijkheidszin dat hij er geen vat op had; méér geprikkeld nog nu Renate hem openlijk afvalt en zowel letterlijk als figuurlijk naar die ander overloopt.

„Als je erop staat er een gezagskwestie van te maken," antwoordt Reyer met vermoeide toegeeflijkheid, „ik kan je desgewenst zwart op wit aantonen dat ik door de bevoegde autoriteiten met de verantwoordelijkheid voor Renate belast ben. En niet alleen door de autoriteiten, maar ook door haar gestorven moeder, wat voor mij nog wel iets méér gewicht in de schaal legt."

Die laatste toevoeging doet Renate op haar lippen bijten, maar Walter slaat geen acht op haar ontroering, bezig als hij is de heimelijke jaloezie en achterdocht die hij sinds maanden gevoed heeft, meer en meer de vrije teugel te laten.

„O, ik heb er nooit aan getwijfeld of u officieel wel goed zat!" zegt hij scherp, „hou de papieren maar in de kast! Maar naar mijn idee is dat hele voogdijschap een miskleun. Want wat bent u uiteindelijk voor die twee meisjes? Een man van vreemd bloed, net als ieder ander – maar u kunt met ze doen wat u wilt! Denkt u soms dat ik niet gemerkt heb hoe u af en toe naar Renate kijkt – alsof ze de reïncarnatie van uw liefje was? Maar toevallig is ze mijn liefje!"

Renate is de eerste die loskomt uit de verstarring die Walters woorden teweeggebracht hebben.

„Dat is het gemeenste wat ik ooit gehoord heb!" bekt ze woedend.

Maar dan staat Reyer op uit zijn stoel, zo langzaam dat Renate het gevoel heeft naar een vertraagde film te kijken.

Hij is onnatuurlijk bleek geworden, en de wilde ogen in dat witte gezicht jagen de jongen tegenover hem plotseling een onberedeneerde angst aan.

Ruggelings loopt hij achteruit, via de openstaande kamerdeur naar de achteruitgang van het huis, de nabijheid van de man die vlak bij hem blijft, en hem als het ware stap voor stap naar de buitendeur dringt, als een fysieke bedreiging ervarend, hoewel hij bepaald niet vreesachtig van aard is.

„Eruit!" zegt Reyer tenslotte ingehouden, zich met bijna bovenmenselijke inspanning beheersend om die schenner van het beetje huiselijk geluk dat hem nog restte niet naar de keel te grijpen. „Mijn huis uit, onmiddellijk en voorgoed! En als je ooit mijn dochter lastigvalt, of ergens je smerige laster opspuit, dan zal ik je weten te vinden!"

HOOFDSTUK 17

Als de deur achter Walter Reijnen in het slot geknald is, keert Reyer werktuigelijk naar de woonkamer terug; hij valt neer op een stoel bij de eetkamertafel en stut zijn hoofd in zijn handen.

Straks heeft hij het gevoel gehad of al zijn bloed naar zijn hart stroomde, hem bleek makend als een dode; nu echter bonkt het in zijn slapen, met een geweld of zijn hoofd zal barsten.

„Vreselijk!" zegt hij radeloos, als het in volle omvang tot hem doordringt dat zijn onbevangen vader-kindrelatie met Renate deze avond voor altijd onmogelijk is gemaakt, ja, dat hij zelfs tegenover de argeloosheid van Lilian, die nergens van afweet omdat ze al vroeg met hoofdpijn naar bed gegaan is, nooit meer de oude zal kunnen zijn, omdat die honende, insinuerende stem voorgoed zal blijven doorpraten in zijn hoofd, tot gekwordens toe.

Na enkele minuten kijkt hij verwilderd op. Hij heeft plotseling gevoeld dat hij alleen in de kamer is, en ziet die indruk bevestigd. Waar is Renate?

Vaag herinnert hij zich nu, de voordeur gehoord te hebben, onmiddellijk nadat hij die onrustzaaier de achterdeur uittrapte.

Is Renate haar vriendje achterna gegaan? Toch? Ondanks alles wat er gepasseerd is?

Verslagen blijft hij zitten, terugvallend in zijn vorige houding, niet wetend wat te doen.

Het duurt niet lang, zelfs niet voor zijn gespannen ongeduld, voor hij het meisje voor de tweede maal hoort thuiskomen: het openen en sluiten van de deur, haar lichte voetstappen die snel naderbij komen, maar dan blijven aarzelen bij de kamerdeur.

„Papa!" zegt ze dringend.

Hij neemt zijn handen weg van zijn slapen, en tilt als met tegenzin zijn gezicht naar haar op. Zij leest er de naakte ontreddering van af, en die is te veel voor haar, na alle emoties die het voorbije uur haar al gebracht heeft.

Haar jonge mond begint te beven.

„Papa!" zegt ze nogmaals, dringender nog dan de eerste maal, met tranen in haar stem. Het is niet minder dan een noodkreet.

Reyer wordt er door uit zijn passiviteit gehaald. Hij staat op, en dan komt ook Renate in beweging. Ze overbrugt de afstand tussen hen beiden, ze werpt zich tegen hem aan en huilt zoals ze zelfs niet gehuild heeft toen haar moeder gestorven was.

Het is Reyer vreemd te moede in deze ogenblikken. Alsof er een oude film voor zijn ogen wordt afgedraaid, zo scherp ziet hij zichzelf in de weer met de twee peuters van Regine, op wie hij met vallen en opstaan de praktijk van het vaderschap leerde, lang voordat hij via Jasper het natuurlijke vaderschap verwierf.

Lia, die altijd viel, die snel en ongeremd huilen kon, maar even snel weer getroost was.

Renate, die alleen maar kwaad placht te worden als ze zich bezeerde, maar haar tranen bewaarde voor werkelijk erge dingen, zoals bij hun beslissende kennismaking, toen haar wereldje op zijn grondvesten wankelde, omdat ze haar moeder was kwijtgeraakt.

Hoe zielsgraag zou hij willen dat zij nog drie was, als toen – dat hij op even ongecompliceerde wijze als vroeger de dingen voor haar terecht kon brengen!

Maar het is hem zelfs niet gegund zich dat voor even te verbeelden. Te zeer is hij zich daarvoor bewust van de werkelijkheid: dat hij voor het bloedwarme, bijna-volwassen meisje aan zijn schouder een man is van oneigen bloed, die men zojuist afschuwelijke dingen in de schoenen heeft geschoven, dingen die hem grenzeloos verwarren.

Het is maar al te waar dat hij van tijd tot tijd meent Regine te zien aankomen, Regine te zien zitten, Regine te horen praten, en dat hij bij die gelegenheden telkens weer een pang in zijn hart krijgt.

Het heeft hem een schok gegeven dat die jongen dat heeft opgemerkt, op een genadeloze wijze.

Maar is er ooit enige begeerte geweest in zijn kijken naar Regines
evenbeeld? Heeft hij de dingen werkelijk zó door elkaar gehaald in
zijn machteloos, vergeefs verlangen, of is dat alles slechts ontsproten aan de ziekelijke jaloezie van Walter Beijnen?

Roerloos blijft hij staan tot Renate wat begint te bedaren.

Hij heeft zijn armen niet om haar heengeslagen om haar te sussen,
noch haar haren gestreeld, zoals hij dat bij Lilian, het tranenkraan-
tje van de familie, zo dikwijls gedaan heeft door de jaren heen. Zo
dikwijls dat het bijna een routine was geworden. Al die gewende
gebaren hebben op eenmaal hun vanzelfsprekendheid verloren.

Hij schept afstand door Renate bij haar bovenarmen te nemen en
haar met vriendelijke beslistheid in een stoel te drukken.

„Stil nou maar," zegt hij moeilijk, „ik zal een beetje water voor je
halen."

Als hij terugkomt met het glas, kijken haar ogen hem hulpeloos aan
vanuit haar behuild gezicht.

„Weet je wat ik nou het ergste vind?" zegt ze met een verdrongen
snik, „dat jij je eraan stóórt, pap, aan die praatjes van Walter. Je lijkt
zo onzeker ineens, en dat wíl ik niet. Je bent mijn vader, je bent al
dertien jaar mijn vader; dat verandert toch niet van de ene minuut
op de andere, alleen door een gemene, jaloerse opmerking die nergens op stoelt?"

Reyer gaat tegenover haar zitten.

„Helemaal uit de lucht gegrepen waren zijn praatjes niet, Renate,"
bekent hij. „Ik weet nog goed hoe verschrikkelijk oma Van Palland
onlangs schrok, toen ze jou van uit de verte zag staan en even dacht
dat het mama was.

Datzelfde overkomt mij ook meermalen, en dan ben ik inwendig
weer een hele poos van streek. Walter moet dat hebben gesignaleerd."

„Nou én?" reageert zij, strijdbaar alweer, „wat dan nog? 't Is beroerd
genoeg voor je, om zo door je ogen bedrogen te worden, en telkens
weer met een valse illusie te moeten afrekenen! Maar kun jíj het
helpen dat ik zoveel op mama lijk? Waarom moeten daar verdachtmakingen aan verbonden worden? Laten we het alsjeblieft vergeten, allemaal!"

292

„Ja," zegt hij, „dat is het beste, kind," maar voor zichzelf weet hij, er nimmer in te zullen slagen.

Toch vermant hij zich tot een praktisch gebaar: zich half omdraaiend in zijn stoel haalt hij een grote, geruite mannenzakdoek uit een laadje van het wandmeubel achter hem, en geeft die aan het meisje.

„Merci," zegt ze erkentelijk.

Terwijl zij haar ogen droogwrijft, vraagt Reyer: „Wat moest je nou nog buiten doen, zo-even? Wilde je Walter opvangen?"

„Ja. Ik heb het meteen maar definitief uitgemaakt."

Ze ziet hoe zijn blik bij die woorden voor even zijn somberte verliest.

Het is een opluchting voor hem, denkt ze, hij vertrouwde me niet aan Walter toe, ik voelde het al lang, al legde hij ons eigenlijk nooit iets in de weg.

Zelf ook opgelucht, en niet alleen door haar huilbui, praat ze verder, met een zweempje ironie de beklemming tussen hen beiden te lijf gaand: „Hoewel mijn pa het gras eigenlijk al voor mijn voeten weggemaaid had – en hoe! Tjé pap, wat kun jij een ogen opzetten: een leeuwentemmer is er niets bij! Ik heb Walt voor het eerst van mijn leven bang gezien."

Reyers hoofd staat in 't geheel niet naar haar tamelijk geforceerde scherts.

„Nou zonder flauwekul," zegt hij serieus, „vind je het erg beroerd dat het zomaar ineens voorbij is tussen jullie?"

„Nu niet. Misschien komt dat nog. Hoewel ik goedbeschouwd niet weet waarom ik eigenlijk van hem hield."

„Je hield helemaal niet van hem," weerlegt Reyer onbarmhartig. „Waar je verliefd op was was zijn karakterkop en wat daar zoal onder zat. Waar je van hield was de opwinding die je erin vond om hem op allerlei manieren te weerstaan en uit te dagen!"

Renate slaat haar ogen neer.

„Je vindt mij net zo'n harteloos wezen als Walter," pruilt ze.

„Dacht je dat? Voor je familie heb je hart genoeg, hoor. Maar je zult jezelf moeten afleren om jongens alleen als opwindend speelgoed te zien, want daar kun je lelijke brokken mee maken. Niet iedereen is zo hard, en zo aan dat spelletje gewaagd als Walter Beijnen!"

Renate knikt, zijn terechtwijzing incasserend als verdiend.

„Nu we toch zo openhartig aan het praten zijn," zegt ze, „was mama op mijn leeftijd ook zo'n onnadenkende flirt?"

„Dat zal wel. Ik maak me in dat opzicht weinig illusies. Maar het was vóór mijn tijd. Toen ik haar leerde kennen was ze ruim acht jaar ouder dan jij nu, en ze was al door het vuur heengeweest. Zo'n verdriet als waar zij doorheen moest, op haar drieëntwintigste al, dat brandt een massa dwaasheden weg uit een mens. Iedereen krijgt zo zijn eigen vuurproef; ik ook, jij ook. Maar dat volwassen worden over het algemeen een vrij pijnlijk proces is, dat lijdt geen twijfel."

Even zitten ze nog zwijgend tegenover elkaar, elk met eigen gedachten.

Op de valreep, als Renate al is opgestaan om naar boven te gaan, vraagt Reyer ineens: „Wat zeggen we tegen Lilian?"

„Zo weinig mogelijk," vindt zij nuchter, „zo'n drama kan ze immers op geen stukken na verwerken? Laat Lia de hemel nog maar een poosje voor een doedelzak aanzien. Ik zal haar wel zeggen dat ik Walter de bons gegeven heb. Dat is toch voldoende?"

En met een onderzoekende blik op zijn gezicht: „Ik heb straks braaf naar jou geluisterd, pap. Luister jij nou eens naar je grote dochter, en houd ermee op, problemen te zien waar ze niet zijn."

HOOFDSTUK 18

Renate mag nog zo wereldwijs zijn voor haar leeftijd, door haar stiefvader op deze goedmoedige manier te kapittelen, bewijst ze toch er geen scherp-omlijnd idee van te hebben, wat er kan omgaan in een man van tegen de veertig, die, na een zeer bevredigend liefdesleven van vele jaren, sinds maanden op zichzelf is teruggeworpen; – hoe verdrietig zijn hart is, hoe opstandig zijn bloed, en hoe leeg zijn armen zijn.

Tijdens de voorbije maanden haalde hij in dromen en dagdromen steeds Regine terug; op haar projecteerde hij nog altijd zijn verlangens, omdat hij de gedachte aan een andere vrouw eenvoudig nog niet verdragen kon.

Nu echter heeft hij het gevoel of er in zijn belevingswereld met geweld een wissel is omgegooid.

Hij kan er Walter Beijnen om haten, dat die zijn verbeeldingskracht op een heilloos, doodlopend spoor gerangeerd heeft, zijn fantasie vergiftigd. Telkens weer dringt zich in uren van eenzaamheid de vraag aan hem op, welke verziekte ideeën die knaap zich in vredesnaam gevormd kan hebben over zijn verhouding tot Renate en Lilian.

Als onder dwang trekt hij dan de lijnen na van bepaalde voorstellingen die de ander zich in zijn toegespitste jaloersheid gemaakt moet hebben, herleidt hij tot in zijn dromen toe diens woorden tot de verhitte beelden waaraan ze ontsproten moeten zijn. Hij wordt er doodmoe van. Met de meisjes voelt hij zich slecht op zijn gemak, maar hij spant zich voortdurend in, zich zo gewoon mogelijk te gedragen, en ook dat vermoeit hem.

Het is de eerste keer dat hij als leraar profijt trekt van de lange zomervakantie die de scholen bieden. Het vorige jaar, toen hij in de loop van augustus zijn nieuwe werk aanvatte, heeft hij zich samen met Regine daarop verheugd, maar nu verwenst hij vaak die eindeloze weken van thuis lopen, waarin hij gaat beseffen dat zijn werk hem toch wel een groot houvast heeft geboden in de maanden die achter hem liggen, speciaal door de afleiding die het verstrekte aan zijn geest.

Hij trekt veel met Jasper op in deze vakantie, fietst en voetbalt met hem, en leert hem schaken.

De dag voor de kinderen naar Texel zullen vertrekken, belt hij oma Van Palland op om nog een paar afspraken te bekrachtigen. Als alles geregeld is wat er te regelen valt, vraagt de oude dame. „En wat ga jij nu doen, Reyer, deze tien dagen?"

„Weet ik veel?" zegt hij, „mij heeft niemand te logeren gevraagd!"

Als scherts blijft zijn opmerking beneden de maat, en mevrouw Van Palland hoeft er dan ook niet om te lachen. Ernstig zegt ze: „Weet je wel dat ik dat Texelse avontuur speciaal terwille van jóu op touw gezet heb? Het leek me zo'n verademing voor je om eens eventjes vrij te zijn van de kinderen, en je eigen gang te kunnen gaan."

„Ik ben een ondankbare hond," erkent hij beschaamd.

„Hou toch op, vent! Het gaat mij helemaal niet om een bedankje, dat weet je best. Ik begin me alleen af te vragen of je wel verstandig genoeg bent om deze gelegenheid te benutten, en jezelf de kans te geven eens een paar andere gezichten te zien. Heb je eigenlijk al eens pogingen gedaan om een bescheiden vriendenkring op te bouwen?"

„Nog niet. Het is jammer dat ú zo ver uit de buurt woont, ma, met u heb ik altijd goed kunnen praten."

„Nonsens. Ik ben een oude vrouw. Je moet met mensen van je eigen leeftijd omgaan. Als je jezelf de kans maar gaf, ik herhaal het, dan zou je merken dat er heus wel méér zijn waar mee te praten valt. Als ik goed ben ingelicht, was je in je jongere jaren zo eenkennig toch niet!"

Reyer leunt tegen de dikke glazen wand van de telefooncel – thuis heeft hij nog geen aansluiting – en denkt verwonderd aan al die oppervlakkige contacten die hij wist te leggen in die gedenkwaardige zomer aan zee. Een soort contact dat in wezen geen contact wás, dat hem tóen al niet bevredigde, laat staan nu. Op die manier zou ik het nooit meer kunnen, denkt hij; niet met de herinnering aan Regine nog zo vers in mijn geheugen; niet nu ik tot in mijn diepste kern ervaren heb hoe veelkleurig en vol facetten een volwaardige man-vrouw-verhouding wel wezen kan.

„Dan ben ik kennelijk veranderd in mijn huwelijk," zegt hij kortaf, „ik zie mezelf nog niet de versiertoer opgaan, volgende week."

„Heb ik je dat dan aangeraden?"

„Nee. U hebt me onlangs gezegd, eens contact op te nemen met kennissen en vriendinnen van Regine. Ik heb die raad heus niet zonder meer naast me neergelegd, ma, maar ik zie het niet zo zitten. Bij getrouwde stellen zal ik me op een afschuwelijke manier het vijfde wiel aan de wagen voelen, terwijl alleenstaande vrouwtjes natuurlijk dadelijk een pretendent zien in een weduwnaar. Ik verlang wel naar een luisterend oor, en naar de sympathie van een aardige vrouw die Regine gekend heeft, maar ik heb het idee dat dat teveel gevergd is zolang ik er niets tegenover kan stellen. En ik wíl geen verwachtingen wekken of verplichtingen scheppen; nog niet."

Mevrouw Van Palland denkt even over zijn openhartige woorden na.

Als Reyer na een korte stilte vraagt: „Bent u daar nog?" zegt ze: „Ja. Ik moest me even ergens op bezinnen. Luister, toen Regine met Ferry trouwde, was ze bevriend met iemand die Nanny heette, Nanny van Lieshout, meen ik. Naar mijn smaak een heel bijzonder meisje, dat destijds een opleiding volgde tot maatschappelijk werkster. Zégt haar naam je iets?

Ja? Dat dacht ik wel, want er staat me iets van bij dat Regine me eens verteld heeft dat die vriendin de laatste jaren een baan had in Arnhem, op een bureau voor huwelijks- en gezinsmoeilijkheden. Zó iemand zou je langs een wat officiëler weg kunnen benaderen, en op die manier de schijn vermijden iets meer bij haar te zoeken dan raad en begrip. Het is maar een losse gedachte van me, hoor, en misschien wel volkomen onuitvoerbaar. Want hoe verdrietig de situatie ook is, gezinsmoeilijkheden zijn er toch eigenlijk niet bij jullie."

Reyer geeft daar geen rechtstreeks antwoord op.

Dat valt nog tegen, denkt hij wrang, maar hij dwingt zich tot een hartelijk afscheid van de vrouw die hem al zoveel daadwerkelijke steun geboden heeft.

De volgende dag, als hij de kinderen op de trein gezet heeft, zoekt hij – in een plotselinge beduchtheid voor de confrontatie met zijn uitgestorven huis – nog wat uitstel in de zaterdagse drukte van het winkelcentrum.

Daar loopt hij op het onverwachtst mevrouw Beijnen tegen het lijf. Zij is niet minder knap dan haar zoon: een grote, imponerende vrouw, van een soort dat men niet licht meer over het hoofd ziet wanneer men er eenmaal kennis mee gemaakt heeft.

Ze houdt hem staande en begint dadelijk over de verbroken relatie. „Meneer Schuurman!" zegt ze, „wat toevallig dat ik u hier tref! Het is uit tussen die kinderen van ons, nietwaar?"

Reyer kan niet anders doen dan dat beamen.

„Het is spijtig," constateert mevrouw Beijnen.

„Dat is het niet," stelt Reyer daar tegenover, oprecht bij het lompe af.

Haar fraaie wenkbrauwen gaan even omhoog: „U bedoelt?"

„Dat ze in hun verliefdheid allebei uitsluitend op zichzélf gericht waren, en nooit werkelijk rekening hielden met de ander," antwoordt Reyer, zonder ergens omheen te draaien. „Dat móest een keer spaak lopen."

„Het siert u dat u de objectiviteit kunt opbrengen om Renate niet uit te sluiten bij uw kritiek," reageert zij wat spits, „uit het verslag van mijn zoon had ik begrepen dat u speciaal op hém gebeten was."

Als ze zijn ogen donker ziet worden, voegt ze er sussend aan toe: „Denk niet dat mijn man en ik daar geen begrip voor zouden hebben, na hetgeen die jongen in zijn jeugdig onverstand tegen u gezegd heeft!"

Nu schieten zijn ogen vuur.

„Heeft hij werkelijk de onbeschaamdheid gehad, zijn minderwaardige insinuaties nog eens opnieuw onder woorden te brengen?"

„Meneer Schuurman, wij hebben zelf een verklaring van hem geëist, omdat we wel doorhadden dat er méér gepasseerd moest zijn dan een alledaags ruzietje."

„Denk niet dat het eenvoudig is, een jongen als Walter op te voeden!" gooit ze er geëmotioneerd tussendoor, en even is haar fiere houding duidelijk herkenbaar als een façade, die een heleboel zorg en onzekerheid moet camoufleren. Dan praat ze verder, uiterlijk weer geheel zichzelf: „Mijn man heeft hem de waarheid gezegd op een manier die er niet om loog. Maar u zult het mij niet kwalijk nemen, dat ik als moeder voor mijn kind pleit, en u vraag er een beetje rekening mee te houden dat de jongen het slachtoffer is geworden van de jaloezie die hem zijn hele leven al parten heeft gespeeld."

„Mevrouw Beijnen, ik ben de laatste om u iets kwalijk te nemen. En Walter zal ik geen strobreed in de weg leggen, als hij Renate maar met rust laat, en zich niet meer in mijn huis laat zien. Hij heeft méér kapot gemaakt dan u denkt, door de verhouding tussen mij en de kinderen van mijn vrouw in een bedenkelijk daglicht te stellen. Want de prachtige onbevangenheid van vroeger kan niemand ons teruggeven. En niets doet zó grif de ronde als laster."

De vrouw voelt zich door deze laatste woorden persoonlijk aangesproken, en reageert met eendere scherpte.

„Wat u zegt is juist. Maar ik hoop niet, dat u bij voorbaat zult aannemen dat het uit onze koker komt, iedere keer als u met verdachtmakingen wordt geconfronteerd! Tenslotte verkeert u ontegenzeggelijk in een delicate positie: een man alleen, van úw leeftijd, met zo'n vroegrijp, temperamentvol kind als Renate over de vloer. Misschien was het de beste remedie tegen alle praatjes, wanneer u zo snel mogelijk hertrouwde."

„Mens!" verweert hij zich fel, alle beleefdheid uit het oog verliezend, „mijn vrouw is pas drie maanden dood! Wordt me zelfs niet

de tijd gegund mijn verdriet althans een klein beetje te verwerken?"
„U bent bitter, meneer Schuurman. Het was volstrekt mijn bedoeling niet, u onaangenaam te zijn, integendeel. Ik heb veel begrip voor uw moeilijkheden. Mag ik u sterkte en wijsheid toewensen?"
Reyer kijkt haar na als zij zich mengt onder het winkelend publiek: een eerlijke, waardevolle vrouw, nu weer onderweg naar eigen moeilijkheden en dilemma's.
Het onderhoud heeft er niet toe bijgedragen, hem rustiger te maken.
Hij nuttigt zonder veel trek een eenzame maaltijd, en werkt daarna een tijdlang in de tuin.
Zijn buurvrouw, mevrouw Ameling, aan wie hij veel verplicht is, omdat ze Jasper iedere schooldag tussen de middag op een hartelijke manier opvangt, komt bij de heg een praatje maken.
Ze vertelt onder meer dat het stil voor hem is nu de kinderen uit zijn, dat hij een moeilijke periode doormaakt, en – met nadruk – dat de tijd alle wonden heelt.
Reyer moet zich geweld aandoen om op haar goedbedoelde gemeenplaatsen beleefde antwoorden te geven. Maar als zij tenslotte opmerkt: „Ik hoop dat u gauw weer een gelukkig mens zult wezen, meneer Schuurman," zegt hij kortaf: „Dank u," en loopt weg.
Hij betrapt zich erop, ook dit zinspelen op een nieuw geluk weer te interpreteren als een bewijs voor de stelling, dat men hem zonder vrouw bij de meisjes niet vertrouwt.
Nijdig smijt hij met de schuurdeur.
Ik ben gek, denkt hij woedend, dat lieve domme mensje van Ameling heeft er niets mee bedoeld, natuurlijk niet. Ik moet terdege oppassen dat ik niet aan een soort achtervolgingswaanzin ga lijden.
Hij vermant zich en gaat naar binnen om te douchen. Hij neemt er de tijd voor, vaag hopend met het stof van de tuin ook iets van zijn prikkelbaarheid te kunnen wegspoelen.
Aan het eind van de middag haalt hij eindelijk met een zekere schroom de condoleantiebrieven te voorschijn, die hij na Regines overlijden ontving.
Vriendschappen moet hij sluiten, heeft oma Van Palland gezegd.
Zij is een wijze vrouw. Hij zal er verstandig aan doen, haar suggesties ter harte te nemen.

De meeste brieven zijn afkomstig van kennissen uit hun vorige woonplaats: mannen en vrouwen met wie Regine daar in het jeugdwerk zat, in de oudercommissie van de school, in het bestuur van de bejaardensoos...

Er zijn brieven bij van buurtjes uit haar Amsterdamse tijd, met wie ze tot het laatst toe een schaars maar regelmatig contact bleef onderhouden; zelfs brieven van coureurs, die aardig voor haar waren in de periode na Ferry's dood; iets dat zij nooit vergat.

Reyer realiseert zich eens te meer hoe trouw ze was in haar vriendschap.

Hij vindt ook een brief van de vriendin wier naam oma Van Palland de vorige dag uit haar geheugen opdiepte: Nan van Lieshout.

Hij brengt zich te binnen wat hij van haar weet: zij was een van degenen die op zijn bruiloft acte de présence gaven, een van degenen die hij toen met een zoen bedankte voor hun gewaardeerde hulp aan Regine.

Er staat hem iets voor de geest van donker haar, van een poezengezichtje met wijd uiteenstaande, wat oosters aandoende ogen.

Later ging Regine af en toe een dagje naar haar toe. Om samen te winkelen, om herinneringen uit hun gezamenlijke schooljaren op te halen, om weer eens helemaal bij te praten.

„Als ik Nanny zie, wil ik me weer zestien voelen," zei ze altijd, „en dat kan ik niet hier, met drie kinderen aan mijn rokken."

Daarom vonden die ontmoetingen plaats in de stad; eerst in Amsterdam, later in Arnhem.

Daarom bleef Nanny van Lieshout voor hem en de kinderen een tamelijk schimmige figuur, waar Regine eens per jaar met stralende ogen bij vandaan kwam, verjongd alsof ze een geestelijk bad had genomen.

Pas toen haar ziekte al in een vergevorderd stadium was gekomen, heeft Regine erover geschreven aan de connecties die elders woonden, die ze nooit meer, of maar zelden ontmoette.

Afscheidsbrieven waren het in wezen, waarvan hij weet dat ze haar inspanning en hartenbloed hebben gekost.

Nanny van Lieshout is een van de weinigen die Regine daarna nog persoonlijk hebben opgezocht. Op een middag was het, herinnert hij zich, toen hij school had. Ze is door de buren naar het ziekenhuis verwezen, waarin Regine inmiddels weer was opgenomen, en had daar al weer afscheid genomen toen híj er arriveerde. Ook bij die gelegenheid hebben ze elkaar dus niet getroffen.

Ruim drie maanden geleden is dat gebeurd; heel kort daarna reeds kwam de brief die hij nu in zijn handen houdt. Sindsdien heeft zij niets meer laten horen.

Trouwens – wie wel? Het is heel stil geworden om hem heen, hij merkt dat te beter nu de kinderen weg zijn. Vrijwel alle aanloop bestaat tegenwoordig uit kinderen en jongelui.

Hij is daar zelf debet aan, hij weet het maar al te goed. Hoewel hij de kunst verstaat zich in gezelschap vlot en prettig aan te passen, heeft hij die gave sinds jaren veel te weinig benut, geconcentreerd als hij was op zijn eigen kleine koninkrijk. Hij plukt daar nu de wrange vruchten van: niemand is intiem genoeg met hem, om hem in zijn verdriet te durven benaderen. Oma Van Palland heeft gelijk gehad: hij zal uit zijn schulp moeten kruipen en aan degenen op wier aandacht of gezelschap hij prijs stelt, op de een of andere manier moeten laten weten dat ze welkom, ja, nodig zijn.

Eindelijk neemt hij de bewuste brief uit het couvert.

Een paar moeizaam geformuleerde, plichtmatige zinnetjes van deelneming leest hij, het soort zinnetjes dat hij inmiddels wel dromen kan. Maar dan, losgebroken uit de stroeve conventie, als een verrassing een onderstreept postscriptum, dat hem bij eerste lezing stellig niet zo geraakt heeft als nu: „Als ik jou of de kinderen ooit kan helpen, Reyer, hoe dan ook, laat het me weten."

HOOFDSTUK 19

Voor de tweede maal die dag gebruikte Reyer zonder lust een eenzame maaltijd.

Telkens moet hij opkijken naar de grote foto van Regine, waaraan de meest centrale plaats in de woonkamer is ingeruimd. In gedachten voert hij een heel gesprek met haar.

Niet om zich te rechtvaardigen voor wat hij doen gaat; veeleer om haar zegen te vragen over datgene waar hij onontkoombaar, stap na stap, toe gedreven wordt: een ander te betrekken bij zijn allerpersoonlijkste nood.

Hij voelt zich nerveus en zeer kwetsbaar als hij wat later het nummer draait dat hij in het telefoonboek van de cel achter de naam Van Lieshout gevonden heeft.

„Met Schuurman," zegt hij, als Nanny zich bekend heeft gemaakt. Dan, ter verduidelijking, omdat er na zijn aankondiging een ongemakkelijke, wat verbaasde stilte valt: „de man van Regine…"

„Reyer!" roept zij uit. „Zeg dat dan meteen!"

Hij grinnikt bevrijd, door die informele reactie wonderlijk op zijn gemak gesteld, en informeert: „Zegt de naam Schuurman op zichzelf je zó weinig?"

„Dat schijnt zo. Regine was voor mij tot het laatst toe het meisje van Donkersloot, waar ik in de tweede klas van de middelbare school mee bevriend raakte. De naam van haar eerste man was ik óók altijd kwijt."

„Van Palland," frist Reyer haar geheugen op. „Zo heten Renate en Lilian, dus het heeft wel zin dat even te memoreren. Ik neem tenminste aan dat jullie nog wel eens met elkaar te maken zullen hebben."

„Betekent dat een uitnodiging om eens langs te komen?"

„Dat betekent dat ik een beroep doe op het postscriptum van de brief die je me dit voorjaar schreef. Nú heb ik de hulp nodig, waar je toen op zinspeelde."

„Wáár kan ik je mee helpen? Voor Regine paste ik destijds op die twee baby's, als ze er weer eens tussenuit moest omdat ze in haar geïsoleerd bestaan tegen de muren opvloog. Maar ik neem aan, dat er in de situatie van vandaag een heel andere soort hulp vereist is."

„Inderdaad."

„Hoe stellen jullie het, Reyer?" peilt zij, getroffen door de geladenheid van dat ene afgebeten woord.

„Ik zou liegen als ik zei dat het goed ging," antwoordt Reyer. „Ik mis haar nog ieder uur, Nanny. Daar komt bij dat hier de vorige week iets gebeurd is, dat me erg van mijn stuk gebracht heeft."

„En nu heb je iemand nodig om tegenaan te praten," stelt zij zonder omslag vast.

„Ja. Hard nodig zelfs. Want behalve de kinderen heb ik eigenlijk niemand. Daar kijk je misschien vreemd van op, maar in mijn gelukkige tijd heb ik nooit persoonlijke contacten gelegd, zoals Regine dat deed, eenvoudig omdat ik me helemaal op de eigen clan fixeerde. Nu Regine er niet meer is, merk ik gaandeweg hoe kortzichtig dat was. Want je wilt toch wel eens met een volwassen mens van gedachten wisselen; zéker als je er geen gat meer in ziet.

Ik kan dat in feite alleen met de grootmoeder van de meisjes, oma Van Palland. Maar die woont te ver uit de buurt voor een regelmatig contact.

Zij is degene geweest die me onlangs heeft bezwóren, alsnog moeite te doen om een vriendenkring op te bouwen. Maar om eerlijk te zijn: ik ben nog niet rijp voor omgang met mensen die aan mijn vrouw geen boodschap hebben gehad."

„Je moet iemand hebben met wie je over Regine kunt praten," interpreteert zij.

Het valt Reyer op, dat al haar reacties sober en ter zake zijn, zonder enig meewarig gepraat eromheen. Het is iets dat hem weldadig aandoet.

„Je bent welkom," praat de ander verder, met een mengsel van hartelijkheid en zakelijkheid het heft in handen nemend, „zég maar wanneer je weg kunt. Waarschijnlijk ben jij meer gebonden dan ik."

„Op het ogenblik ben ik vrijer dan me lief is. Ik heb namelijk nog steeds vakantie van school, en de kinderen zitten de komende tien dagen op Texel, alle drie."

„Nou, vanavond meteen dan maar?" hakt zij de knoop door, „als je zorgt dat je om half negen in Arnhem bent, bij de hoofduitgang van het station, dan pik ik je daar wel op."

In de trein doet hij een poging om het beeld bij te werken dat hem van Regines vriendin is bijgebleven van hun eerste en enige ontmoeting.

Het zou irreëel zijn, straks uit te kijken naar het jeugdige gezichtje met de typische, half toegeknepen ogen, dat hem destijds zo sterk aan een poesje deed denken.

Ja, bij nader inzien was die vergelijking wel bijzonder treffend, over de gehele linie: even soepel en sierlijk als een poes was ze, maar ook van een eendere onafhankelijkheid. Het soort onafhankelijkheid waarom poezen alom bekend staan, die schijnt te zeggen: „ik verkeer dan wel onder de mensen, maar in uiterste instantie ben ik mijzelf genoeg."

Ook deze Nanny van Lieshout is inmiddels dertien jaar ouder geworden, en moet nu tenminste achtendertig zijn.

Een oude vrijster? Nee, – dat niet. Hij herinnert zich dat Regine hem eens vertelde, dat het meisje jarenlang een slepende relatie onderhield met een man die haar om de een of andere reden niet trouwen kon.

Ook zij heeft dus haar portie verdriet te verwerken gehad. Of worstelt er nog steeds mee. Hij heeft er geen flauw idee van of die geschiedenis al dan niet van de baan is. Als hij de stationshal doorloopt in de richting van de uitgang, ziet hij de vrouw die hem opwacht al van verre staan. Terwijl hij met snelle schreden de afstand tussen hen beiden overbrugt, vormt hij zich met onwillekeurige appreciatie een indruk van haar uiterlijke verschijning.

Ze is lang, Nanny van Lieshout – bijna een hoofd groter dan Regine, schat hij – hoog op de benen, met een smal middeltje en een mooie boezem. De jeugdige lijnen van haar lichaam worden onderstreept zowel door het simpele truitje als door de lange pantalon die zij draagt.

Pas als hij dichterbij komt, ziet Reyer, dat zíj ook haar tol aan de tijd heeft moeten betalen: door haar donkere haar loopt, behalve een enkele zilveren draad hier en daar, een opvallende grijze streep, een lok die ten naastebij drie vingers breed is en vanaf haar voorhoofd schuin naar achteren valt.

Tenslotte, bij de laatste stap, terwijl zij hem herkennend toelacht en haar hand uitsteekt ter begroeting, registreert hij de talloze fijne rimpeltjes aan de buitenkant van haar smalle, langwerpige ogen, zogenaamde kraaienpootjes, waarvan hij zich afvraagt of het zorgenrimpeltjes zijn of lachrimpeltjes.

Hij helt over tot het laatste, want ze geven iets wonderlijk vergenoegds aan haar gezicht. Als ze niet alleen maar ingetogen glimlacht, zoals nu, maar werkelijk plezier heeft, denkt hij geamuseerd, dan zie je helemáál geen ogen meer.

Nog steeds een typisch gezichtje, maar niet onaantrekkelijk, nee, dat niet. Hij drukt de uitgestoken hand, en zegt, het begin van hun samenzijn opzettelijk luchtig houdend: „Dag Nanny. Wist je nog wel hoe ik er uitzag, na al die jaren?"

„Regine nam altijd foto's mee als ze naar me toe kwam," verklaart zij, „dus ik ben helemaal bij. Ik wist zelfs dat je net als iedereen aan de baardenmode ten offer gevallen was!"

Reyer grinnikt een beetje verlegen en strijkt langs zijn kin.

„Op aandrang van de meisjes," legt hij uit, „die staan op het stand-

punt, dat dat haar daar niet voor niets groeit. Speciaal Renate is een liefhebster van veel haar. Af en toe heeft ze het over een comité dat ze nog eens hoopt op te richten, een Comité Ter Bevordering Van De Algehele Dichtgroei. Dat spreekt ze dan zó uit, dat je duidelijk hoort dat het met louter hoofdletters geschreven dient te worden."
Nanny van Lieshout lacht hartelijk.
Ze neemt Reyer mee naar de plek waar haar wagentje geparkeerd staat.
Er is tussen hen geen sprake van de onwennigheid waarvoor hij beducht was.
Als ze eenmaal in de auto zitten, vraagt hij: „Wat was dat eigenlijk voor een wonderlijk spelletje van Regine en jou, om elkaar altijd ergens anders te treffen dan juist bij ons thuis? Ik gunde jullie dat jaarlijkse dagje stappen van harte, daar gaat het niet om, maar daarnaast had je toch ook wel eens een weekend bij ons kunnen komen?"
Aan de bevreemding in zijn stem hoort Nanny dat hij zich voor het eerst bewust in dit vraagstuk verdiept.
„Het was heus geen gebrek aan gastvrijheid bij Regine," stelt zij hem gerust, „dat het zó gebeurde en niet anders, was op míjn uitdrukkelijk verlangen."
„Ik begrijp het nog steeds niet."
Zij kijkt hem even van terzijde aan: „Mag ik eerlijk wezen? Ik had mijn leergeld betaald in de drie jaren waarin Regine met Ferry getrouwd was. Bij hen kwam ik wél over de vloer, maar die omgang werd een volslagen mislukking. Regine en ik hadden zelden ons gewone, prettige, vanzelfsprekende contact met elkaar, als Ferry erbij was. Ons samenzijn leek altijd verdacht veel op het spel 'Drie is te veel'.
Als Ferry te veel aandacht aan míj besteedde, werd Regine kribbig; als zij lief tegen elkaar waren, voelde ík mij te veel; als Regine en ik eens een enkele keer ouderwets op dreef raakten, stond Ferry er weer naast. Het wou gewoon niet. Toen zij een paar jaar later met jou trouwde, heb ik tegen mijzelf gezegd: dat pakken we anders aan dan toen. Méér stak er aanvankelijk niet achter, Reyer."
Hij knikt dat hij het begrijpt. Maar als hij haar woorden op zich laat inwerken, struikelt hij ergens over.
„Aanvankelijk. Waarom zei je aanvankelijk?" wil hij weten.

Het duurt een hele poos voor zij daar antwoord op geeft.

„Weet je wat ik voor baan heb?" vraagt ze dan.

„Ja. Je werkt op een bureau voor huwelijks- en gezinsmoeilijkheden."

„Inderdaad. Kun je je een klein beetje voorstellen met hoeveel débacles je in dat werk geconfronteerd wordt? Onbegrip, ruzies, communicatiestoornissen, wreedheid, onverschilligheid, egoïsme, kwelzucht – niets blijft ons bespaard. Ik besef wel dat wij alleen de probleemgevallen onder ogen krijgen, maar toch: kun je er inkomen dat ik wel eens denk: 'Voor mij hóeft het niet zo nodig meer, dat huwelijk en dat gezin; ik heb er tevéél van gezien?'

Het is mijn behoud dat ik een veerkrachtige geest heb en een blijkbaar niet kapot te krijgen gevoel voor humor, waarmee ik de dingen kan relativeren – anders had ik het misschien al lang opgegeven.

Maar om op ons onderwerp terug te komen: al heb je dan niet zo'n hoge dunk van het huwelijk en de mensen in het algemeen, iedereen wil zo hier en daar toch een illusie veilig stellen. Voor mij was het onmiskenbare geluk van Regine één van de dingen die de weegschaal in balans hielden.

Altijd als zij bij mij was, warmde ik me inwendig aan haar verhalen over het leven zoals jullie dat met elkaar hadden opgebouwd.

Zie je wel, het kan tóch, dacht ik dan triomfantelijk. Als mensen maar durven afzien van hun hang naar macht... succes... luxe... Als ze de tijd nemen voor elkaar, zoals Regine en Reyer, dan kán het.

Maar na verloop van tijd betrapte ik mijzelf op de vrees om met de alledaagse werkelijkheid van jullie bestaan geconfronteerd te worden, bang als ik was voor een teleurstelling. Ik wilde mijn droom tot elke prijs onbeschadigd houden, en daarom bleef ik angstvallig bij jullie uit de buurt."

Ze zwijgt na haar bekentenis, en Reyer overdenkt wat ze allemaal gezegd heeft.

„Je had gerust kunnen komen," zegt hij tenslotte kortaf, na een lange, zwaargeladen stilte, „het was in geen enkel opzicht anders dan het scheen."

„Dank je. Daarmee heb je althans één van mijn illusies geijkt."

Nanny van Lieshout blijkt een modern ingerichte flat te bewonen in een van de nieuwste buitenwijken van de stad.

Terwijl zij koffie zet, staat Reyer op het balkon van haar woonkamer en kijkt vanaf de zesde etage naar het landschap van weiden en akkers, waarover een blauwige schemer langzaam maar onstuitbaar komt aansluipen; naar de westelijke hemel, die een vlammend schouwspel vertoont in rood en oranje en vele schakeringen grijs. Het is een warme dag geweest, en de lucht is nog zoel.

Nanny zet de koffie met een sober 'alsjeblieft' onder het bereik van zijn hand op de balustrade van het balkon. Dan gaat ze zitten in een klapstoel schuin achter hem, afwachtend of hij uit zichzelf zal gaan praten.

Reyer heeft zó diep in gedachten gestaan, dat het pas na enkele minuten tot hem doordringt dat hij niet langer alleen is.

Hij maakt een verontschuldigend gebaar, neemt het kopje op en komt tegenover haar zitten.

„Alsnog bedankt," zegt hij, „ik geloof dat ik heel ver weg was."

„Dat weet ik wel zeker."

Opnieuw zwijgen ze, luisterend naar de schaarse geluiden die van dichtbij en ver naar hen overwaaien op de warme wind.

Op de belendende balkons is het doodstil.

Niettemin is het op een gedempte toon, als Nanny tenslotte begint te praten, toch maar het initiatief nemend, nu hij zich zozeer in zichzelf schijnt te verschansen.

„Wat is er de vorige week voor schokkends gebeurd?" informeert ze, aanhakend bij hun telefoongesprek van die middag. Alsof hij op die vraag heeft zitten wachten, zo prompt laat Reyer zijn zwijgzaamheid varen.

Hij begint te vertellen, eveneens op gedempte toon; het eerst over de zuivere sfeer waarin de kinderen en hij deze eerste maanden na Regines overlijden geleefd hebben met hun gemeenschappelijk verdriet, over en weer elkaar helpend, opbeurend en ontziend, zoals zíj dat gewild zou hebben.

Nanny kan zijn gelaatstrekken niet meer duidelijk onderscheiden in de steeds toenemende schemer, maar ze voelt aan hoe bewogen hij is.

Wanneer hij echter over Walter Beijnen begint te praten, komt er een donkerder toon in zijn stem, een zekere ingehouden woede, die zij aanvankelijk niet plaatsen kan. Maar naarmate zijn verslag over de gebeurtenissen van die fatale avond vordert, begrijpt ze beter het hoe en waarom daarvan.

Slechts af en toe onderbreekt ze hem met een vraag of een enkele korte opmerking. Reyer heeft zich over zijn gêne heengezet door zichzelf voor te houden dat degene aan wie hij zijn confidenties doet, beroepshalve al zóveel moet hebben aangehoord, dat ze zich nergens meer over verbazen zal.

Deze gedachte geeft hem de vrijmoedigheid meteen maar helemaal schoon schip te maken, ook over de hinderlijke overleggingen die Walters verdachtmakingen bij hem hebben losgemaakt.

Als hij zijn verhaal gedaan heeft, zegt Nanny objectief: „Als Renate op díe manier gereageerd heeft, zo nuchter en met zoveel onderscheidingsvermogen – als je zelf beseft dat het dwaasheid is om nu plotseling overal lastertongen te vermoeden, dan schuilt mijns inziens de belangrijkste schade van dat onverkwikkelijk incident hierin, dat die jongen je je gemoedsrust heeft ontnomen, dat hij twijfel in je gezaaid heeft over de aard van je eigen gevoelens, waardoor je je onzeker gaat voelen, en beschaamd."

„Ja, dat is zo."

Zij denkt even na; dan buigt ze zich naar hem over en overrompelt hem met de vraag: „Als Renate daar op Texel nu eens een aardige knaap tegen het lijf liep, waarmee ze zich troostte, een knaap die haar eens flink opvrijde – hoe zou jij daar tegenover staan?"

„Als het wérkelijk een aardige knaap was, zou ik het alleen maar fijn voor haar vinden. Denk je dat ik dat kind bepaalde ervaringen misgun, omdat ik ze zelf ontberen moet?"

Zij glimlacht in het donker om zijn trouwhartige reactie, waarover hij geen moment hoefde nadenken.

Ze geeft een speels tikje op zijn hand.

„Maak jij je maar niet ongerust, Reyer Schuurman," zegt ze op vaste toon, „dat Renates gelijkenis met Regine je op een ongezonde manier parten zou spelen! Als dat waar was, had je die Walter wel eerder de deur uitgewerkt, en dan had je ook het idee dat ik zojuist opperde bepaald niet zo gulhartig kunnen accepteren. Zet die hele nare geschiedenis van je af, zou ik je willen raden, en ga straks gewoon op de oude voet verder met zijn allen.

Maar volg wél de raad van die verstandige oma op. Wen je kinderen eraan dat jij ook wel eens alleen naar iemand toegaat, of met iemand uitgaat, net als zij. En dóe dat dan ook.

Knoop relaties aan, probeer ergens contact te leggen. Afleiding voor de geest is nog altijd de beste medicijn voor een onrustig lichaam."

Hoewel het Reyer aanvankelijk prettig getroffen heeft dat zij zo op de man af en ter zake was in haar reacties, ergert hij zich nu opeens aan haar klinische toon.

„Je praat verstandig genoeg," stelt hij droogjes vast, „maar zo onpersoonlijk als een welwillende, maar wildvreemde dokter."

„Werkelijk?" vraagt zij betrapt, „dat is dan waarschijnlijk uit gewoonte. Misschien is dat wel het schild waarachter ik wegkruip om niet al te persoonlijk betrokken te raken bij de levens waarin ik mij verdiepen moet."

„Op je werk zal dat nodig zijn, ja, dat is begrijpelijk. Maar daarbuiten?"

Het valt hem uit de mond; wat later pas zal hij inzien dat die woorden hem werden ingegeven door het gevoel van tegenzin dat hem bekroop bij de gedachte dat hij voor haar een geval zou zijn en niet meer, slechts híerin van alle andere gevallen verschillend, dat híj bij haar thuis zit, en haar met zijn problemen een paar overuren bezorgt.

Nanny heeft geen antwoord gereed op zijn uitdaging, die geheel onverwachts haar eigen gevoelsleven, haar eigen positie temidden van haar privé-relaties aan de orde stelt.

Zij omzeilt het door op te staan en haar stoel dicht te klappen.

„Kom, we gaan naar binnen," zegt ze, „het gaat harder waaien."

We hadden het over jóuw persoonlijk leven, denkt ze, bijna vijandig, dwars door haar nuchtere opmerking heen, laat het mijne erbuiten, alsjeblieft.

Er dreunen een paar regeltjes door haar hoofd die haar bij lezing onlangs als een vuistslag troffen, en die ze maar niet kwijtraakt, deze avond.

„Waarom zou ik me nog aan mensen hechten?
Men wint slechts nieuwe eenzaamheid erbij..."

Die schrijnende zinnetjes – ze behelzen precies het tegenoverge-
stelde van de raad die Reyer allerwegen krijgt aangereikt; ook van
haar, van haar net zo goed.
Is ze onoprecht door hem de dingen te raden die verstand en ervaring haar ingeven als het meest doeltreffend in een situatie als de
zijne, terwijl zijzélf bevreesd is nieuwe wortels te maken?
Ze weet het niet. Ze weet wel, dat ze hem onmogelijk zeggen kan
dat ze zich opzéttelijk zo objectief en beroepsmatig opstelt, omdat
ze haar moeizaam verworven rust verdedigen moet, omdat ze
doodsbang is voor de emoties die zo gemakkelijk naar de oppervlakte kunnen komen waar twee mensen tezamen eenzaam zijn. Uit
loyaliteit tegenover Regine wil ze naar hem luisteren, wil ze hem
over zijn dooie punt helpen als dat in haar macht ligt. Maar het
moet niet te dicht bij haar hart komen allemaal. Dat hart, dat nog
met één uiterst gevoelige zenuw aan Mario vastzit, een ragdun
draadje, waar niemand aankomen mag.
Het ontgaat Reyer allerminst, dat Nanny weigert op zijn opmerking
in te gaan. Overgevoelig als hij reeds dagenlang is, ervaart hij het
als het bitse dichtslaan van een deur.
Even moet hij denken aan een veronderstelling van oma Van
Palland: misschien is één van Regines relaties wel bereid de vriendschap voor haar op jou over te dragen.
Toen hij straks op het station en in de auto zo'n prettig contact met
Nanny had, heeft hij de indruk gekregen dat het er wel eens in kon
zitten, maar nu denkt hij moe: vergeet het maar, Reyer Schuurman.
Ze heeft naar je geluisterd, zeker, maar het blijft een kwestie van
eenrichtingverkeer. Om haar eigen leven zet ze een schutting.
Hij stapt over de drempel tussen balkon en woonkamer en loopt
dadelijk door naar de lichtschakelaar aan de andere kant van het
vertrek. Het licht van een grote, melkwitte plafonnière stort zich
koud en meedogenloos op meubels en dingen waarvan in het val-
lend duister de vage contouren nog juist zichtbaar waren gebleven;
het rekent definitief af met hetgeen er nog restte van de goede sche-
mersfeer.
Nanny, nog bij de balkondeur, knippert geschrokken met de ogen.
„Alsjeblieft!" zegt ze scherp, „niet dat grote licht!"
Zelf knipt ze snel een kleine oranje schemerlamp aan.
Reyers hand reikt opnieuw naar de schakelaar. Maar vóór het helle

schijnsel weer geblust is, heeft het hem de gelegenheid geboden om vast te stellen dat de vrouw die buiten zo zeker scheen van zichzelf, haar stem heel wat beter onder controle weet te houden dan haar gelaatstrekken.

In die uiterst korte tijdspanne hebben zijn ogen een momentopname gemaakt van haar weerloosheid en verwarring, en hij vraagt zich beschaamd af, welk recht hij had te verwachten dat zij zijn vertrouwen onmiddellijk met het hare beantwoorden zou.

Zijn wond is uiteindelijk een schone wond, die iedereen mag zien. Maar wie weet welk heimelijk, invretend leed zij op haar beurt te verwerken heeft, en met welke remmingen zij kampt tegenover de bijna-vreemde die hij tenslotte voor haar is?

Nanny loopt langs hem heen naar haar keukentje; onderweg heeft zij terloops nog een paar andere lampjes aangeknipt.

„Laten we nog maar eens koffie zetten," oppert ze, zich ervan bewust dat ze iets te doen moet hebben om haar evenwicht te hervinden.

„Welja," stemt Reyer dadelijk met haar voorstel in.

Hij loopt mee en kijkt haar op de vingers terwijl ze haar voorbereidselen treft. Ze wisselen een paar neutrale zinnetjes uit over de flat, die zij nog niet zo lang geleden heeft betrokken. Er is opnieuw een tasten naar de juiste toon, aan weerszijden, alsof ze helemaal van voren af aan moeten beginnen. En toch is er volstrekt niets aanwijsbaars gepasseerd.

Zodra er een stilte valt, wordt die in stukken gescheurd door het geluid van de telefoon.

Nanny laat haar bezigheden in de steek voor wat een belangwekkend gesprek moet zijn, want ze blijft een hele poos weg. Als het water kookt, weet Reyer – alleen in de keuken achtergebleven – niet beter te doen dan de procedure van het koffiezetten volgens de gangbare regels af te wikkelen.

Als Nanny weer binnenkomt, heeft ze de kopjes meegebracht die op het balkon waren achtergebleven.

Reyer maakt met de koffiekan een gebaar in haar richting: „Mag ik u inschenken, madame?"

Hij ziet haar ogen openvallen in verwondering.

„Heb jíj…?"

„Waarom niet? Ik zat hier toch maar duimen te draaien. Koffie-

311

zetten doe ik zo dikwijls, dat is niets bijzonders."
„Dat zeg jij. Maar ik heb in mijn eigen huis nog nooit iets gegeten of gedronken dat ik niet zelf heb klaargemaakt."
Reyer beseft scherp, dat zij met die woorden een stukje eenzaamheid prijsgeeft dat haar hoog zit, en hij is haar dankbaar voor dat zweempje vertrouwen. Het maakt dat hij zich wat minder een bedelaar voelt met zijn hunkeren naar een beetje kameraadschap en troost.
Zijn ogen laten de hare los. „Dan wordt het hoog tijd dat jij ook eens bediend wordt," zegt hij gedecideerd.
Hij neemt het blad met de kopjes uit haar handen: „Zeg op, moet je er suiker in, en melk? Ja? Ga dan maar weer naar binnen en neem je gemak ervan. Ik sta erop, het karwei nu puntgaaf af te werken."
Nanny, overrompeld, gehoorzaamt zonder meer.
Ik begin er iets van te begrijpen waarom je van hem hield, Regientje, denkt ze, terwijl ze in de kamer zoekt naar een langspeelplaat met een prettig achtergrondmuziekje; hij is een hartelijke vent, en misschien betekent dat wel meer dan briljant te zijn zoals Ferry van Palland, of fascinerend als Mario Beretti.
Een mens met een buitengewoon talent voor doodgewone dingen….Drukte jij het zo niet uit, Regien? Gek dat me dat ineens weer te binnen schiet.

HOOFDSTUK 21

Als Reyer zich bij haar voegt, zit zij op haar knieën voor een kastje; plakboeken en foto-albums liggen links en rechts van haar verspreid over de vloer.
„Zoek je iets?" vraagt hij ten overvloede.
Zij kijkt naar hem op.
„Ja. Ik dacht aan Regine en toen schoot het me te binnen dat ik nog foto's moet hebben waar zij op staat, van heel vroeger."
Reyers ogen lichten verrast op.
Als zij haar hand uitsteekt om haar koffie in ontvangst te nemen en er dadelijk van proeft, de plakboeken latend voor wat ze zijn, kan hij het maar nauwelijks opbrengen rustig te wachten tot zij er aan toe is om verder te zoeken.

Nanny bespeurt zijn ongeduld, het ongeduld van een wachtende minnaar.

Het complimentje over de koffie, dat ze hem plagenderwijs had willen geven, kan ze ineens niet meer over de lippen krijgen, voelend hoe volslagen onbelangrijk de kleine dienst die hij haar bewees op dit moment voor hem zijn moet. Al gelooft ze stellig dat hij er straks in de keuken even iets van beseft heeft, dat het voor haar wel iets bijzonders was, omdat zij met dit soort attenties nimmer verwend is in haar leven.

Opnieuw voelt ze zich verward.

Hoezeer ze het in hem waardeert dat hij Regine maar niet voor de eerste de beste rok vergeet – toch is er iets van berouw in haar zelf zijn aandacht te hebben verlegd van een zeer werkelijk nu naar een lang vervlogen verleden.

Maar ze snuffelt verder tussen haar tastbare herinneringen zodra ze haar koffie gedronken heeft.

„Laat eens kijken!" bedingt Reyer gretig als ze tenslotte een fotoalbum na enig bladeren voldaan knikkend als het gezochte herkent.

Ze geeft hem het album in handen en komt achter hem staan, af en toe iets aanwijzend of een verklarende opmerking plaatsend bij het bekijken.

Zelf is ze een beetje gegeneerd over die oude kiekjes uit hun schooltijd. Terugblikkend over een tijdperk van meer dan twintig jaren denkt ze bevreemd: Wat waren we grenzeloos overmoedig destijds, met onze stralende verwachtingen voor een later waaraan we geen einde zagen! Wat is er niet gebeurd, sindsdien.

Reyer laat geen oog van de foto's af. Hij slaat een blad om en slaat het weer terug; hij doet dat nog eens, en nog eens. Dan – plotseling – trekt hij zijn portefeuille uit de binnenzak van zijn jasje en vist er een foto van Renate uit. Hij legt die pal naast zo'n oude opname van een lachende, zeventienjarige Regine, juist díe foto, waarbij Nanny zojuist in stilte heeft vastgesteld dat ze toch wel iets onweerstaanbaars had, die meid.

Er is nauwelijks verschil tussen de twee plaatjes, wanneer men de kleding buiten beschouwing laat.

Dan verbijstert Reyer haar met zijn volkomen onverwacht commentaar: „Als íets mij ooit is tegengevallen, dan dit wel."

„Hoezo?" vraagt zij onzeker.

Hij maakt met zijn hand een gebaar over het album.

„Het spijt me om de moeite die je je voor mij gegeven hebt, Nanny, maar ik kan hier met de beste wil van de wereld niemand anders in zien dan Renate; Renate met telkens een andere ouderwetse jurk aan. Het zijn aardige kiekjes, maar ze geven me mijn vrouw niet terug!"

Die laatste kreet appelleert aan haar hart, en slaat een nieuwe bres in haar weerstand.

Je klampt je vast aan een illusie, jongen, denkt ze met deernis, niets of niemand is in staat je je vrouw terug te geven.

Reyer steekt de foto van zijn stiefdochter weer weg; hij slaat het uit de-band-liggende album dicht en geeft het haar terug. „Alsjeblieft, en nogmaals bedankt voor je moeite. Maar je had het net zo goed in de kast kunnen laten."

Nanny gaat tegenover hem zitten en kijkt nadenkend in zijn ongelukkige gezicht.

„Nee," weerspreekt ze strijdbaar, een plotselinge inval onder woorden brengend, „nee, dat had ik niet! Want zonder erg heb je zo-even het tweede, beslissende bewijs geleverd, dat het de volwassen, door het leven gevormde Regine is waar je naar verlangt; niet een bloeiende, levenslustige tiener die haar gelaatstrekken heeft."

Het gezag waarmee zij gesproken heeft, blijft niet zonder uitwerking. Ze ziet begrip en opluchting doorbreken op zijn gezicht.

„Als dat door een deskundige uit mijn argeloze reacties is opgedolven, moet ik het wel geloven."

„Het doet me goed dat ik blijkbaar een beetje orde heb kunnen scheppen in de warboel van je gevoelens. Je verdriet kan ik niet van je afnemen, Reyer, dat zul je vanavond weer mee naar huis moeten nemen, maar de insinuaties van die onrustzaaier hoeven je echt geen parten meer te spelen."

„Is het vreemd, dat ik aan mijzelf begon te twijfelen?"

„Helemaal niet. We hebben allemaal van tijd tot tijd iemand nodig om de stukjes van onze puzzel op de juiste volgorde te leggen. Dat komt omdat we er zelf te dicht met onze neus bovenop zitten, en ons blindstaren op die ene speciale kronkel waar we geen raad mee weten."

Reyers trekken versomberden weer.

Vermoeid merkt hij op: „God weet dat ik behalve deze kopzorg nog meer dan genoeg overhoud waar ik mee omhoog zit."

„God weet. Houdt dat in dat je bij Hem te biecht gaat met je misère?"

Die vraag verhevigt de vertrouwelijkheid van hun gesprek plots op adembenemende wijze. Met een ruk steekt Reyer zijn mager geworden gezicht met de grote neus en het donkere puntbaardje naar voren; hij ziet er gekweld en agressief uit.

„Je vangt me op een uitdrukking," zegt hij fel, „maar goed, ik wil je wel een antwoord geven. Daar ben ik tenslotte voor hier: om eindelijk eens onder woorden te brengen wat er allemaal in me aan het gisten is.

Ja, ik praat met God, ik ben voortdurend met Hem in discussie over het waarom van wat er gepasseerd is; ik zanik als een ongeduldig kind om achter Zijn schermen te mogen kijken, zodat ik tenminste doorzien kan waarom dat nu juist zo moest met Regine, en waarom op haar achtendertigste al.

Toen ze nog bij me was, en haar innerlijke kracht met mij deelde, kon ik het allemaal het hoofd bieden, toen meende ik het aanvaard te hebben, toen vond ik zelfs woorden om de meisjes en Jasper een beetje morele steun te geven.

Maar de laatste tijd ben ik opstandig van binnen.

Ik heb lang genoeg meegedraaid als christen om te weten dat God een antwoord heeft voor je nood, maar dat je Zijn antwoorden zelf in je Bijbel zult moeten opzoeken. En daar schuilt mijn probleem, want ik verwerp ze. Speciaal in die afschuwelijk lange, lege nachten verwerp ik de antwoorden die ik vind.

Als ik lees: 'Komt allen tot Mij die vermoeid en beladen zijt, en Ik zal u rust geven,' dan verwerp ik dat. Ik wíl geen rust, ik wil Regine terug, dát alleen. Alles aan en in mij schreeuwt om Regine.

De laatste paar maanden dat ze bij me was, kende ik iets van een innerlijke vrede, maar die is me ontglipt naarmate de eenzaamheid van mijn hart en de onvoldaanheid van mijn lichaam groeiden."

Hij zwijgt na zijn heftige monoloog, en Nanny neemt niet direct het woord van hem over.

Pas na enkele minuten zegt ze zacht: „Weet je wel dat ik jouw nood al eerder van heel nabij heb meegemaakt? Eén van mijn beste vriendinnen verloor haar partner, heel jong nog, en zij was er ontzàggelijk opstandig onder.

Haar aard was emotioneler dan de jouwe: de eerste tijd huilde ze haar ogen uit, en sloot zich af voor alle troost.

Dat er nog een leven vóór haar lag, dat ze haar kindertjes had, haar gezondheid, het sprak haar niet aan, ze scheen er blind voor. Haar man wilde ze terug! Ze schreeuwde niet alleen figuurlijk om hem, ook letterlijk. Het was hartverscheurend.

Pas na maanden werd ze rustiger in de uitingen van haar verdriet; misschien omdat ze in die periode het geloof uit haar kinderjaren weer ging voeden, door bewust naar antwoorden te zoeken op de manier die jij straks noemde.

Nóg later vertrouwde zij me toe, dat ze soms lang op het portret van haar gestorven man zat te staren, gedreven door een vaag gevoel van schuld, omdat zijn beeld in haar begon te vervagen, omdat ze zich zijn gezicht niet meer zo haarscherp voor de geest wist te halen als voorheen.

Maar het was een heel natuurlijk proces dat zich in haar voltrok, iets dat met schuld niets te maken had: haar hart wendde zich langzaam af van het verwerkte leed, en haar dagdromen begonnen te reiken naar een onbestemde toekomst, waar ze met machteloos ongeduld naar toe leefde."

Reyer heeft haar de woorden van de lippen gedronken.

„Regine," zegt hij een beetje ademloos als zij zwijgt. „Ja. Die vrouw was Regine, en die nieuwe toekomst vond ze bij jou."

Ze pauzeert even om haar gedachten te verzamelen. Dan zegt ze bedachtzaam: „Rouw kent verschillende fasen, Reyer. Realiseer je dat je daar doorhéén moet, net als zij destijds. Maar realiseer je ook, dat het leven al begonnen is de scherpste kanten van je verdriet af te slijpen, en dat het daarmee doorgaat, net zo lang tot je je er niet meer aan bezeert.

En nogmaals: dat heeft met het verloochenen van de gestorven partner niets van doen. Herinner je de warme genegenheid waarmee Regine door de jaren heen over Ferry bleef praten, terwijl ze toch haar geluk vond bij jou.

Soms is de tweede bloei van een afgesneden plant nog rijker dan de eerste. Soms niet; – maar dat die plant, zó verminkt, toch nog weer bloeien wil, is dat op zichzelf geen wonder?"

De camping die door Ernst van Lieshout en zijn vrouw geëxploiteerd wordt, ligt aan een dode arm van een van de grote rivieren. Hoewel het augustus is, en het hoogseizoen vrijwel ten einde loopt, heerst er toch nog een flinke drukte.

Voorbij de grote concentratie van tenten en caravans begint een paadje dat nog verder langs het water voert en eindigt op het erf van een grote hoeve. Het is alleen te bereiken via een poortje in de haag die hier de omheining van de camping vormt; een poortje dat voorzien is van een bescheiden bordje: 'privé'.

In het weiland achter de haag, ten dele gecamoufleerd door de overhangende takken van een grote boom, staat nog één kleine caravan, schijnbaar verdwaald geraakt aan de verkeerde kant van de heining.

De bescheiden behuizing is het eigendom van Nanny van Lieshout; het weiland behoort aan haar broer, die het voor een toekomstige uitbreiding van het kampeerterrein bestemd heeft.

Zij brengt een aanzienlijk aantal van haar vrije weekends in deze caravan door, bij voorkeur tijdens de maanden waarin de meeste mensen aan geen camping denken. Ernst heeft voor een doelmatig kacheltje gezorgd, waarmee zijn zus in voor- en najaar en zelfs in niet al te koude winterweekends de temperatuur in de kleine ruimte aardig op peil weet te houden. In het stille seizoen kan het gebeuren dat een reiger slechts een meter of drie van haar raam neerstrijkt, dat een weidehaas vlak voor haar voeten wegschiet.

Zij is erg op haar vluchthaven gesteld geraakt, maar houdt die angstvallig voor zichzelf: niet dan bij hoge uitzondering brengt ze er een van haar relaties mee naar toe.

Voordat Reyer op die zaterdagavond afscheid nam, heeft zij een overwinning op zichzelf behaald, en hem de sleutel van de caravan aangeboden, met de argumentatie: „Ik moet tóch de hele week werken, en voor jou is het ronduit slecht om al die tijd zonder enige afleiding te blijven hangen in dat lege huis, dat gonst van de herinneringen. Als je van vissen houdt, en van wandelen, als je het leuk vindt een vreemde omgeving te verkennen, dan kan ik je een verblijf daarginds van harte aanbevelen."

Hij heeft verrast en dankbaar haar aanbod aanvaard.

's Avonds thuis heeft hij zich over een kaart gebogen; hij heeft geschat dat de afstand tussen zijn woonplaats en de bewuste camping een kilometer of veertig zal belopen.

Het lijkt hem het beste, die afstand per fiets af te leggen. Van het openbaar vervoer heeft men in die uithoek niets te verwachten, en, eenmaal ter plaatse, kan hij van zijn fiets veel plezier hebben.

Het verzet zijn zinnen te bedenken wat hij moet meenemen, en wat hij in de omgeving waar hij zo volslagen onverwacht een deel van zijn vakantie gaat doorbrengen, zoal ondernemen kan.

Als hij de volgende dag, wat stijf van de ongewoon lange fietstocht, in het kantoortje van de camping staat, tegenover een enorme, lompgebouwde kerel van midden dertig die dezelfde opvallende ogen heeft als Nanny, glimlacht Reyer om de kennelijke gelijkenis tussen die twee, ondanks het verbazend grote verschil in bouw. Hij denkt aan hetgeen zij hem op de valreep nog over deze man verteld heeft: „Ernst is mijn fijnste broer. Hij had onoverkomelijke leermoeilijkheden bij bepaalde vakken, dat heeft hem altijd erg dwars gezeten.

Maar het werk van campingbeheerder is hem op het lijf geschreven. Neeltje, zijn vrouw, is bijdehand voor drie, die regelt de financiën wel. De afdeling goodwill is voor Ernst. Die doet meer dan twee anderen samen, met zijn trouwhartigheid, met zijn handen die alles kunnen en zijn verbluffende flair om met mensen om te springen."

„Kan dat laatste een familietrekje zijn?" had Reyer langs zijn neus weg gevraagd, en zij lachte: „Als dat als een compliment bedoeld is, word je bedankt!"

„Meneer Van Lieshout," begint Reyer zich voor te stellen, „mijn naam is Schuurman."

Deze korte inleiding volstaat blijkbaar; aan de rest van zijn verklaring komt hij niet eens toe, want de man staat op en steekt hem dadelijk een grote, vriendschappelijke hand toe.

„Mijn zus heeft me over uw komst gebeld," zegt hij. „Komt u maar mee, dan zal ik u haar caravan wijzen."

Terwijl ze samen het paadje langs het water aflopen, Reyer met zijn fiets aan de hand, merkt de reus plotseling op: „U bent dus de man die met Regientje Donkersloot getrouwd was. Ik condoleer u alsnog met uw verlies."

„Hebt u mijn vrouw gekend?"

318

„Meneer, breek me de mond niet open. Ze was mijn eerste liefde. Ze heeft het nooit geweten, want ik kon geen woord over mijn lippen krijgen als zij in de buurt was. Ik zag haar vaak, want ze was de beste vriendin van mijn zusje. Maar ik was twee jaar jonger dan zij, een domme lummel, die zelfs op de ambachtsschool een harde dobber had, en zíj zat op de hbs, zij schreef spitse stukjes in de schoolkrant, stukjes die mij toen ver boven de pet gingen.

Maar ze was zo lévend, meneer, dat je aldoor naar haar kijken moest; soms dacht je dat de vonken eraf zouden spatten. U zult begrijpen wat ik bedoel.

Als ik het zeggen mag: het is verdrietig dat iemand als zij zo jong moest sterven, maar voor mij bent u een benijdenswaardig mens."

Hij maakt het poortje in de haag open en laat Reyer voorgaan.

Maar die staat na twee stappen al weer stil en kijkt fronsend over zijn schouder. „Benijdenswaardig," herhaalt hij wantrouwend, als het tot hem doordringt wat de ander gezegd heeft.

„Ja," verklaart de grove kerel, een beetje timide onder de donkere blik die hem wordt toegeworpen, „alleen om uw herinneringen al. Mijn zus vertelde me dat uw huwelijk heel gelukkig geweest is."

Terwijl ze verder lopen, denkt Reyer daarover na. Maakt juist het feit dat zijn huwelijk gelukkig was zijn verdriet niet zoveel te groter?

Benijdenswaardig.

Dat is een geheel nieuw en schokkend gezichtspunt. Een onbestemd gevoel van solidariteit schiet wortel in hem, solidariteit met deze broer van Nanny, omdat die stellig zijn eigen schrijnend gemis moet kennen, als hij een beroofd en innerlijk ontredderd mens benijden kan – alleen al om het bezit van gave herinneringen.

Als Ernst van Lieshout hem met een paar nuchtere woorden wegwijs gemaakt heeft in de kleine caravan, en hem na wat praktische aanwijzingen aan zichzelf overlaat, roept Reyer hem in een opwelling na: „Komt u eens een uurtje praten, als u de tijd kunt missen?"

De man draait verrast zijn hoofd om; zijn ogen verdwijnen bijna geheel in de rimpeltjes.

„Daar zit u aan vast," zegt hij laconiek.

Nog geen kwartier later melden zich twee kinderen, van Jaspers leeftijd ongeveer, mogelijk iets jonger. Een jochie met een jerrycan vol fris drinkwater; een meisje met een mand waarin wat levensmiddelen liggen: bruin brood, boter, eieren en een zak vol grote gele pruimen.

Het meisje doet het woord.

„Alstublieft, meneer," zegt ze. „'Eet smakelijk', moesten we zeggen van onze papa, en dat morgenochtend om half negen de kampwinkel weer open is."

Reyer is aangenaam getroffen door deze attentie. Hij had nog niet over eten geprakkizeerd, maar bij het zien van het voedsel voelt hij dat hij wel degelijk trek heeft.

„Hoe heten jullie?" vraagt hij aan de kinderen.

„Ik heet Nelleke, Nelleke van Lieshout. En hij heet Egbert."

Dan doet de jongste voor het eerst zijn mond open. „Vindt tante Nan het wel goed dat u haar caravan gebruikt?" wil hij weten.

„Ja hoor," antwoordt Reyer geamuseerd, „ze heeft me zelf de sleutel meegegeven."

„Wíj mogen er alleen in als ze ons komt ophalen," onthult de ander, „papa zegt: 'Ik breek je doormidden als je haar lastig valt.' "

Reyer grinnikt even om die forse bedreiging, en zijn lach wekt een weerschijn in de kinderogen.

„Je vader is een mooie," zegt hij waarderend, „bedank hem vooral hartelijk voor alles wat hij jullie heeft laten brengen!"

Het meisje neemt de lege mand op om naar huis te gaan, maar de kleine Egbert begint nu pas goed los te komen. Hij geniet er kennelijk van dat hij bij de vreemde meneer succes geoogst heeft met zijn opmerking en komt triomfantelijk met een nieuwe onthulling: „En mama zegt: 'Laat die madam toch zitten in haar soldeercel!' "

„Isoleercel," verbetert het zusje kattig. Ze probeert haar broertje aan zijn arm mee te trekken. Haar geërgerd gezichtje weerspiegelt duidelijk haar opvatting dat de ander nog niet weet wat hij zeggen of zwijgen moet.

Reyer geeft de kinderen een pakje kauwgum en kijkt ze na als ze het weiland via het poortje weer verlaten.

Er rammelt hier wel iets in de onderlinge verhoudingen, Nanny, denkt hij.

Dat hatelijke woord 'isoleercel' komt hem steeds weer voor de geest wanneer zijn gedachten zich met haar bezighouden. Het heeft een zeer eenzame klank.

Voordat de kinderen Van Lieshout zich meldden, heeft Reyer niets anders gedaan dan voor het deurtje van de caravan een sigaret roken, rondkijkend om de sfeer van het rivierlandschap op zich te laten inwerken.

Nu echter gaat hij naar binnen en begint de ruimte te verkennen die de komende dagen zijn thuis zal zijn.

„Je neemt maar waar je zin in hebt," heeft Nanny gezegd. Hij ontdekt al snel dat zij aan houdbare drankjes en levensmiddelen inderdaad wel het nodige op voorraad heeft. Maar meer dan dat interesseert het hem waarmee zij hier haar geest voedt.

Voor hij een hap eet of op enigerlei wijze zijn dorst lest, heeft zijn groeiende nieuwsgierigheid naar het geheim van haar persoonlijkheid hem er reeds toe aangezet de inventaris op te maken van hetgeen Nanny's weekendverblijf aan lectuur oplevert: een rijtje detectives, wat studieboeken over psychologie en voorts – tot zijn verbazing – een aantal romans in het Italiaans.

Hij had er geen notie van dat zij deze taal beheerste. Wist Regine dat? Waarschijnlijk wel, want nu hij er bij bepaald wordt, staat het hem bij, eens gehoord te hebben dat de man met wie Nanny zulk een uitzichtloze relatie onderhield een zuiderling was. Was het niet een dokter? Iemand die zich destijds in een Nederlands ziekenhuis specialiseerde?

Hij wilde nu wel dat hij vroeger wat beter geluisterd had naar hetgeen Regine vertelde. De vriendin-in-de-verte was voor hem toentertijd weinig meer dan een naam, een vage herinnering aan één enkele ontmoeting. Nu zijn belangstelling in haar gewekt is, beseft hij echter terdege, dat hij het verhaal van Nanny's leven zou moeten kennen om iets van haar te begrijpen.

Als hij wat gegeten heeft, sluit hij de caravan af en begeeft zich op weg om een wandeling te maken.

De omgeving blijkt zeer landelijk; overal zijn sloten, koeien, knotwilgen. De huizen en boerderijen die hij passeert, liggen stuk voor stuk temidden van zorgvuldig onderhouden moestuinen, niet zelden omzoomd door rijen uitbundig bloeiende dahlia's.

Hij loopt zonder haast, zich ervan bewust dat hij de tijd aan zichzelf heeft.

Wanneer hij aan de grens van een schilderachtig dorp een cafeetje op zijn weg vindt, loopt hij in een opwelling de koele, ouderwets aandoende gelagkamer binnen om een pilsje.

Het meisje dat hem bedient, heeft een lief gezicht en een eenvoudige charme, die hem bekoort. Met een vaag gevoel van welbevinden slaat hij haar gade terwijl ze de schaarse klanten bedient, terwijl ze doende is bij de tapkast, in stilte overleggend dat haar figuur weliswaar onderdoet voor dat van Nanny van Lieshout, maar dat ze zeker tien jaar jonger moet zijn.

Wanneer hij afrekent, ziet hij haar glanzende ogen even van heel nabij, evenals de frisse mond, die geen lipstick nodig heeft.

Het is een verwarrende ervaring.

Pas als hij weer op de zongeblakerde landweg loopt, beseft hij geschokt wat er in het voorbije halfuur eigenlijk gebeurd is: voor het eerst sinds lange tijd heeft hij weer een vrouw bekeken met de ogen van een man die op jacht is naar een prooi voor zijn zinnen.

Schokkender echter dan dat, treft hem de ontdekking dat hij deze vreemde jonge vrouw in eerste instantie spontaanweg met Nanny vergeleek.

Waarom met Nanny? Waarom niet met Regine, die voor hem tot dusver steeds de maatstaf was om anderen naar te waarderen?

Al deze gedachten en vragen verwarren hem bovenmate.

Tot in de nacht toe is hij ermee bezig. Eerst gaandeweg dringt het tot hem door dat het naast haar lichamelijke aantrekkingskracht vooral de veronderstelde ongecompliceerdheid van dat Betuwse meisje geweest moet zijn, die hem bekoorde.

Juist om het grote contrast tussen haar en Nanny van Lieshout.

De één zal zeer gemakkelijk te benaderen zijn; hij weet dat instinctief, terwijl de ander iets imponerends heeft, een stijl en een persoonlijkheid die maken dat iemand zich wel drie keer bedenken zal alvorens een vrijpostige hand naar haar uit te steken.

Wakker liggend in een slaapzak die nog iets van Nanny's geur heeft vastgehouden, zoekt Reyer hardnekkig – bevreemd en bijna wrevelig – tot haar wezen door te dringen.

Hoewel hij zich persoonlijk zeker niet te beklagen heeft, omdat ze hem terwille van haar band met Regine vriendelijk genoeg tegemoet getreden is, wordt hij zich meer en meer ervan bewust dat Nanny zich inderdaad isoleert, dat ze – vrijwillig? onvrijwillig? – het ongrijpbare middelpunt is in een ring van bijna vorstelijke een-zaamheid.

Hij verstaat stilaan iets van de korzeligheid van de schoonzuster, die het kennelijk niet verkroppen kan dat de ander zo consequent haar vrijheid verdedigt en slechts dan iemand in haar privésfeer binnenlaat, wanneer zij daaraan zelf behoefte heeft.

Eindelijk valt hij toch in slaap.

Als hij vroeg in de morgen wakker wordt, herinnert hij zich vaag, in de nacht langdurig het geluid van regen gehoord te hebben, neer-ruisend op het dak van de caravan. Als hij naar buiten kijkt, ziet hij dat de wereld om hem heen inderdaad druipnat is. Maar de zon staat aan een wolkenloze lucht, waarvan de kleur teer parelmoer is aan de einder, maar opklimt tot een steeds stralender blauw.

Boven het water stijgt een duidelijk waarneembare damp op.

Reyer stapt met zijn blote voeten in het vochtige gras en haalt diep adem. Het is of de regen duizend geuren tegelijk heeft losgemaakt. Ergens tussen de vegetatie aan de oever klinkt vol verstandhouding de roep van twee watervogels, over en weer.

Hij ziet en ruikt en hoort het allemaal met tot het uiterste gespitste zintuigen; verlangen staat met een schreeuw in hem op en zijn lege hart, waarin na de dood van Regine geen illusie was overgebleven, loopt voelbaar vol met een nieuwe, warme liefde voor het leven. Het leven dat niet verloochend wil worden, maar steeds opnieuw geleefd.

Hoe? Met wie? Hij heeft daar geen scherpomlijnde ideeën over, nog niet.

Maar alleen al de bereidheid die hij in zich voelt om mettertijd een nieuw begin te maken, ervaart hij als iets om dankbaar voor te zijn.

Hij denkt deze zonnige dag te gebruiken om een lange fietstocht te maken, maar als hij langs een haventje komt, huurt hij in een opwelling een boot; hij brengt uren op het water door en geniet er meer van dan hij de vorige week voor mogelijk zou hebben gehou-den.

Af en toe wordt hij weliswaar overvallen door een golf van heim-wee; heimwee naar vroeger, toen hij dergelijke vreugden met Regine kon delen, maar het is een mild verdriet, zonder pijnlijke weerhaken.

Moest hij dan werkelijk in een volkomen andere omgeving worden overgeplaatst om afstand te kunnen nemen? Om te ervaren dat Nanny gelijk had toen ze stelde dat rouw verschillende fasen kende en dat het leven al begonnen was de scherpste kanten van zijn leed bij te slijpen en af te ronden?

Als hij warm en zonverbrand terugkeert bij de camping, is hij nog juist vroeg genoeg om vóór sluitingstijd het een en ander aan te schaffen in de kampwinkel, voornamelijk ten behoeve van zijn avondmaaltijd.

Terwijl hij op zijn beurt wacht – het is vrij druk – heeft hij ruimschoots gelegenheid om de echtgenote van de campingbeheerder gade te slaan in haar volhandig bedrijf, mevrouw Van Lieshout, volgens Nanny bijdehand voor drie, maar blijkbaar niet in staat om die sympathieke lobbes van een Ernst datgene te geven wat hij zich eenmaal van zijn huwelijk met haar voorstelde.

Zij staat achter de toonbank met twee jonge meisjes, en helpt de kampeerders snel en handig aan het verlangde, in het ooglopend sneller en handiger dan haar helpsters: een alleszins capabele vrouw, en lang niet onknap om te zien.

Reyer beseft eens te meer hoezeer het voor een mens van levensbelang is, de partner te vinden die bij hem past.

Nu hij in principe de gedachte aanvaard heeft, eens weer een nieuw begin te zullen maken met een vrouw, wordt hij er des te persoonlijker bij bepaald hoeveel risico's een keuze meebrengt.

Ernst van Lieshout bijvoorbeeld heeft deze vrouw gekozen, een parel voor zijn bedrijf, een vrouw die het aanzien waard is en hem twee aardige kinderen heeft geschonken. Maar zij mist bij dat alles iets heel belangrijks; zelfs hij als buitenstaander kan dat registreren: ze heeft een ontevreden mond, en er gaat niet de minste warmte van haar uit.

In de uren die volgen blijft Reyer zich met dit probleem van de veelzijdigheid der menselijke verhoudingen bezighouden. Het benauwt hem wanneer hij bedenkt dat hij – in zijn speciale geval – bij een eventuele keus niet slechts met zichzelf en zijn eigen geluk te rekenen heeft, maar ook met dat van zijn kinderen.

Het maakt de nabije toekomst zwaar van verantwoordelijkheid.

Die avond, als hij terugkomt van de wasgelegenheid, waar hij is wezen douchen, vindt hij Ernst van Lieshout bij zijn tijdelijk verblijf, wachtend in het gras met een grasspriet tussen zijn sterke witte tanden.

Reyers ogen lichten verrast op als hij de ander ontwaart en dankbaar concludeert dat deze zijn terloopse invitatie dus toch serieus genomen heeft.

„Daar doe je goed aan, man!" roept hij al van een afstandje, even informeel als hartelijk.

„Ik heb mezelf een vrije avond gegeven," verklaart Nanny's broer met een verlegen grinnik, terwijl hij overeind krabbelt, „maar als ik de indruk gekregen had dat ik niet gelegen kwam, was ik binnen een kwartier weer weggelopen!"

„Weglopen! Stel je voor! Je moest eens weten hoe hard ik om een beetje vriendschap verlegen ben."

De man kijkt hem onderzoekend aan: „En Nan dan?"

„Hoe bedoel je?"

„Ben je met haar dan niet bevriend?"

„Ze was een vriendin van Regine, niet van mij. Ik heb pas de vorige week na lang aarzelen contact met haar gezocht, toen ik er op een gegeven moment niet meer tegen kon. Ze is bijzonder aardig voor me geweest, dat moet ik zeggen; anders zat ik hier trouwens niet. Maar het zou wel een beetje aanmatigend van me zijn, me nu al tot haar vriendenkring te rekenen, na één avondje praten, hoe indringend ook. Maar misschien zit het er in de toekomst in. Ze lijkt me een waardevolle vrouw, al stelt ze me af en toe wel voor raadsels."

Ernst heeft daar geen ander commentaar op dan een begrijpend knikken.

Reyer stapt langs hem heen de caravan binnen.

„Wat drinken we?" informeert hij over zijn schouder.

„Een kop koffie zou niet gek zijn om mee te beginnen," meent de ander gemoedelijk.

Ook hij klimt naar binnen; hij schuift zijn machtig lijf niet zonder moeite tussen de vaste tafel en één der wandbanken, en plant zijn ellebogen op het tafelblad. De kleine ruimte lijkt plotseling overvol.

Reyer weet zichzelf een pezige kerel in de bloei van zijn jaren, één meter tachtig lang, vijfenzeventig kilo zwaar en met een kracht in zijn handen die in zijn omgeving spreekwoordelijk geworden is. Maar naast deze reus voelt hij zich tamelijk nietig.

Het wordt hem echter al spoedig duidelijk, dat er in dat geweldige

lichaam een gevoelige en kwetsbare persoonlijkheid schuilgaat.
Terwijl ze koffiedrinken, praten ze over hun respectievelijke kinderen.

Ernst vertelt met gepaste vadertrots over Egbert, die het zo goed doet op school, maar zich daar nooit op laat voorstaan tegenover anderen die niet zo goed leren kunnen. Hij vertelt met kennelijke dankbaarheid over Nelleke, die zo aan hem hangt en zo lief voor hem is, hoewel ze toch veel van het bijdehante van haar moeder heeft.

Reyer vraagt zich af of de man die tegenover hem zit zelf wel beseft, hoe duidelijk zijn desillusies zich achter zijn dankbare woorden aftekenen.

„Die kinderen, daar leef ik voor, man," besluit Ernst van Lieshout trouwhartig, dwars door Reyers gedachtenspinsels heen.

„Hoeveel heb jij er? En hoe oud zijn ze?"

„Drie stuks. Renate is bijna zeventien, Lilian bijna zestien en Jasper tien. De twee meisjes zijn uit het eerste huwelijk van Regine, haar huwelijk met Ferry van Palland, de coureur, die destijds verongelukt is."

Hij haalt de foto's voor de dag die hij altijd in zijn portefeuille heeft. Er is een vrij recente opname bij van Regine. Maar Ernst grijpt direct naar het portret van Renate.

„Zó heb ik haar gekend," zegt hij met grote stelligheid. Reyer glimlacht even om de kennelijke vergissing.

„Ja," zegt hij, „maar dit is toevallig haar dochter."

De ander schudt verbaasd zijn hoofd, en kijkt nog eens opnieuw, met grote opmerkzaamheid.

„Wát een meid!" zegt hij met eerlijke bewondering, en er klinkt in zijn stem nog een echo van zijn lang verjaarde adoratie voor Regine, „en dan nog een zusje ook, en allebei op zo'n beslissende leeftijd."

Hij pakt nu de foto's van Lia en Jasper op, en blijft met zijn hoofd schudden.

„En dat stel moet jij nu in je eentje opvoeden," concludeert hij tenslotte.

„Voorlopig in ieder geval wel, ja."

„Speel je met de gedachte aan een tweede huwelijk?"

Reyer talmt even met een antwoord. Hij wijdt een vluchtige gedachte aan de jonge vrouw in het boerencafeetje, die zomaar ineens van alles in hem wakker maakte, en ongeweten een nieuw, vrij moeizaam denkproces op gang bracht.

„Eigenlijk pas een paar dagen," zegt hij tenslotte eerlijk, als reactie op de vraag die hem gesteld werd. „Tot voor kort werd ik inwendig razend als iemand er op zinspeelde dat ik maar gauw weer hertrouwen moest.

Er was in mijn gedachtewereld naast Regine nauwelijks plaats voor anderen, mijn kinderen uitgezonderd.

Ik zág ook geen vrouwen, ik kwam nergens, ik bleef me krampachtig vastklemmen aan wat geweest was.

De oude mevrouw Van Palland, die nu samen met de meisjes en Jasper op Texel in een vakantiehuisje zit, heeft me als het ware moeten dwingen om uit dat isolement te komen en eindelijk eens iets te gaan ondernemen om gezelschap te vinden, om vrienden te maken, om iemand te benaderen met wie ik over Regine en mijn dilemma's van gedachten kon wisselen.

Zo ben ik tenslotte bij Nanny terechtgekomen, omdat zij Regine goed gekend heeft, en ook omdat haar beroep mij deed vermoeden dat zij de aangewezen persoon was om iemand van raad te dienen. Ze heeft me in dat opzicht niet teleurgesteld: ik ben beslist een paar belangrijke stappen vooruitgekomen door mijn gesprek met haar, en ik waardeer het heel erg dat ze me uit eigen beweging haar caravan afstond, deze week.

Maar wat de vriendschap betreft waarnaar ik op zoek was – ik ben bang dat ik daarvoor bij haar aan het verkeerde adres was. Want ze gaf geen vertrouwen terug, zoals jij dat doet, Ernst."

„Vergelijk haar niet met mij. Nan is altijd trots geweest, trots en kieskeurig. De vriendschap van iemand als zij wordt je niet zomaar in de schoot geworpen."

Reyer fronst.

„Ze hoeft niet de eerste de beste avond haar hart voor mij uit te storten; zo'n irreële dwaas ben ik niet dat ik dat van haar verlang," zegt hij, „maar ik ken zelfs geen feiten. Ik weet niets van haar persoonlijk leven af, letterlijk niets, en dat irriteert me. Ik ben nu eenmaal bij haar bestaan betrokken, deze week: ik gebruik haar spullen, ik kijk tegen haar boeken aan – onwillekeurig houden mijn gedachten zich af en toe met haar bezig, dat is logisch, nietwaar?

Maar van haar verleden weet ik alleen door geruchten iets af, en over haar tegenwoordige omstandigheden – geluk, verdriet of wát ook – heeft zij zich met geen woord blootgegeven."
Ernst van Lieshout peilt wat er schuilgaat achter de onmiskenbare wrevel van de ander. In zijn antwoord stoot hij verder door dan deze zélf tot dusver gekomen was. Het bezorgt Reyer een pijnlijke sensatie, als dat wat in zijn onderbewuste nog ternauwernood wortel geschoten had, plotseling naar de oppervlakte wordt gespit.
„Voorzover ik weet is ze vrij," zegt Ernst, „maar als je haar hebben wilt, zul je er moeite voor moeten doen."

HOOFDSTUK 24

Het is erg warm in de caravan, bloedheet is het; Reyer verbaast zich erover dat hij dat zo-even niet gemerkt heeft. Hij veegt met een zakdoek langs zijn voorhoofd en onderbreekt het gesprek nogal abrupt met het voorstel een eind om te lopen samen, en ergens een pilsje te pakken.
Als ze buiten staan, waar de schemer snel toeneemt, vraagt Ernst praktisch: „Waar wilde je naar toe?"
„Zeg jij het maar. Jij bent hier beter bekend dan ik."
Ernst laat het poortje naar de camping voor wat het is; hij gaat Reyer voor op het paadje langs de rivier en vervolgens over het erf van de hoeve, waar geen sterveling te bekennen valt, waarna ze op een brede landweg staan.
Al die tijd heeft Reyer geen mond opengedaan.
Het begint de ander een beetje te benauwen.
„Heb ik wat stoms gezegd?" vraagt hij nederig, „je bent opeens zo stil."
„Ik ben geschrokken," verklaart Reyer eerlijk, om na enkele ogenblikken bedachtzaam verder te praten: „De laatste dagen ben ik langzaam maar zeker toegegroeid naar de bereidheid om op de een of andere manier een nieuw begin te maken.
'Op de een of andere manier,' – zó vaag was mijn visioen nog maar, ik bezweer het je. Maar jij geeft er op eenmaal vlees en bloed aan, jij vertaalt mijn geprikkelde nieuwsgierigheid naar het privéleven van je zus op een manier die voor een buitenstaander misschien

voor de hand ligt, maar die voor mij werkelijk een schok betekent. Ik weet niet of ik van Nanny zou kunnen houden, Ernst; in dit stadium kán ik dat nog niet weten. Maar ik weet wel dat ik haar beter zou willen kennen dan ik nu doe, veel beter."

Naast hem loopt Ernst van Lieshout zich af te vragen of hij misbruik zou maken van Nanny's vertrouwen wanneer hij deze man, die zij naar de camping stuurde, over een paar dingen uit haar leven opening van zaken gaf.

Hij is daar voor zichzelf nog niet mee klaar, als hij Reyer plotseling hoort vragen: „Waarom leest Nanny Italiaanse romans?"

„Om haar kennis van het Italiaans op peil te houden," antwoordt hij droog.

„Leuk hoor," reageert de ander sarcastisch. Maar dan voegt hij er sportief aan toe: „Toch staat het je netjes dat je je niet door de eerste de beste laat uithoren."

„Hm," zegt Ernst. Dan, een geheel nieuw licht op de zaak werpend: „Het kán natuurlijk zijn, dat zij je juist naar mij heeft toegestuurd in de hoop dat ik je een paar dingen zou vertellen die voor haarzelf misschien wat pijnlijk zouden zijn."

„Inderdaad, dat is een mogelijkheid."

„En anders moet ze het me maar vergeven," capituleert Ernst, „ik kan er niet mee aan de gang blijven, je met een kluitje in het riet te sturen, daar ben ik lang niet geraffineerd genoeg voor. Wat wilde je ook alweer weten?"

„Onder meer waarom ze Italiaanse boeken leest."

„Wel, een jaar of tien, twaalf geleden is ze Italiaans gaan studeren in haar vrije tijd; daar begon het allemaal mee. Of nee – al eerder, toen ze met vakantie naar Rome ging, en helemaal wég raakte van die stad. Het volgende jaar ging ze er prompt wéér naar toe, en toen nam ze het besluit de taal te gaan leren.

Sinds die tijd is ze nog ettelijke malen naar Italië geweest. Tijdens een van die vakanties ontmoette ze een jonge Italiaanse dokter, ene Mario Beretti. De eerste man, mag ik wel zeggen, die werkelijk indruk op haar maakte. Er kwam een romance van, een romance die beslissend is geworden voor haar verdere leven.

Het was een eerzuchtige kerel, die dokter, meer dan normaal begaafd in zijn werk, die zich wilde gaan toeleggen op de transplantatie van organen. Hij is er tussen haakjes inderdaad in geslaagd, zich een grote faam te verwerven op dat gebied.

Maar om op die bewuste vakantie terug te komen: als ik het goed begrepen heb, vertelde hij Nan de laatste avond ronduit dat hij niet van plan was te trouwen, zéker de eerste tien jaren niet. Hij kon het zich niet permitteren, dagelijks zijn aandacht te moeten verdelen; hij moest zijn handen helemaal vrij hebben voor zijn werk en zijn studie en het doel dat hij zich gesteld had.

Als zij het zo wilde, zouden ze op dat moment afscheid nemen, voorgoed.

Maar als zij ondanks alles iets zag in een voortzetting van het contact, dan zou hij proberen om naar Nederland te komen en zich dáár te specialiseren, daar of in Duitsland. Dan konden ze elkaar toch van tijd tot tijd nog ontmoeten."

„En ging Nanny daar op in?" vraagt Reyer, als er een stilte valt.

„Ja, zij ging daar op in. Maar vergis je niet, het betekende geen troostprijs voor haar, het kwam zelfs heel goed in haar kraam te pas wat hij voorstelde.

Ze was een jaar of achtentwintig destijds, een onafhankelijke vrouw met een goed salaris en een heleboel prettige contacten, die haar leven de moeite waard maakten.

Je moet weten dat er in de tien jaren die achter haar lagen heel wat lui om haar hadden heengedraaid; maar niemand kon haar blijvend boeien, ze kon er maar niet toe besluiten om met één van hen in zee te gaan. Ze was kieskeurig bij het ergerlijke af. En hoe langer ze in dat werk zat, waar ze ál maar huwelijksmisère te horen kreeg, en hoe meer huwelijken ze in haar omgeving zag verkillen of verzanden, des te blijer was ze dat ze haar vrijheid had weten te redden. Dat zei ze tenminste, maar ergens miste ze natuurlijk wat, want ze is heel wat minder koel en beheerst dan ze zich graag voordoet.

Enfin, eindelijk was ze dan toch voor iemand door de knieën gegaan. Maar hoe dol ze ook op die vreemdeling was, als hij haar gevraagd had, zou ze ervoor teruggedeinsd zijn om met hem te trouwen."

„Waarom in vredesnaam?"

„Omdat ze bang was dat hun verliefdheid niet tegen het slijtageproces van een dagelijkse sleur bestand zou blijken. Zo ongeveer zei ze dat. Ze wilde mij nog wel eens in vertrouwen nemen, af en toe."

„En kwam die figuur inderdaad naar ons land?",

„Ja, hij assisteerde een hele poos in een Amsterdams ziekenhuis, en later nog in een of andere Duitse universiteitskliniek. Alles bij elkaar dúúrde dat wel een paar jaar, waarin ze samen hun vakanties doorbrachten, en elkaar ook daar buitenom zo nu en dan ontmoetten.

Later, toen hij klaar was met zijn chirurgische studie, ging Mario Beretti terug naar Rome; hij werd daar lid van een medisch team dat nogal van zich deed spreken op het gebied van niertransplantaties.

Hij had zijn doel bereikt, maar nog praatte hij niet over een huwelijk, al was hij door de jaren heen trouw gebleven aan hun wonderlijke vriendschap.

Nanny vloog af en toe voor een lang weekend naar Rome; hij nam haar daar mee naar feestjes en stelde haar aan zijn collega's en kennissen voor als zijn vriendin. Ze was nogal populair onder die Italianen, omdat ze het leuk vonden dat zij als Hollandse hun taal beheerste. Toen ze Mario nog maar pas kende, hadden ze samen Engels gesproken, maar tenslotte kon zij zich zo goed redden met zijn moedertaal, dat dat niet langer nodig was.

Je begrijpt dat de onafhankelijkheid waarmee Nan in dit soort dingen haar eigen gang ging, wel de nodige kritiek opleverde. Persoonlijk hoefde ik niet ver van huis te gaan om daarmee overstelpt te worden."

Nu Ernst zelf dit tere punt aanroert, durft Reyer hardop vaststellen: „Je vrouw mag haar niet."

„Hoe ben je dat te weten gekomen?"

Reyer vertelt van het korte gesprekje met de kleine Egbert, die even argeloos als gebrekkig een opmerking van zijn moeder citeerde.

Ernst van Lieshout zucht even.

„Neeltje is altijd verschrikkelijk ontevreden geweest," stelt hij bitter vast, „ze kon Nan van jaloezie de ogen wel uitkrabben.

En nu het voorbij is, dat met Mario, nu Nan een moeilijke periode doormaakt, vindt ze daar een wrange voldoening in. Het is hard dat ik het zeggen moet, maar het is de waarheid."

„Maar waarom jaloezie? Goedbeschouwd bezit zij meer, dan Nanny zelfs in haar gelukkigste tijd het hare kon noemen."

„Dat zeg jij. Maar jij weet niet hoe Neeltje er altijd naar gehaakt heeft om hogerop te komen, hoe ze hunkerde naar een wereld die buiten haar bereik lag, waarover ze alleen in tijdschriften en reisfolders las: een wereld met dure hotels, boulevards met palmen, vliegreizen, beroemde persoonlijkheden...

Ze heeft zelfs nooit de kans gekregen om aan dat wereldje te rúiken; ze komt uit een eenvoudig gezin, ze spreekt geen enkele vreemde taal, net zo min als ik. De weinige keren dat wij in het buitenland geweest zijn – met een reisgezelschap – trokken we daar op met hetzelfde slag mensen dat hier bij ons op de camping komt. Niets bijzonders; tenminste niet wat Neeltje bijzonder noemt.

Maar ik ben bang dat ik de volgorde van de dingen door elkaar haal! Om even een stap terug te doen in de tijd: toen Neeltje achter in de twintig was, en er nog steeds geen miljonair of filmheld om haar gekomen was, is ze uit angst om over te schieten met een simpele jongen getrouwd die een paar jaar jonger was dan zij, een jongen die behalve een paar centen alleen zijn harde werkhanden meebracht, waarmee hij een eerlijke boterham kon verdienen en meer niet.

Die jongen liep met plannen rond om een kampeerbedrijf te beginnen, maar hij kende zijn eigen beperkingen. Hij kon heel wat beter praten dan rekenen, en hij dacht goed af te zijn met een knappe, bijdehante vrouw, waarmee hij voor de dag kon komen en die heel wat meer zakelijk inzicht had dan hij. Want een knappe meid wás Neeltje, veel knapper eigenlijk dan Nan, die ongeveer net zo oud was. Ze bleven allebei lang alleen. Neeltje kon dat slecht verkroppen, zij zag zonder man geen heil in de toekomst, ze raakte haar zelfvertrouwen kwijt en deed tenslotte een noodsprong, zoals mij al gauw duidelijk werd.

Wat Nanny betreft, die werd juist ál zuiniger op haar vrijheid, zij was zich bewust van haar eigen waarde, ze bouwde zich steen voor steen een eigen bestaan op. Ze studeerde veel in die jaren, behalve Italiaans ook nog psychologie, in verband met haar werk. Ze maakte buitenlandse reizen, ze raakte bevriend met die chirurg, ze verwierf zich schijnbaar zonder moeite de interessante kennissenkring, die Neeltje altijd zo graag had willen hebben.

Dat alles zette al kwaad bloed, maar sinds Neeltje eens een zure opmerking maakte over Nanny's ongehuwde staat, en die scherp

332

uitviel met de woorden dat ze nog liever haar leven lang vloeren zou schrobben om haar eigen kost te verdienen, dan een man te nemen alleen om onder de pannen te zijn, is het openlijk oorlog tussen de dames.

Die zus van mij is ook geen lieverdje, hoor! Maar voor mij heeft ze een uitgesproken zwak, net als ik voor haar. Nan kan het niet verdragen dat Neeltje mij het leven zuur maakt, dat ze me zonder ophouden kleineert en mij de schuld geeft van het saaie rotleven dat zij volgens haar zeggen heeft. 'Ik heb nooit kansen gehad', zegt ze altijd, 'maar jóuw vader had het geld om je te laten studeren; als jij niet te beroerd geweest was vroeger, dan konden wij nu méédoen met de grote lui, dan hoefden we ons niet voor anderen het bloed onder de nagels te werken.' Maar ik wás helemaal niet te beroerd om mijn best te doen, Reyer, ik kon écht niet meekomen op school. En voor anderen werken, hier op de camping, dat mag ik juist zo machtig graag doen, man!"

Reyer voelt zijn warme herinneringen aan Regine meer dan ooit als een onvervreemdbare rijkdom binnen in zich, nu hij een glimp heeft opgevangen van de hel, de ongetwijfeld keurig opgeruimde en schoongehouden hel, waarin de ander gedwongen is te leven.

Geëmotioneerd als hij sinds weken is, heeft hij gedurende enkele ogenblikken het gevoel dat hij zou kunnen janken van onmacht om de bizarre aanleiding tot dit alles. Niet omdat hij verliefd was, maar omdat hij niet rekenen kon, heeft dat grote trouwhartige kind destijds zijn hoofd in die strop gestoken. Had hij maar een compagnon genomen met een boekhouddiploma – dáár had hij mee kunnen breken als het nodig was geweest.

Maar aan dat ontevreden vrouwmens zit hij zonder twijfel nog jarenlang onherroepelijk gekluisterd door zijn liefde voor hun twee kinderen.

„Ik wou dat ik wist wat ik daarop zeggen moest," verbreekt hij tenslotte machteloos de stilte die tussen hen gevallen is. „Nog liever wou ik dat ik wat voor je doen kon. Maar het enige dat ik je kan aanbieden is mijn sympathie, mijn begrip. mijn vriendschap, zo je wilt."

„Dat is anders al heel wat," stelt Ernst vast. „Beloof me dat je na deze week nog weer eens terug komt naar hier."

„Daar kun je op rekenen."

Ze gaan verder in een saamhorig zwijgen. In de verte pinken een paar verlichte vensters, waar ze recht op toe schijnen te lopen; een jongen op een fiets passeert hen met een korte groet; in een weiland loeit met melancholiek geluid een eenzame koe. Reyer realiseert zich dat het verhaal dat Ernst hem aan het vertellen was op een zijspoor raakte en daarop doodliep. Maar zijn belangstelling voor de man die naast hem gaat, zit inmiddels al diep genoeg, om zonder ergernis te kunnen aanvaarden dat de ander in zijn verslag over zijn zusters levensloop ongemerkt de hoofdrol overnam. Hij laat Ernst bewust de tijd om zélf de draad van zijn verhaal weer op te nemen.

Maar voor het zover is, hebben ze het huis met de verlichte vensters bereikt.

HOOFDSTUK 25

„Je wilde een pilsje pakken," zegt Ernst.

Reyer ontdekt dat ze zijn uitgekomen op een kruising van wegen, en dat de verlichte ramen die ze reeds van verre zagen, behoren aan een café. Hetzelfde café, beseft hij tot zijn verrassing, waar hij kort tevoren geweest is, al moet hij er toen vanuit een geheel andere richting tegenaan gelopen zijn.

„Ik héb hier al eens gezeten," merkt hij onwillekeurig op.

„Dat verbaast me niks," geeft Ernst nuchter terug, „het is zowat de enige gelegenheid hier in de buurt, waar je iets drinken kunt."

Ze gaan binnen en schuiven aan een tafeltje.

„Geeske, twee pils," bestelt Ernst in het voorbijgaan, met een gemeenzaam gebaar het meisje begroetend dat achter de tap staat. Het ontgaat Reyer niet, dat zij zijn pasverworven vriend precies dezelfde toeschietelijke glimlach geeft die hém bij hun vorige treffen zo in verwarring bracht.

Met een half oog blijft hij op haar letten, ook nadat zij de bestelling heeft afgeleverd. Hij ziet hoe zij op aandringen van een viertal jonge kerels aan hun tafeltje gaat zitten, hoe zij zich zonder veel overtuiging verweert tegen hun plagerijen en handtastelijkheden.

Hoewel hij zich evenmin als die andere keer geheel aan haar aantrekkingskracht weet te ontworstelen, is hij er ditmaal niet doof voor dat zij een tamelijk plat dialect spreekt, en dat de weinig fijn-zinnige attenties van de boerenzoons haar kennelijk niet onwelge-vallig zijn.

Hij ziet de dingen opeens in de juiste proporties.

Deze jonge vrouw heeft weliswaar een functie gehad in het proces van bewustwording dat hij de laatste dagen heeft doorgemaakt, maar daarmee is haar rol dan ook uitgespeeld.

Duidelijk hoort hij haar hoge stem boven het donkere geluid van de mannen uit: „Bè je gek, vent! Dénken, daar hou ik mijn eigen niet mee op!"

Reyer glimlacht even als hij de onmogelijkheid beseft, met een typetje als deze Geeske – hoe waardevol misschien ook in haar eigen omgeving – voor de kritische ogen van Regines kinderen te verschijnen om haar als plaatsvervangster van hun gestorven moe-der te presenteren. In verband met die nauwelijks verklonken uit-roep van de verleidelijke serveerster komt hem speciaal Renate voor de geest, die zich juist hoe langer hoe intensiever met denken begint op te houden, en zich al denkend moeizaam een eigen ver-antwoorde levensinstelling zoekt te verwerven.

Nee Regientje, denkt hij bevrijd, als ik ooit de boot weer van de kant ga duwen, als ik ooit weer uitvaar, vroeger of later, dan zal het niet alleen op het kompas van mijn zinnen zijn.

„Wat ben je afwezig, ineens," zegt Ernst.

Reyer keert terug tot de situatie van het ogenblik.

„Zei je iets? Sorry. Ik had in alle stilte een apartje met Regine."

De ander maakt een beschaamde grimas.

„Een mens kan zich wel vergissen. Ik dacht nota bene dat je je net als iedereen aan Geeske Pauwels zat te vergapen."

„Misschien deed ik dat ook wel," antwoordt Reyer openhartig, „ze hééft het helemaal, dat had ik de vorige keer dat ik hier zat al vast-gesteld. Een jaar of vijftien geleden had ik het wel geweten, met zo één als zij. Maar die eendagsavontuurtjes van toen – ik heb er een tamelijk beroerde nasmaak van overgehouden. En de meeste wilde haren zijn er wel af, man. Als ik nu rondkijk, dat heb ik me zojuist gerealiseerd, dan doe ik dat niet als vrijgezel, maar als iemand die zich voortdurend ervan bewust is dat er drie opgroeiende kinderen achter hem staan.

Toen ik zo-even naar dat Geeske zat te kijken, bekeek ik haar dan ook niet alleen door mijn eigen ogen, maar ook door de ogen van Regines kinderen."

„En tot welke conclusie ben je gekomen? Mag ik dat vragen?"

„Gerust. Ik kwam tot de slotsom dat iemand als zij eenvoudig niet zou passen in mijn gezin."

Pas als ze langs een andere route weer naar de camping lopen, komt Ernst terug op hun gesprek over Nanny. Alsof dat gesprek in het geheel niet onderbroken geweest is, merkt hij op: „Verleden jaar, om deze tijd ongeveer, kwam ze ineens met een brief op de proppen."

„Wie? Nanny? Een brief van die Italiaan?"

„Ja. Het was tijdens een van de weekends die ze in haar caravan doorbracht. Ik liep even bij haar langs, alleen om iets aan te reiken, maar ze riep me binnen, een beetje zenuwachtig; ze zei dat ze ergens over praten wilde.

Toen liet ze me die brief zien. Ik kon er natuurlijk geen woord van lezen, maar zij kwam naast me zitten en vertaalde de zinnen bijna net zo vlug als ze ze las. Het was maar een kort briefje, en de inhoud kwam hierop neer, dat er verandering op til was. Mario Beretti was eindelijk tot de ontdekking gekomen dat de tijd rijp was om zijn anker uit te gooien en aan zijn bestaan een definitieve vorm te geven. Hij begreep zowaar dat zo'n briefje zich er niet toe leende om spijkers met koppen te slaan, en hij vroeg Nan wanneer het haar schikte hem te ontvangen. Dan kwam hij naar Holland om alles uit te praten.

Ik had er eerlijk gezegd een beetje de pest in en zei nogal cru: 'Nou, daar heb je negen jaar op moeten wachten, zusje!' Ik schrok me ongelukkig toen ze ineens begon te huilen. Nan huilt niet zo gauw, weet je.

'Praat op', zei ik, 'wat zit je dwars?'

'Geloof jij dat hij bedoelt dat hij met me trouwen wil?' wou ze weten.

'Ja, wat anders?' vroeg ik, en toen kwam het hoge woord eruit: 'Ernst, je zult me een lafaard vinden, maar ik durf niet. Ik hou van hem, hij is een fascinerend mens, en ik zal wel nooit helemaal van hem loskomen. Maar met hem trouwen – dat durf ik niet aan.'

Toen kwamen er met horten en stoten dingen voor de dag waar ze nooit eerder over gerept had: dat er altijd een zekere woordeloze ondergrondse machtsstrijd tussen hen gewoed had, omdat Mario háár leven en háár belangen steeds weer ondergeschikt gemaakt zou hebben aan de zijne, als zij er niet onophoudelijk voor op de bres gestaan had. Dat hij zelf die instelling niet beschouwde als een slechte eigenschap of een egoïstisch trekje, maar het de gewoonste zaak van de wereld vond dat een man in ieder opzicht domineerde. Dat hij tijdens een ruzie zelfs wel eens tegen haar geschreeuwd had dat zij niet deugde als vrouw, zéker niet voor een Italiaan, omdat ze niet gehoorzamen kon."

Ernst grinnikt tegen wil en dank.

„Gehoorzamen," herhaalt hij meesmuilend, „ik had er dolgraag getuige van willen zijn, hoe zij bij die gelegenheid op haar duidelijke manier de puntjes op de i zette.

Enfin, na al die voorlichting begreep ik heel wat beter waarom zij haar onafhankelijkheid niet op het spel durfde te zetten in een vaste verbintenis met die autoritaire figuur, hoe fascinerend hij als man dan ook zijn mocht, hoe beroemd als chirurg.

Nanny is Nanny, een persoonlijkheid op zichzelf. De stommeling heeft met al zijn geleerdheid waarschijnlijk niet doorzien dat het uitgerekend dat fiere karakter van haar was, dat hem zó kon blijven boeien dat hij telkens vrijwillig bij haar terugkwam.

Nu hééft hij inmiddels zijn gehoorzame slavin, maar het is nog zeer de vraag of hij met haar hetzelfde aantal interessante gesprekken en hetzelfde aantal gelukkige uren zal volmaken als met Nan."

„Heeft ze hem toen meteen afgeschreven?" vraagt Reyer, als het even stil blijft na de wraakgierige uitroep van de ander.

„Nou nee," zegt Ernst, „er kwam iets heel vervelends tussen. Een of andere relatie van Nan uit Rome, die altijd de romans opstuurde waarmee zij de taal bijhield, zond haar een knipsel toe uit een Italiaans boulevardblad. Als waarschuwing, al dan niet met hatelijke bijbedoelingen.

Er stond iets in van deze strekking: dat de beeldschone eenentwintigjarige dochter van de gravin van Zus tot Zo (de namen zijn me ontschoten) binnen afzienbare tijd in het huwelijk zou treden met de chirurg Mario Beretti, bekend geworden door diverse geslaagde niertransplantaties, en tot dusver een van de meest begeerde vrijgezellen van Rome.

Het moet Nan getroffen hebben als een klap tussen de ogen.

Er stond nog een foto bij ook. Het wicht was inderdaad beeld-schoon, daar gaat niets van af, en Nanny zou geen vrouw geweest zijn als ze zich niet op slag achtentachtig had gevoeld, en rijp voor de vuilnisbelt.

Toen ze weer een beetje tot zichzelf kwam, en het krantenknipsel naast het bewuste briefje legde, ontdekte ze dat dat briefje derma-te vaag gesteld was dat het heel goed op deze schokkende ontwik-keling zou kunnen slaan.

Geloof maar dat het een bittere pil voor haar geweest is om te slik-ken!

Na moeizaam wikken en wegen wist ze tenslotte haar houding te bepalen. Ze heeft net gedaan of haar neus bloedde en die man gewoon naar Nederland laten komen voor een gesprek, zoals hij zelf had voorgesteld.

Hoe dat uitpraten zich heeft toegedragen, weet ik op geen stukken na. Ik weet wel dat ze Mario Beretti voorgoed uit haar leven geschrapt heeft. Maar ook dat ze nooit een bitter woord over hem in de mond genomen heeft; tegenover mij tenminste niet.

Na een paar maanden had ze het gebeurde al genoeg verwerkt om zakelijk te kunnen vaststellen dat zij hem weinig te verwijten had: ze hadden elkaar nooit beloften van eeuwige trouw gedaan, en in wezen speelden ze quitte. Hij had een huwelijk met haar kennelijk evenmin aangedurfd als zij een huwelijk met hem. Ze zou het alleen op prijs gesteld hebben, als hij definitief afscheid van haar geno-men had eer hij zich onder de ogen van de pers en de spraakma-kende gemeente met dat mooie domme gansje inliet.

Dat was het laatste wat ze er tegen mij ooit over gezegd heeft.

Ze leeft gewoon verder, ze heeft geen zenuwinzinking gehad of iets van die aard, en de buitenwereld heeft waarschijnlijk nooit iets aan haar gemerkt. Maar ze zoekt meer dan vroeger de eenzaamheid, dat wel."

Reyer reageert niet aanstonds op het sobere relaas van de ander.

Dát was het dus, Nanny... denkt hij, verward door allerlei tegen-strijdige gevoelens. Enerzijds is hij blij niet langer in het duister te hoeven tasten; anderzijds voelt hij zich beschaamd, omdat hij de vriendschap die Ernst van Lieshout voor hem opvatte te baat geno-men heeft om via een achterdeurtje een tersluikse blik in het leven van diens zuster te werpen.

Ernst schijnt zijn overleggingen op te vangen, ook zonder dat hij ze onder woorden brengt, want hij zegt: „Misschien ben ik buiten mijn boekje gegaan door je dit allemaal te vertellen. Maar ik had van het begin af aan het gevoel dat ik je vertrouwen kon."

„Ik liep me óók al af te vragen of het strikt genomen door de beugel kon," bekent Reyer. „Laten we maar afspreken dat het onder ons blijft. In ieder geval beloof ik je dat ik deze kennis nooit zal gebruiken op een manier die voor jou onaangenaam zou kunnen zijn, of pijnlijk voor Nan."

Een dag later, als ze elkaar in de kampwinkel tegen het lijf lopen, maakt hij officieel kennis met mevrouw Van Lieshout.
Ernst stelt hem zonder nadere toelichting voor: „Neeltje, dit is meneer Schuurman, een kennis van Nanny, die ze haar caravan geleend heeft."
Neeltje neemt hem op met een lange, vorsende blik, alsof ze de aard van zijn relatie tot haar schoonzusje van zijn trekken zou kunnen aflezen. Maar ze vraagt niets en beperkt zich tot een enkele stroeve gemeenplaats.
Pas de volgende morgen, als Reyer in een opwelling bij haar aanloopt om te vragen of ze het goedvindt dat hij de twee kinderen een dagje meeneemt, de rivier op, ziet hij voor het eerst haar gezicht ontspannen in een verwonderde glimlach.
„U hebt dus een boot?" vraagt ze.
„Heden nee, dat zit er niet aan. Ik zal er een moeten húren; dat heb ik een paar dagen geleden ook gedaan, en het beviel me zo goed dat ik het graag nog eens overdoe. Maar alleen is maar alleen."
„Ik weet niet..." aarzelt zij, „ik ken u eigenlijk helemaal niet. Dat u een kennis bent van Nan" – ze snuift op een bijzonder welsprekende manier – „dat is voor mij geen garantie."
„Misschien spreekt het u meer aan dat ik het vertrouwen van uw man geniet," pareert Reyer, „en als het u gerust kan stellen: varen doe ik vrij aardig. Ik sta de laatste tijd dan wel voor de klas, maar van origine ben ik zeeman, en dat verloochent zich nooit."
Er vleugt een nieuwe verbazing over haar trekken.
„Maar waarom Nelleke en Egbert?" informeert ze bevreemd. „Een man van uw voorkomen, alleen op vakantie."
Ze stokt, maar het is duidelijk dat ze had willen zeggen: '...die kan

toch wel ander gezelschap krijgen dan twee van die blagen?"
Reyer trekt met zijn schouders.
„Ja, waarom? Misschien omdat ik mijn eigen kinderen mis."

HOOFDSTUK 26

„Misschien omdat ik mijn eigen kinderen mis," heeft Reyer gezegd.
Neeltje van Lieshout, die niets van zijn omstandigheden afweet, is
er niet zeker van hoe zij die woorden moet opvatten.
„Hebt u uw kinderen verloren? Door een ongeluk?" vraagt ze op de
man af.
„Gelukkig niet!" roept Reyer spontaan uit.
„Zijn ze toegewezen aan uw vrouw?" oppert zij zakelijk een andere
mogelijkheid.
„Ik bén niet gescheiden, mevrouw Van Lieshout," zegt Reyer, „mijn
vrouw is dit voorjaar gestorven en mijn kinderen zijn op 't ogenblik
met hun grootmoeder op vakantie. Dat is mijn verhaal in een noten-
dop. Sorry dat ik u liet gissen, maar ik heb van de week een avondje met uw man zitten praten en ik dacht dat hij u misschien verteld
had…"
Zij valt hem in de rede.
„Mijn man vertelt mij niet zoveel. En zéker niet zijn zusters hartsgeheimen," verklaart zij met neergetrokken mondhoeken.
Reyer aarzelt tussen ergernis en gêne. Hij beseft dat háár openhartigheid hem minder welkom is dan de openhartigheid van Ernst.
„Als u denkt dat ik met de hartsgeheimen van uw schoonzus ook
maar iets te maken heb, zit u ernaast," weerlegt hij. „Nanny was een
schoolvriendin van mijn vrouw, en ik heb haar niet meer dan twee
keer in mijn leven ontmoet. Een jaar of dertien geleden, bij mijn
huwelijk, én vorige week, toen ze mij beroepshalve van advies
diende in verband met een moeilijkheid die zich in mijn gezin had
voorgedaan. Tussen de bedrijven door raadde ze mij toen af, om
tijdens de afwezigheid van de kinderen in mijn eentje in dat lege
huis te blijven hangen met mijn verdriet en mijn kopzorgen, en ze
deed me een alternatief aan de hand door me haar eigen caravan
aan te bieden, en de afleiding van een vreemde omgeving. Dat is
alles."

340

„O, zit het zó," begrijpt de vrouw, hem schattend met haar ogen, die koel, maar toch zeer levend zijn – hongerig bijna.

Ze vergelijkt in stilte zijn uiterlijk – het magere, donkeromlijste gezicht, de sombere, gekwelde ogen, de slanke pezige gestalte – met de lobbesachtige verschijning van haar echtgenoot, voor wie veel-en-lekker-eten één van de weinige genoegens in het leven schijnt te zijn.

Deze meneer Schuurman is weliswaar niet rijk of beroemd, of beide – zoals die buitenlandse dokter – maar toch, hij hééft iets.

Ze denkt het hare van Nanny's vriendelijke aanbod, en slijpt haar wapens reeds.

Alle gegevens bijeenharkend die zij inmiddels over hem verzameld heeft, voegt ze Reyer toe. „Nou, het is maar goed dat u zich geen illusies maakt. Want tussen ons gezegd: Nanny mikt hoog. En zéker niet op een voormalige zeeman, die opgeklommen is of afgezakt tot onderwijzer, die een gezin tot zijn last heeft en zich weinig luxe permitteren kan."

Het onversneden venijn in haar woorden doet Reyer verbluft met de ogen knipperen. Dan voelt hij zich volstromen met een hete pijn, die tegelijk woede is en medelijden en beledigde trots.

„Wat moet ú blind zijn voor alles wat u zelf hebt – om zo te kunnen haten en kwetsen!" zegt hij tenslotte, met moeizaam bevochten zelfbeheersing.

Hij gaat weg zonder groet, inwendig niet weinig overstuur, vergetend wat hem eigenlijk naar deze vrouw toe voerde.

Hij slentert het kampeerterrein over in de richting van Nanny's caravan, langzaam, en zonder de mensen en de dingen die hij ziet werkelijk in zich op te nemen.

De smaak van deze dag is eraf. Hij weet niet meer wat hij ermee doen moet; hij is zich van niets anders bewust dan van een onmetelijk heimwee naar zijn verloren lief, een heimwee dat hoger dan ooit in hem is opgestaan na zijn confrontatie met die vrouw die Regines tegenpool schijnt, gedreven als ze wordt door haar blinde begeerte naar méér, méér, en door haar onberedeneerde wrok jegens iemand die volgens haar maatstaven betere kansen kreeg.

Na een halfuurtje, als hij landerig naast de caravan in het gras ligt met een tijdschrift waarin hij niet leest, wordt hij verrast door de jonge stemmen van Nelleke en Egbert.

„Meneer Schuurman!" – dat is Nelleke – „Mama zei dat we moesten gaan kijken of u hier nog was."

„En áls u er nog was," vult Egbert aan, „dan moesten we zeggen dat het mócht, wat u gevraagd hebt."

Reyer gaat rechtop zitten, andermaal verbluft.

Betekent dit een verzoeningsgebaar van Neeltje van Lieshout, een verkapt excuus? Of wil zij bij nader inzien haar kinderen toch het genoegen van een boottochtje niet onthouden?"

„Weten jullie wat ik ben wezen vragen?" informeert hij.

„Nee meneer," antwoordt Nelleke beleefd.

Dan maakt Reyer de kinderen deelgenoot van zijn plannetje.

Hij vindt een gretig gehoor, en door het ongekunsteld plezier van de anderen komt ook zijn eigen animo weer wat op peil.

Hij stuurt de kinderen naar de kampwinkel om proviand en drinken voor onderweg, en maakt zelf een thermosfles met hete koffie klaar.

Gedrieën fietsen ze tenslotte naar het haventje, waar Reyer erin slaagt dezelfde boot te huren die hij deze week al eerder tot zijn beschikking had.

Het opgetogen gebabbel van de kinderen verschaft hem de eerste paar uren zoveel afleiding, dat hij aan denken nauwelijks toekomt. Ze moeten alles over Jasper weten; hij moet de werking van de buitenboordmotor uitleggen en vertellen over de tijd toen hij nog op zee was.

Pas 's middags, als ze hebben aangelegd, en de kinderen zich op een stuk braakliggend land vermaken – Nelleke plukt wilde bloemen en Egbert klimt in alle beschikbare bomen – komt hij enigszins tot zichzelf.

Hij zit in de zon met één oog op zijn kleine gasten, en rookt een pijp. Een beetje bitter bedenkt hij, hoeveel beter men dikwijls met kinderen verkeren kan dan met volwassenen.

Op dit moment voelt hij zich tenminste volkomen tevreden met hun argeloos gezelschap, en is hij wars van elke gedachte aan een tweede vrouw, die alleen maar nieuwe complicaties in zijn leven brengen zou.

Heeft hij deze week in ernst met de gedachte gespeeld dat een ander geluk binnen zijn bereik zou liggen?

Zoals Regine was er immers maar één? Regine, die van hem hield met inbegrip van al zijn beperkingen, en die nooit mateloos was in haar eisen.

Het is of Neeltje van Lieshout hem alle vrouwen tegen gemaakt heeft. Pas als hij dieper graaft, ontdekt hij welke angel in zijn vlees is blijven haken.

Nanny mikt hoog, heeft zij gezegd.

Hij doorziet weliswaar de bedoeling van de afgunstige schoonzuster; te stoken tussen Nan en iedere potentiële huwelijkskandidaat die aan haar horizon opdoemt, maar weet tegelijk dat de sneer van die vrouw niet helemáál uit de lucht gegrepen kan zijn. Want heeft ook Ernst niet gezegd dat zij op het punt van partnerkeuze kieskeurig was bij het ergerlijke af?

Dan echter bedenkt hij kwaad, dat het kiezen van een partner in het geheel niet aan de orde is, noch aan haar kant, noch aan de zijne.

Het was mij uitsluitend om haar vriendschap begonnen toen ik contact met haar zocht, overlegt hij, en die heeft ze me niet geweigerd, integendeel. Ik ben toch echt niet zo bot dat ik niet gemerkt heb dat ze sympathie voor me voelde!

Opnieuw denkt hij aan de raad van oma Van Palland om relaties aan te gaan en vriendschappen te sluiten. Hij weet nu reeds zijn intuïtieve zekerheid bevestigd, dat dit op zijn leeftijd en onder zijn omstandigheden niet zo'n eenvoudige zaak meer is. Het contact met Ernst, ja, dat was prettig en verrijkend en zonder verwarrende complicaties. Maar als het om de andere sekse gaat, ligt het heel wat moeilijker, dat is al wel bewezen.

Nanny heeft hem ondanks haar voelbare reserve op een innemende manier voortgeholpen, en theoretisch acht hij het zeker niet onmogelijk dat er een waardevolle kameraadschap tussen hen beiden zou kunnen groeien.

Maar de buitenwacht staat zo'n groeiproces – in welke richting ook – eenvoudig niet toe, maar moet direct met voorbarige gevolgtrekkingen klaarstaan.

Neeltje van Lieshout deed dat wel op een bijzonder onaangename manier, maar hij maakt zich over anderen in dat opzicht maar weinig illusies.

Ook zijn eigen kinderen zouden onmiddellijk hun conclusies trekken als ze bemerkten dat hij met deze of gene vrouw in regelmatig contact stond.

Onbevangen en vrijblijvend om te gaan met iemand, om tot een wezenlijk wederzijds kennen te geraken – het lijkt een onhaalbare zaak.

Na wat er deze morgen gepasseerd is, zou hij in staat zijn de hele Nan van Lieshout uit zijn leven te schrappen, met kieskeurigheid en al.

Maar hij kan zich dat niet permitteren, daarvoor is hij te veel aan haar verplicht.

Wat kan hij anders doen dan haar de sleutel van de caravan terugbrengen, haar hartelijk bedanken voor het gebruik ervan, en haar – al naar gelang haar houding tegenover hem – nog eens of meer ontmoeten?

Hij besluit echter, daarbij de uiterste voorzichtigheid in acht te nemen, evenzeer tegenover het eigen hart als tegenover de buitenwereld.

Als ze in de namiddag warm en vuil maar zeer voldaan terugkeren bij de camping, gaat Reyer rechtstreeks naar zijn eigen domein. Nelleke en Egbert zullen verder zelf hun weg wel vinden; het lokt hem niet, ze thuis af te leveren en opnieuw met hun moeder geconfronteerd te worden.

Als hij Ernst weer eens ziet, zal hij hem wel een compliment maken over zijn fijne, levenslustige spruiten, die hem een maximum aan afleiding hebben bezorgd toen hij daaraan dringend behoefte had.

Lang hoeft hij niet te wachten op zo'n gelegenheid.

Heel vroeg in de avond staat Ernst plotseling voor hem, een brief in zijn hand.

„Hallo!" zegt hij glunder. „Man, wat heb je dat stel van mij een fijne dag bezorgd! Hun monden stonden niet stil, onder het eten!"

„Mooi zo. Het genoegen was over en weer, want het zijn een paar lekkere boeven!"

„Dat zijn het. Je bent bij Neeltje geweest, hè, vanmorgen?"

„Ja. Omdat jij afwezig bleek, moest ik háár wel om toestemming gaan vragen."

„Zei ze nog iets over ons gesprek?" peilt hij voorzichtig, „je moet weten dat ze er aanvankelijk niet zo veel voor voelde, haar kinderen aan een bijna-vreemde toe te vertrouwen."

„Nou, nee," zegt Ernst, „alleen dat ze het wel rustig vond, die twee

344

druktemakers eens een dagje kwijt te zijn. O ja, en dat jij haar bij nader inzien wel een eerlijke kerel leek."

Reyer meesmuilt bij de herinnering aan hun korte woordenwisseling. Ja, eerlijk was die wel. Misschien is Neeltje van Lieshout een van die mensen, die er behoefte aan hebben af en toe eens op hun nummer te worden gezet.

Hij is niet van plan tegenover Ernst iets los te laten over Neeltjes scherpe uitval, nu deze er blijkbaar geheel onkundig van is.

„Dat klinkt nogal positief," constateert hij alleen.

„Ja, en daar ben ik blij om," bekent Ernst serieus, „want ik hoop dat je hier nog eens terug zult komen, en dan misschien met je hele gezin."

„Verdraaid!" onderbreekt hij zichzelf, „nu zou ik haast nog vergeten waar ik voor kwam! Pak aan, vandaag gearriveerd: een dikke brief uit De Koog op Texel, kennelijk door je buren doorgezonden naar hier."

Blijde verrassing springt in Reyers blik.

„Mag ik?" vraagt hij, met zijn pink het couvert openscheurend, „alleen even spieden of alles goed is, daarginds."

De enveloppe bevat vier blocnotevellen, beschreven in vier verschillende handschriften.

Het bovenste vel is afkomstig van oma Van Palland, en zij valt zoals gewoonlijk met de deur in huis.

„Reyer, hou je vast!" leest hij hardop voor, „we zaten hier nog geen twee dagen, of er zwierf al een vrijer om de deur. En nu komt het schokeffect: ditmaal is het niet om Renate te doen, maar om Lilian."

Hij kijkt op, recht in de trouwhartige ogen van Ernst.

„Nou jij, en dan ik weer!" zegt hij onthutst.

„Is dat slecht nieuws?" informeert Ernst onzeker.

„Dat lijkt me níet. Maar in ieder geval is het nieuws dat ik niet zo één-twee-drie verwerken kan!"

Als hij later op de avond alle vier de brieven nog eens spelt, ervaart hij, dat ook voor Renate het verwerken van een dergelijke ongewone ontwikkeling niet meevalt.

Oma Van Palland heeft hem de informatie verschaft, die de brieven van de beide meisjes een stuk begrijpelijker maakt: ze hebben in een van de buurhuisjes mensen getroffen waar ze veel contact mee onderhouden, een mevrouw met een paar opgroeiende kinderen.

Lia trekt veel met de zeventienjarige zoon op, die vanaf het eerste ogenblik in haar geïnteresseerd was. Het is gelukkig een knaap die niet te hard van stapel loopt, maar begrip schijnt te hebben voor de staat van volkomen onschuld en onervarenheid van zijn aangebedene.

Voorlopig beperkt hij zich er toe, haar de hele dag goedmoedig te plagen, en met haar hand in de zijne langs het strand te wandelen, waar ze schelpen zoeken voor zijn verzameling.

Renate troost zich noodgedwongen met het gezelschap van het vijftienjarig zusje van Lia's aanbidder.

Eenmaal met deze gegevens op de hoogte, heeft Reyer Lilians brief gelezen, een brief die de indruk wekte tijdens een stoeipartij geschreven te zijn, een beetje opgewonden, een beetje geforceerd van toon, en voorzien van ettelijke aanvullingen en voetnoten van de vriend, die Jaap blijkt te heten.

Jasper, die geen uitblinker is in het brievenschrijven, heeft het grootste deel van zijn blocnotevel benut voor een tekening, een niet onverdienstelijke karikatuur van zijn jongste zus. Reyer moet telkens opnieuw grijnzen om de manier waarop zijn kleine zoon de ten hemel geslagen ogen van zijn model heeft weten te treffen, en om de onverbloemde ergernis in het onderschrift: „Pap, nou is díe meid ook al verliefd!!"

Het langst blijft hij met Renates briefje voor zich zitten. Het is dapper, maar een beetje mat van toon.

Voor haar is deze vakantie tot dusver nog geen doorslaand succes, dat is hem al heel gauw tussen de regels door duidelijk geworden. Ze vertelt hoe ze haar dagen doorbrengt; ze doet een beetje ironisch-vertederd over de ontluikende romance van haar zusje, die iedereen overvallen heeft, Lia zelf wel het meest. Maar dan, alsof ze het ineens niet langer volbrengt zich groot te houden, zijn daar die paar hartstochtelijke zinnetjes, driftig en slordig op het papier gegooid: „O pap, als je eens wist hoe ik Walter hier mis! Je had gelijk, ik hield niet van hem, niet zoals mam van jou, niet zoals jij van mam. Ik zou hem niet terugwillen, echt niet, maar tóch mis ik hem. En ik zou kunnen janken als ik eraan denk wat jíj dan wel moet voelen als je om je heen kijkt in deze wereld, waar iedereen een ander schijnt te hebben."

Reyer, alleen in de stille caravan, met niets dan het ruisen van de kleine gaslamp aan zijn oren, buigt het donkere hoofd. Hij ziet dwars door de letters van Renates noodkreet heen een mollige kleuter aankomen over een groot, zonnig strand.

„Zélf lopen!" bedingt haar eigenzinnig stemmetje, nog overslaand van het snikken.

Ja, lieve meid, denkt hij ontroerd, zo begon dat met ons. Ik héb je zelf laten lopen, maar ik hield er je hand bij vast. En zo is het altijd gebleven.

Of ben jij het vandaag, die de mijne vasthoudt?

Zelf lopen. Zelf beslissen. Zelf weten wanneer je nee moet zeggen. Zelf weten wanneer je ja mag zeggen.

Het leven is moeilijk, Renate. God sta ons bij.

HOOFDSTUK 27

Reyer wil beslist eerder in de eigen woning terug zijn dan de kinderen. Zij zullen woensdag in de loop van de avond arriveren; híj vertrekt dinsdagsmorgen reeds, zodat hij ruimschoots de tijd heeft om van alles in huis te halen en ook nog naar de tuin om te zien.

Voor hij op de fiets stapte heeft hij vanuit het kantoortje van Ernst een telefoongesprek gevoerd met Nanny, en haar gevraagd of ze er voor voelde die avond met hem te eten in een of andere Arnhems restaurant, waar dan meteen de sleuteloverdracht zou kunnen plaatsvinden.

Zij lachte.

„Ben je van plan er een plechtigheid van te maken? Wat mij betreft kun je die sleutel ook wel bij Ernst achterlaten."

„Ja, en nu door de telefoon even terloops dankjewel zeggen. Dat zou inderdaad kunnen. Maar een dergelijke nonchalance zou in geen verhouding staan tot de dienst die je me bewezen hebt, meisje. Ik heb niet alleen genoten van al dat buitenzijn in een unieke omgeving, maar ik heb aan deze onverwachte vakantie ook nog een fijne vriendschap met je broer overgehouden. Je zult je een wat feestelijk aangekleed dankjewel dan ook moeten laten welgevallen!"

„Nou, graag dan," accepteerde zij, waarna ze een exacte afspraak hadden gemaakt.

347

Die avond is Reyer als eerste in het bewuste restaurant aanwezig en wacht er Nanny's komst af.

Hij heeft een tafel bij een van de vensters gekozen en ziet haar door een lichte regen naderkomen uit de richting van de parkeerplaats.

Hij herkent haar figuur, haar soepele gang, haar gezicht, de grijze lok in haar haar als ze wat dichterbij is, maar ondanks dat alles blijkt ze toch weer heel anders te zijn dan de heugenis die hij aan haar bewaard had.

Het geeft hem een schok te ervaren hoe vreemd zij hem nog is.

Zó vreemd, dat hij inwendig als het ware een stapje terugdoet.

Eén moment beseft hij zeer scherp dat het beeld dat hij zich van haar vormde voor een aanzienlijk deel ontleend werd aan zijn gesprekken met Ernst, zoals het beeld dat zij van hem bij zich draagt, grotendeels via haar gesprekken met Regine tot stand gekomen moet zijn.

Zou zo'n wederzijds geïdealiseerd beeld – lijn voor lijn getekend respectievelijk door een toegenegen broer, zwaar bevooroordeeld door zijn genegenheid, en door een liefhebbende echtgenote, niet minder bevooroordeeld door haar liefde – de toets van een rechtstreekse, telkens weerkerende confrontatie kunnen doorstaan?

Het is een interessante vraag, die zijn nieuwsgierigheid prikkelt.

Terwijl hij Nanny tegemoet gaat tot in de vestibule van het restaurant, zoekt hij geruststelling bij de gedachte dat het dingen naar vriendschap tot niets anders verplicht dan tot de bereidheid die vriendschap te beantwoorden, maar overigens alle wegen openlaat.

Terwijl hij haar begroet neemt hij hulpvaardig de regenmantel over die ze zojuist heeft uitgetrokken, en hangt die op de kapstok.

„Nat hè, van dat kleine eindje!" merkt zij op.

„Dat is nog niets," troeft Reyer, „ik heb vanmorgen zo'n dikke veertig kilometer door de regen gefietst. Tot op mijn botten toe was ik doorweekt. Het weer is wat mij betreft precies één dag te vroeg omgeslagen."

Zij bekijkt hem opmerkzaam, met lachende ogen.

„Alle kleur is er in ieder geval niet afgespoeld," troost ze, duidend op zijn donkerverbrand gezicht. „Hoe krijgt een mens het voor elkaar om zo bruin te worden?"

„Heel eenvoudig," onderricht Reyer haar. „Men neme dagelijks een royaal aantal uren zonneschijn, naar keuze een fiets, een boot of een paar wandelschoenen; men hange vooral niet teveel kleren om het lijf, en men heeft er verder geen omkijken naar!"

„Mooi recept!" boudeert zij, „voor iemand die gestraft is met een velletje dat altijd geneigd is te verbranden!"

„Verbrand jij? Ai, dat is pijnlijk. Laat je het volgende jaar eens een zonnehoedje aanmeten, meid, dat zette Regine Lilian altijd op toen ze klein was. Er staat me iets wits voor de geest, iets wits met een luifeltje boven de ogen en een strikje onder de kin. Zie je het voor je?"

„Ik sta al voor een denkbeeldige spiegel," geeft zij terug, onderwijl overleggend dat hij een opgeruimder indruk maakt dan bij hun vorige ontmoeting. Dat verblijf in de Betuwe schijnt hem werkelijk goedgedaan te hebben. Hij heeft dus vriendschap gesloten met Ernst. Dat is een goede zaak; een mes dat naar twee kanten snijdt, want die pechvogel van een Ernst heeft al evenzeer behoefte aan iemand die aandacht voor hem heeft en hem naar waarde schat. Misschien nog wel meer dan Reyer, zeker op langere termijn. Want Neeltje zal Ernst wel tot in lengte van dagen blijven kleineren om zijn zwakheden, en blind blijven voor zijn sterke eigenschappen, terwijl voor Reyer allicht een zonniger toekomstbeeld is weggelegd. Eigenlijk moest hij weer net zo'n vrouw tegen het lijf lopen als Regine was: rijk van geest, maar eenvoudig van hart.

Als ze eenmaal tegenover elkaar zitten en wat te drinken hebben, vraagt Nanny. „En, hoe was het met mijn kleine broertje?"

Reyer grinnikt, hij houdt zijn hoofd scheef en schat haar gewicht.

„Toen ik vanmorgen vertrok was hij nog welvarend," zegt hij geamuseerd, „zó welvarend dat ik erop gok dat er ongeveer twee Nanny's gaan uit de omvang van dat ene kleine broertje."

„Nee," besluit hij hoofdschuddend, „dat jij een paar jaar ouder bent dan hij, zal niemand jullie aanzien!"

De ober komt hun gesprek onderbreken met de spijskaart.

Nanny kan het vergelijken niet laten, als Reyer beurtelings met haar en met de ober overleg pleegt over de samenstelling van het menu. Niet schutterig, of verlegen met de Franse namen van de gerechten, dat niet, maar door zijn openstaan voor de inbreng van anderen wel minder doortastend dan ze gewend was van Mario, die onder alle omstandigheden besluitvaardig en gezaghebbend wist op te treden.

Als ze weer onder vier ogen zijn, zegt Reyer, de storing negerend:

„Nu we het toch over Ernst hebben: je begrijpt dat ik mij een indruk over hem gevormd heb in die negen dagen, want we hebben heel wat afgepraat samen. Tijdens verloren halfuurtjes, op een avondwandeling, achter een kop koffie in de caravan of achter een glas bier in het dorpscafeetje.

Verder heb ik hem een paar maal met zijn vrouw samen gezien, en heb ik Nelleke en Egbert honderduit over hem horen vertellen.

Voordat ik daar naar toe ging, zei jij me dat hij vroeger op school moeite had met leren, en zelf legde hij ook nogal veel nadruk op zijn tekorten. Té veel, dunkt mij, want voorzover ik het kan bekijken is hij een waardevolle vent, in meer dan één opzicht.

Het frappeerde me trouwens, dat je in een gesprek met hem zo weinig van zijn geringe scholing merkt; volgens mij heeft hij de woordkeus van een intellectueel. Daarom kwam dat moeilijke leren bij mij bepaald ongeloofwaardig over. Als jij er destijds niet over gerept had als over een vaststaand feit, zou ik ongetwijfeld tot de slotsom gekomen zijn dat hij zijn domheid overdreef, en dat zijn kennelijke minderwaardigheidsgevoel hem alleen was aangepraat door een ontevreden en al te ambitieuze vrouw."

Nanny knikt.

„Ik begrijp je gedachtengang. Maar je hebt mij niet horen beweren dat Ernst dom was; alleen dat hij leermoeilijkheden had.

Zijn royale woordenschat heeft hij gewoon van huis uit meegekregen, en net als alle mannen in de Van Lieshoutfamilie kan hij praten als Brugman. Nee, daar zit de kneep niet. Het waren de cijfers waar hij mee overhoop lag. Tot op de dag van vandaag blijft het metrieke stelsel een nachtmerrie voor hem.

Maten, gewichten, afstanden – hij krijgt het niet onder de knie, net zo min als de financiële problemen die de gewone dagelijkse uitgaven te boven gaan. Breuken; nullen voor en achter de komma; hypotheken, renteberekening; – hij kan er eenvoudig niet mee uit de voeten. Een vak als wiskunde was hem natuurlijk helemáál te machtig.

Het is een aangeboren afwijking, die hem niet kan worden aangerekend. In deze tijd zouden ze een jongetje als Ernst naar een zogenaamde LOM-school sturen, waar allemaal kinderen met leer- en opvoedingsmoeilijkheden bij elkaar worden gebracht en er individuele aandacht krijgen. Dertig jaar geleden had je dat nog niet zo, zeker niet in de plaats waar onze ouders toen woonden.

Daarom heeft Ernst beroerde schooljaren gehad, en dat heeft een stempel gezet op het eerste deel van zijn leven. Zoals Neeltje een stempel zet op het tweede deel."

Ze zegt het niet zonder bitterheid, maar voegt er eerlijkheidshalve aan toe: „Ik mag haar niet, dat zal je wel duidelijk zijn. Maar dat neemt niet weg dat Ernst zakelijk gezien een geweldige partner aan haar heeft. Ze runt de boel daar op een heel bekwame manier, en een prima huisvrouw is ze ook.

Als ze maar echt van hem hield, hem accepteren kon zoals hij is, dan zouden ze elkaar prachtig aanvullen."

„Maar geldt dat niet voor iedereen?" vraagt Reyer zich hardop af. „Zelfs Regine en ik, hoewel wij toch waarachtig niet met elkaar trouwden alleen om gelukkig te worden, maar wel degelijk ook om elkaar gelukkig te maken, zelfs wij hebben maanden nodig gehad om te leren dat we de ander moesten aanvaarden zoals die was. We hebben elkaar wat in de haren gezeten, die eerste tijd!

Ik hoef jou niet uitvoerig te vertellen hoe Regine was: een schat van een meid, maar bij tijden wat al te explosief, en doorlopend veel te slordig.

Ik dacht haar het een en ander af te leren, maar pas na een heleboel ruzietjes werd ik mij bewust dat ik op de beheerste en ordelijke dame, die ik uit mijn impulsieve, weerbarstige Regientje had willen kneden, dan misschien geen aanmerkingen meer zou hebben, maar dat het niet langer de vrouw zou zijn op wie ik verliefd werd, doch een respectabele vreemde. Zo leerde ik langzaam maar zeker leven met haar fouten, die niet meer zo ergerlijk waren en soms bijna ver-tederend bij me overkwamen; ik ruimde plagenderwijs de rommel achter haar op en bleef van haar houden zoals ze was: explosief en slordig.

Maar merkwaardig: de jaren en de voortdurende omgang met elkaar slepen als vanzelf de scherpe puntjes van onze wederzijdse fouten en eigenaardigheden af. Want denk niet dat Regine met mij minder te stellen had!

Al wist zij dat mijn manier van doen wortelde in een ongelukkige jeugd, die me met een diepe wrok tegen mijn moeder en met een hardnekkig gevoel van verongelijktheid had opgezadeld, mijn gebrek aan ambitie en mijn afkerigheid van elke vorm van gezelschapsleven moeten voor haar, achteraf bekeken, toch wel bevreemdende en irritante verschijnselen zijn geweest, vooral na wat zij gewend was van Ferry, met zijn geweldige eerzucht en zijn grote internationale kennissenkring!

Maar ik had mijn buik vol van de oppervlakkige omgang met vreemden of bijna-vreemden, waar ik me jaar en dag mee had moeten behelpen. Toen ik Regine eenmaal had, en de kleintjes, die bij me hoorden en van me hielden, sloot ik me zoveel mogelijk voor de buitenwereld af, en spon me helemaal in in de cocon van het eigen intieme geluk. Zo kon ik een toegewijde echtgenoot en vader worden, maar als sociaal-levend mens ver beneden de maat blijven. Pas sinds ik me met mijn moeder verzoende, ben ik innerlijk volgroeid, en over de hele linie volwassen geworden. Maar ik heb er Regine nog altijd hoog om, dat zij mij al die jaren geaccepteerd heeft met inbegrip van frustraties en kortzichtigheid, dat ze me nooit heeft opgejaagd tot hoger betaalde prestaties, en me nooit kennissen of functies in de maatschappij heeft opgedrongen toen ik er nog niet rijp voor was. Al moet ik eerlijk bekennen dat ik sinds haar dood het gemis aan contacten steeds pijnlijker ben gaan voelen."

Dan is het zover dat het voorgerecht wordt opgediend, en vervolgens komen de andere gangen van het menu. Ze eten met smaak, en besluiten eensgezind, dat de in het vak vergrijsde ober hen goed en deskundig geadviseerd heeft. Tussen de gangen door echter gaat hun gesprek voort. Een tamelijk eenzijdig gesprek, waarin Reyer vrijwel steeds aan het woord is, openhartiger en vrijer naarmate de wijnfles verder wordt leeggeschonken.

Een gesprek waarin hij bepaalde punten uit zijn eerder gehouden betoog toelicht en verklaart. Telkens weer komt daarbij zijn verbondenheid met Regine, zijn liefde voor Regine, zijn bewondering voor Regine spontaan naar de oppervlakte.

Nanny heeft de indruk dat het hem oplucht en bijna-gelukkig stemt, zo zonder voorbehoud tegenover een aandachtig gehoor over zijn gestorven vrouw te kunnen praten.

Overigens duiken de namen van de drie kinderen ook regelmatig in zijn verhalen op. Zij bedenkt niet zonder naijver, dat dat stel tieners dan wel een onloochenbare zorg voor hem mag betekenen, maar zijn gehavend leven toch maar doel en inhoud schenkt. Meer dan ooit sinds haar breuk met Mario – met hongerige aandacht over de rand van andermans schutting blikkend – ziet zij het eigen bestaan als een lege wagon, losgekoppeld en op dood spoor gezet.

HOOFDSTUK 28

Het dagelijks leven heeft zijn maatslag hernomen, de scholen zijn weer begonnen, evenals Reyers cursus pedagogiek, waarvoor hij twee avonden per week naar Arnhem moet reizen.

De vakantie heeft echter wel zijn sporen achtergelaten. Lilian loopt met een pasfoto van Jaap Maerschalck in haar portemonnee, die ze te pas en te onpas bekijkt. Ook tekent ze overal zijn initialen op: op de randen van kranten en proefwerkblocs, op haar agenda en haar schooltas, en tijdens het koken zelfs op de beslagen ruiten van de keuken, tot Renate klaagt dat ze zeeziek wordt van dat kind, en dat er niet half zoveel uit haar handen komt als vroeger.

Reyer kijkt zelf ook met verbazing naar de verandering die zich in dat makkelijke, rustige Lia'tje bezig is te voltrekken.

Ze wisselt dromerige, dweperige buien af met vlagen van prikkelbaarheid, die op de meest ongelegen momenten tot ruzies kunnen leiden, meestal met Renate, want die is ook niet zo verdraagzaam meer als tijdens de eerste maanden na haar moeders overlijden. Zij voelt zich zichtbaar onbevredigd en loopt veel de deur uit, vooral 's avonds, als ze haar heil kan zoeken in disco's en andere gelegenheden waar ze jongelui van haar leeftijd treft.

Na een paar weken in deze geladen atmosfeer voelt Reyer dringend behoefte er even aan te ontsnappen, en weer eens een gesprek te voeren waarin niet ieder woord gewikt en gewogen hoeft te worden, een gesprek dat niet het risico in zich draagt op het onverwachtst te worden besloten door een miskend zwijgen of het boze dichtslaan van een deur.

Op een avond, als hij in Arnhem uit de trein stapt, overwint hij zijn remmingen; hij stapt een stationstelefooncel binnen en probeert of Nanny thuis is. Als dat inderdaad het geval blijkt, vraagt hij of het haar schikt dat hij na afloop van de cursus nog even komt buurten. „Hoe laat is dat afgelopen?" informeert zij wantrouwend. „Om half tien."

„Dan moet je maar een uurtje spijbelen," oppert zij schaamteloos, „anders loont het de moeite niet. Eer je hier bent vanuit de binnenstad. En de laatste trein gaat al weer betrekkelijk vroeg, als ik me goed herinner!"

„Ik kan het niet ontkennen. Maar pas óp wat je zegt, want ik laat me zó verleiden. En dat gaat jou vrijwel een hele avond van je kostbare tijd kosten!"

Spontaan reageert zij: „Is het niet bij je opgekomen dat ik het óók wel prettig zou kunnen vinden?"

Even is er een hapering; dan, alsof ze van haar eigen woorden geschrokken is, voltooit ze haar zin, het persoonlijke daarin niet zuinig afzwakkend: „…om zomaar onverwacht iemand op de koffie te krijgen?"

De hapering was maar gering; toch heeft Reyer eruit begrepen dat zij evenals hij met bepaalde remmingen te kampen heeft. De vraag dringt zich aan hem op waarom zij dit soort voorzichtigheid eigenlijk betracht. Om te voorkomen dat hij zich bepaalde illusies gaat maken? Of juist om eventuele eigen illusies verborgen te houden? Misschien vergaat het haar wel net als hem, en weet ze het zelf niet. Hij ergert zich opnieuw omdat ze niet gewoon zonder dit soort overleggingen en bijgedachten met elkaar kunnen omgaan, maar eigenlijk is het slechts een déél van zijn persoonlijkheid dat zich ergert. Want een ander facet van zijn wezen vindt ondanks alles een geheime voldoening in het ervaren van die onmiskenbare spanning tussen hen beiden, dezelfde spanning die hij gevoeld heeft op de dag toen hij kennismaakte met mevrouw Maerschalck, de aantrekkelijke moeder van Lia's vriend.

Ook bij die gelegenheid heeft hij zich voortdurend doortinteld gevoeld van het bewustzijn dat híj een man was en zij een vrouw, en dat het hen beiden aan een levensgezel ontbrak. Toch zijn er genoeg aardige vrouwen die hem volmaakt onberoerd laten. Hij denkt aan Jaspers muzieklerares; aan de jonge weduwe die in de winkel om de hoek achter de toonbank staat – vrouwen die hij apprecieert om wat ze zijn of kunnen, maar die in het minst niet tot zijn verbeelding spreken en tot wie hij zich in geen enkel opzicht voelt aangetrokken.

Hoe vreemd ligt dat toch met menselijke verhoudingen; hij komt daar de laatste tijd nooit helemaal over uitgedacht.

Tijdens het eerste lesuur is hij slecht geconcentreerd; hij heeft weer een beetje last van de zenuwmaagpijn die hem sinds de vakantie af en toe het leven zuur maakt.

Halverwege de cursusavond knijpt hij er inderdaad tussenuit.

Nanny bekijkt hem oplettend als hij tenslotte bij haar binnenstapt.

„Je ziet er moe uit," constateert ze oprecht.

„Dat ben ik ook," geeft hij toe, terwijl hij ergens zitten gaat.

Een uur later echter zit hij al lang niet meer, maar hangt op zijn gemak onderuit gezakt in de diepe stoel, en denkt niet meer aan maagpijn.

Hij is inmiddels zijn verhaal kwijt over Lilian en Renate, die zichzelf en hem en elkaar het leven zo moeilijk maken met hun respectievelijke kunsten.

Hij kan weer opgelucht grinniken, want Nanny weet de dingen die hem zo dwars gezeten hebben op een heel aannemelijke manier te relativeren tot onontbeerlijke groeistuipjes, die voor zijn beide tienermeisjes de weg naar hun volwassenheid markeren.

Reyer herinnert zich weer, hoe Regine vroeger van haar jaarlijkse dagje met Nan van Lieshout naar huis terugkeerde: dermate ontspannen of ze een geestelijk bad had genomen. Hij herkent het verschijnsel bij zichzelf en voor hij het weet heeft hij Nanny deelgenote gemaakt van zijn vergelijking.

„Hoe doe je dat?" wil hij weten.

Zij lacht een beetje en heft haar handen in een expressief gebaar van onmacht.

„Ik zou het je niet kunnen zeggen. Wat heb ik goedbeschouwd gedaan? Niets. Als je het mij vraagt doen jullie het zelf.

Jij bevrijdde je hoogstpersoonlijk van je onlustgevoelens en je zorgen om die kinderen; – simpelweg door erover te vertellen.

Wat Regine betreft, die werd zich bij mij telkens opnieuw van haar geluk en haar rijkdom bewust – simpelweg door erover te vertellen.

Ik ben niets dan een klankbord.

Schud niet met je eigenwijze hoofd, Reyer Schuurman. Heb ik soms een toverformule gehanteerd om de vermoeidheid en de nerveuze spanning van je af te nemen waarmee je hier straks arriveerde?

Welnee. Als ik me goed herinner, heb ik weinig meer gezegd dan dit, dat Regientje Donkersloot en Nanny van Lieshout indertijd dezelfde stadia hebben doorlopen als jouw meisjes; dat ook wíj onze ouders af en toe tot wanhoop dreven, en toch tot acceptabele vrouwen zijn opgegroeid."

„Iets in die geest, ja. Maar weet je wat het is, Nan? Jij luistert op een manier die een mens de indruk geeft dat hij de moeite waard is om naar te luisteren."

„Dat ís ook zo. Ieder mens is die moeite waard. Als ik er níet op die manier over dacht, kon ik beter een ander baantje zoeken!"

„Doe dát vooral nooit! Je moet je gewicht in goud waard zijn voor die instelling. En dat meen ik."

„Merci. Maar om nog even op die prikkelbare tieners terug te komen, Reyer, jij zou er goed aan doen hun houding en hun gedrag van nu niet steeds te vergelijken met hun houding en hun gedrag van het afgelopen jaar. Toen Regine doodziek lag, en later, toen ze pas was overleden, gedroegen die kinderen zich als engelen. Dat was heerlijk in de gegeven situatie. Maar die situatie ligt nu achter ze; ze hebben er andere, bijzonder aardse emoties bijgekregen om te verwerken, en ze zijn kennelijk in een snel tempo bezig weer puur menselijk te worden.

Dat is normaal, Reyer, normaler dan almaar engelachtig te blijven. Zet gerust eens een grote stem op als ze het ál te bont maken, maar til er inwendig vooral niet te zwaar aan!"

Ze staat op om wat in te schenken.

Reyer volgt haar met zijn ogen terwijl ze heen en weer loopt en met flessen en glazen in de weer is. Rustig is ze in haar bewegingen, heel anders dan dat kwikzilverige mevrouwtje Maerschalck.

Als Nanny de borrel bij hem neerzet die ze zojuist heeft ingeschonken, vraagt ze belangstellend: „Heb je al de kans gehad om die vriend van Lilian eens van dichtbij te bekijken?"

„Al twee keer zelfs. Ze wonen niet zo gek ver bij ons vandaan: een kilometer of dertig maar. De eerste keer was hij op de brommer, maar bij de volgende gelegenheid regende het dat het goot, toen werd hij afgeleverd door de rest van de familie, in een gehavend, knalgeel autootje."

„En bevalt de jongen je?"

„Och, wat zal ik zeggen? Hij heeft wel een sympathieke puistenkop. En hij geeft een stevige hand, dat is al heel wat."

„Lagen zijn ouders je een beetje?"

„Hij heeft alleen nog maar een moeder. Een knap, levendig vrouw-

tje van om en nabij de veertig, bijzonder goedlachs, met een ongewoon gevoel voor humor. Wat het zusje betreft, dat is een enfant
terrible."

„Hoezo?" Reyer grijnst. „Wat denk je dat dat kind voor het front van
het voltallige gezelschap tegen me zei? 'Wist u dat mammie alle
loslopende mannen een cijfer geeft, meneer Schuurman? Ja echt,
dat doet ze. Ik wed dat u minstens een acht krijgt, misschien wel
een negen!' De broer werd kwaad, die gaf haar een oorvijg, een
harde.

Waarschijnlijk alleen omdat Lilian er zo geschokt uitzag, want hij
zal thuis nog wel erger dingen gewend zijn van die flapuit.

Ze gaf trouwens geen kik, maar stak alleen haar tong tegen hem
uit."

„Maar wat deed die móeder?" vraagt Nan. „Dat interesseert me."

„O, die lachte. Ze lachte overal om. Ik zei toch al dat ze een merkwaardig ontwikkeld gevoel voor humor had?"

„En kon jij dat hebben? Ergerde je je niet?"

„Nou, nee. Om eerlijk te zijn: die vrouw had iets over zich dat me
volkomen ontwapende."

„Ja, sommige mensen hebben dat," beaamt Nanny vlak, na een eindeloos ogenblik van stilte, waarin ze zich teweer heeft moeten stellen tegen een vreemde, onthutsende pijn. Dan, abrupt van onderwerp veranderend, zegt ze: „Ernst en jij hebben het contact aange-
houden, hè, sinds augustus?"

„Ja, dat hadden we elkaar beloofd. Hij is inmiddels al twee keer bij
ons komen binnenvallen, als hij ergens in de buurt moest wezen
met zijn bestelwagentje. Eén keer had hij Egbert meegebracht. Het
ligt in de bedoeling dat ik aanstaande zaterdag naar de Betuwe ga,
samen met Jasper. Die voelde zich al dadelijk bijzonder aangesproken door de verhalen over mijn vakantie.

Hij was overal jaloers op: dat ik gevaren had op de Waal, dat ik in
een caravan geslapen had, dat ik contact had gehad met mensen die
zijn moeder tijdens haar schooljaren hadden meegemaakt. Het fas-
cineerde hem allemaal even hevig en hij had geen rust voor ik
beloofd had dat we op een dag samen naar de camping zouden gaan
om het – voor zover mogelijk – allemaal nog eens dunnetjes over te
doen."

Nanny zit naar hem te luisteren, achter haar masker van beroepsmatige rust nog helemaal ontdaan dat zij inwendig zó emotioneel reageren kon, nu er aan Reyers horizon opeens nóg een vrouw blijkt opgedoken die in zijn smaak valt. Een andere vrouw dan Nan van Lieshout.

Het is een onvoorziene omstandigheid, die haar dwingt haar eigen latente gevoelens zonder uitstel aan een kritische beschouwing te onderwerpen.

Welke plaats heeft zij voor Reyer Schuurman in haar toekomst ingeruimd?

Heeft zij zich onbewust niet steeds verscholen achter de gerust-stellende gedachte dat er nog tijd te over was om met die vraag in het reine te komen? In ieder geval een heel rouwjaar lang?

Maar mannen blijven onberekenbaar, dat blijkt alweer. Ondanks oprecht verdriet kan er op het onverwachtst een vreemde schitte-ring in hun ogen verschijnen wanneer er een levendige, bloedwar-me, goedlachse vrouw op de proppen komt.

Ze herinnert zich de waarschuwing die Ernst haar een paar weken tevoren meegaf: „Die man interesseert zich voor je, zusje, hoe dan ook. Je hoeft je voor mij niet binnenstebuiten te keren, maar dít wil ik je toch zeggen: als je wat voor hem mocht voelen, bederf de boel dan niet door je weer zo vervloekt vakkundig en superieur op te stellen; als degene die voor alle problemen het passende antwoord weet, maar zelf niemand nodig heeft. Daar houdt een man als Reyer niet van, en zo kun je soms overkomen. Maar het is een leugen; jij en ik weten dat het een leugen is. Met name dit laatste jaar heb je je ontstellend alleen gevoeld!"

Zij had rouwmoedig het hoofd gebogen bij zijn ongewoon strenge toon, en nogal ontredderd geantwoord: 'Ik weet het niet, Ernst. Ik heb er nog niet over willen denken. Maar gesteld dat je gelijk zou hebben – dan vraag ik me toch af of ik de consequenties wel zou aandurven. Wat moet ik bijvoorbeeld met drie wildvreemde kinde-ren? Met al mijn zogenaamde vakkundigheid voel ik me alleen al bij de gedachte zo onzeker als een schoolmeisje.'

„Je zou kunnen beginnen," had Ernst nuchter gezegd, „te zorgen dat dat wildvreemde er een beetje afraakte. Je bent de oudste vriendin van hun moeder; dat alleen is meer dan genoeg om je een goede entree te verzekeren."

Het hele gesprek staat haar nog haarscherp voor de geest.

Maar méér nog dan de dingen die Ernst haar op het hart heeft gebonden, houdt haar de herinnering bezig aan die verontrustende flikkering in Reyers ogen, aan de half-geamuseerde, halfvertederde uitdrukking op zijn gezicht toen hij bekende: „Om eerlijk te zijn: die vrouw had iets over zich dat me volkomen ontwapende."
Zij is jaloers. Aan deze conclusie valt eenvoudig niet te ontkomen. Maar als ze het tegen die onbekende wil opnemen, zal ze iets moeten dóen. De waarschuwing van Ernst ter harte nemen.
Achter het schild van geschoold adviseuse vandaan komen. Iets van haar eigen verdriet en zwakheden blootgeven. Eindelijk Reyers argeloze openhartigheid met de hare belonen. Kortom: haar trots verzaken, en van haar dwaze, nutteloze voetstuk afkomen.
Bliksemsnel overlegt ze, dat ook zíj die bewuste zaterdag in de Betuwe zou kunnen doorbrengen, en niet alleen die zaterdag, maar het hele weekend. Wat let haar om via Reyer te vragen of de kleine Jasper zin heeft de zondag bij haar over te blijven?
Overdag zou hij met Egbert kunnen spelen, maar 's avonds zou hij tegenover haar zitten in de caravan onder het ruisende gaslampje; ze zou iets lekkers klaarmaken, ze zouden een spelletje doen, en ze zou hem alles vertellen wat hij weten wilde over het meisje Regien, dat later zijn moeder zou worden.
Het bekoort haar eensklaps fel.
Nee, niets belet haar dat voorstel op tafel te leggen. Moeilijker echter zal het zijn, voor haar, die altijd haar gevoelens voor zichzelf hield, Reyer te bekennen dat zij dit niet slechts voorstelt om zijn kleine jongen een plezier te doen, maar wel degelijk ook om een leemte te dichten in haar eigen bestaan, om een vervanging te zoeken voor wat ze bij vlagen zo pijnlijk ontbeert: het bezit van een kind, de aanhankelijkheid van een kind, het vertrouwelijk contact met een kind.
Ze haalt diep adem en buigt zich naar de ander over, een lang ontwende verlegenheid doet het warme bloed naar haar gezicht stromen.
„Reyer, luister eens," begint ze wat onzeker.
Hij geeft haar een bemoedigende glimlach.
„Ik luister," zegt hij.

HOOFDSTUK 29

Na enige tweestrijd besluit Jasper de uitnodiging die hij ontving toch maar aan te nemen, en na zijn vaders vertrek nog een nacht en een dag op de camping te blijven. Hij heeft te kampen met een gevoel van verlegenheid voor die onbekende vriendin van zijn moeder, maar het sinds weken gekoesterde verlangen om óók eens in een echte caravan te slapen, wint het uiteindelijk toch.

Op zaterdagmorgen zitten vader en zoon al vroeg in de trein, want de afspraak is dat Ernst van Lieshout hen omstreeks tien uur bij het station van Tiel zal oppikken. Met de auto is het dan nog maar een eindje naar de camping, die op deze zonnige dag in het laatst van september een vreemde, stille indruk maakt na de roezige bedrijvigheid van de vakantietijd, die Reyer nog vers in het geheugen ligt. Als het mooi weer is, heeft hij Jasper beloofd, zullen ze weer een motorbootje huren, en de kinderen Van Lieshout meevragen voor een tochtje.

Mooi weer is het inderdaad, maar Nelleke blijkt in bed te liggen met een lelijke keelontsteking, en zij kan dus in geen geval van de partij zijn.

Reyer loopt even met Ernst mee naar binnen om het meisje beterschap te wensen en hij komt er niet onderuit daarna bij Neeltje een kop koffie te drinken.

Jasper is intussen al lang meegetroond door Egbert, die hem de caravan van zijn tante wel even zal aanwijzen.

Nanny is de vorige avond al naar de Betuwe gekomen. Vanuit een van haar kleine raampjes ziet ze de twee jongens bezig het poortje in de haag open te maken. Ze komt naar buiten en blijft daar wachten terwijl die beiden om het hardst door het gras naar haar toehollen.

„Tante Nan! Hoi, tante Nan!" roept Egbert al van ver.

Zij steekt haar hand tegen hem op, maar haar grootste aandacht is voor Jasper: een rank ventje met donkerblond haar en een paar schrandere blauwe ogen in een smal gezichtje. Ze glimlacht om zijn kennelijke gelijkenis met Reyer.

„Hallo!" zegt ze, als hij wat bedremmeld voor haar staat, „jij moet die jongen zijn die zoveel kaartspelletjes kent. Klopt dat? Ja? Zou je mij er een willen leren, vandaag of morgen?"

„Best hoor!" stemt Jasper toe; hij vindt het wel gewichtig.
Even denkt hij na. „Dubbel patience?" doet hij dan een serieus voorstel, „dat speel ik vaak met Lia. Lia is mijn zus."
„Dat weet ik," zegt Nan, „ik heb haar nog wel schone luiers omgedaan."
Jasper grinnikt.
„Dat zal wel een poos geleden zijn," merkt hij slagvaardig op, „want ze is al heel lang zindelijk."
Hun ogen lachen even in elkaar. Maar dan komt Egbert de aandacht opeisen.
„Ik ga al wéér varen met meneer Schuurman, tante Nan, net als toen, maar nu is Jasper er ook bij. Nelleke niet; die moet in bed blijven. Pech gehad!"
Dan verrast Jasper Nan door zijn nieuwe vriendje een suggestie aan de hand te doen waarmee hij bewijst een echte zoon van zijn vader te zijn; zijn vader die zich al eerder heeft doen kennen als een hartelijke vent.
„Hé joh!" zegt hij, kennelijk verheugd om zijn vondst, „misschien kan je tante nu wel mee in de boot, in plaats van je zusje!"
Het bezorgt Nanny een warm gevoel in het hart en daarbij iets van opluchting, alsof zij voor een angstig verwacht toelatingsexamen onverhoopt geslaagd is.
Maar er volgt onmiddellijk een koud stortbad, als Egbert prompt reageert: „Hè, nee…"
„Waarom niet?" wil Jasper weten.
„Nou, met een vader alleen kun je toch zeker veel méér lol hebben?" weet Egbert.
Nanny denkt aan de manier waarop haar broer met zijn kinderen omspringt; dan aan de ontevreden mond van Neeltje, die eeuwig naar verbieden staat. Ze begrijpt de reactie van haar kleine neef.
Maar tegelijk wordt ze geboeid door de wisselende uitdrukkingen op Jaspers gezicht. Even heeft hij een heel verdrietig snoetje. Dan echter vermant hij zich en zegt stoer.
„Díe is even stom! Als jóuw moeder dood was, jochie, dan zou je maar wat graag willen dat ze nog mee kon!"
„Nou ja…"
Egbert is even uit het veld geslagen. Maar dan licht hij koppig zijn standpunt toe: „Maar tóch. Als er een groot mens meegaat, praten

ze natuurlijk weer de hele tijd over grotemensendingen, waar niks aan is, in plaats dat je vader vertelt over die grote schepen waar hij op gevaren heeft naar allerlei landen, en over heel lang geleden, toen er nog zeerovers waren en zo."

Het probleem blijft onopgelost tot Reyer en Ernst zich bij hen voegen.

De jongens zitten in de caravan een glas limonade te drinken dat Nanny ze heeft ingeschonken. Reyer schuift naast zijn zoon op een van de banken, maar Ernst blijft in de deuropening staan. Het is daarbinnen al vol genoeg, ook zonder zijn postuur.

Reyer heeft dagenlang gewikt en gewogen in hoeverre hij Nan bij zijn programma voor deze zaterdag moest, kon en wilde betrekken. Hij was er volstrekt niet zeker van, of zij de eenvoudige genoegens, waarvan Regine en hij altijd zo uitbundig genieten konden, niet beneden haar niveau zou achten. Nu hij zich echter realiseert hoe verlaten zij hier zal achterblijven wanneer hij met die twee kinderen naar de jachthaven vertrekt en Ernst naar zijn bezigheden terugkeert, vraagt hij het toch maar, met een bedrieglijke schijn van achteloosheid: „Wat heb jij voor plannen, Nan?"

Dan doet Nanny hem verslag over het voorstel van zijn zoon, maar ook over de beduchtheid van Egbert, die vreest dat Jasper en hij verplicht zullen worden om naar grotemensengesprekken te luisteren, terwijl zij zich juist zo op zeeroversverhalen hebben gespitst.

Ze kijken nu allemaal naar Reyer, die het beslissende woord zal moeten spreken.

Hij richt zich tot de twee jongens.

„Als we nu eens spelen," begint hij veelbelovend, „dat jullie zélf de zeerovers zijn, en ik de stuurman die gedwongen wordt het schip naar het een of andere schateiland te varen – dan kan zíj voor het buitgemaakte vrouwvolk spelen, nietwaar?"

Jasper zit er meteen in.

„Ja," zegt hij met glinsterende ogen, „dan binden we haar aan de mast."

„Ach sufferd, er zit geeneens een mast op zo'n bootje!" onderwijst de nuchtere Egbert hem.

„Nou ja, we spelen het ook maar!" verdedigt Jasper zich.

En dat doen ze. Ze spelen een hele zorgeloze dag vol; hoogst onwaarschijnlijke zeeroversavonturen, die Reyer voor de vuist weg bedenkt, en waaraan beide jongens de meest fantastische details toevoegen.

Nanny lacht veel, maar zegt weinig. Zó weinig dat het Reyer opvalt. „Wat ben jij toch stil!" zegt hij op een gegeven ogenblik. „Vergeet niet dat ik verondersteld word gekneveld te zijn!" herinnert zij hem. De lachrimpeltjes om haar ogen zijn er weer allemaal. Mario Beretti is een vreemdeling die zij lang geleden gekend heeft. Razend knap, maar te groot, te weinig elastisch om nog in de huid van een kleine jongen te kunnen kruipen.

Laat in de namiddag stappen ze gevieren weer in Nanny's auto, waarin ze 's morgens ook naar het jachthaventje gereden zijn.

Thuis ontvangt Ernst hen met de mededeling dat Neeltje en hij het hele gezelschap aan tafel verwachten voor een warme maaltijd. Maar Reyer vraagt verlof eerst nog even naar boven te mogen gaan. In het stadje waar ze in de middagpauze hebben aangelegd, heeft hij tussen de bedrijven door nog snel even een boek gekocht voor Nelleke, om de pil van het ziek-zijn voor het meisje althans een klein beetje te vergulden.

Neeltje is bijzonder ingenomen met deze attentie. Zij is op haar best en incasseert de complimenten over haar voortreffelijke maal met een innemende glimlach, die haar jaren jonger maakt. Een glimlach die Ernst doet glanzen op een manier die bijna aandoenlijk is.

Het is te mooi om waar te zijn, denkt Nanny, niet zonder argwaan. Zij is het minst van allen op haar gemak, want ze voelt hoe haar schoonzuster voortdurend met blikken haar gezicht aftast, speurend naar tekenen die de aard van haar gevoelens voor Reyer Schuurman zullen verraden. Onder die blikken voelt zij zich als een egel die steeds meer stekels opzet, maar nog weet zij zich te beheersen.

Als Reyer tenslotte afscheid neemt van zijn zoontje om de thuisreis te aanvaarden, en Nanny aanstalten maakt om zich met Jasper in de caravan terug te trekken, breekt eindelijk de geheime spanning. Neeltje zegt vriendelijk tegen de kleine jongen: „Je mag ook wel bij Egbert blijven slapen, hoor, dat is eigenlijk veel leuker voor je!"

Nanny's ogen trekken smal van ingehouden woede; ze bijt op haar lippen.

O God, denkt ze machteloos. Wat heb ik haar toch gedaan, waarom gunt ze me ook dit weer niet: zo'n paar onnozele uurtjes samen met dat kind? Hoe komt ze zo geraffineerd om hem juist dat lokaas voor te houden waarop hij zonder twijfel zal toehappen?

Ze durft niet naar Reyer te kijken. Hij kijkt evenmin naar haar, maar hij herinnert zich haarscherp wat zij hem kort tevoren heeft toevertrouwd in een ogenblik van grotere intimiteit dan ze ooit tevoren gedeeld hadden; haar moeilijke bekentenis van wat ze méér dan wat ook miste in haar leven: de genegenheid en het vertrouwen van een kind.

„Geen sprake van," hoort Nanny hem zeggen. Ze is zielsdankbaar dat hij de situatie naar zijn hand weet te zetten nog vóór Jasper zijn verwarring over dit nieuwe gezichtspunt ook maar enigszins verwerkt heeft. Hij spreekt met een autoriteit die zij nog niet van hem kent, en die haar krampachtigheid allengs doet wegebben, omdat zijn besliste woorden als een beschermende wand oprijzen tussen haar kwetsbaar hart en Neeltjes goed-gecamoufleerde, maar nochtans onderkende boosaardigheid.

„Geen sprake van," herhaalt Reyer, „als u Jasper nog eens te logeren wilt vragen, mevrouw Van Lieshout, dan zal hij daar vast en zeker met plezier op ingaan. Maar op de gemaakte afspraak komen we niet terug. Jasper wilde om meer dan één reden graag hier naar toe. Om te varen; om met Egbert te spelen, zeker, zeker. Maar ook om in de caravan te kunnen slapen, en niet het minst om Nanny onder vier ogen het een en ander over zijn moeders jeugd te horen vertellen. Ik neem aan dat u dat respecteren zult."

Nanny kan zich niet heugen dat er ooit iemand zo te rechter tijd voor haar in de bres gesprongen is. Het bezorgt haar een heel veilig gevoel, een zekere onschendbaarheid, die haar in staat stelt Neeltje na het voorval rustig in de ogen te zien.

Jasper gaat deze avond laat slapen. Zodra ze in de caravan zijn, legt hij Nanny volgens afspraak omstandig uit hoe ze dubbel patience moet spelen.

Pas als zij getoond heeft het geleerde in praktijk te kunnen brengen, stemt hij erin toe de kaarten opzij te schuiven.

Nanny brengt iets lekkers voor hem op tafel en vraagt ondertussen belangstellend naar zijn school, zijn vrienden, zijn liefhebberijen.

Als Jasper eenmaal op dreef is, praat hij even gemakkelijk als zijn vader, en van verlegenheid tegenover Nan heeft hij na die dag op het water al lang geen last meer.

Zij vertelt hem op haar beurt hoe haar kennismaking met Regine zich heeft toegedragen, vijfentwintig jaar geleden: wat zijn moeder voor een kind was destijds, vrolijk en teugelloos, een kind dat altijd streken moest uithalen in de klas, omdat ze een veel te levendig temperament bezat om met een gezapig, oppassend leventje genoegen te kunnen nemen.

Waarschijnlijk is het niet pedagogisch, al die dartele koeien uit de sloot te halen, maar de stralende, ondeugend lachende ogen van de jongen ondergraven al haar opvoedkundige opvattingen. Ze heeft er evenveel plezier in als hij.

Toch wordt gaandeweg de toon van hun gesprek ernstiger. Af en toe krijgt Nan weer even het verdrietige smoeltje van 's morgens te zien. Jasper mist zijn moeder nog vaak, vertelt hij, en soms op heel ongelegen momenten. Dan komt er zomaar onder het spelen een brok in zijn keel, dan is hij bang dat hij zal gaan huilen en kijkt hij maar gauw omhoog in de helle lucht, tot zijn ogen ervan gaan tranen, zodat hij tegen de jongens kan zeggen dat het alleen maar van het niezen komt.

Want over zijn moeder kan hij met niemand praten, alleen met degenen die óók van haar hielden.

Ook daarin ben je het evenbeeld van je vader, jochie, denkt Nanny getroffen.

In zijn verrassend snelle stemmingswisselingen echter herkent ze weer veel van Regine. Zijn ernst slaat om in kinderlijke opgetogenheid wanneer zij hem haar grote zaklantaarn ter hand stelt terwijl ze voor het slapengaan nog even de toiletruimten van de camping opzoeken.

Jasper richt overal zijn lichtbundel op, en als hij een groep konijntjes betrapt die haastig uiteenstuiven, hem in paniek hun witte achterlichtjes toekerend, verzoent die sensatie hem volkomen met het verplichte ritueel van wassen en tandenpoetsen.

Even later schurkt hij zich behaaglijk in de grote donzen slaapzak die hem ter beschikking is gesteld, en slaapt binnen een kwartier.

Dan gaat ook Nanny ter ruste, maar bij haar duurt het heel wat langer voor de slaap het van de vermoeidheid wint. Ze heeft veel indrukken op een rijtje te zetten.

De volgende morgen gaat ze samen met Jasper naar een kerkdienst in het dichtstbijzijnde dorp, gedachtig aan haar voorlaatste treffen met Reyer, toen een simpele vraag van haar op de valreep ineens nog een ontdekkende gedachtenwisseling losmaakte.

„Als Jasper inderdaad de zondag bij mij wil overblijven," had zij gepeild, „moet hij naar de kerk?"

„Moeten is dwang," was Reyers reactie, „dat regel je maar naar eigen goeddunken. Maar hij is het wél gewend. Regine en ik hebben ons indertijd bewust op het standpunt gesteld, dat wij de kinderen al vroeg moesten bijbrengen dat geloven geen eenmanswerk is, maar dat we deel uitmaken van een gemeente."

„Heb jij daar steun aan?" had zij nieuwsgierig gevraagd. „Ja, daar heb ik steun aan. Ga er maar eens aanstaan, om tegen je eigen donkere ik en de hele wereld in een getuige van de waarheid te zijn. Wie is daar in zijn eentje tegen opgewassen?

Ik niet. Ik ben niet zo'n geestelijke geweldenaar. Ik was al vijfentwintig toen ik voor het eerst in nauwere aanraking met het Evangelie kwam, en ik merk nog vaak dat ik de onderbouw van een christelijke opvoeding mis."

„Bij mij is het juist andersom. Ik ben er wél mee grootgebracht, en geloven doe ik nog steeds, maar die gemeente zag ik door de jaren heen ál minder zitten. Het was me allemaal te benauwd."

„Dan moet je nog over allerlei muurtjes leren heenkijken. Het begrip gemeente is juist wereldwijd, iets waar verleden en toekomst en alle windstreken van de aarde bij betrokken zijn. Ik vergelijk het voor de kinderen wel met een brede stroom, waarin ook zij mogen meegaan, opgenomen in de geschiedenis van God met de mensen."

Ook bij die gelegenheid heeft Nanny zich weer getroffen gevoeld door de bijna kinderlijke oprechtheid waarmee de ander toegaf het leven zonder hulp niet aan te kunnen. Het is een eenvoud van geest die haar tot jaloersheid stemt. Haar eigen fiere zelfbewustzijn, haar onafhankelijk willen zijn tot elke prijs – het komt haar de laatste tijd steeds vaker voor als één brok krampachtigheid, dat een belemmering vormt in haar relatie met God en mensen.

Ze moet ineens weer denken aan dat beeld van de wagon-op-dood-spoor, het beeld dat haar de afgelopen zomer zo ontmoedigde. Zo geheel en al buiten spel gezet voelt zij zich thans niet meer. Ofschoon ze bang is een nieuwe richting in te slaan, welke dan ook, voelt ze toch van tijd tot tijd met een rilling van hoop, dat er weer beweging komt in haar tot stilstand gebrachte bestaan.

De grote Rangeerder is begonnen, denkt ze in vrees en beven; waar kom ik terecht?

De zondag met Jasper gaat als een zucht voorbij.

HOOFDSTUK 30

Reyer is alleen in de kamer; hij zit onder de staande lamp en kijkt naar de televisie. Nanny ziet het in een flits, als ze zondagsavonds haar auto langs de stoeprand parkeert om Jasper weer in het ouder‐ lijk huis af te leveren.

Zelf zou ze tot ettelijke jaren komen, wanneer ze een optelsom maakte van alle avonden die ze sinds haar volwassenheid in haar eentje doorbracht; maar de manier waarop Reyer daar alleen in die kamer zit, kerft in haar hart.

Ze hoont zichzelf om deze hypergevoeligheid, die haar anders vreemd is, waarmee ze een sfeer van eenzaamheid registreert waar‐ van Reyer zichzelf misschien niet eens duidelijk bewust is.

Jasper wipt onmiddellijk de auto uit. Hij holt achterom en maakt de voordeur voor haar open. Reyer komt op het gerucht af en ver‐ schijnt naast het kind in de deuropening.

Nanny laat zich binnennoden. Ze kijkt toe als Reyer de televisie uit‐ zet. Het bepaalt haar weer bij die eerste indruk. Op haar peilend: „Was je maar alleen?" verklaart Reyer berustend, maar zonder een zweem van zelfbeklag: „Lilian zit op zolder, op haar eigen kamertje. Die wordt groot de laatste tijd, en dan krijgen ze af en toe behoefte om alleen te zijn. En Renate is ergens heen; die hou je met geen zeven paarden thuis, tijdens de weekends."

Jasper trappelt om aan het woord te komen, hij begint zijn vader een uitvoerig verslag te doen van zijn wedervaren. Zodra ze er een speld tussen kan krijgen, zegt Nanny: „Het laat zich aanzien dat Jasper voorlopig nog niet is uitgepraat. Mag ik intussen wel even naar boven gaan, om mijn kennismaking met Lilian te vernieuwen?" Ze krijgt de permissie waarom ze vraagt en vindt haar weg naar boven.

Lia ontvangt haar met duidelijk voelbare reserve.

Nee, ze kan zich absoluut niet meer herinneren dat ze elkaar vroeger meermalen ontmoet hebben. Ja, ze weet natuurlijk dat haar moeder er af en toe een dagje tussenuit kneep om de vriendschap met haar oude schoolvriendin warm te houden.

Ze laat Nan maar praten en geeft nauwelijks weerwerk.

„Toen we klein waren, noemden we u de zilvertante," verklapt ze tenslotte met een klein lachje, dat een minuscuul barstje maakt in haar terughoudendheid, „de zilvertante, omdat u mama iedere keer weer drie rijksdaalders meegaf, voor onze spaarpot. Die spaarde u er zeker speciaal voor op. We vonden u verschrikkelijk rijk, want thuis kregen we alleen maar dubbeltjes of kwartjes."

„Wat is rijk?" vraagt Nanny zich hardop af. „Ik had rijksdaalders; je moeder had jullie."

Het jeugdige gezichtje sluit zich weer toe, alsof het meisje ineens weer bepaald wordt bij de heimelijke ontstemming, waarvan ze een ogenblik was afgeleid.

Ze lacht een schamper, geforceerd lachje, dat volstrekt niet bij haar past.

„U zou ons nog niet cadeau willen hebben!" poneert ze uitdagend, als reactie op Nanny's laatste woorden. „Of wel?"

Dat scherpe, zwaargeladen 'Of wel?' afgevuurd als een schot, het drijft Nanny het hete bloed naar het gezicht. Het kind had evengoed ronduit kunnen vragen: „Bent u er al dan niet op uit om onze vader in te palmen?"

Hoewel ze doorziet dat deze vijandigheid van het overigens zo zachtzinnige meisje louter en alleen voortkomt uit blinde trouw aan de gestorven moeder, bezeert zij zich er terdege aan, zeker na de gulle onbevangenheid van de kleine Jasper, die haar zonder meer geaccepteerd heeft als een nieuwe, gewaardeerde relatie.

Het duurt wel een ogenblik voor ze beseft dat Regine voor het jonge meisje nog zo levend is, dat zij eenvoudig niet anders kan dan zich jaloers afzetten tegen ieder die ze ervan verdenkt, haar geliefde beeld uit het hart van de vader te willen verdringen.

„Ik weet niet wat ik daarop zeggen moet," verklaart ze eerlijk, zodra ze zich van haar verwarring hersteld heeft. „Ik heb van dat weekend met Jasper genoten, dat is zeker.

Híj trouwens ook. We hebben bijna de hele zaterdagavond over je moeders jeugd zitten praten. Ik heb haar gekend vanaf haar dertiende jaar, dus er waren herinneringen genoeg. Je broertje is een leuk joch. Maar ik heb wel begrepen dat hij zijn moeder nog erg mist."

„We missen haar allemaal," zegt Lilian, nog steeds wat stug.

„Papa vooral."

Ook dát is weer een uitdaging.

Maar Nanny is er nu beter op geprepareerd. Ze neemt de ander opnieuw een wapen uit handen door volmondig toe te geven: „Ja, je vader vooral. Houd hem maar vaak gezelschap; hij heeft jullie erg nodig."

„Hoe weet u dat?" informeert Lia met een restje argwaan. „Omdat hij het me gezegd heeft. Je moet weten dat we een paar lange gesprekken gevoerd hebben, deze zomer. Er waren niet zo heel veel personen, Lilian, met wie hij vrijuit over je moeder praten kon; ik vrees dat je ze royaal op de vingers van één hand kon aftellen. En toen zijn vertrouwelingen op een gegeven moment allemaal op Texel zaten, kreeg hij het niet zuinig te kwaad met de eenzaamheid, en is hij op zoek gegaan naar andere mensen die je moeder gekend hadden en van haar hielden. Zo is hij bij mij terechtgekomen, en bij mijn broer Ernst. Ik neem aan dat je al volwassen genoeg bent om te begrijpen dat je vader – net zo goed als Renate en jij – contact met leeftijdgenoten nodig heeft en op prijs stelt."

Lia zit haar zwijgend op te nemen. „Ja, dat zal wel," zegt ze tenslotte. Dan echter, zich verwerend tegen het verborgen verwijt dat ze kennelijk in enkele van Nanny's woorden geproefd heeft, gooit ze eruit: „Maar als u denkt dat ik hem in de steek laat, hebt u het wel goed mis! Ik ben wat aan het maken voor zijn verjaardag; dáárom zit ik alleen boven. Het moet een verrassing zijn, ziet u."

Nanny steekt verrast een hand uit: „Laat eens zien! Wat moet het worden?"

„Een vest. De voorpanden van suède, de rest gebreid. Ik ben er bijna mee klaar, maar het moet nog in elkaar gezet worden. Daar zie ik wel tegenop. 't Is de eerste keer…"

Ze stopt abrupt, en slikt.

„… dat je het zonder hulp of raad van je moeder moet zien te redden," vult Nan zachtjes aan.

„Ja," beaamt Lilian, „en ook de eerste keer dat we zonder haar onze verjaardagen hebben moeten vieren. Renate, papa en ik, wij zijn alle drie in het najaar jarig, maar alleen papa's verjaardag hebben

we nog voor de boeg. Ik wist van te voren dat het een ellendig moeilijke dag voor hem zou worden, en daarom wilde ik voor een extra
mooi cadeau zorgen, dit jaar."
Er zijn nu onmiskenbaar tranen in haar stem; haar agressiviteit is
ze vergeten. Tenslotte komt dan toch de echte Lilian uit de verf,
zoals Nanny haar in het verleden heeft leren kennen uit de verhalen
van Regine, en later uit de verhalen van Reyer: een snel geroerd,
aanhankelijk kind, altijd op de bres voor degenen met wie ze zich
verbonden voelt.
Jasper komt roepen aan de trap dat er koffie is, en Nanny geeft Lia
haar breiwerk weer in handen. Op het gebied van handvaardigheid
kan zij niet in de schaduw staan van deze dochter van Regine, en
hulp kan ze haar dus niet toezeggen.
Ze heeft trouwens het gevoel dat ze zorgvuldig alles moet vermijden wat een indruk van opdringerigheid zou kunnen maken. „Je
krijgt het best voor elkaar, met die handige vingertjes van jou," zegt
ze, zo gewoon mogelijk. „En het lieve idee alléén al zal je vader verbazend veel goed doen!"
Samen gaan ze naar beneden om koffie te drinken. Het gesprek
wordt algemeen; het vlot zo goed dat het laat is voor ze het weten.
Tussen de bedrijven door is Jasper naar bed gestuurd en Renate
thuisgekomen. Nanny ervaart dat zij een volkomen ander typetje is
dan haar zusje. Hier niet die vijandige vooringenomenheid, maar
evenmin het blootgeven van emoties.
Renate spreidt slechts een nuchtere nieuwsgierigheid ten toon ten
opzichte van de gast, een nieuwsgierigheid die zich uit in oplettende blikken en geïnteresseerde vragen; vragen die op scherpzinnige
wijze het wezenlijke van Nanny's persoonlijkheid zoeken te peilen.
Zo ondergaat die het althans.
Ongetwijfeld is ook dit meisje erop uit, te ontdekken hoe zij zich
tegenover Reyer opstelt, maar zij doet dat wel op een geheel andere manier dan Neeltje. Onder déze blikken heeft Nanny niet het
gevoel, spitsroeden te lopen.
Overigens: dit felle, intelligente kind beschikt over een gezonde
werkelijkheidszin. Rijper dan Lilian, doorvoelt zij stellig al iets van
de volkse wijsheid, dat men met de doden niet leven kan.
Met haar mensenkennis, nog bijgeslepen door haar werk, kan
Nanny als het ware achter het voorhoofd van de ander de gedach-

ten ontcijferen die daar omgaan: „Verbeeld je niet dat ik niet door-heb dat jij hier terwille van papa komt! Vroeger zagen we je immers nooit. Als je werkelijk de moeite waard blijkt, mag je hem mijnent-wege hebben, maar wee je gebeente als je hem niet gelukkig maakt!"

Zij is zich voortdurend ervan bewust dat haar, onder de dekmantel van een boeiend, oriënterend gesprek, door Renate een kritische test wordt afgenomen. Maar het ergert haar niet, integendeel. Het amuseert haar snel te pareren, en op haar beurt de opvattingen van het meisje te toetsen.

Inwendig is ze erdoor geroerd dat die beide tieners, elk op hun eigen manier, zo strijdvaardig voor hun tweede vader op de bres staan.

Deze avond vormt het begin van een hele reeks contacten, die de vriendschap over en weer verstevigen, maar overigens niets in de onderlinge verhouding veranderen.

Reyer begint er een gewoonte van te maken, na afloop van zijn cur-sus af en toe bij Nanny aan te gaan om nog een uurtje te praten. Zij wacht zich er wel voor, te laten merken dat ze er speciaal voor thuisblijft, dat ze uit voorzorg alle dinsdag- en donderdagavonden vrijhoudt.

Zij heeft zichzelf allang moeten bekennen dat het meer is dan vriendschap, wat zij voor Reyer Schuurman is gaan voelen.

Maar ze is veel te trots om hem voortijdig over een onzichtbare grens te lokken door een handig gebruik te maken van de onrust in zijn bloed.

Ze ontvangt hem hartelijk, maar met een bewuste ingetogenheid. Reyer merkt dat terdege op, en trekt er zijn eigen conclusies uit.

Nog altijd werkt in hem de waarschuwing van Neeltje door: Nanny mikt hoog.

Wat verbeeld ik me, denkt hij soms moedeloos, om te spelen met de gedachte aan een vrouw als zij, een vrouw met een stijl en een ont-wikkeling als de hare, een vrouw met een eigen auto, met een inko-men dat misschien wel hoger ligt dan het mijne. Laat ik blij zijn met haar vriendschap, en het verder vergeten. Zij bewaart niet voor niets zo consequent een bepaalde afstand.

Hij moet dan steeds denken aan dat mevrouwtje Maerschalck, dat hij nu al een paar maal heeft meegemaakt, en dat zo anders is.

Oppervlakkiger, en stellig minder fijngevoelig, in haar volkomen negeren van zijn rouw om Regine. Maar verleidelijk in al haar bewegingen en hartveroverend door haar ongekunstelde vrolijkheid, door haar stralende, donkeromlijnde ogen, die voortdurend de zijne plegen te zoeken.

Op Reyers verjaardag komt Nanny voor de tweede maal bij hem thuis, ditmaal in gezelschap van Ernst, die ook graag persoonlijk wilde komen feliciteren. Het is een feest waar een duidelijk waarneembare schaduw over valt, hoezeer iedereen zijn best doet om er iets van te maken.
Behalve de kinderen en Lia's vriend, Jaap Maerschalck, treffen ze in Reyers gezelschap alleen nog de oude mevrouw Van Palland aan, die Nanny nog kent uit de tijd toen Regine met Ferry getrouwd was, maar die ze meer dan vijftien jaar geleden voor het laatst heeft ontmoet.
In de loop van de avond wordt haar uit de gesprekken duidelijk, dat de moeder van Jaap alsnog een feestje wil geven ter ere van Lilians zestiende verjaardag. Ze zal de eerstkomende zaterdag een uitgebreide Indische maaltijd klaarmaken, en alle huisgenoten van het meisje worden geacht van de partij te zijn.
Reyer neemt namens zijn gezin de uitnodiging aan.
Hij schijnt het nog aardig te vinden ook, denkt Nanny, met het gevoel of iemand haar in het hart knijpt.
Overdreven, denkt ze rancuneus, overdreven en uiterst doorzichtig, zoveel drukte te maken voor een 'schoondochter' die met de hakken over de sloot zestien is. Dat dat mens zich niet wat beter weet te bedwingen.
Het geeft haar een primitieve genoegdoening als ze Renate, direct na het vertrek van Jaap, op gedempte toon tegen haar zusje hoort zeggen: „Voor mij hoeft die rijsttafel niet, hoor. Ik ga gewoon naar de soos, zaterdag."
Nanny spitst onwillekeurig de oren, om ook Lia's reactie op te vangen.
„Dat kun je toch niet doen," fluistert die hulpeloos, „dat is toch stijlloos!"
„Als je wilt weten wat stijlloos is," geeft Renate vinnig terug, met een steelse blik naar Reyer, die in een druk gesprek gewikkeld is

met Ernst, „dan moet je er maar eens op letten hoe dat mens met haar ogen draait en met haar benen werkt als ze hier komt – dat is stijlloos."

„Maar Jaap…" begint Lilian ontdaan.

„Jaap is oké," zegt Renate kortaf. De rest van het gesprek ontgaat Nanny, omdat ze door mevrouw Van Palland wordt aangesproken. Haar antwoord komt volkomen mechanisch. Geschrokken van haar eigen heftige reacties, walgt ze plots van de hele situatie.

Het meest vulgaire wat er bestaat, denkt ze minachtend: twee vrouwen die om dezelfde man vechten.

Ze neemt zich voor, meer nog dan voorheen op haar hoede te zijn voor het eigen verlangen, dat haar aandrijft de aandacht van Reyer Schuurman in haar richting te dwingen. Scherper dan ooit beseft ze, geen geluk te wensen dat ten koste moet gaan van haar zelfrespect.

Ze heeft er geen notie van hoe hooghartig ze er op dat moment uitziet.

HOOFDSTUK 31

Renate houdt voet bij stuk; zij weigert eenvoudig te gaan tafelen bij de familie Maerschalck. Reyer verontschuldigt haar bij de gastvrouw als ze zonder haar arriveren: „mijn oudste dochter had helaas al een andere afspraak."

Hij is wel verplicht er deze draai aan te geven, omdat hij bezwaarlijk melding kan maken van het feit dat ze er thuis tot twee maal toe woorden om hebben gehad.

„Maar waaróm wil je dan niet mee?" heeft hij ontstemd gevorst. „Het is allesbehalve aardig tegenover Lilian, en ik meende toch te weten dat je Jaap graag mocht, en ook dat eigenwijze zusje van hem, die Roberta!"

„En toch ga ik niet!" hield Renate koppig vol. „Als je het dan per se weten moet: die moeder ligt me niet, absoluut niet, en ik snap niet wat jij in haar ziet!"

„Wie beweert dat ik wat in haar zie?" reageerde hij kwaad, „ik vind haar een vrouw om je petje voor af te nemen, dat wel. Tien jaar lang weduwe, tien jaar met die twee kinderen optrekken, alle problemen van hun opvoeding alleen opvangen, en er dan zo vrolijk en ondernemend onder blijven!"

„Ja, ondernemend ís ze wel!" sneerde Renate voor ze wegliep, het laatste woord voor zich opeisend.

Haar houding heeft Reyer grenzeloos geïrriteerd. Mag hij misschien een paar kennissen hebben?

Natuurlijk heeft hij evenals Renate opgemerkt dat het levendige vrouwtje min of meer van hem gecharmeerd is, maar hij is daar eerder door gevleid dan geërgerd.

Het is waar: ze is niet bepaald verlegen.

„Noem me toch Jessy!" zei ze bij hun laatste ontmoeting geanimeerd.

Hij heeft daarin bewilligd; nou, en? Hij mag die vrouw nu eenmaal graag, al heeft hij tot dusver zorgvuldig vermeden haar hoe dan ook aan te moedigen.

Hij weet volstrekt niet of hij op de lange duur zijn leven met haar zou willen delen, maar haar toeschietelijkheid, die er naar zijn idee echt niet zo dik opligt dat het aanstotelijk wordt, ervaart hij als balsem op een schrijnende plek.

De plek waar Neeltje van Lieshout zijn besef van eigenwaarde een pijnlijke wond toebracht toen ze suggereerde, nee, met ronde woorden uitsprak, dat Nanny er wel hartelijk voor bedanken zou een flinke stap terug te doen door haar lot aan het zijne te verbinden.

Nanny, die soms zo lief kan zijn, en soms zo hooghartig.

Ofschoon Jessy Maerschalck veel werk gemaakt heeft van haar feest-etentje, wordt het samenzijn in zekere zin een teleurstelling. Het is Jaap die een duidelijk voelbare domper op de stemming zet door telkens zijn vrijmoedige zusje scherp tot de orde te roepen en zijn moeder donkere blikken toe te werpen wanneer die haar vrolijkheid de vrije teugel laat.

Als Reyer later met de kinderen naar huis terugrijdt in de auto die hij voor deze gelegenheid gehuurd heeft, probeert hij Lilian te polsen. Jasper is op de achterbank in slaap gevallen; ze kunnen dus vrijuit praten.

„Doet Jaap altijd zo tegen zijn zusje?" informeert hij.

„Och, welnee. Maar hij is als de dood dat zij in ons bijzijn weer van die stomme toespelingen zal gaan maken," verklaart Lia.

„Eerlijk gezegd ergert hij zich aan zijn moeder net zo goed als aan Roberta. Vanavond zei hij nog tegen me dat die twee in hun onnadenkendheid schijnen te menen, dat wat vóór hun tijd gebeurd is, helemáál niet gebeurd is. Gelukkig is hij zelf heel anders. Maar hij weet dan ook meer van ons verdriet om mama af dan die twee anderen. We hebben toen aan het strand wel zóveel afgepraat, samen, pap. Jij vindt Jaap toch ook aardig, hè?"

„Ja, hij lijkt me een fijne, serieuze knul," geeft Reyer kortaf toe.

Dan valt de stilte weer tussen hen, en spinnen ze verder aan hun eigen gedachten.

De woensdag daarop gaat Renate een middagje naar Arnhem om te winkelen.

Op haar terugweg naar het station loopt ze op het onverwachtst Nan van Lieshout tegen het lijf. Ze blijven even staan om een praatje te maken.

„Kómt u nog eens een keer?" vraagt Renate.

„Kom jij maar eens bij mij," stelt Nanny daar tegenover. „O, dat wil ik best," zegt Renate, „maar daarom kunt u toch evengoed wel af en toe bij ons aankomen?"

Juist als bij hun vorige treffen, heeft Nanny het gevoel dat er een verborgen bedoeling schuilt achter de woorden van het meisje, een peilen van haar houding.

Ze besluit open kaart te spelen.

„Liever niet," zegt ze eerlijk. „Onlangs, op je vaders verjaardag, heb ik het besluit genomen tot elke prijs de schijn te vermijden hem na te lopen. Maar ik zou het leuk vinden als jij een keer mijn flat kwam bekijken. Wat denk je van zaterdag? Dan zal ik je Italiaanse pizza's leren klaarmaken, daar was je in geïnteresseerd, als ik me wel herinner."

„Ja, ik ben gek op koken. Kent u nog meer Italiaanse recepten?"

„Meer dan genoeg. Ik heb jarenlang een vriend gehad in Rome; die heeft me een keer een gerenommeerd Italiaans kookboek cadeau gedaan; vandaar."

Ze maken een duidelijke afspraak.

Thuisgekomen vertelt Renate: „Ik ben bij mama's vriendin in Arnhem uitgenodigd, voor aanstaande zaterdag."

„Jij alleen?" vraagt Reyer.

Ze kijkt hem onderzoekend aan. „Ja, ik alleen."

„Ik mag ook nog een keer komen, maar dan weer een heel weekend," troeft Jasper.

Lilian zegt niets.

Reyer betrapt zich op een gevoel van rivaliteit. De laatste keer dat híj in Arnhem was, is hij bij Nanny voor een dichte deur gekomen. Dat heeft hem er pijnlijk bij bepaald dat het maar niet vanzelf spreekt dat zij altijd beschikbaar is wanneer hij een beroep op haar wenst te doen.

Anderzijds prikkelt het hem, dat Renate zo duidelijk haar afkeur en voorkeur ten opzichte van zijn relaties etaleert. Later op de dag, als hij haar alleen treft, drijft die heimelijke irritatie hem er toe, haar uit te dagen: „Vorige week zaterdag moest je met alle geweld naar de soos, maar deze keer schijnt dat geen punt van overweging te zijn."

Zodra hij het gezegd heeft, beseft hij hoe kleingeestig het is, haar op deze manier aan te vallen, te meer daar zij de vorige week in tweede instantie de reden van haar weigering om mee te gaan eerlijk heeft opgebiecht.

Maar de woorden zijn niet meer terug te halen.

Renate kijkt hem onvervaard aan: „Het spijt me dat ik je te vlug af ben," zegt ze, „maar ík heb mijn keus al gemaakt."

Reyer voelt zich witheet worden van drift. Wat weet dat kind van zijn dilemma?

„Uit mijn ogen, brutale snotneus!" bekt hij woedend, „waar bemoei je je mee?"

Renate rent de trap op en verdwijnt in haar kamer. Ze komt niet meer tevoorschijn, ook niet nadat Jasper aan haar deur is wezen zeggen dat de koffie klaar is.

Dan trekt Reyer het boetekleed aan en gaat zelf naar haar toe.

„Ik kom je mijn excuses aanbieden voor mijn aandeel in ons conflict," zegt hij.

Dat breekt haar koppigheid. Ineens heeft ze rode ogen en een verdachte trilling in haar stem als ze bekent: „Ik had dat óók niet moeten zeggen."

Dan, in één adem door, verklaart ze hem het hoe en waarom van haar houding, vertelt ze hoe ze tijdens al die moeilijke maanden sinds het overlijden van haar moeder zijn hartverscheurend alleenzijn van dag tot dag heeft meegevoeld, vertelt ze hoezeer ze hem al die tijd een nieuw geluk gegund heeft, hoe ze ervoor gebeden heeft dat hij ergens zijn troost zou mogen vinden.

Maar ook, in haastige, half-beschaamde zinnetjes, rept ze van haar vrees dat hij – in plaats van troost te vinden voor zijn gemis – er op een bepaald adres slechts desillusies en een nieuw verdriet zou bijwinnen.

„Je bent lief," zegt Reyer geroerd als ze tenslotte ademloos zwijgt, „maar ook wel een tikkeltje bevooroordeeld, nietwaar?"

„Nee pap. Het gáát niet om mijn sympathie of antipathie, echt niet. Maar Jaap…"

Ze verkeert kennelijk in tweestrijd.

„Wát Jaap?"

„Lilian weet het niet eens, maar ik moet het je nu wel zeggen. Jaap heeft mij gewaarschuwd, dat zijn moeder met alle beschikbare mannen flirt, alleen om zichzelf te bewijzen dat ze nog aantrekkelijk is. Maar als het erop aankomt, zegt Jaap, denkt ze niet aan een tweede huwelijk, want ze heeft een geweldig pensioen sinds de dood van zijn vader, en dat wil ze maar liever houden ook. Volgens Jaap heeft zij om die reden al een paar keer een man laten vallen, die ze eerst had aangemoedigd. Hij kan die manier van doen niet uitstaan, en ik begrijp dat, speciaal nu jij er het slachtoffer van dreigt te worden!"

Wat Reyer het meest van al beroert tijdens Renates emotioneel betoog, is dat haar optreden zulk een sprekende gelijkenis vertoont met dat van Regine, die na een vlaag van koppigheid op precies dezelfde manier kon losbarsten, om zich in één adem volkomen leeg te praten, waarna het beter tussen hen placht te zijn dan ooit tevoren. Regine, die hem ineens weer zó nabij is, dat hij overspoeld wordt door een hoge golf van heimwee en zich verbijsterd afvraagt hoe hij de gedachte aan een ander zelfs maar heeft kunnen overwegen.

Toch weet hij uit ervaring dat er steeds weer ogenblikken zullen komen waarin zijn verlangen zich van het verleden zal afwenden naar de toekomst.

In het licht van wat hij zojuist gehoord heeft, begrijpt hij dat hij er goed aan zal doen, Jessy Maerschalck in het vervolg niet al te serieus te nemen. Hij verbaast zich er min of meer over, dat Renates onthulling hem zo weinig doet.

„Niks slachtoffer," reageert hij tenslotte nuchter, als hij zijn indrukken en emoties op een rijtje heeft gezet, „wat mevrouw Maerschalck doet of niet doet zal mijn hart niet breken, meisje; hoogstens betekent het een prikje voor mijn ijdelheid. Maar misschien is het wel goed dat deze dingen eens worden uitgesproken tussen ons. Al geef ik toe dat ik me dikwijls gruwelijk incompleet voel, voorlopig ben ik nog te vol van je moeder om een nieuwe koers uit te zetten, Renate; ik heb me dat zojuist weer eens gerealiseerd. Maar ik beloof je dat ik niet over één nacht ijs zal gaan, als het zover is."

Voorlopig blijft het leven vrijwel op de oude voet voortgaan.

Al zit Renate in de examenklas, ze leert zo makkelijk dat ze zonder bezwaar af en toe een halve dag of een avond in Arnhem kan doorbrengen.

Ze heeft verlof gekregen Nanny te tutoyeren, en beiden beleven plezier aan hun contact, dat weldra tot een soort kookcursus is uitgegroeid. Ze leren elkaar over en weer hun keukenfoefjes, en verorberen later eensgezind wat ze gecreëerd hebben.

„Breng Lia óók eens mee," heeft Nan al een paar maal aangespoord. Maar Lia bewaart nog steeds een grote terughoudendheid; zij verschuilt zich hardnekkig achter scripties en tentamens. Jasper heeft van dat soort remmingen geen last. Als Nanny op een avond Renate met de auto thuisbrengt, komt hij zijn bed uit om haar de belofte af te bedelen dat de beurt nu weer aan hem is.

Hij kríjgt zijn beloofde weekend, samen met Egbert; een weekend, onder meer gevuld met een tochtje naar het safaripark, een film en een heleboel spelletjes. Later in de winter herhalen ze het evenement nog een en andermaal. Ook wanneer Egbert niet van de partij is, blijkt Jasper zich bij Nanny uitstekend te amuseren, en voor haar voorziet zijn gezelschap in een behoefte.

Reyer is inmiddels doordrongen geraakt van het besef dat het tijd kost om alle draadjes los te knopen die hem aan het verleden verbinden, en met voorzichtige strategie deel na deel een nieuw bruggehoofd te bouwen, een hoopvolle wig in de toekomst. Het blijkt een proces dat slechts langzaam vordert, langzaam als groeien en rijpen.

Als Jessy Maerschalck hem vleit bij hun schaarse ontmoetingen, speelt hij galant en wat ironisch het balletje terug, maar inwendig

378

neemt hij steeds meer afstand van haar. Al is zij charmant, ze mist het niveau van Regine.

Hij is trouw gebleven aan de gewoonte om na zijn cursus regelmatig een poosje bij Nanny te ankeren om van gedachten te wisselen. Kon hij aanvankelijk nergens anders over praten dan over Regine, gaandeweg worden hun gesprekken algemener; tal van actuele zaken komen tussen hen aan de orde. Soms zijn ze het eens, soms kruisen ze de degens in een felle discussie, maar altijd geven die gesprekken een beter inzicht in de levensbeschouwing en de algemene ontwikkeling van de ander, die uiteindelijk toch niet zover uiteen blijken te liggen, als Reyer gedacht heeft toen hij zich in een dieptepunt van onzekerheid bevond.

Het gaat hem echter al meer prikkelen, dat Nanny hem nog steeds geen blik gunt in haar verleden en haar meest persoonlijke gevoelens. Na een kortstondige kentering in het begin van de herfst is zij teruggevallen in een uiterst neutrale houding.

Daarachter moeten echter heftige emoties rondsluipen, wachtend op een gelegenheid om uit te breken. Reyers zesde zintuig registreert tenminste herhaaldelijk dat de cellen van haar persoonlijkheid met zo'n sterke stroom geladen zijn, dat de vonken er als het ware elk moment van zouden kunnen afspatten.

Hij oefent geduld, maar vergeefs. Graag zou hij haar met harde hand door elkaar rammelen, en vragen: 'Wanneer komt er nu eens een vervolg op die ene moeizame bekentenis die je maanden geleden aan je geslotenheid ontwrong? Wanneer zul je eindelijk vertrouwen met vertrouwen belonen?'

Ofschoon deze neiging telkens terugkeert, stelt hij het van week tot week uit, vrezend dat het hek van de dam zal zijn zodra hij Nanny met een vinger aanraakt. Gedachten aan haar prachtig gelijnde gestalte – verreweg haar grootste schoonheid – hebben hem gedurende deze lange winter wel zo vaak en zo intens beziggehouden, dat hij op de eigen zelfbeheersing – eenmaal een zekere grens voorbij – niet al te zeer vertrouwen durft.

Lange tijd schroomt hij het risico te nemen hun vriendschap te verspelen door haar onder druk te zetten, maar tenslotte brengt hij het niet meer op de kool en de geit te sparen. Op een avond in het vroege voorjaar neemt hij in een impuls haar beide polsen in een forse greep, en zegt kort: „En nu jij."

Nanny wordt beurtelings rood en bleek. „Wat bedoel je?"
„Dat het tijd wordt dat jíj nu eens iets wezenlijks over jezelf vertelt, als het je ernst is met onze vriendschap. Ik heb je honderd keer een handvat gegeven, maar jij wist het altijd wel zó te draaien, dat je diepste zelf buiten schot bleef!"
„Ik héb niets te vertellen," verweert zij zich.
Haar vasthoudendheid windt Reyer op tot groter heftigheid.
„Dat lieg je!" zegt hij fel. „Ik heb me lang ingehouden, maar nu zal ik je een scène maken die er niet om liegt. Eén keer heb je me in je hart laten kijken, toen je Jasper bij je wou hebben, toen je bekende wat een brok verdriet het voor je betekende, nooit een kind van jezelf te hebben gehad. Tóen was je eerlijk – en waarachtig, op dat moment híeld ik van je. Maar later kwam die trots je weer parten spelen, later klom je weer terug op je voetstuk van geslaagde, onaf- hankelijke vrouw. Maar ik zeg je dat ik niet langer genoegen neem met die hoogmoedige geslotenheid van je! Als jij het deksel op je ziel angstvallig dicht blijft schroeven, zal ik desnoods de bodem eronder uitslaan! Er valt wel dégelijk iets te vertellen over jouw leven. Over je liefde voor die man met wie je jarenlang een verhou- ding had, over je pijn en je vernedering toen je aan de dijk werd gezet, over je honger naar de warmte van een medemens toen je alleen in de kou kwam te staan, en niets meer had om naar toe te leven.
Denk niet dat jij de enige bent met een onderhuidse wond die af en toe nog bloedt; ik heb er óók een, en dat weet je. Maar het leven gaat door – voor jou, voor mij – alleen zul jij nog moeten leren je ervoor open te stellen.
Ik ga nu weg, zodat je gelegenheid krijgt om over al deze dingen na te denken. Maar ik kom niet terug. Je zult bij mij moeten komen als je wilt dat we verder komen op onze weg, in plaats van voortdurend pas op de plaats te blijven maken.
Je komt bij mij – en anders is dit ons afscheid. Ik begrijp heel goed dat het een verschrikkelijk moeilijke stap zal zijn voor iemand als jij. Maar eens zul je het toch moeten leren."
Tot haar verbijstering vertrekt hij inderdaad, zodra hij is uitgespro- ken. Het dringt pas goed tot haar door als ze de buitendeur van de flat in het slot hoort vallen. Ze kijkt verdwaasd naar haar polsen, die rood zijn en pijnlijk van Reyers hartstochtelijke greep.

„O God!" zegt ze, vertwijfeld en extatisch tegelijk. Het is meer dan een stopwoord, veel meer.

Reyer slaapt onrustig die nacht, en worstelt zich een eindeloze woensdag door, hakend naar de avond. Maar wie er komt, geen Nanny. Evenmin is er de volgende morgen een brief bij de post. Hij moet vechten tegen de wankelmoedige gedachte, het toch nog verkeerd te hebben aangepakt. Weer volgt er een schooldag waarop hij met een lijf vol onrust voor de klas staat.

Die avond moet hij opnieuw naar zijn pedagogische cursus, maar zijn hoofd staat er niet naar, het komt hem voor dat hij in Arnhem niets meer te zoeken heeft nu hij zichzelf de weg naar Nanny heeft afgesneden.

Als hij vanuit de stationshal het trottoir oploopt, prijst hij zich echter gelukkig dat hij toch gegaan is, want aan de overkant van de rijbaan staat zij, en wacht op hem.

Ze ziet er moe en gespannen uit, alsof ze deze twee nachten vrijwel niet geslapen heeft. Niet knap is haar gezicht, en al lang niet meer rimpelloos jong, maar hoe oneindig dierbaar is het hem al geworden!

Nanny ontdekt hem een ondeelbaar ogenblik later dan hij háár ontdekte.

Zij leest zijn helle vreugde om haar komst van zijn trekken af, en het is een openbaring voor Reyer, te zien hoe dat moede gezicht zijn eigen blijdschap en opluchting reflecteert, en plotseling tot stralender leven komt.

Passerend verkeer dwingt hen, even te blijven wachten, maar hun blikken laten elkaar niet los. Reyer ervaart in dat korte tijdsbestek hoe wáár het is dat de eerste kus niet met de lippen maar met de ogen gegeven wordt.

Hij blijft staan waar hij stond toen hij haar opmerkte, in een dooie hoek naast de ingang van een bagageloods, intuïtief aanvoelend dat Nanny ook die laatste paar meters zelf zal willen overbruggen, nu ze reeds zó ver gekomen is op haar weg naar hem toe. Maar wanneer ze eenmaal bij hem is, trekt hij haar zonder vorm van protest in zijn armen.

„Ik ben hard voor je geweest," zegt hij, „maar ik kon niet meer verder zonder je vertrouwen, Nanny, ik moest wel."

Zij slaat haar merkwaardige ogen naar hem op. „En nu ik tenslotte bereid ben om vrijuit te praten," antwoordt ze zacht, met een bijna kinderlijke verbazing in de buiging van haar stem, „nu weet ik eigenlijk nog maar één ding te vertellen dat er werkelijk op aankomt."

Reyers armen sluiten zich nog vaster om haar heen. „Zeg het maar," helpt hij.

„Dat ik van je hou…"

Haar karakter kennend, weet hij het geschenk van deze vrijwillig prijsgegeven woorden op hun hoge waarde te schatten, en hij beseft, haar zwaarbevochten oprechtheid alleen te kunnen honoreren met eenzelfde dure, onvoorwaardelijke eerlijkheid.

„Dat is het waar ik sinds maanden om gebeden heb," zegt hij.